D1158697

OUTLANDER

–8–

ÉCRIT AVEC LE SANG
DE MON CŒUR

—

PARTIE 1

De la même auteure

Le Chardon et le Tartan, Libre Expression, 1997, réédition 2014
Le Talisman, Libre Expression, 1997, réédition 2015
Le Voyage, Libre Expression, 1998, réédition 2015
Les Tambours de l'automne, Libre Expression, 1998, réédition 2015
La Croix de feu, parties 1 et 2, Libre Expression, 2002, réédition 2015
Un tourbillon de neige et de cendres, parties 1 et 2, Libre Expression, 2006,
    réédition 2015
Lord John – Une affaire privée, Libre Expression, 2008 ; réimprimé sous le titre
    Lord John et une affaire privée, 2012
Lord John – La Confrérie de l'épée, Libre Expression, 2008 ; réimprimé sous le
    titre *Lord John et la Confrérie de l'épée*, 2012
L'Écho des cœurs lointains, partie 1 : *Le prix de l'indépendance*, Libre Expression,
    2010, réédition 2015
L'Écho des cœurs lointains, partie 2 : *Les fils de la liberté*, Libre Expression, 2011,
    réédition 2015
Lord John et la Marque des démons, Libre Expression, 2012
Lord John et le Prisonnier écossais, Libre Expression, 2015

Diana Gabaldon

OUTLANDER

—8—
ÉCRIT AVEC LE SANG
DE MON CŒUR

PARTIE 1

Traduit de l'anglais (États-Unis)
par Philippe Safavi

Libre Expression

Une société de Québecor Média

Catalogage avant publication de Bibliothèque et Archives nationales du Québec et Bibliothèque et Archives Canada

Gabaldon, Diana
    [Romans. Extraits. Français]
    Outlander
    Traduction de : Written in my own heart's blood.
    Sommaire : 8.1. Écrit avec le sang de mon cœur.
    ISBN 978-2-7648-1068-2 (vol. 8.1)
    I. Safavi, Philippe. II. Gabaldon, Diana. Written in my own heart's blood. Français. III. Titre. IV. Titre : Écrit avec le sang de mon cœur.

PS3557.A22A3 2014   813'.54   C2014-941936-8

Titre original : *Written in My Own Heart's Blood*
Traduction : Philippe Safavi
Édition : Johanne Guay
Révision et correction : Céline Bouchard et Nicole Henri
Couverture : Axel Pérez de León
Mise en pages : Clémence Beaudoin
Photo de l'auteure : Barbara Schnell

Cet ouvrage est une œuvre de fiction ; toute ressemblance avec des personnes ou des faits réels n'est que pure coïncidence.

Tous droits de traduction et d'adaptation réservés ; toute reproduction d'un extrait quelconque de ce livre par quelque procédé que ce soit, et notamment par photocopie ou microfilm, est strictement interdite sans l'autorisation écrite de l'éditeur.

© Diana Gabaldon, 2014
Publié avec l'accord de l'auteure, c/o BAROR INTERNATIONAL, INC., Armonk, New York, États-Unis
© Éditions J'AI LU pour la traduction en langue française, 2016
© Les Éditions Libre Expression pour l'édition française au Canada, 2015

Les Éditions Libre Expression
Groupe Librex inc.
Une société de Québecor Média
La Tourelle
1055, boul. René-Lévesque Est
Bureau 300
Montréal (Québec) H2L 4S5
Tél. : 514 849-5259
Téléc. : 514 849-1388
www.edlibreexpression.com

Dépôt légal – Bibliothèque et Archives nationales du Québec et Bibliothèque et Archives Canada, 2015

ISBN : 978-2-7648-1068-2

Distribution au Canada
Messageries ADP inc.
2315, rue de la Province
Longueuil (Québec) J4G 1G4
Tél. : 450 640-1234
Sans frais : 1 800 771-3022
www.messageries-adp.com

Je dédie ce livre à TOUS ceux qui (outre moi) se sont démenés comme des forcenés pour qu'il parvienne entre vos mains, et plus particulièrement à

Jennifer Hershey (responsable de l'édition, États-Unis)
Bill Massey (responsable de l'édition, Grande-Bretagne)
Kathleen Lord (alias « Hercule », réviseure)
Barbra Schnell (traductrice et camarade de tranchée, Allemagne)
Catherine MacGregor, Catherine-Ann MacPhee
et Adhamh Ò Broin (experts en gaélique)
Virginia Norey (alias « la Déesse du livre », dessinatrice-maquettiste)
Kelly Chian, Maggie Hart, Benjamin Dreyer, Lisa Feuer
et le reste de l'équipe de production de Random House
Ainsi qu'à
Beatrice Lampe und Petra Zimmermann, à Munich.

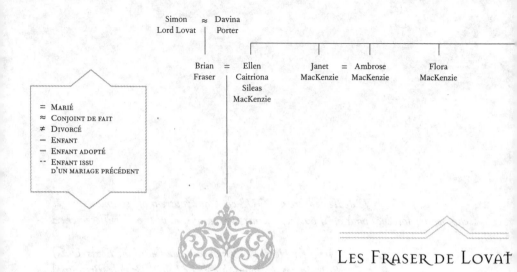

Simon
Lord Lovat ≈ Davina
Porter

Brian = Ellen   Janet = Ambrose   Flora
Fraser Caitriona   MacKenzie MacKenzie   MacKenzie
        Sileas
        MacKenzie

= Marié
≈ Conjoint de fait
≠ Divorcé
— Enfant
— Enfant adopté
-- Enfant issu
   d'un mariage précédent

Les Fraser de Lovat

La généalogie
de Outlander

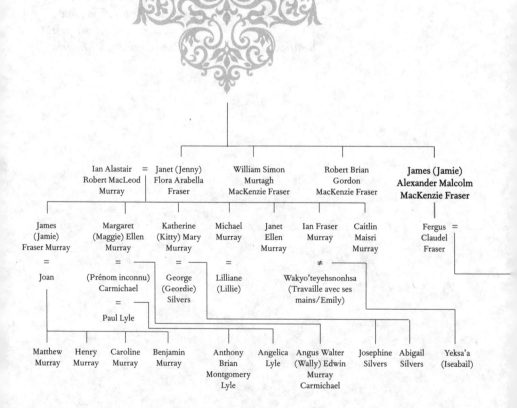

Ian Alastair = Janet (Jenny)	William Simon	Robert Brian	James (Jamie)
Robert MacLeod	Flora Arabella	Murtagh	Gordon	Alexander Malcolm
Murray	Fraser	MacKenzie Fraser	MacKenzie Fraser	MacKenzie Fraser

James   Margaret   Katherine   Michael   Janet   Ian Fraser   Caitlin   Fergus =
(Jamie)   (Maggie) Ellen   (Kitty) Mary   Murray   Ellen   Murray   Maisri   Claudel
Fraser Murray Murray   Murray   Murray   Murray   Fraser

=   =   =   =   ≠

Joan   (Prénom inconnu) George   Lilliane   Wakyo'teyehsnonhsa
               Carmichael   (Geordie)   (Lillie)   (Travaille avec ses
                                 Silvers   mains/Emily)
               =
               Paul Lyle

Matthew   Henry   Caroline   Benjamin   Anthony   Angelica   Angus Walter   Josephine   Abigail   Yeksa'a
Murray   Murray   Murray   Murray   Brian   Lyle   (Wally) Edwin   Silvers   Silvers   (Iseabail)
                                               Montgomery   Murray
                                               Lyle   Carmichael

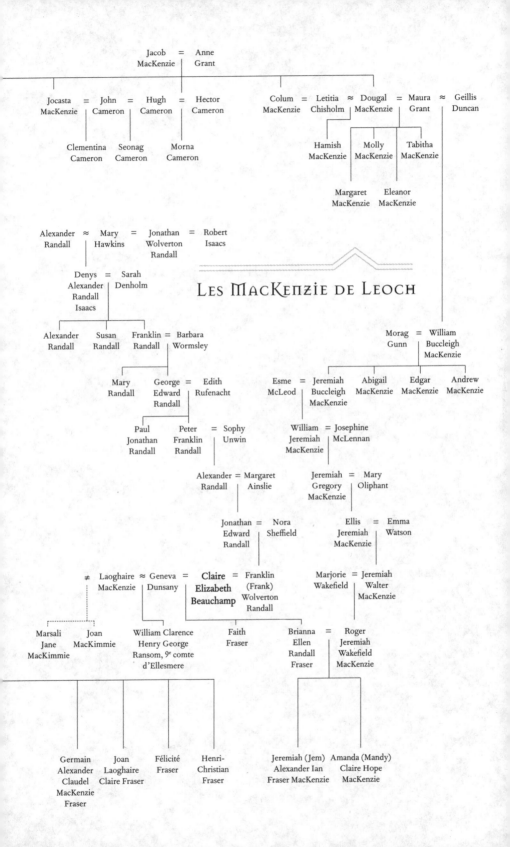

LES MACKENZiE DE LEOCH

PROLOGUE

DANS LA LUMIÈRE DE L'ÉTERNITÉ, le temps ne projette aucune ombre.

Vos vieillards songeront des songes ; vos jeunes hommes verront des visions.
Mais les vieilles, elles, que voient-elles ?

Nous voyons la nécessité et nous faisons ce qu'il y a à faire.

Les jeunes femmes ne voient pas, elles sont ; la source de la vie s'écoule à travers elles.

Nous gardons la source, nous protégeons la lumière que nous avons allumée, la flamme que nous sommes.

Qu'ai-je vu ? Tu es la vision de ma jeunesse, le rêve constant de tous mes âges.

Me voici à nouveau sur le seuil de la guerre, citoyenne de nulle part, hors du temps, sans autre pays que le mien... et cette terre bordée non par l'océan mais par le sang, dont les seules frontières sont les contours d'un visage aimé depuis longtemps.

1

LE POÏDS DES SOUVEПIRS

16 juin 1778
Quelque part en forêt, entre Philadelphie et Valley Forge

UNE PIERRE À LA MAIN, Ian Murray contempla le terrain qu'il avait choisi. C'était une petite clairière isolée, située en amont d'un entassement de grands rochers couverts de mousse, à l'ombre des sapins et au pied d'un grand cèdre rouge. Sans être inaccessible, on ne s'y promenait pas par hasard. C'était ici qu'il conduirait sa famille.

Fergus d'abord. Lui seul, peut-être. Mam l'avait élevé depuis qu'il avait dix ans. Avant elle, il n'avait pas eu de mère. Il la connaissait depuis plus longtemps que Ian et l'avait aimée autant que lui. *Peut-être même plus.* Ses remords accentuaient encore sa peine. Fergus était resté aux côtés de Mam à Lallybroch. Il avait veillé sur elle et sur le domaine, alors que lui était parti. La gorge nouée, il s'avança dans la petite clairière et déposa la pierre en son centre. Puis il recula et examina l'effet.

Non, cela n'allait pas. Il fallait deux cairns. Oncle Jamie et Mam étaient frère et sœur. Ici, la famille pourrait se recueillir sur leurs deux tombes et les pleurer ensemble. Peut-être que d'autres viendraient pour se souvenir et leur rendre hommage, ceux qui avaient connu et aimé Jamie Fraser, mais pour qui Jenny Murray ne serait qu'un trou dans la...

Une douleur vive lui transperça le cœur quand il imagina sa mère enfouie sous terre. Elle s'atténua quand il se souvint qu'elle ne serait pas vraiment dans cette tombe, pour le transpercer à nouveau à l'idée de la savoir au fond de l'océan. La vision de sa mère et de son oncle se noyant était insoutenable. Peut-être s'étaient-ils accrochés l'un à l'autre, tentant désespérément de rester en surface le plus longtemps possible...

— *A dhia !* cria-t-il.

Il déposa une deuxième pierre et alla aussitôt en chercher d'autres. Il avait déjà vu des gens se noyer.

L'été était chaud. Les larmes se mêlaient à la sueur sur son visage et il s'arrêtait régulièrement pour s'essuyer le nez sur sa manche. Il avait noué un mouchoir sur son crâne pour retenir ses cheveux et éviter que sa transpiration ne lui pique les yeux. Il était trempé avant d'avoir entassé une bonne vingtaine de pierres sur chaque monticule.

Avant que leur père ne meure, ses frères et lui lui avaient construit un beau cairn dans le cimetière de Lallybroch, derrière la stèle sculptée qui portait son nom (et tous ses prénoms, même si cela avait coûté plus cher). Plus tard, lors des funérailles, les membres de la famille, suivis des métayers puis des domestiques, avaient défilé les uns après les autres pour ajouter leur pierre au poids du souvenir.

Donc, le premier serait Fergus. Ou… non! À quoi pensait-il? La première devait être tante Claire. Bien que n'étant pas écossaise, elle savait ce qu'était un cairn et serait peut-être réconfortée en voyant celui d'oncle Jamie. Oui, d'abord tante Claire, puis Fergus. Ce dernier en avait le droit: oncle Jamie était son père adoptif. Ensuite, Marsali et les enfants. Peut-être Germain était-il désormais assez grand pour accompagner Fergus. À dix ans, c'était presque un homme. En tout cas, il était assez grand pour comprendre et être traité comme un homme. Oncle Jamie était son grand-père. C'était conforme à la coutume.

Essoufflé, il recula de quelques pas et s'essuya le visage. Des insectes tournoyaient autour de lui en sifflant dans ses oreilles, avides de son sang. Ils se gardaient néanmoins de le piquer. Il avait ôté tous ses vêtements, ne conservant que son pagne, et s'était badigeonné le corps de graisse d'ours et de menthe, à l'iroquoise.

Il leva son visage vers le feuillage odorant du grand arbre.

— Veille sur eux, ô esprit du grand cèdre, murmura-t-il en dialecte iroquoien. Protège leurs âmes et garde leur présence près de toi aussi vivante que tes branches.

Il se signa puis fouilla dans l'épais terreau meuble autour de lui. Il lui fallait encore des pierres, au cas où un animal viendrait gratter les cairns et en disperserait quelques-unes. Dispersées comme ses pensées, qui erraient sans cesse d'un visage à l'autre. Sa famille, les habitants de Fraser's Ridge (y retournerait-il un jour?), Brianna. Mon Dieu, Brianna…

Il se mordit la lèvre et sentit un goût de sel. Il se lécha puis se remit au travail, cherchant ici et là. Brianna était à l'abri, avec Roger Mac et les enfants. Comme il aurait aimé lui demander conseil… et encore plus à Roger Mac!

Vers qui se tournerait-il désormais quand il aurait besoin d'aide pour veiller sur tous les autres?

Il songea à Rachel et le nœud dans sa gorge se desserra légèrement. Oui, si Rachel était avec lui… Elle était plus jeune que lui, ayant à peine dix-neuf ans, et, étant quakeresse, elle avait des idées très étranges sur les usages du monde. Néanmoins, avec elle à ses côtés, il aurait les deux pieds bien ancrés au sol. Encore fallait-il qu'elle veuille de lui. Il lui restait des choses à lui avouer et la perspective de cette conversation le remplissait d'angoisse.

Le visage de sa cousine Brianna réapparut dans son esprit et il s'y attarda: grande, avec un long nez et une ossature saillante comme son père… Ce qui invoqua l'image de son autre cousin, le demi-frère de Brianna. Bigre, William! Que faire de lui? Il ignorait sans doute la vérité, que Jamie Fraser était son vrai père. Était-ce à lui de le lui dire? De le conduire jusqu'ici et de lui expliquer ce qu'il avait perdu?

Il dut gémir sans s'en rendre compte, car son chien Rollo redressa sa tête massive et l'observa l'air inquiet.

— Là encore, je ne sais pas quoi faire, lui expliqua-t-il. Chaque chose en son temps, pas vrai ?

Rollo secoua son épaisse fourrure pour chasser les mouches, reposa sa tête sur ses pattes avant et reprit sa méditation paisible.

Ian se remit au travail, laissant ses pensées couler avec la sueur et les larmes. Il ne s'arrêta que lorsque le soleil couchant effleura le sommet de ses cairns, épuisé mais plus apaisé. Les deux tumulus lui arrivaient aux genoux, petits mais concrets.

Il resta immobile un moment, la tête vide, écoutant les oiseaux qui s'affairaient dans les hautes herbes et le souffle du vent dans les branches. Puis il expira profondément, s'accroupit et toucha l'un des cairns.

— *Tha gaol agam oirbh, a Mhàthair*, dit-il doucement. Mon amour est sur toi, Mère.

Il ferma les paupières et posa sa main écorchée sur l'autre monticule. La terre qui pénétrait dans ses plaies lui raidissait les doigts et lui procurait une sensation étrange, comme s'il pouvait les enfoncer sous les pierres et toucher ce dont il avait besoin.

Il respira lentement, sans bouger, puis rouvrit les yeux.

— Aide-moi, oncle Jamie, dit-il. Je ne crois pas pouvoir y arriver tout seul.

2

LE SALE BÂTARD

WILLIAM RANSOM, NEUVIÈME COMTE D'ELLESMERE, vicomte d'Ashness et baron de Derwent, se rua dans Market Street en jouant des coudes dans la foule, indifférent aux plaintes des passants qu'il bousculait.

Il ignorait où il allait et ce qu'il ferait une fois qu'il y serait. Il ne savait qu'une chose : s'il restait sur place, il exploserait.

Sa tête l'élançait tel un furoncle enflammé. Tout en lui palpitait : sa main (il avait dû casser quelque chose, peu importait quoi) ; son cœur, qui martelait sa poitrine ; ses orteils (dans quoi avait-il donné un coup de pied ?). Pour faire bonne mesure, il en donna un autre dans un pavé déchaussé, le projetant au milieu d'un troupeau d'oies et déclenchant un concert de cacardements furieux. Les volatiles contre-attaquèrent en sifflant, crachant et lui frappant les mollets à grands coups d'ailes.

La foule s'écarta aussitôt pour éviter le nuage de plumes et de fientes. Outrée, la gardienne des oies lui asséna un coup de houlette sur l'oreille.

— Bâtard ! hurla-t-elle. Que le diable t'emporte, *dreckiger bastard* !

Cette opinion fut reprise par plusieurs autres voix indignées et William bifurqua rapidement dans une ruelle, poursuivi par les insultes et les caquetages.

Il se frotta l'oreille, se cognant aux façades de part et d'autre de l'allée étroite. Il n'entendait plus qu'un mot qui résonnait de plus en plus fort dans sa tête : *bâtard*.

— Bâtard! s'écria-t-il. Bâtard, bâtard, bâtard!

Hurlant à pleins poumons, il martela le mur en brique le plus proche de coups de poing.

— Qui est un bâtard ? demanda une voix derrière lui.

Il fit volte-face et vit une jeune femme l'observant avec curiosité. Elle l'examina de haut en bas, notant au passage sa respiration saccadée, les taches de sang sur les revers de son uniforme, les traînées de fientes d'oie sur ses bas. Son regard s'attarda un instant sur les boucles d'argent de ses souliers puis remonta vers son visage avec un regain d'intérêt.

— Moi, répondit-il d'une voix amère.

— Vraiment ?

Elle s'écarta de l'embrasure de la porte devant laquelle elle avait attendu et s'approcha. Elle était grande, mince, avait de jolis seins hauts et fermes que l'on distinguait clairement sous la fine mousseline de sa robe. Elle portait un jupon en soie, mais pas de corset. Pas de bonnet non plus; sa chevelure retombait librement sur ses épaules. Une putain.

— J'ai toujours eu un faible pour les bâtards, dit-elle en lui touchant légèrement le bras. Vous êtes plutôt quel genre de bâtard, un coquin ou un vilain ?

— Un misérable bâtard, rétorqua-t-il.

Il fit une mine renfrognée en la voyant rire. Elle s'en aperçut, mais ne se laissa pas dissuader.

— Venez, dit-elle en le prenant par la main. Ce qu'il vous faut, c'est un petit remontant.

Il la vit baisser les yeux vers ses phalanges écorchées et sanglantes. Elle se mordit la lèvre, dévoilant une rangée de petites dents blanches. Elle ne parut pas effrayée pour autant. Malgré lui, il se laissa entraîner vers le porche sombre qu'elle avait quitté un peu plus tôt.

Pourquoi pas, après tout ? pensa-t-il avec une profonde lassitude. *Plus rien n'a d'importance.*

3

Où, comme d'habitude, les femmes ramassent les morceaux

17 Chestnut Street, Philadelphie
Résidence de lord et de lady John Grey

WILLIAM AVAIT QUITTÉ LES LIEUX comme un coup de tonnerre et la maison semblait avoir été frappée par la foudre. Pour ma part, j'avais l'impression d'avoir survécu à un violent orage. J'avais les nerfs en pelote et les cheveux dressés sur la tête.

Jenny Murray était entrée au moment où William sortait. Si ma surprise de la voir était moins brutale que la série de chocs que je venais d'encaisser, je n'en restai pas moins sans voix. Je fixai mon ancienne belle-sœur avec de grands yeux ronds... quoique, en y repensant bien, elle était toujours ma belle-sœur puisque Jamie était toujours vivant. *Vivant !*

Je l'avais tenu dans mes bras dix minutes plus tôt, et le souvenir de son corps contre le mien vibrait encore en moi tel le courant électrique dans un générateur. J'avais vaguement conscience de sourire comme une illuminée, en dépit du chaos, des scènes effroyables, du désarroi de William (si on pouvait qualifier de « désarroi » une telle explosion de colère), du danger encouru par Jamie et d'une certaine appréhension quant à ce qu'allaient dire Jenny et Mme Figg, la gouvernante et cuisinière de lord John.

Mme Figg, à la forme sphérique et à la peau d'un noir brillant, avait une fâcheuse tendance à glisser sans bruit derrière vous tel un dangereux roulement à billes.

— C'est quoi, ce cirque ? aboya-t-elle en se matérialisant brusquement derrière Jenny.

Celle-ci fit un bond, pivota, écarquilla les yeux et posa une main sur son cœur.

— Par tous les saints ! D'où sortez-vous ?

Je fus prise d'une soudaine envie de rire en dépit, ou peut-être à cause, des événements récents.

— Je te présente Mme Figg, annonçai-je. La cuisinière de lord John Grey. Madame Figg, voici Mme Murray, ma... euh... ma...

— Belle-sœur, déclara fermement Jenny.

Elle se tourna vers moi, un sourcil noir arqué.

— Si tu m'acceptes encore ? ajouta-t-elle.

Son regard était direct et franc. Mon envie de rire se mua aussitôt en une envie tout aussi forte de pleurer. Elle était la dernière source de réconfort à laquelle je m'étais attendue. J'inspirai profondément et tendis la main.

— Bien sûr que je t'accepte.

Nous ne nous étions pas séparées en bons termes en Écosse, mais nous avions été très proches autrefois et je ne pouvais laisser passer cette occasion de nous réconcilier.

Ses petits doigts fermes s'entrelacèrent avec les miens, les serrèrent fort et ce fut terminé. Nul besoin d'excuses ni de pardon. Contrairement à Jamie, elle n'avait jamais eu à porter un masque. Ses pensées et ses sentiments se lisaient dans ses yeux bleus félins, les mêmes que son frère. Elle savait désormais d'où je venais, tout comme elle savait que j'aimais et avais toujours aimé son frère de tout mon cœur, en dépit de la complication mineure d'être présentement mariée à un autre.

Elle soupira profondément, ferma les yeux un instant, puis les rouvrit et me sourit. Ses lèvres tremblaient légèrement.

— Bon, c'est bien gentil tout ça, mais... grommela Mme Figg.

Elle pivota lentement sur son axe et examina l'étendue des dégâts : la balustrade du palier du premier étage en partie arrachée, les balustres cassés de la rampe, les trous dans les boiseries, les traînées de sang laissées par William sur le mur de l'escalier, les pampilles en cristal du lustre éparpillés sur le sol et scintillant au soleil qui pénétrait par la porte d'entrée ouverte, fendue en son centre, penchant comme un ivrogne et n'étant plus retenue que par un gond.

— *Ah ben merde alors*[1], murmura-t-elle.

Elle se tourna brusquement vers moi en plissant ses petits yeux noirs comme des cassis.

— Où est milord ?

— Ah, fis-je.

La situation était délicate. Si pratiquement personne ne trouvait grâce à ses yeux, elle était entièrement dévouée à John. Elle ne serait pas ravie d'apprendre qu'il avait été enlevé par…

— Oui, d'ailleurs, où est mon frère ? demanda Jenny.

Elle lançait des regards autour d'elle comme si elle s'attendait à le voir surgir de derrière le canapé.

— Oh, fis-je encore. Eh bien… c'est que… euh…

C'était plus que délicat, en raison de…

— Et mon petit William ? demanda Mme Figg en humant l'air. Il est passé par ici ; je sens cette horrible eau de Cologne dont il s'asperge.

L'air réprobateur, elle repoussa du bout de l'orteil un morceau de plâtre tombé du plafond.

Je pris une autre inspiration longue et profonde et me raccrochai au peu de santé mentale qu'il me restait.

— Madame Figg, auriez-vous l'amabilité de nous préparer du thé pour toutes les trois ? proposai-je.

Nous nous installâmes dans le petit salon, Mme Figg retournant régulièrement dans sa cuisine pour surveiller son ragoût de tortue.

— C'est qu'il ne faut pas laisser brûler la chair de tortue, nous expliqua-t-elle sévèrement en reposant le cosy jaune matelassé sur la théière. Surtout que milord l'aime mijotée dans beaucoup de sherry, presque une bouteille entière. Ce serait dommage de gaspiller du bon alcool.

Mon estomac se retourna. Le ragoût de tortue généreusement arrosé de sherry évoquait en moi des images très puissantes et intimes associées à Jamie, à la fièvre délirante et à la manière dont un navire ballotté par la houle facilitait les rapports sexuels. Aucune de ces images ne me serait d'un grand secours pour la conversation qui allait suivre. Je me passai un doigt entre les sourcils en espérant dissiper le brouillard de confusion qui s'y était assemblé. L'air dans la maison était encore chargé d'électricité.

— En parlant de sherry…, dis-je à Mme Figg, vous n'auriez pas un petit quelque chose de fort sous la main ?

Elle me dévisagea d'un air songeur, puis acquiesça et alla chercher une carafe sur la console.

— Du cognac, voilà ce qu'il vous faut, déclara-t-elle en la déposant devant moi.

---

1. En français dans le texte. (N.d.T.)

Jenny parut songeuse elle aussi, puis versa une bonne dose d'alcool dans ma tasse et autant dans la sienne.

— Je crois que je vais en avoir besoin moi aussi, précisa-t-elle.

Nous bûmes un moment en silence. Il m'aurait sans doute fallu quelque chose de plus corsé que du thé aromatisé au cognac pour calmer mes nerfs durement ébranlés par les événements récents (comme du laudanum ou un grand verre de whisky à boire cul sec), mais le liquide chaud et parfumé qui se répandit doucement dans mes entrailles fut d'une aide indéniable.

Jenny reposa sa tasse et m'interrogea du regard.

— Alors, dit-elle. Que se passe-t-il ?

Je rassemblai mes forces et lui fis un condensé des événements de la matinée.

Les yeux de Jenny ressemblaient d'une manière troublante à ceux de Jamie. Elle cligna des paupières une fois, deux fois, puis secoua la tête comme pour remettre ses idées en place, absorbant ce que je venais de lui dire.

— Donc, résuma-t-elle, Jamie est parti avec ton lord John, l'armée est à leurs trousses, le grand jeune homme que j'ai croisé sur le perron avec de la fumée qui lui sortait par les oreilles est son fils – bien sûr, même un aveugle s'en rendrait compte – et la ville grouille de soldats anglais. C'est bien ça ?

— Ce n'est pas vraiment « mon » lord John, rectifiai-je. Mais, oui, grosso modo, nous en sommes là. Apparemment, Jamie t'a parlé de William ?

Elle sourit par-dessus le bord de sa tasse.

— Oui, j'en suis heureuse pour lui. Mais quel est son problème à ce garçon ? Il semblait prêt à étriper quelqu'un.

— Que dites-vous ? demanda Mme Figg.

Elle déposa le plateau qu'elle venait d'apporter, la laitière et le sucrier en argent cliquetant comme des castagnettes.

— William est le fils de *qui* ?

Je bus une autre gorgée fortifiante de thé. Mme Figg savait que j'avais été mariée à un certain James Fraser, dont j'étais théoriquement la veuve, mais rien de plus.

Je m'éclaircis la gorge.

— Eh bien… Le… euh… le grand monsieur aux cheveux roux qui est venu ce matin, vous l'avez vu ?

— Oui, répondit-elle avec un air suspicieux.

— Vous l'avez bien regardé ?

— Quand il a frappé à la porte et a demandé où vous étiez, je n'ai guère eu le temps d'examiner son visage. En revanche, j'ai bien vu son derrière quand il m'a poussée et a grimpé l'escalier quatre à quatre.

— Effectivement, vue de cet angle, la ressemblance est sans doute moins frappante. Hum… ce monsieur est James Fraser, mon… euh…

Dire mon « premier mari » eût été inexact, tout comme mon « mari précédent », ou encore « feu mon mari ». J'optai pour le plus simple.

— Mon mari et… euh… le père de William.

Mme Figg ouvrit grand la bouche, mais aucun son n'en sortit. Elle recula lentement et se laissa tomber sur un pouf tapissé en point de croix. Après un moment de réflexion, elle demanda :

— William le sait ?

Je fis un geste vers la cage d'escalier dévastée que l'on apercevait claire-ment par la porte du petit salon.

— Maintenant, oui, répondis-je.

— *Ah ben merde alors*[2]… Je veux dire, que le saint Agneau de Dieu nous protège !

Le second mari de Mme Figg était un pasteur méthodiste et elle s'efforçait de lui faire honneur. Toutefois, elle avait auparavant été mariée à un Français, un joueur professionnel. Ses petits yeux se fixèrent sur moi comme des crans de mire.

— C'est vous sa mère ?

Je m'étranglai sur ma gorgée de thé.

— Non, répondis-je en m'essuyant le menton avec ma serviette. La situa-tion est déjà suffisamment compliquée.

En réalité, elle l'était bien plus, mais je n'étais pas prête à expliquer les cir-constances de la naissance de William, que ce soit à Mme Figg ou à Jenny. Jamie avait dû confier à sa sœur le nom de celle qui était la mère de William, mais il avait sans doute omis de préciser que Geneva Dunsany l'avait contraint de la rejoindre dans son lit en menaçant sa famille. Aucun homme de caractère n'avouerait de bon cœur avoir cédé au chantage d'une jeune fille de dix-huit ans.

— La mère de William est morte en lui donnant naissance et son père l'a suivie dans la tombe peu après, expliquai-je. C'est sa tante, lady Isobel, qui s'est occupée de lui, ainsi que lord John, qui est devenu son tuteur légal. Lord John a épousé Isobel, et tous deux ont élevé William comme leur fils. Isobel est morte lorsqu'il avait onze ans.

Mme Figg m'écouta patiemment, mais elle n'allait pas se laisser distraire aussi facilement de la question principale.

Elle pianota sur son genou avec ses gros doigts carrés et lança un regard accusateur à Jenny.

— Ce James Fraser, comment se fait-il qu'il ne soit pas mort ? On m'avait dit qu'il s'était noyé.

Se tournant vers moi, elle ajouta :

— Quand il a appris la nouvelle, j'ai bien cru que milord allait se jeter dans le port.

Je fermai les yeux, traversée par un violent frisson. L'horreur de la nouvelle déferlait à nouveau sur moi telle une vague d'eau glacée et salée. Même avec la sensation de sa peau encore sous mes doigts et la preuve irréfutable qu'il était toujours de ce monde, je revivais la douleur écrasante d'apprendre sa mort.

— Sur ce point, je peux éclairer votre lanterne.

Je rouvris les yeux et vis Jenny laisser tomber un morceau de sucre dans sa tasse à nouveau remplie.

— Mon frère et moi devions embarquer à Brest à bord de l'*Euterpe*, expliqua-t-elle à Mme Figg. Sauf que ce malandrin de capitaine a mis les voiles sans nous. Mal lui en prit !

---

2. En français dans le texte. (N.d.T.)

En effet, comme John et moi l'avions appris, l'*Euterpe* avait sombré corps et biens au milieu de l'Atlantique au cours d'une tempête.

— Jamie nous a dégoté un autre navire, mais celui-ci a accosté en Virginie et nous avons dû remonter la côte, tantôt en carriole tantôt en paquebot, tout en évitant les soldats.

Elle se tourna vers moi et ajouta en aparté :

— Au fait, ces aiguilles que tu as données à Jamie contre le mal de mer sont miraculeuses. Il m'a montré comment les lui planter dans la peau.

Elle se redressa et poursuivit son récit :

— Nous ne sommes arrivés à Philadelphie qu'hier. Nous avons attendu la nuit pour nous faufiler comme deux voleurs jusqu'à l'imprimerie de Fergus. Seigneur, j'ai bien cru une douzaine de fois que mon cœur allait s'arrêter !

En la voyant sourire, je fus frappée par le changement en elle. Elle portait encore l'ombre du chagrin sur son visage. Elle était maigre et éprouvée par son voyage, mais la douloureuse tension due à la longue agonie de son mari, Ian, avait disparu. Ses joues avaient retrouvé de la couleur et il y avait dans ses yeux une lumière que je n'y avais pas vue depuis que j'avais fait sa connaissance, trente ans plus tôt. Elle semblait avoir trouvé la paix, ce qui me procura une joie qui apaisa un peu mon âme troublée.

— ... Donc, Jamie frappe à la porte de service et personne ne répond. Pourtant, on distinguait la lumière d'un feu à travers les volets. Il frappe à nouveau, jouant une petite mélodie.

Elle crocheta son index et tapa sur la table avec son articulation. *Boum-ba-da-boum-ba-da-boum-boum-boum.* Mon cœur fit un léger bond, reconnaissant le générique du feuilleton télévisé *The Lone Ranger*, que Brianna lui avait appris.

— ... Au bout d'un moment, une femme crie d'une voix sèche : « Qui est là ? » Jamie répond en gaélique : « Ouvre, ma fille. C'est ton pauvre père qui a froid, et faim, et qui est mouillé. » Il faut dire qu'il tombait des cordes et que nous étions trempés jusqu'aux os.

Elle se balançait légèrement sur son fauteuil, tout entière à son récit.

— ... La porte s'entrouvre, juste d'un filet, et Marsali apparaît en pointant un pistolet à silex. Ses deux filles se tenaient derrière elle, féroces comme deux archanges, chacune brandissant une billette et prête à casser les tibias des intrus. Quand elles ont vu le visage de Jamie à la lumière du feu, elles ont poussé des cris à réveiller les morts. Elles se sont jetées sur lui et l'ont entraîné à l'intérieur, parlant toutes en même temps, lui demandant s'il était un fantôme et comment il ne s'était pas noyé. C'est ainsi que nous avons appris que l'*Euterpe* avait sombré. (Elle se signa.) Qu'elles reposent en paix, pauvres âmes !

Je me signai à mon tour et Mme Figg me lança un regard de biais. Elle n'avait pas réalisé que j'étais papiste.

— J'ai suivi Jamie à l'intérieur, bien sûr, poursuivit Jenny. Tout le monde s'affairait dans tous les sens sans cesser de parler, allant chercher des vêtements secs et des boissons chaudes. J'étais fascinée car c'était la première fois que j'entrais dans une imprimerie. Les odeurs de papier, d'encre et de plomb m'émerveillaient. Puis j'ai senti qu'on tirait sur ma jupe. Un petit bout d'homme au visage doux m'a demandé : « Qui êtes-vous, *madame* ? Voulez-vous un peu de cidre ? »

— Henri-Christian, murmurai-je attendrie.

Jenny acquiesça.

— Je lui ai répondu : « Je suis Janet, ta grand-mère. » Il a roulé de grands yeux ronds puis il a enroulé ses bras autour de mes jambes et m'a serrée si fort que je suis tombée à la renverse sur le canapé. J'ai sur la fesse un bleu de la taille de ta main.

Je sentis un peu de la tension qui me tenaillait se relâcher. Naturellement, Jenny avait été préalablement informée qu'Henri-Christian, le benjamin de Marsali, était nain, mais de le savoir et de le voir étaient parfois deux choses bien différentes. Apparemment, pas pour Jenny.

Mme Figg avait suivi toute l'histoire avec intérêt, tout en maintenant une certaine réserve. En entendant parler d'une imprimerie, elle se tendit légèrement.

— Ces gens… Marsali, c'est votre fille, madame ?

Je devinais ses pensées. Tout Philadelphie savait que Jamie était un rebelle et, par extension, que j'en étais une aussi. C'était pour parer mon arrestation imminente que John avait tenu à ce que nous nous mariions, après avoir appris la mort présumée de Jamie. L'allusion à une presse d'imprimerie dans Philadelphie occupée par les Anglais soulevait inévitablement la question de savoir qui imprimait quoi.

— Non, répondit Jenny. Son mari est le fils adoptif de mon frère. Mais, selon la tradition des Highlands, ayant élevé Fergus depuis qu'il était tout petit, je suis aussi sa mère adoptive.

Mme Figg cligna des yeux. Elle s'était efforcée jusque-là de suivre la généalogie alambiquée de la famille, mais cette fois elle capitula. Elle secoua la tête en faisant voler comme des antennes les rubans roses de son bonnet.

— Mais où fichtre… je veux dire, où donc votre frère est-il allé avec milord ? demanda-t-elle. Dans cette imprimerie, vous croyez ?

Jenny et moi échangeâmes un regard.

— J'en doute, répondis-je. Je pense plutôt qu'il a quitté la ville en utilisant John… c'est-à-dire lord John, comme un otage au cas où ils rencontreraient un barrage de soldats. Il le libérera sûrement dès qu'ils seront assez loin.

Mme Figg émit un grognement de réprobation.

— À moins qu'il ne le conduise à Valley Forge et le livre aux rebelles, grommela-t-elle.

— Oh, je ne crois pas, dit Jenny sur un ton apaisant. Pourquoi voudraient-ils de lui, après tout ?

Mme Figg sourcilla, choquée qu'on puisse ne pas accorder autant de valeur qu'elle à « sa seigneurie ». Néanmoins, après avoir longuement froncé les lèvres, elle admit que c'était une possibilité.

— Il ne portait pas son uniforme, n'est-ce pas, milady ? me demanda-t-elle.

Je fis non de la tête. John n'était plus en service. Bien que techniquement toujours lieutenant-colonel dans le régiment de son frère, il était venu dans les colonies en tant que diplomate et ne combattait plus. Il ne portait donc son uniforme que pour des cérémonies ou quand il devait intimider quelqu'un. Habillé en civil, il passerait pour un simple citoyen et, par conséquent, ne représenterait pas un intérêt particulier pour les troupes du général Washington, à Valley Forge.

Quoi qu'il en soit, Jamie ne se rendait pas à Valley Forge. Je savais, avec une certitude absolue, qu'il reviendrait me chercher.

Cette pensée s'épanouit dans le creux de mon ventre et se répandit dans ma poitrine avec une chaleur qui me fit enfouir le nez dans ma tasse afin de cacher mon émotion.

Vivant. Je caressai ce mot, le berçai au centre de mon cœur. Jamie était vivant. Bien qu'heureuse de voir Jenny et, plus encore, qu'elle m'ait tendu un rameau d'olivier, je n'avais qu'une envie : remonter dans ma chambre, refermer la porte, fermer les yeux et revivre les secondes qui avaient suivi sa réapparition, quand il m'avait prise dans ses bras, m'avait plaquée contre le mur et m'avait embrassée. La seule réalité tangible de sa présence avait été tellement bouleversante que je me serais effondrée sur le sol si ce mur ne m'avait soutenue.

Vivant, me répétais-je en silence. *Il est vivant.*

Rien d'autre n'avait d'importance. Cependant, je me demandai brièvement ce qu'il avait bien pu faire de John.

4

ΠE POSE PAS DE QUESTIOΠS DOΠT TU ΠE VEUX PAS EΠTEΠDRE LA RÉPOΠSE

En forêt, à une heure de cheval de Philadelphie
JOHN GREY ÉTAIT RÉSIGNÉ À MOURIR. Il s'y attendait depuis l'instant où il avait lâché : « J'ai connu votre femme charnellement. » La seule question était de savoir si Fraser l'abattrait d'une balle de pistolet, le larderait de coups de couteau ou l'éviscérerait à mains nues.

Que le mari cocu le regarde calmement et se contente de demander « Ah ? Pour quelle raison ? » n'était pas seulement inattendu, c'était... scandaleux. Absolument scandaleux.

— « Pour quelle raison ? » répéta John Grey, interloqué. Vous m'avez bien demandé « pour quelle raison » ?

— En effet et j'aimerais une réponse.

Maintenant qu'il avait rouvert les yeux, il pouvait constater que le calme apparent de Fraser n'était que de façade. Une petite veine sursautait près de sa tempe. Il avait légèrement fléchi les genoux, déplaçant son poids sur une jambe comme un homme témoin d'une rixe entre deux ivrognes dans une taverne, peu disposé à s'en mêler mais prêt à réagir s'il le fallait. Pour un motif pervers, Grey préférait cette attitude.

— Que voulez-vous dire par « pour quelle raison » ? insista-t-il irrité. Et, à propos, comment se fait-il que vous soyez vivant ?

— Je me pose souvent la question, répondit poliment Fraser. J'en déduis que vous me croyiez mort ?

— Oui, comme votre femme. Avez-vous une idée de ce qu'elle a vécu en apprenant que vous vous étiez noyé ?

Les yeux bleu sombre de Fraser se plissèrent légèrement.

— Voudriez-vous me faire croire que la nouvelle de ma mort l'a affectée au point qu'elle en a perdu la raison et vous a traîné de force dans son lit ?

Grey allait rétorquer, mais Fraser ne lui en laissa pas le temps.

— … Parce que, à moins de m'être profondément mépris sur la nature de vos inclinations, il faudrait vraiment vous faire violence pour vous contraindre de vous livrer à un tel acte. Je me trompe ?

Grey le dévisagea un moment sans répondre, puis ferma les yeux un instant et se frotta le visage des deux mains.

— Non, vous ne vous êtes pas mépris, répondit-il sans desserrer les dents. Et oui, vous vous trompez.

Perplexe, Fraser haussa ses sourcils roux.

— Quoi, c'est le « désir » qui vous a poussé dans son lit ? demanda-t-il d'une voix un peu trop haut perchée. Et elle se serait laissée faire ? Je ne vous crois pas.

Une rougeur commençait à grimper tel un rosier dans le cou de Fraser. Grey avait déjà assisté à ce phénomène une fois et décida, non sans une certaine hardiesse, que sa meilleure défense, et la seule, était d'exploser le premier.

— Nous vous croyions mort, sombre crétin ! s'écria-t-il. Vous m'entendez ? Mort ! Puis, un soir que nous avions bu un peu trop… un peu beaucoup trop… nous avons parlé de vous… et… une chose entraînant l'autre… Vous ne comprenez donc pas ? Nous ne forniquions pas l'un avec l'autre, c'est vous que nous baisions !

Les traits de Fraser se vidèrent soudain de toute expression. Grey savoura cette vision l'espace d'une fraction de seconde avant de recevoir un poing massif juste sous les côtes. Il fut projeté en arrière, tituba et s'effondra sur le sol. Il resta couché dans les feuilles, le souffle coupé, ouvrant et fermant la bouche comme une carpe hors de l'eau.

Soit, pensa-t-il vaguement. *Ce sera à mains nues.*

Les mains en question se refermèrent sur son col et le hissèrent debout. Il parvint à garder l'équilibre et à faire entrer un filet d'air dans ses poumons. Le visage de Fraser se trouvait à deux centimètres du sien, si près qu'il ne voyait plus que deux yeux bleus injectés de sang, tous deux brillant d'une lueur démente. Cela lui suffit. Il sentit un grand calme l'envahir. Il n'y en avait plus pour longtemps.

— Vous allez me dire exactement ce qu'il s'est passé, sale petit pervers, siffla Fraser en projetant sur son visage son haleine chaude et sentant la bière. Je veux savoir le moindre mot, connaître le moindre geste. Tout !

Grey trouva juste assez de souffle pour répondre.

— Non. Allez-y, tuez-moi.

Fraser le secoua si violemment que ses dents s'entrechoquèrent et qu'il se mordit la langue. Il émit un son étranglé et un poing qu'il n'avait pas vu partir s'écrasa sur son œil gauche. Il retomba en arrière, son crâne éclatant dans un nuage de couleurs et de points noirs, tandis qu'une puissante odeur de terreau lui envahissait les narines. Fraser le releva sur ses pieds puis marqua une pause, s'interrogeant sans doute sur la meilleure manière de poursuivre sa vivisection.

Entre le bourdonnement du sang dans ses oreilles et le souffle rauque de Fraser, Grey n'entendit rien, mais lorsqu'il ouvrit prudemment son œil valide pour voir d'où viendrait le prochain coup, il aperçut l'autre homme. Une brute crasseuse portant une veste de chasse à franges les observait d'un air abruti sous un arbre.

— Jethro! beugla-t-il en serrant plus fermement son fusil.

D'autres hommes sortirent des buissons. Un ou deux d'entre eux portaient un semblant d'uniforme alors que les autres étaient vêtus d'habits en étoffe du pays. La plupart étaient coiffés d'un étrange bonnet phrygien en tricot qui leur tombait sur les oreilles et qui, à travers l'œil larmoyant de Grey, leur donnait une inquiétante allure d'obus vivants.

Les épouses qui avaient sans doute confectionné ces «bonnets de la liberté» les avaient ornés de devises telles que *LIBERTÉ* ou *INDÉPENDANCE*. Une tricoteuse particulièrement sanguinaire avait inscrit *À MORT!* sur celui de son mari. Le mari en question était un petit maigrichon portant des lunettes dont un verre était cassé.

Fraser s'était figé en entendant les hommes approcher. Il se tourna vers eux avec l'air d'un ours acculé par des limiers. Ils s'arrêtèrent à une distance prudente.

Grey posa une main sur son foie, qui avait sûrement éclaté, et s'efforça de respirer. Il allait avoir besoin de tout son souffle.

— Qui êtes-vous, vous? demanda l'un des hommes en pointant un long bâton vers Jamie.

— Colonel James Fraser, de l'unité des Morgan's Rifles, répondit sèchement ce dernier. Et vous?

L'homme fut déconcerté, puis se ressaisit rapidement et bomba le torse.

— Caporal Jethro Woodbine, des Dunning's Rangers, aboya-t-il.

Il fit un signe de tête à ses compagnons, qui se déployèrent aussitôt et encerclèrent la clairière.

— Et votre prisonnier, c'est qui?

Grey sentit son ventre se nouer ce qui, compte tenu de l'état de ses viscères, fut douloureux. Il n'attendit pas que Jamie réponde à sa place.

— S'il faut vraiment que vous le sachiez, je suis lord John Grey.

Ses méninges tournaient à toute allure, essayant d'évaluer si ses chances de survie étaient meilleures avec Jamie Fraser ou avec cette bande d'excités. Quelques instants plus tôt, il s'était résigné à l'idée de mourir sous les coups de l'Écossais. Toutefois, comme bon nombre d'idées, celle-ci était plus séduisante en théorie qu'en pratique.

Son nom sembla dérouter les hommes. Ils marmonnèrent entre eux en lui lançant des regards incertains.

— Il a pas d'uniforme, observa l'un d'eux à voix basse. Si ça se trouve, c'est même pas un soldat. Dans ce cas, il ne nous intéresse pas, hein?

— Au contraire, répondit Woodbine, qui avait retrouvé un peu de son aplomb. Si le colonel Fraser l'a capturé, il a sûrement une raison ?

Jamie ne répondit pas. Il gardait les yeux rivés sur Grey.

— Il fait partie de l'armée.

Toutes les têtes se tournèrent vers celui qui venait de parler, qui n'était autre que le gringalet aux lunettes cassées. Il ajusta celles-ci pour mieux examiner Grey à travers le verre intact. Il l'inspecta avec un œil bleu délavé, puis hocha la tête, plus convaincu.

— Ouais, c'est bien un militaire, confirma-t-il. Je l'ai vu dans son uniforme à Philadelphie. Il était assis sur la véranda d'une maison, dans Chestnut Street. C'est un officier.

— Ce n'est pas un soldat, déclara fermement Fraser en se tournant vers le bigleux.

— Pourtant, je l'ai vu comme je vous vois, marmonna l'homme.

Il baissa les yeux et ajouta, presque inaudible :

— Il avait des galons dorés.

— Mmm… fit Jethro Woodbine en s'approchant de Grey et en l'examinant attentivement. Avez-vous quelque chose à dire pour votre défense, lord Grey ?

— Lord John, rectifia Grey en ôtant un fragment de feuille sur sa langue. Je ne suis pas un pair du royaume, ce titre est détenu par mon frère. Grey est mon patronyme. Quant à être soldat, je l'ai été. J'ai conservé mon rang dans mon ancien régiment, mais je n'ai plus de commission active. Cela vous suffira-t-il ou désirez-vous également savoir ce que j'ai mangé ce matin au petit-déjeuner ?

Il les provoquait, ayant décidé qu'il préférait partir avec Woodbine et subir l'interrogatoire des continentaux plutôt que de répondre à d'autres questions de Fraser. Ce dernier l'observait en plissant des yeux et il dut lutter contre l'envie de détourner les siens.

C'est la vérité, pensa-t-il en le défiant du regard. *Je vous ai dit la vérité. À présent, vous la connaissez.*

Oui, répondirent les yeux froids de Fraser. *Et vous imaginez que je vais l'accepter aussi facilement ?*

Fraser lui tourna délibérément le dos et concentra son attention sur Woodbine.

— Ce n'est pas un soldat, répéta-t-il. Je l'ai fait prisonnier parce que je souhaitais l'interroger.

— À quel sujet ?

— Cela ne vous concerne pas, monsieur Woodbine.

Il avait répondu sur un ton calme, mais glacial. Toutefois, Jethro Woodbine n'était pas né de la dernière pluie et tenait à le faire savoir.

— J'en serai le seul juge, monsieur, déclara-t-il.

Il marqua une pause, puis demanda :

— Et d'ailleurs, qui nous dit que vous êtes bien celui que vous dites, hein ? Vous n'êtes pas en uniforme non plus. Hé, les gars ! Y en a un parmi vous qui l'a déjà vu ?

Les gars en question parurent surpris. Ils échangèrent des regards hésitants. Plusieurs d'entre eux firent non de la tête.

Enhardi, Woodbine déclara :

— Très bien, puisque vous ne pouvez pas prouver qui vous êtes, je crois bien qu'on va emmener votre prisonnier au camp pour l'interroger.

Une nouvelle idée lui vint et il esquissa un sourire mauvais.

— On devrait peut-être vous emmener, vous aussi ?

Fraser resta parfaitement immobile, respirant lentement et fixant Woodbine comme un tigre aurait fixé un hérisson. Oui, il pouvait l'avaler d'une bouchée, mais en valait-il la peine ?

— Emmenez-le si vous voulez, répondit-il soudain en s'écartant de Grey. Je suis attendu ailleurs.

Woodbine s'était attendu à une résistance. Il battit des paupières, déconcerté, et leva légèrement son bâton. Cependant, il ne broncha pas quand Fraser tourna les talons et traversa la clairière. Juste avant de pénétrer sous les arbres, il se retourna et lança un regard menaçant à Grey.

— Nous n'en avons pas terminé, monsieur, lança-t-il.

Grey redressa le dos, ignorant la douleur dans son ventre et les larmes qui suintaient de son œil blessé.

— À votre service, monsieur ! rétorqua-t-il.

Fraser le dévisagea encore un instant d'un air torve, puis s'enfonça dans le feuillage sans prêter la moindre attention à Woodbine et à ses hommes. Plusieurs d'entre eux lancèrent des regards vers le caporal, dont le visage reflétait l'indécision. Grey ne la partageait pas. Juste avant que la haute silhouette de Fraser ne disparaisse dans la forêt, il mit ses mains en porte-voix et hurla :

— Je ne regrette rien !

5

LES JEUNES HOMMES ET LEURS ÉMOIS

BIEN QUE CAPTIVÉE PAR L'HISTOIRE de William et des circonstances théâtrales dans lesquelles il avait découvert l'identité de son géniteur, Jenny était plus intéressée par le sort d'un autre jeune homme.

— Sais-tu où est Petit Ian ? me demanda-t-elle avec empressement. A-t-il retrouvé sa jeune demoiselle, la quakeresse dont il m'a parlé ?

Je me détendis légèrement. Dieu merci, Petit Ian et Rachel Hunter ne figuraient pas sur ma liste de situations désastreuses. Du moins, pas pour le moment.

— Oui, il l'a retrouvée, répondis-je avec un sourire. En revanche, j'ignore où il est. Je ne l'ai pas vu depuis plusieurs jours, mais il s'absente souvent pour de longues périodes. Il effectue des missions de reconnaissance pour l'armée continentale. Depuis que celle-ci a pris ses quartiers d'hiver à Valley Forge, elle a moins besoin d'éclaireurs, mais il s'y rend souvent parce que Rachel s'y trouve.

— Comment ? s'étonna Jenny. Que fait-elle là-bas ? Je croyais les quakers contre les guerres ?

— Oui, ils le sont plus ou moins, mais son frère Denzell est chirurgien militaire. C'est un vrai médecin, pas un vétérinaire ni un de ces charlatans que l'armée emploie généralement. Il travaille à Valley Forge depuis novembre dernier. Rachel va et vient entre le camp et Philadelphie. Elle peut franchir les postes de garde et en profite pour transporter des provisions et des médicaments. Comme elle assiste Denzell avec ses patients, elle passe le plus clair de son temps avec lui.

Jenny se pencha en avant, le regard intense.

— Est-ce une bonne fille ? Et crois-tu qu'elle aime Ian ? D'après ce qu'il m'en a dit, il est fou amoureux d'elle, mais il ne lui a pas encore révélé ses sentiments, ne sachant pas comment elle le prendra. Il n'était pas sûr qu'elle l'accepte tel... tel qu'il est.

Elle fit un bref geste qui englobait la trajectoire de Petit Ian, de jeune adolescent dans les Highlands à guerrier iroquois.

— Dieu sait qu'il ne fera jamais un bon quaker, ajouta-t-elle. Je suppose qu'il en est conscient.

Je me mis à rire, même si le sujet était grave. Je me demandai ce que penserait une assemblée d'Amis d'un tel couple. Elle serait sans doute scandalisée. D'un autre côté, j'ignorais tout sur les mariages quakers.

— Elle est adorable, l'assurai-je. Extrêmement sensée, compétente et, visiblement, amoureuse de Petit Ian, même si je ne pense pas qu'elle le lui ait dit non plus.

— Ah. Tu connais ses parents ?

— Ils sont morts tous les deux quand elle était petite. Elle a été élevée par une veuve de la communauté quaker, puis elle est venue tenir la maison de son frère quand elle a eu seize ans environ.

— Vous parlez de la petite quakeresse ? demanda Mme Figg.

Elle venait d'entrer avec un vase rempli de roses d'été. Un parfum de myrrhe et de sucre envahit la pièce. Jenny inhala profondément et se redressa sur son siège.

— Mercy Woodcock ne tarit pas d'éloges à son sujet, poursuivit la cuisinière. Elle passe chez elle chaque fois qu'elle vient en ville, pour rendre visite au jeune homme.

— Quel jeune homme ? demanda Jenny soudain suspecte.

Je me hâtai d'expliquer :

— Henry, le cousin de William. Rachel les connaît tous les deux. Denzell et moi avons réalisé sur lui une intervention chirurgicale très délicate cet hiver. Rachel vient régulièrement prendre des nouvelles de sa santé. Mme Woodcock est la logeuse d'Henry.

Cela me rappela que j'étais censée passer voir Henry dans la journée. Le bruit courait que les soldats anglais quittaient la ville et je devais m'assurer qu'il était en état de voyager. Quand je l'avais examiné, une semaine plus tôt, je l'avais trouvé en meilleure forme, mais il ne pouvait encore faire que quelques pas, soutenu par Mercy Woodcock.

Et que se passera-t-il avec Mercy Woodcock ? me demandai-je avec un pincement au cœur. Tout comme John, j'avais constaté l'affection réelle et profonde entre la jeune Noire affranchie et son locataire aristocratique. J'avais rencontré le mari de Mercy, très grièvement blessé lors de l'exode du fort Ticonderoga, un an plus tôt. Personne n'ayant eu de nouvelles de lui depuis, il était fort probable qu'il soit mort peu après avoir été fait prisonnier par les Anglais.

Toutefois, la possibilité que Walter Woodcock revienne miraculeusement d'entre les morts (cela arrivait, j'avais l'immense joie de pouvoir en attester) n'était pas le plus gros de leurs soucis. Je doutais que le frère de John, le duc de Pardloe, un homme aux idées bien arrêtées, serait ravi d'apprendre que son fils cadet comptait épouser la veuve d'un menuisier, quelle que soit la couleur de sa peau.

Pour en revenir aux quakers, il y avait aussi sa fille Dottie, fiancée à Denzell Hunter. Qu'en penserait monsieur le duc ? John, qui aimait les paris, donnait à Dottie cinquante pour cent de chances de l'emporter sur son père dans l'affrontement qui ne manquerait pas de se produire.

Je secouai la tête, écartant la douzaine de problèmes auxquels je ne pouvais rien. Pendant que j'avais l'esprit ailleurs, Jenny et Mme Figg discutaient du départ précipité de William.

La gouvernante lança un regard inquiet vers les traces de sang sur le mur de l'escalier.

— Je me demande bien où il a pu aller.

Avec toute l'expertise d'une épouse, d'une sœur et d'une mère de plusieurs garçons, Jenny répondit :

— Se chercher une bonne bouteille, une bagarre ou une femme. Peut-être les trois.

Dans Elfreth's Alley

Il était midi passé. Les seules voix audibles dans la maison étaient un pépiement lointain de femmes. Lorsqu'ils passèrent devant le salon, il était vide. Ils ne croisèrent personne dans l'escalier aux marches usées tandis qu'il suivait la jeune femme vers sa chambre. Cela lui procura une étrange sensation, comme s'il était invisible. C'était aussi bien car il ne demandait qu'à disparaître tant il se dégoûtait lui-même.

Elle passa devant lui et ouvrit grand les volets. Il aurait voulu lui demander de les refermer. Dans la lumière crue du jour, il se sentait exposé. Toutefois, c'était l'été. La pièce chaude sentait le renfermé et il transpirait déjà à grosses gouttes. Un courant d'air entra dans la chambre, chargé d'odeurs de sève et de la pluie récente. Un rayon de soleil illumina brièvement le sommet du crâne de la jeune femme, le faisant luire comme la surface d'un marron frais. Elle se tourna vers lui et sourit.

— Commençons par le plus important, annonça-t-elle. Ôtez votre veste et votre gilet avant d'étouffer.

Sans attendre de savoir s'il s'exécuterait, elle se tourna vers la table de toilette et versa l'eau d'une aiguière dans la bassine. Puis, reculant, elle lui montra une serviette et un fragment de savon posé sur la table en bois usé.

— Je vais nous chercher quelque chose à boire, d'accord ?

Là-dessus, elle ressortit et ses pieds nus résonnèrent dans l'escalier.

Il commença à se déshabiller mécaniquement en regardant la bassine d'un air absent jusqu'à ce qu'il se souvienne que, dans les bonnes maisons, il était exigé des clients qu'ils lavent leurs parties intimes avant toute transaction. Il s'était déjà trouvé dans une situation similaire une fois auparavant, sauf que la putain s'était chargée de lui faire sa toilette. Elle avait manié le savon avec une telle application que l'affaire avait été terminée en quelques minutes, devant la bassine.

Ce souvenir lui fit monter le sang aux joues. Il ouvrit rageusement sa braguette en arrachant un bouton. Il palpitait toujours des pieds à la tête, mais ses sensations commençaient à se centraliser.

Ses doigts étaient maladroits. Il jura dans sa barbe en voyant ses articulations écorchées lors de son départ tumultueux de chez son père. Non, pas de chez son foutu père, de chez lord John.

— Salaud ! cracha-t-il. Tu savais. Tu l'as toujours su !

Cela le rendait encore plus fou de rage que l'horrible révélation sur l'identité de son père. Lord John Grey, son beau-père, l'homme qu'il avait tant aimé, en qui il avait eu toute confiance, lui avait menti toute sa vie durant.

Tout le monde lui avait menti.

Tout le monde.

C'était comme si une plaque de neige glacée avait soudain cédé sous ses pieds et qu'il était tombé dans une rivière dont il avait ignoré l'existence. Il se sentait emporté par un courant noir sous la glace, impuissant, sans voix, le cœur pris dans un étau.

Un léger bruit derrière lui le fit se retourner brusquement par réflexe. Ce ne fut qu'en voyant l'air effaré de la jeune prostituée qu'il se rendit compte qu'il pleurait, les larmes coulant sur ses joues, son sexe mouillé et à moitié dressé pendant hors de ses culottes.

— Allez-vous-en, grogna-t-il en tentant de se reboutonner.

Elle avança vers lui, une carafe dans une main et deux gobelets en étain dans l'autre.

— Qu'est-ce qui ne va pas ? demanda-t-elle en lui lançant un regard de biais. Laissez-moi vous servir à boire, puis vous raconterez tout.

— Non !

Elle continua d'avancer, mais plus lentement. À travers un voile de larmes, il la vit froncer les lèvres en apercevant son membre.

— L'eau de la bassine, c'était pour laver vos mains blessées, observa-t-elle en s'efforçant de ne pas rire. Je vois que vous êtes un vrai gentleman.

— Ne m'appelez pas comme ça !

— Quoi, c'est une insulte de vous traiter de gentleman ?

Le mot le rendit furieux. Il balaya l'air devant lui d'un grand geste brusque, heurtant la carafe, qui éclata en projetant une grande gerbe de vin rouge bon marché sur son jupon.

— Vous êtes fou, ou quoi ?

Elle voulut lui lancer les gobelets à la figure et rata son coup. Ils tombèrent dans un bruit métallique et roulèrent sur le parquet. Elle se tourna vers la porte et cria :

— Ned! Ned!

William bondit sur elle.

Il voulait juste l'empêcher de crier et d'ameuter le service d'ordre de la maison. Il plaqua une main sur sa bouche et l'éloigna de la porte, tentant de son autre main de coincer ses bras, avec lesquels elle se débattait.

— Pardon, pardon! répétait-il. Je ne voulais pas... je ne l'ai pas fait exprès... et merde!

Elle parvint à lui envoyer un coup de coude en plein nez et il la lâcha. Il recula en se tenant le visage, du sang s'écoulant entre ses doigts.

Elle avait une marque rouge sur le visage, là où il l'avait tenue. Elle recula en roulant des yeux affolés et s'essuya la bouche du revers de la main.

— Partez... Fichez le camp! haleta-t-elle.

Il ne se le fit pas dire deux fois. Il se précipita hors de la chambre puis dans l'escalier, bousculant un malabar qui grimpait les marches quatre à quatre. Il jaillit dans la venelle, se rendant compte trop tard qu'il était en chemise, ayant oublié sa veste et son gilet à l'intérieur, et que sa braguette était grande ouverte.

— Ellesmere! s'exclama une voix.

Avec horreur, il découvrit un groupe d'officiers anglais qui l'observaient. Parmi eux se trouvait son ami Alexander Lindsay.

— Par tous les saints, Ellesmere, que t'est-il arrivé?

Sandy sortit un immense mouchoir d'un blanc immaculé de sa manche et le plaqua sur le visage de William. Il lui pinça le nez et lui ordonna de pencher la tête en arrière.

— Tu t'es fait détrousser? demanda un de ses compagnons. Tu m'étonnes, dans ce bouge infect!

Il était à la fois réconforté par leur présence et terriblement gêné. Il n'était pas l'un d'eux. Il ne l'était plus.

— On t'a bien volé, c'est ça, hein? demanda un autre en lançant des regards menaçants à la ronde. Nous allons retrouver les ordures qui t'ont fait ça, je te le jure sur mon honneur! Nous allons récupérer ce qui t'appartient et leur donner une bonne leçon.

Du sang coulait au fond de sa gorge, âpre et lui laissant un goût de métal. Il cracha, secoua la tête et haussa les épaules simultanément. Oui, on l'avait volé, mais personne ne pourrait jamais lui rendre ce qu'il avait perdu.

6

Sous ma protection

La cloche de l'église presbytérienne qui se trouvait à deux pâtés de maisons sonna deux heures et demie. Mon ventre lui fit écho, me rappelant que, entre une chose et l'autre, je n'avais encore rien avalé de la journée.

Jenny avait grignoté un morceau avec Marsali et les enfants, mais elle me confia qu'elle ne refuserait pas un œuf dur s'il s'en présentait un. J'allai donc trouver Mme Figg et, vingt minutes plus tard, nous nous goinfrions (dignement) d'œufs à la coque, de sardines frites et, à défaut de brioches, de pancakes dégoulinant de beurre et de miel. Jenny, qui n'avait encore jamais goûté à ces derniers, fut totalement séduite.

Elle appuya le dos de sa fourchette sur l'épaisse crêpe puis relâcha la pression en s'extasiant :

— Tu as vu comme la pâte absorbe toute l'onctuosité ? Ça n'a rien à voir avec nos *bannocks* à l'orge.

Elle lança un regard par-dessus son épaule, se pencha vers moi et demanda à voix basse :

— Tu crois que cette dame dans la cuisine me donnera la recette si je la lui demande ?

De petits coups timides contre la porte d'entrée endommagée m'empêchèrent de répondre. Nous l'entendîmes grincer, puis une ombre longue s'avança sur le tapis en toile peinte de l'entrée, suivie rapidement par son propriétaire. Un jeune lieutenant anglais tordit le cou vers le salon, visiblement déconcerté par les ravages dans la cage d'escalier.

— Lieutenant-colonel Grey ? appela-t-il d'une voix pleine d'espoir.

Son regard alla de Jenny à moi.

— Il est sorti, répondis-je en m'efforçant de prendre un air assuré.

Je me demandais combien de fois je devrais donner cette réponse et à qui.

— Oh, fit le jeune homme, qui parut encore plus désorienté. Pourriez-vous m'indiquer où le trouver ? Le colonel lui a envoyé un message ce matin, lui demandant de se rendre au plus vite chez le général Clinton. Le général est… euh… enfin, il se demande pourquoi le lieutenant-colonel n'est toujours pas arrivé.

— Ah, fis-je à mon tour en lançant un regard vers Jenny. C'est que… je crains que mon mari n'ait été appelé d'urgence ailleurs avant l'arrivée du message du colonel.

Ce devait être la lettre que John avait reçue quelques minutes avant que Jamie ne fasse son entrée spectaculaire. Il l'avait à peine regardée avant de la fourrer dans sa poche.

Le soldat émit un petit soupir navré, sans pour autant capituler.

— Si vous voulez bien me dire où il est parti, madame. C'est que, voyezvous, je ne peux pas revenir sans lui.

Il m'adressa un regard malheureux, accompagné d'une esquisse de sourire charmant. Je lui souris en retour, sentant une esquisse de panique me nouer le ventre.

— Je suis désolée, mais je ne sais vraiment pas où il est en ce moment.

Je me levai en espérant le raccompagner jusqu'à la porte.

— Dans ce cas, madame, dites-moi quelle direction il a prise, s'obstina-t-il. Je prendrai la même et me renseignerai en chemin.

— Il ne m'a rien dit.

J'avançai vers lui, mais il ne battit pas en retraite. Cette situation dégénérait au-delà de l'absurde et prenait un tour inquiétant. J'avais brièvement rencontré le général Clinton lors du bal de Mischianza, quelques semaines plus tôt. (Juste ciel, cela ne faisait que quelques semaines ? Cela me paraissait avoir eu lieu dans une autre vie !) Bien qu'il se soit montré cordial à mon égard, je doutais qu'il accepterait de bonne grâce une fin de non-recevoir de ma part. Les généraux tendaient à avoir une très haute opinion d'eux-mêmes.

— Vous savez que lord John n'a pas de commission active, déclarai-je en espérant décourager le jeune homme.

Il parut surpris.

— Mais si, madame. Le colonel l'en informait justement dans sa missive de ce matin.

Les poils de ma nuque se hérissèrent.

— Quoi ? Mais il ne peut pas faire une chose pareille, ou si ?

— Faire quoi, madame ?

— Décréter du jour au lendemain que la commission de mon mari est active ?

— Oh non, madame, m'assura-t-il. C'est le colonel du régiment du lieutenant-colonel Grey qui l'a rappelé en service. Le duc de Pardloe.

— Putain de bordel de merde ! lâchai-je en retombant assise sur le canapé.

À mes côtés, Jenny mit précipitamment sa serviette devant son visage pour étouffer son rire. Cela faisait vingt-cinq ans qu'elle n'avait pas entendu ce juron.

Je pris une profonde inspiration et me relevai.

— Je ferais bien d'aller voir le général avec vous, annonçai-je.

Au même moment, je me rendis compte que, ayant été surprise par les événements au saut du lit, je ne portais qu'une chemise de nuit et ma robe de chambre.

— Je vais t'aider à t'habiller, proposa précipitamment Jenny en se levant à son tour.

Elle adressa un sourire charmant au jeune homme et lui indiqua la table, à présent jonchée de toasts, de compotes et d'un plat de harengs fumés.

— En attendant, mangez donc un morceau. Ce serait dommage de gaspiller une si bonne chère.

Jenny avança la tête dans le couloir et tendit l'oreille. Le léger cliquetis de couverts contre la vaisselle en porcelaine et la voix de Mme Figg lui confirmèrent que le soldat avait accepté son offre. Elle referma doucement la porte.

— Je t'accompagne, dit-elle. La ville grouille de soldats. Tu ne peux pas sortir toute seule.

— Je me…

Je m'interrompis, indécise. Si la plupart des officiers britanniques à Philadelphie me connaissaient comme lady John Grey, cela ne signifiait pas que les hommes de troupe le savaient ni qu'ils partageaient avec leurs chefs le respect qui accompagnait généralement ce statut. Sans compter que j'avais l'impression d'être un imposteur, même si cela ne se voyait pas.

— Merci, répondis-je. Ça me fera plaisir.

Je ne savais plus à quel saint me vouer et un peu de soutien moral ne ferait pas de mal. Je n'avais qu'une seule conviction : Jamie reviendrait. Je me demandais si je ne devais pas prévenir Jenny de se montrer extrêmement prudente lorsque je parlerais au général Clinton.

Elle grogna doucement en tirant sur les lacets de mon corset, puis m'assura :

— Je ne piperai pas un mot. Tu penses que tu devrais leur dire ce qu'il est arrivé à lord John ?

— Sûrement pas ! gémis-je. C'est… c'est assez serré, merci.

Elle fouilla dans mon armoire, passant mes robes en revue.

— Que dis-tu de celle-ci ? demanda-t-elle. Le décolleté est profond et tu as encore une très belle poitrine.

— Je n'y vais pas pour séduire le général ! protestai-je.

— Mais bien sûr que si, répondit-elle sur un ton détaché. Tout au moins, puisque tu n'as pas l'intention de lui dire la vérité, il va te falloir détourner son attention. Si j'étais un général anglais et qu'on m'apprenait que mon gentil petit colonel a été enlevé par un grand méchant Highlander, je crois que je le prendrais mal.

Je ne pouvais pas la contredire. Je haussai légèrement les épaules puis me tortillai pour entrer dans une robe en soie ambre. Les coutures étaient rehaussées d'un passepoil beige et le col bordé d'un ruban ruché crème. Jenny noua mes lacets à l'arrière puis recula pour examiner l'effet général.

— C'est parfait, approuva-t-elle. Le ruban est pratiquement de la même couleur que ta peau, ce qui donne l'impression que le décolleté descend encore plus bas.

— On croirait que, ces trente dernières années, tu as dirigé une maison de couture ou un bordel plutôt qu'une ferme.

Elle émit un petit rire.

— J'ai trois filles, neuf petites-filles, plus seize nièces et petites-nièces du côté de la sœur de Ian, ce qui revient plus ou moins au même.

Ce fut à mon tour de rire. L'instant suivant, mes yeux se remplirent de larmes et les siens aussi. Nous étions assaillies par des images de Brianna et de Ian, ces êtres chers que nous avions perdus. Nous tombâmes dans les bras l'une de l'autre et nous nous serrâmes fort pour maintenir notre chagrin à distance.

— Tout va bien, murmura-t-elle dans mon oreille. Tu n'as pas perdu ta fille. Elle est toujours en vie. Quant à Ian, il est toujours avec moi. Il m'accompagnera toujours, où que j'aille.

— Je sais, répondis-je d'une voix étranglée. Je sais.

Je la lâchai et essuyai mes yeux avec un doigt tout en reniflant.

— Tu n'aurais pas un mouchoir ?

Bien qu'elle en tînt un dans sa main, elle ouvrit la bourse attachée à sa ceinture et en sortit un autre, propre et plié, qu'elle me tendit.

— Je suis une grand-mère, déclara-t-elle avant de se moucher. J'ai toujours un mouchoir à portée de main, ou trois. Voyons voir ce qu'on peut faire de tes cheveux. Tu ne peux pas sortir comme « ça » !

Le temps que nous mettions un peu d'ordre dans ma coiffure, ma chevelure domptée par une résille et convenablement cachée sous un grand chapeau de paille, je savais plus ou moins ce que j'allais raconter au général Clinton. *Colle au plus près de la vérité.* C'était le premier principe d'un bon mensonge, même si je ne l'avais pas appliqué depuis un bail.

Un messager était venu pour lord John (ce qui était vrai), lui apportant une missive (également vrai). Je n'avais aucune idée de ce que disait le message (pure vérité). Lord John était ensuite sorti avec le messager sans me dire où ils allaient. C'était techniquement vrai, la seule différence étant qu'il s'agissait d'un autre porteur de message. Non, je n'avais pas vu quelle direction ils avaient prise ; non, je ne savais pas s'ils étaient partis à pied ou à cheval. Lord John laissait sa monture à l'écurie Davidson, sur Fifth Street, à deux pâtés de maisons de chez lui.

Cela tenait la route. Si le général Clinton se donnait la peine de vérifier, il trouverait le cheval dans son box et en conclurait que John était toujours en ville. Je cesserai de constituer une source potentielle de renseignements et il enverrait des soldats chercher John dans des endroits où un homme tel que lui pouvait se trouver.

Avec un peu de chance, le temps que le général ait épuisé toutes les possibilités qu'offrait Philadelphie, John serait de retour et pourrait répondre lui-même à ses foutues questions.

— Et Jamie ? s'inquiéta Jenny. Il ne prendra tout de même pas le risque de revenir en ville ?

— J'espère que non.

Je pouvais à peine respirer, et ce n'était pas uniquement à cause de mon corset trop serré. Je sentais mon cœur battre contre les baleines.

Jenny me lança un long regard dubitatif.

— Tu parles ! Tu crois qu'il va revenir ici même. Pour toi. Et tu as raison.

Elle réfléchit un moment en plissant le front.

— Tout compte fait, je ferais mieux de rester ici, déclara-t-elle. S'il revient pendant que tu es avec le général, je pourrais lui expliquer la situation. En outre, je crains que la dame dans la cuisine n'essaie de le poignarder avec une fourchette s'il débarque sans prévenir.

Je me mis à rire. J'imaginais fort bien la réaction de Mme Figg en voyant un Highlander faire irruption dans son domaine.

Elle ajouta :

— Et puis il faut bien que quelqu'un nettoie cette pagaille dans l'entrée et, pour ça, je m'y connais.

Le jeune soldat bondit sur ses pieds dès qu'il me vit enfin revenir. S'il ne m'agrippa pas par le poignet pour me tirer de force dans la rue, il me donna néanmoins son bras et marcha à une telle allure que j'étais obligée de trotter à ses côtés. L'hôtel particulier où le général Clinton avait établi ses quartiers ne se trouvait pas loin, mais il faisait tellement chaud que j'arrivai moite de transpiration et essoufflée. Des gouttelettes de sueur glissaient lentement sous mon corsage ; des mèches de cheveux s'échappaient de sous mon chapeau, collaient à mes joues et ma nuque.

Avec un soupir de soulagement audible, mon escorte me confia à un confrère dans le vaste vestibule tapissé de parquet. On me laissa un moment de répit durant lequel j'époussetai ma jupe, redressai mon chapeau et tapotai mon visage et mon cou avec un mouchoir en dentelle. Tout occupée à me rendre présentable, je ne remarquai pas tout de suite l'homme assis sur l'une des petites chaises en bois doré, de l'autre côté de la pièce.

Lorsqu'il constata que je l'avais aperçu et reconnu, il se leva.

— Lady John. À votre service, madame.

En dépit de son sourire, il n'y avait aucune chaleur dans son regard.

— Capitaine Richardson, répondis-je froidement. Quelle coïncidence!

Je ne lui offris pas ma main et il ne s'inclina pas. Il était inutile de prétendre que nous étions amis. Il avait précipité mon mariage avec lord John en demandant à ce dernier s'il avait des vues sur moi, car il envisageait de m'arrêter sur-le-champ pour espionnage et transmission de documents séditieux. Ces deux accusations étaient fondées et, que John l'ait su ou pas, il avait pris les intentions de Richardson très au sérieux. Deux heures plus tard, je me retrouvais dans son salon, répondant « Oui, je le veux » en réponse à des questions que je n'entendais ni ne comprenais.

— Vous attendez pour voir le général? demandai-je poliment.

Le cas échéant, je m'apprêtais déjà à me faufiler discrètement dans la maison et à chercher la sortie de service pendant qu'il était occupé à son entretien.

— En effet, mais, je vous en prie, lady John, passez avant moi. Mon affaire peut attendre.

Je crus percevoir une connotation vaguement sinistre dans son offre et me contentai de hocher courtoisement la tête en émettant un « Hmm… » neutre.

Je commençai à comprendre, comme un début d'indigestion, que mon statut vis-à-vis de l'armée britannique en général, et du capitaine Richardson en particulier, était sur le point de connaître un revirement brutal. Une fois que tout le monde saurait que Jamie n'était pas mort, je ne serais plus lady John Grey. Je serais de nouveau Mme James Fraser, ce qui, au-delà de me procurer une joie extatique, signifiait que le capitaine Richardson pourrait libérer ses instincts les plus vils.

Avant que j'aie pu trouver quelque chose d'utile à lui dire, un jeune lieutenant dégingandé apparut et me conduisit devant le général Clinton. Le salon de la maison, converti en bureau, était sens dessus dessous. Des caisses étaient alignées tout le long d'un mur; des mâts nus étaient attachés ensemble tels des fagots de bois et les étendards qu'ils étaient censés porter étaient en train d'être soigneusement pliés par un caporal près de la fenêtre. Comme la plupart des habitants de la ville, j'avais entendu dire que l'armée britannique se retirait de Philadelphie. J'ignorais qu'elle était aussi pressée de lever le camp.

Plusieurs soldats entraient et sortaient en portant des paquets. Deux hommes étaient assis de chaque côté du bureau.

— Lady John!

Surpris de me voir, Clinton se leva et s'approcha pour s'incliner devant ma main tendue.

— Votre humble serviteur, madame.

— Bonjour, général.

Mon cœur, qui battait déjà vite, s'accéléra encore quand le second homme se leva à son tour. Il portait un uniforme et me rappelait quelqu'un, même si j'étais certaine de ne l'avoir jamais rencontré. À qui me faisait-il donc penser ?

— Je suis désolé de vous avoir dérangée, lady John, déclara le général. J'avais espéré faire la surprise à votre mari, mais j'ai cru comprendre qu'il était absent ?

— Euh… oui, en effet.

L'inconnu, un colonel d'infanterie même si sa tenue comportait plus de dentelle dorée que les uniformes habituels, arqua un sourcil suspicieux, une attitude qui m'était tellement familière que j'en restai légèrement étourdie.

— Vous êtes un parent de lord John Grey, m'exclamai-je.

Il l'était forcément. À l'instar de John, il ne portait pas de perruque, mais contrairement à lui, ses cheveux étaient bruns sous la poudre. Le reste, la forme de son crâne, ses traits fins, son port, était John tout craché. En revanche, ses joues étaient plus creuses et sa peau plus tannée, striée de rides sculptées par la guerre et le stress du commandement. Je n'avais pas besoin de voir son uniforme pour deviner qu'il avait passé toute sa vie dans l'armée.

Il sourit et son visage se métamorphosa. Il possédait également le charme de John.

— Vous êtes très observatrice, madame.

Il s'avança, prit délicatement ma main qui pendait toujours mollement devant le général et y déposa un bref baiser à la manière française avant de se redresser et de me dévisager attentivement.

— Le général Clinton m'a appris que vous étiez l'épouse de mon frère.

Je fis un effort surhumain pour recouvrer mes esprits.

— Oh, mais vous devez être Hal ! Euh… pardonnez-moi, je voulais dire vous êtes le… Je suis vraiment désolée, je sais que vous êtes un duc, mais je ne me souviens pas de quoi.

— De Pardloe, répondit-il sans lâcher ma main. Vous pouvez m'appeler par mon nom de baptême, Harold. Soyez la bienvenue dans notre famille, ma chère. J'ignorais que John s'était marié. J'ai cru comprendre que c'est assez récent ?

Sous son ton cordial et ses bonnes manières, je le sentais très intrigué.

— Euh… oui, en effet. Très récent.

Je ne m'étais même pas posé la question de savoir si John avait écrit à sa famille pour leur annoncer notre union. Le cas échéant, la lettre ne leur était probablement pas encore parvenue. J'ignorais même les noms des autres membres de sa famille, à part celui de Hal, dont j'avais entendu parler car c'était le père du neveu de John, Henry, qui…

— Ah mais bien sûr ! m'exclamai-je. Vous êtes venu pour Henry. Il sera tellement heureux de vous voir ! Il se remet très bien.

— J'ai déjà vu Henry, répondit le duc. Il m'a raconté avec la plus grande admiration comment vous aviez extrait des parties de son intestin et recollé les morceaux restants. Toutefois, quoique impatient de voir mon fils et ma fille (à son léger froncement de lèvres, je compris que Dottie lui avait annoncé ses fiançailles) et ravi à l'idée de retrouver mon frère, c'est le devoir qui m'amène ici. Mon régiment vient de débarquer à New York.

— Oh… euh… C'est… C'est très bien, dis-je faute d'inspiration.

John ignorait certainement la venue de son frère et de tout son régiment. Il me vint à l'esprit que j'aurais dû poser des questions et tenter d'en apprendre plus sur les plans du général, mais ce n'était ni le lieu ni le moment.

Clinton toussota poliment dans le creux de sa main.

— Lady John, savez-vous où se trouve votre mari en ce moment ?

Dans ma stupeur de me retrouver devant Harold, j'en avais oublié la raison de ma visite.

— Hélas ! non, répondis-je le plus calmement possible. Comme je l'ai expliqué à votre caporal, un courrier s'est présenté ce matin avec un message et lord John est parti avec lui. Il n'a pas dit où ils allaient.

Le général pinça ses lèvres.

— En fait, c'est le général Graves qui a dépêché le messager à lord John, avec un billet l'informant qu'il avait été rappelé en service et lui demandant de venir ici sur-le-champ.

— Je vois, dis-je en prenant un air perplexe. Il est pourtant parti avec quelqu'un.

— Mais vous ne savez pas qui ?

— Non, je ne l'ai pas vu partir et il n'a pas laissé un mot indiquant où il se rendait.

Le général fronça ses sourcils broussailleux et lança un regard à Pardloe.

— Il sera sans doute bientôt de retour, déclara celui-ci avec un haussement d'épaules. Après tout, ce n'est pas si urgent.

Le général Clinton ne semblait pas de cet avis, mais, après un bref regard vers moi, il se contenta de hocher la tête. Cependant, il n'avait pas de temps à perdre et, avec une courbette courtoise, il me remercia d'être venue.

Je ne me fis pas prier, prenant juste le temps d'assurer au duc que j'avais été enchantée de faire sa connaissance et de lui demander où son frère pourrait le trouver.

— Je suis installé au King's Arms, répondit-il. Puis-je…

— Non, non, l'interrompis-je avant qu'il ait pu me proposer de me raccompagner. Je vous remercie, mais ce n'est pas la peine. J'habite à deux pas.

J'inclinai la tête devant le général, puis devant Pardloe, puis filai vers la porte dans un tourbillon de jupes… et d'émotions.

Le capitaine Richardson ne se trouvait plus dans l'entrée et je n'eus pas le temps de me demander où il était passé. Je saluai brièvement le soldat, à la porte, puis me retrouvai enfin au grand air. J'inspirai à pleins poumons comme si je sortais d'une bathysphère.

Et maintenant ? me demandai-je en esquivant de justesse deux garçons qui couraient dans la rue avec un cerceau. Ils le faisaient rebondir contre les jambes des soldats chargés de paquets et entassant des meubles dans une grande carriole. Ce devaient être les fils d'un officier de Clinton pour que les soldats les tolèrent ainsi.

John m'avait souvent parlé de son frère, le décrivant parfois comme un despote et un entêté. Tout ce qu'il nous manquait pour aggraver encore la situation, c'était qu'un haut gradé aux tendances autoritaires vienne fouiner dans nos affaires. Je me demandai brièvement si William était en bons termes avec son oncle. Dans ce cas, nous pourrions l'occuper à se rendre utile en tentant de raisonner Wil... Non, non, bien sûr que non! Hal n'était sûrement pas au courant au sujet de Jamie, du moins pas encore. Il lui suffirait d'échanger deux mots avec William pour découvrir la vérité... si William acceptait d'en parler, mais dans ce cas...

— Lady John?

La voix derrière moi m'arrêta net, un instant seulement, mais cela laissa au duc de Pardloe le temps de me rattraper. Il me prit le bras.

— Vous mentez très mal, observa-t-il. Ce qui m'intrigue, c'est la raison qui vous pousse à mentir.

— Je m'y prends mieux quand j'ai eu le temps de me préparer, rétorquai-je. Cela étant, je ne vous mens pas en ce moment.

Cela le fit rire. Il se pencha vers moi, approchant son visage à quelques centimètres du mien. Il avait les mêmes yeux bleu pâle que John, mais ses sourcils et ses cils bruns les rendaient particulièrement pénétrants.

— Peut-être, convint-il d'un air amusé. Mais si vous ne mentez pas, vous ne me dites pas toute la vérité non plus.

— Je ne suis pas dans l'obligation de vous dire quoi que ce soit, répondis-je avec dignité et en tentant de libérer mon bras. Lâchez-moi, je vous prie.

Il s'exécuta à contrecœur.

— Toutes mes excuses, lady John.

Je voulus le contourner, mais il se plaça à nouveau devant moi, me barrant la route.

— Je veux savoir où est mon frère.

— J'aimerais bien le savoir également, figurez-vous.

Je tentai de me glisser sur le côté.

— Puis-je vous demander où vous allez?

— Chez moi.

Je n'y étais pas encore habituée et d'appeler la maison de lord John «chez moi» me faisait un effet étrange. Pourtant, je n'en avais pas d'autre. *Si,* dit une petite voix claire dans ma tête. *Tu as Jamie.*

— Qu'est-ce qui vous fait sourire? demanda-t-il surpris.

— L'idée de rentrer chez moi et d'ôter ces souliers, répondis-je en reprenant aussitôt un air sérieux. Ils me mettent au supplice.

— Dans ce cas, permettez-moi de vous offrir ma chaise, lady John.

— Non, non, je ne veux pas...

Il avait déjà sorti un petit sifflet en bois de la poche de son gilet et émit un son strident. Deux gaillards trapus et musclés apparurent aussitôt au coin de la rue en trottant et en portant une cabine perchée sur des brancards. Ils se ressemblaient tellement qu'ils ne pouvaient qu'être frères.

— Non, non, ce n'est vraiment pas nécessaire, insistai-je. En outre, John m'a dit que vous souffriez de la goutte. Vous en avez besoin plus que moi.

Il n'apprécia guère. Il pinça les lèvres et plissa des yeux.

— Je survivrai, madame, répondit-il sèchement.

Il m'agrippa à nouveau un bras, m'entraîna vers la chaise et me poussa dedans, faisant tomber mon chapeau devant mes yeux par la même occasion.

— Cette dame est sous ma protection. Conduisez-la au King's Arms, ordonna-t-il à Dupond et Dupont en refermant la portière.

Avant que j'aie pu dire « ouf », nous nous élancions à toute allure dans High Street.

Je saisis la poignée de la portière, prête à sauter en marche, quitte à être couverte de bleus et d'écorchures, mais le mufle avait glissé la cheville dans la poignée extérieure, la verrouillant. Je ne pouvais l'atteindre depuis l'intérieur. Je criai aux porteurs de s'arrêter, mais ils firent la sourde oreille, courant sur les pavés comme s'ils apportaient la bonne nouvelle d'Aix à Gand.

Je me laissai retomber sur la banquette en fulminant et arrachai mon chapeau. Pour qui ce Pardloe se prenait-il ? D'après ce que m'en avait dit John et d'autres remarques émises par les enfants du duc au sujet de leur père, il avait l'habitude d'obtenir ce qu'il voulait.

— C'est ce qu'on verra ! grommelai-je en plantant mon épingle à chapeau en perle dans le bord en paille.

Ma résille était partie avec le chapeau. Je la fourrai à l'intérieur et secouai la tête, laissant retomber mes cheveux sur mes épaules.

Quand nous tournâmes dans Fourth Street, qui était tapissée de briques et non de pavés, les secousses s'atténuèrent. Je pus me tenir d'une main à mon siège et tenter d'ouvrir la fenêtre de l'autre. Si je parvenais à atteindre la cheville qui bloquait la poignée, je mettrais un terme aux machinations du duc, même si la porte s'ouvrait brusquement et que je me retrouvais propulsée dans la rue.

La vitre coulissait, mais il n'y avait aucun relief permettant de la pousser. La seule solution était d'insérer mes ongles dans l'interstice sur le côté et de la faire glisser. C'était ce que je m'efforçais de faire, malgré les soubresauts de la chaise, quand j'entendis le duc aboyer un ordre aux porteurs. Puis sa voix s'étrangla.

— Ha… Halte ! Je… ne peux… plus…

Les porteurs s'arrêtèrent et je collai ma joue contre la vitre. Le duc se tenait au milieu de la rue, un poing pressé contre son cœur. Il avait le teint rouge et ses lèvres commençaient à se teindre de bleu.

Je tambourinai contre la fenêtre pour attirer l'attention de l'un des porteurs qui regardait derrière lui l'air inquiet.

— Déposez-moi et ouvrez cette portière sur-le-champ ! hurlai-je à travers la vitre.

Ils obtempérèrent et je jaillis hors de la cabine dans une explosion de soie. Je piquai mon épingle à chapeau dans l'ourlet de mon corset au cas où j'en aurais besoin.

— Asseyez-vous, ordonnai-je à Pardloe en le rejoignant.

Il fit non de la tête, mais se laissa néanmoins entraîner vers la chaise dans laquelle je le forçai à prendre place. Ma satisfaction devant ce renversement de la situation était tempérée par la peur de le voir passer l'arme à gauche.

Ma première pensée, une crise cardiaque, s'effaça dès que je l'entendis respirer, ou du moins essayer. Le halètement sifflant d'une personne souffrant d'une crise d'asthme était reconnaissable entre tous. Je saisis néanmoins son poignet et pris son pouls pour m'en assurer. Il battait fort, mais régulièrement. Il transpirait, mais c'était une sudation normale provoquée par la chaleur plutôt que l'exsudation moite qui accompagnait souvent un infarctus du myocarde.

Je touchai son poing, toujours pressé contre sa poitrine.

— Vous avez mal là ?

Il hocha la tête, toussa violemment puis laissa retomber sa main.

— Ma… boîte… à… pil…, haleta-t-il.

Je le vis tendre sa main vers une petite poche de son gilet. J'y glissai deux doigts et en sortis une petite boîte émaillée. Elle contenait une minuscule fiole fermée par un bouchon en liège. Je l'ouvris, humai et éternuai bruyamment quand les vapeurs d'ammoniac agressèrent mes narines.

— Non, dis-je catégoriquement.

Je rebouchai la fiole, la remis dans sa boîte, que je glissai dans ma poche.

— Cela ne vous aidera pas. Froncez les lèvres et soufflez.

Il écarquilla légèrement les yeux puis obtempéra. Je sentis le léger mouvement de l'air sur mon visage moite.

— Bien. À présent, détendez-vous et n'essayez pas de forcer l'air dans vos poumons, laissez-le venir seul. Soufflez sur quatre temps. Un… deux… trois… quatre. Maintenant, inspirez sur deux temps. Un… deux… Soufflez sur quatre… Voilà, c'est ça. Ne vous inquiétez pas, vous n'allez pas suffoquer, vous pouvez continuer comme ça toute la journée.

Je lui adressai un sourire d'encouragement et il parvint à acquiescer. Je me redressai et regardai autour de moi. Nous nous trouvions près de Locust Street. La taverne Peterman ne se trouvait qu'à un pâté de maisons.

— Vous ! lançai-je à l'un des porteurs. Courez à la taverne et rapportez une cruche de café noir bien fort. (Je fis un signe vers le duc.) Il vous remboursera.

Un attroupement commençait à se former autour de nous. Je le surveillai du coin de l'œil. Nous nous trouvions près du cabinet du Dr Hebdy, et il risquait de sortir voir ce qui se passait. La dernière chose dont j'avais besoin, c'était d'un charlatan accourant avec sa lancette pour saignée.

Je concentrai à nouveau mon attention sur le duc et m'agenouillai de manière à voir son visage pendant que je lui prenais à nouveau le pouls. Il était plus lent, mais il me sembla percevoir cette étrange condition appelée « pouls paradoxal », une réaction parfois observée chez les asthmatiques : le rythme cardiaque augmentait à l'expiration et baissait à l'inspiration.

— Vous faites de l'asthme, annonçai-je au duc. Vous le saviez ?

— Oui, parvint-il à articuler.

— Êtes-vous suivi par un médecin ?

Il acquiesça.

— C'est lui qui vous a recommandé de respirer des sels en cas de crise ?

Il fit non de la tête.

— C'est pour… les évanou… issements. C'est tout… ce que… j'avais.

Je lui soulevai le menton et penchai sa tête en arrière pour examiner ses pupilles, qui étaient normales. La crise commençait à passer. Ses épaules s'affaissaient lentement et ses lèvres n'étaient plus bleutées.

— Évitez les sels en cas de crise, recommandai-je. La toux ne ferait qu'aggraver votre état en provoquant des déchirures et en produisant des glaires.

— Qu'est-ce que vous faites plantés là les bras ballants ? s'éleva une voix de femme derrière nous. Toi, jeune nigaud, cours chercher le docteur !

Je fis une grimace. Le duc la vit et m'interrogea du regard.

— Vous ne voulez pas de ce boucher, croyez-moi, lui glissai-je.

Je me redressai et me retournai vers la foule en prenant mon air le plus aimable possible.

— Merci, mais nous n'avons pas besoin d'un médecin, dis-je. Ce n'est qu'une petite indigestion. Un plat qu'il a mangé ne lui a pas réussi. Il va déjà mieux.

— Il ne m'a pas l'air très en forme, madame, déclara une autre voix, dubitative. On ferait mieux d'appeler le docteur.

— Qu'il crève ! cria une voix à l'arrière de l'attroupement. Saloperie de homard[3] !

Un étrange frisson parcourut notre public. Jusque-là, les badauds avaient considéré le duc comme un spectacle et non comme un représentant de la couronne. À présent...

— Je m'occupe du docteur, lady John !

Je vis avec consternation M. Caulfield, un éminent tory[4], se frayer un passage dans la foule à coups de canne ornée d'un pommeau en or.

— Reculez donc, manants ! vociféra-t-il.

Il se pencha dans la cabine et leva son chapeau en direction de Hal.

— À votre service, monsieur. Des secours arrivent promptement, je m'en vais les chercher de ce pas !

Je le tirai en arrière par la manche. Dieu soit loué, la foule était divisée. Parmi les sifflets et les injures dirigées contre Pardloe et moi, on entendait des voix discordantes, celles de loyalistes (ou peut-être de gens plus raisonnables qui considéraient que s'en prendre à un homme malade dans la rue ne faisait pas partie de leur philosophie politique), qui protestaient (avec raison) et lançaient quelques insultes de leur cru.

— Non, non, le retins-je. Que quelqu'un d'autre aille chercher un médecin. Il ne faut pas laisser monsieur le duc sans protection.

— Monsieur le duc ? s'exclama Caulfield.

Il déplia soigneusement le pince-nez à monture dorée qu'il avait sorti d'un petit étui, le chaussa et se pencha à nouveau dans la cabine pour examiner le duc. Celui-ci lui adressa un petit salut digne de la tête sans interrompre ses exercices de respiration.

— Monsieur le duc de Pardloe, m'empressai-je de répondre sans lâcher la manche de Caulfield. Monsieur le duc, permettez-moi de vous présenter M. Phineas Graham Caulfield.

---

3. « Lobster » (homard) était un surnom injurieux donné aux soldats anglais par les colons américains en raison de leur uniforme rouge vif. (N.d.T.)
4. Les tories étaient des loyalistes fidèles à la Couronne britannique. (N.d.T.)

Au même moment, j'aperçus le porteur qui revenait en courant avec une cruche et je me précipitai vers lui, espérant l'intercepter avant qu'il ne soit à portée d'ouïe de l'assistance.

— Merci, pantelai-je en lui prenant la cruche. Nous devons l'emmener avant que la foule devienne violente.

J'entendis le *crac* sec d'un caillou rebondissant sur le toit de la cabine (M. Caulfield avait baissé la tête juste à temps) et précisai :

— Encore plus violente.

— Hé ! s'écria le porteur, furieux qu'on s'en prenne ainsi à son gagne-pain. Ça va pas, vous autres ? Reculez !

Il s'avança vers la foule en serrant les poings et je le retins par les basques de sa jaquette.

— Conduisez-les, lui et votre chaise, loin d'ici ! répétai-je plus fermement. Emmenez le duc au… au…

Pas au King's Arms. L'auberge était connue pour être un repaire de loyalistes et cela ne ferait qu'attiser la fureur de ceux qui nous suivraient. En outre, je ne tenais pas à être à la merci du duc une fois à l'intérieur.

— Conduisez-le au dix-sept, Chestnut Street, tout de suite ! décidai-je.

Je plongeai ma main libre dans ma poche, y puisai une pièce et la fourrai dans sa main. Il ne discuta pas et courut vers sa chaise, serrant toujours les poings. Je trottai derrière lui aussi vite que mes talons en maroquin me le permettaient, serrant la cruche de café contre moi. Il portait son numéro sur un brassard cousu sur sa manche : trente-neuf.

Une pluie de cailloux martela les flancs de la cabine. Le second porteur, le numéro quarante, tentait de les chasser comme s'il s'agissait d'un essaim d'abeilles tout en grognant sur un ton menaçant, quoique légèrement répétitif :

— Foutez le camp ! Mais foutez-moi le camp, bande de crétins !

M. Caulfield le soutenait avec un peu plus d'élégance, criant :

— Allez-vous-en, faquins ! Allez, ouste !

Il ponctuait ses propos en dardant sa canne vers les gamins les plus hardis qui s'avançaient pour ne rien perdre du spectacle.

Je me penchai dans la cabine. Hal était toujours en vie et respirait toujours. Il m'interrogea du regard en faisant un signe de tête vers le vacarme à l'extérieur. Je lui répondis de ne pas s'en préoccuper, lui mis la cruche entre les mains et ordonnai :

— Buvez ça et continuez vos exercices de respiration.

Je refermai la portière d'un coup sec et glissai la cheville dans la poignée, la bloquant non sans un certain plaisir. Quand je me retournai, je découvris le fils aîné de Fergus, Germain, se tenant à mes côtés.

— Vous vous êtes encore mise dans de sales draps, *grand-mère*[5] ?

Il ne paraissait pas perturbé le moins du monde par les cailloux qui sifflaient près de nos têtes, à présent accompagnés de poignées de crottin frais.

— Oui, on peut le dire, répondis-je. Surtout, ne fais pas…

---

5. En français dans le texte. (N.d.T.)

Avant que j'eusse terminé ma phrase, il pivota et hurla à la foule avec une voix d'une puissance étonnante :

— C'EST MA GRAND-MÈRE ! Si vous touchez à un seul de ses cheveux…

Il y eut quelques rires. Je posai une main sur ma tête et me souvins un peu tard que je n'avais plus mon chapeau. Ma tignasse se dressait sur mon crâne comme un champignon atomique, du moins ce qui ne collait pas à mon visage et à mon cou.

— …. je vous botterai le train, poursuivit Germain sans se démonter. Oui, c'est à toi que je parle, Shecky Loew ! Et à toi aussi, Joe Grume !

Deux garçons montés en graine hésitèrent, une motte de terre à la main. De toute évidence, ils connaissaient Germain.

— Et ma grand-mère racontera à ton père ce que tu as fait, tu peux en être sûr !

Cela acheva de les convaincre. Ils reculèrent d'un pas, laissèrent tomber leurs projectiles et prirent un air innocent, semblant se demander comment les mottes étaient arrivées à leurs pieds.

— Venez, *grand-mère*, m'enjoignit Germain en me prenant la main.

Les porteurs, qui n'étaient pas des empotés, avaient déjà saisi les brancards et soulevé la chaise. Comprenant que je ne pourrais jamais les suivre avec mes talons hauts, je me débarrassai rapidement de mes souliers. Au même moment, je vis le grassouillet Dr Hebdy accourir en soufflant comme un bœuf, précédé par la commère qui avait proposé d'aller le chercher et qui voguait droit sur nous, portée par la vague de son héroïsme, les traits victorieux.

— Merci, monsieur Caulfield, dis-je précipitamment.

Mes chaussures à la main, je suivis la chaise. Mes jupes traînaient sur les pavés crasseux, mais je n'y pouvais pas grand-chose. Germain resta légèrement en retrait, faisant des gestes menaçants en direction de la foule afin de la décourager de nous suivre. Toutefois, aux bruits derrière moi, je devinais que l'hostilité des badauds s'était transformée en amusement. Quelques sifflets nous suivirent, mais il n'y eut plus de missiles.

Les porteurs ralentirent légèrement une fois que nous eûmes tourné dans une rue perpendiculaire, et je sentis bientôt sous mes pieds les briques plates de Chestnut Street. Quand je parvins à hauteur de la chaise, je vis Hal regardant par la fenêtre. Il avait meilleure mine. La cruche de café posée sur la banquette à ses côtés était vide.

— Où allons… nous, ma… dame ? cria-t-il à travers la vitre en m'apercevant.

Par-dessous le bruit mat et régulier des pas des porteurs et même à travers le verre, sa voix paraissait également plus assurée.

— Ne vous inquiétez pas, monsieur le duc ! criai-je à mon tour en trottant à ses côtés. Vous êtes sous ma protection !

7

LES CONSÉQUENCES IMPRÉVUES
DE DÉCISIONS HÂTIVES

JAMIE SE FRAYA UN PASSAGE dans le taillis sans se soucier des ronces et des branches qui déchiraient et cinglaient sa peau. Tout ce qui se mettait en travers de son chemin serait arraché ou piétiné.

Lorsqu'il rejoignit l'endroit où leurs deux chevaux étaient entravés, il n'hésita que quelques secondes. Il les détacha tous les deux puis, donnant une claque sur la croupe de la jument, l'envoya trotter à travers les bois. Même si personne ne mettait le grappin dessus avant que John Grey soit libéré par la milice, il n'allait pas lui faciliter la tâche. Il avait des affaires à régler à Philadelphie et il n'avait pas besoin que sa seigneurie lui complique la vie par sa présence.

Que comptait-il faire? Il l'ignorait. Il enfonça ses talons dans les flancs de sa monture et lui fit décrire un demi-tour, prenant la direction de la grand-route. Il remarqua avec surprise que ses mains tremblaient et serra plus fort les rênes.

Les articulations de sa main droite l'élançaient et il ressentait une douleur vive là où auraient dû se trouver les phalanges de son annulaire manquant. Il éperonna son cheval et s'élança au galop.

— Qu'est-ce qui t'a pris de me raconter ça, petit crétin? marmonna-t-il. Comment croyais-tu que je réagirais?

Il connaissait la réponse: exactement comme il avait réagi. John ne s'était pas défendu; il n'avait pas rendu les coups. «Allez-y, tuez-moi», avait-il lancé. Un nouvel élan de colère lui crispa les mains quand il s'imagina accédant à sa requête. L'aurait-il vraiment fait si cet imbécile de Woodbine et sa milice n'étaient pas apparus?

Non. Même s'il fut pris d'une envie fugace de faire demi-tour et d'aller étrangler Grey à mains nues, la raison commençait à transpercer le brouillard de fureur qui lui troublait l'esprit. Pourquoi Grey le lui avait-il dit? Pour une raison évidente, celle qui avait déclenché son coup de poing par réflexe et pour laquelle ses mains tremblaient encore. Parce que c'était la vérité.

«C'est vous que nous baisions.» Il se mit à panteler, respirant si vite que la tête lui tourna. Cela fit cesser ses tremblements et il ralentit légèrement. Sa monture avait perçu sa nervosité et couché ses oreilles.

— Tout doux, *a bhalaich*, la calma-t-il. Tout doux.

Il respirait un peu mieux. Il crut un instant qu'il allait vomir, puis la nausée passa et il se redressa sur sa selle.

Il la sentait encore, cette plaie à vif que Jack Randall avait laissée sur son âme. Il l'avait pensée cicatrisée depuis longtemps et s'était cru à l'abri, jusqu'à ce que John Grey la rouvre avec ces quelques mots: «C'est vous que nous baisions.» Il ne pouvait ni n'aurait dû lui en vouloir, même s'il savait que la raison était une arme bien futile face à ce spectre. Grey ne pouvait savoir ce que ses paroles avaient réveillé en lui.

Toutefois, la raison n'était pas totalement inutile. Elle lui rappela son second coup de poing. Le premier avait été un réflexe aveugle, pas le second. Ce dernier était aussi une source de colère et de douleur, mais d'une autre sorte.

« J'ai connu votre femme charnellement. »

Il tira brusquement sur les rênes malgré lui, surprenant sa monture qui secoua violemment la tête.

— Salaud, murmura-t-il. Pourquoi ? Pourquoi me l'avoir dit, ordure ?

Là encore, la réponse vint d'elle-même, aussi limpide que la première. *Parce que Claire me l'aurait dit à la première occasion. Il le savait. Il a pensé que si ma réaction était violente en l'apprenant, il valait mieux que ce soit lui qui écope.*

Oui, elle le lui aurait dit. Il déglutit. *Et elle va me le dire.* Qu'allait-il lui répondre ou faire ?

Il tremblait à nouveau et avait ralenti sans s'en rendre compte. Son cheval marchait au pas, tournant la tête d'un côté et de l'autre en humant l'air.

Elle n'est pas fautive. Je le sais. Ce n'est pas sa faute. Ils l'avaient cru mort. Il savait à quoi ressemblait cet abîme ; il y avait passé beaucoup de temps. Il comprenait ce que le désespoir et un verre de trop pouvaient vous faire faire. Néanmoins, la vision… ou son absence… le taraudait. Comment cela s'était-il passé ? Où ? Savoir que c'était arrivé était déjà suffisamment douloureux ; ne pas savoir comment et pourquoi était presque insoutenable. Il voulait l'entendre de sa bouche.

Le cheval s'était arrêté, les rênes pendant mollement sur son encolure. Jamie était assis en selle au milieu de la route, les yeux fermés, se contentant de respirer, s'efforçant de chasser les images de sa tête et de prier.

La raison avait ses limites, pas la prière. Il fallut un peu de temps avant que son esprit lâche du lest, se libère de sa curiosité malsaine, de son besoin de *savoir*. Au bout d'un moment, il sentit qu'il pouvait reprendre sa route et récupéra les rênes.

Tout cela pouvait attendre. Avant tout, il avait besoin de voir Claire. Il ignorait ce qu'il lui dirait ou ce qu'il ferait en la voyant, mais il avait besoin de sa présence avec la même urgence qu'un homme naufragé sur une île déserte, sans nourriture ni eau pendant des semaines.

Le cœur de John Grey résonnait si fort dans ses oreilles qu'il entendait à peine la conversation de ses ravisseurs qui, après avoir pris la précaution élémentaire de le fouiller et de lui ligoter les poignets devant lui, s'étaient regroupés à quelques mètres. Ils échangeaient des messes basses, caquetant furieusement telles des poules dans une basse-cour et lui lançant des regards hostiles.

Peu lui importait. Il ne voyait plus rien de son œil gauche et était presque sûr que son foie avait éclaté. Il avait dit la vérité à Jamie Fraser, *toute* la vérité, et ressentait le même tourbillon de sensations qui accompagne la victoire au combat : un profond soulagement d'être toujours vivant ; une émotion grisante qui vous porte telle une vague avant de vous déposer sur la plage légèrement étourdi ; l'incapacité absolue d'évaluer les conséquences de son acte.

Ses genoux semblaient en proie à la même tension et cédèrent sous son poids. Il s'assit lourdement dans les feuilles mortes et ferma son œil valide.

Après un bref moment au cours duquel il oublia le reste du monde et se concentra uniquement sur le ralentissement de son rythme cardiaque, il commença à se sentir mieux et se rendit compte que quelqu'un l'appelait.

— Lord Grey ! répéta la voix.

L'homme s'était approché si près qu'il sentit l'odeur du tabac rance dans son haleine fétide.

— Je vous ai déjà dit que je ne m'appelais pas lord Grey.

Sous sa tignasse grasse et grisonnante, l'homme fronça les sourcils. C'était le grand gaillard dans la veste de chasse crasseuse qui les avait surpris le premier, avec Fraser, le dénommé Woodbine.

— Mais… vous avez dit que vous étiez lord John Grey.

— C'est le cas. Aussi, s'il vous faut absolument m'adresser la parole, appelez-moi « milord » ou « monsieur ». Que voulez-vous ?

Woodbine sursauta avec un air indigné.

— Très bien, « monsieur » ! Pour commencer, on voudrait savoir si votre frère aîné est le major général Charles Grey.

— Non.

— Non ? répéta Woodbine surpris. Mais vous le connaissez, le major général Charles Grey ? Il est bien de votre famille ?

— Oui. C'est… (Grey essaya de calculer leur degré de parenté, puis capitula et fit un geste vague de la main.) C'est une sorte de cousin.

Un grognement collectif de satisfaction circula parmi les autres hommes, qui s'étaient rassemblés autour d'eux. Woodbine s'accroupit devant lui, un morceau de papier plié entre ses doigts.

— Lord John, vous avez bien dit ne pas avoir de commission active dans l'armée de Sa Majesté ?

— En effet.

Il retint une soudaine envie de bâiller. Maintenant que son excitation était retombée, il n'aspirait plus qu'à s'allonger et à dormir.

— Dans ce cas, auriez-vous l'amabilité de nous expliquer ces documents, milord ? Nous les avons trouvés dans la poche de votre culotte.

Woodbine déplia soigneusement deux feuillets de papier et les tendit sous son nez.

John les parcourut de son œil valide. Le premier message venait de l'adjudant du général Clinton : une intimation à se rendre dans le bureau du général au plus tôt. Oui, il l'avait déjà vue, même s'il lui avait à peine jeté un coup d'œil avant l'arrivée cataclysmique de Jamie Fraser, revenu d'entre les morts. En dépit de tout ce qu'il s'était passé depuis, il ne put s'empêcher de sourire. Vivant. Ce foutu Écossais était toujours vivant !

Puis Woodbine écarta la première feuille, révélant la seconde, un document qui avait été joint à la missive de Clinton. Il portait un cachet en cire rouge immédiatement identifiable : c'était un mandat d'officier, une preuve de sa commission qu'il était censé porter sur lui en permanence. Incrédule, Grey battit des paupières, l'écriture en pattes de mouche du clerc dansant sous ses yeux. En bas, sous la signature du roi, il y en avait une autre, cette fois dans une écriture longue et allongée qu'il ne connaissait que trop bien.

— Hal! s'exclama-t-il. Salaud!

— Je vous avais bien dit que c'était un soldat! déclara le petit homme aux lunettes cassées.

Sous son étrange coiffe tricotée et marquée «À mort!», il observait Grey avec une avidité inquiétante.

— Et pas qu'un simple soldat, en plus! renchérit-il. Un espion! On devrait le pendre ici et maintenant!

Cette proposition déclencha une vague d'approbations enthousiastes que le capitaine Woodbine eut le plus grand mal à apaiser. Il se redressa et cria plus fort que les partisans d'une exécution immédiate jusqu'à ce que ces derniers battent en retraite en grommelant. Grey resta assis, la lettre froissée entre ses mains ligotées, le cœur battant.

Ils étaient bien capables de le pendre. Moins de deux ans plus tôt, Howe en avait fait autant à un capitaine de l'armée continentale nommé Hale, après que celui-ci eut été surpris collectant des renseignements, déguisé en civil. Les rebelles auraient été ravis de lui rendre la pareille. William avait assisté à l'arrestation de Hale ainsi qu'à son exécution et lui avait brièvement raconté la scène, d'une brutalité choquante.

William. Juste ciel, William! Pris dans le feu de l'action, Grey n'avait guère eu le temps de penser à son fils. Fraser et lui s'étaient échappés par le toit avant de redescendre dans la rue par une gouttière, laissant William seul sur le palier du premier étage, encore étourdi par le choc de la révélation.

Non, il n'était pas seul. Claire était présente, ce qui le rassura. Elle avait sûrement pu lui parler, le calmer, lui expliquer… Enfin, peut-être pas lui expliquer et encore moins le calmer, mais, au moins, si Grey était pendu dans quelques minutes, William ne serait pas entièrement seul pour affronter sa nouvelle situation.

— Nous l'emmenons au camp, s'entêta Woodbine. À quoi nous servirait-il de le pendre ici?

— Ça ferait toujours un homard en moins! rétorqua un type trapu portant une veste de chasse.

— Écoute, Gershon, j'ai dit qu'on ne le pendrait pas. Pas maintenant et pas ici.

Tenant son mousquet des deux mains, Woodbine dévisagea les hommes les uns après les autres et répéta :

— Pas ici et pas maintenant.

Grey devait admirer sa force de caractère. Il se retint de justesse d'acquiescer.

— Vous avez entendu ce qu'il a dit, poursuivit-il. Le major général Charles Grey est un parent à lui. Le colonel Smith voudra peut-être le pendre dans le camp, à moins qu'il ne décide de l'envoyer au général Wayne. Souvenez-vous de Paoli!

— Souvenez-vous de Paoli! entonnèrent les hommes en chœur.

Grey frotta sa manche contre son œil enflé, irrité par les larmes qui continuaient de couler. Paoli ? Qui diable était ce Paoli ? Et quel rapport avec sa propre pendaison, imminente ou retardée ? Il jugea préférable de ne pas poser la question pour le moment et, quand ils le hissèrent debout, il se laissa entraîner sans broncher.

8

HOMO EST OBLIGAMUS AEROBE, HIPPOCRATE
(« L'HOMME EST NÉCESSAIREMENT UN AÉROBIE »)

LORSQUE NUMÉRO TRENTE-NEUF ouvrit cérémonieusement la portière de la chaise, le visage du duc était dangereusement violacé et ce n'était pas en raison de la chaleur.

Avant qu'il n'ait eu le temps de me dire ce qu'il avait sur le cœur, je fis un geste vers la maison.

— Vous vouliez voir votre frère, n'est-ce pas ? demandai-je. Vous voici chez lui.

Après tout, que son frère ne se trouvât pas physiquement dans la maison n'était qu'un détail.

Il me lança un regard noir, mais économisa le peu de souffle qui lui restait et ne répondit pas. Il écarta d'un geste agacé Numéro quarante qui voulait l'aider et s'extirpa péniblement de la chaise. Il paya les porteurs (fort heureusement, car je n'avais plus un sou sur moi) et, la respiration toujours aussi sifflante, me donna le bras. Je le pris, ne tenant pas à ce qu'il s'effondre face contre terre devant le perron. Germain, qui avait suivi la chaise, conservait une distance respectueuse.

Mme Figg se tenait sur le seuil, observant notre approche avec intérêt. La porte brisée se trouvait à présent posée sur deux tréteaux près d'un grand camélia, ayant été retirée de ses gonds et attendant probablement des soins professionnels.

— Permettez-moi de vous présenter Mme Mortimer Figg, monsieur le duc, déclarai-je avec un signe de tête dans sa direction. Mme Figg est la cuisinière et la gouvernante de votre frère. Madame Figg, voici monsieur le duc de Pardloe. Le frère de lord John.

Je vis ses lèvres articuler les mots « Ben merde alors », mais heureusement sans le son. Elle s'écarta vivement du chambranle en dépit de sa corpulence et prit l'autre bras de Hal, le soutenant. Le teint de monsieur le duc virait à nouveau au bleu.

— Froncez les lèvres et soufflez ! ordonnai-je. Tout de suite !

Il émit un bruit étranglé puis recommença à souffler tout en lançant des regards assassins dans ma direction.

— Par tous les saints, que lui avez-vous fait ? me demanda Mme Figg sur un ton accusateur. Il fait un drôle de bruit ; on dirait qu'il va se dégonfler.

— Pour commencer, je lui ai sauvé la vie, rétorquai-je. Hop là ! Courage, monsieur le duc, vous y êtes presque.

À nous deux, nous l'aidâmes à gravir les marches du perron.

— Ensuite, repris-je, je lui ai épargné d'être lapidé et lynché par une foule... avec l'aide inestimable de Germain.

Je lançai un regard vers ce dernier, qui me répondit par un sourire radieux.

Je m'apprêtais également à séquestrer le duc, mais je me gardai de le préciser. Je marquai une pause sur le seuil afin de reprendre mon souffle à mon tour, puis j'achevai :

— Et je crois bien que je vais devoir le sauver à nouveau. Avons-nous une chambre où l'allonger ? Celle de William, peut-être ?

— Will... commença le duc avant d'être interrompu par une toux spasmodique. Où... où...

— Ah, c'est vrai, j'avais oublié ! m'exclamai-je. William est votre neveu, n'est-ce pas ? Il est absent pour le moment.

Je lançai un regard de mise en garde à Mme Figg. Elle pinça les lèvres, mais se tut.

— Soufflez, monsieur le duc, insistai-je.

Une fois à l'intérieur, je constatai qu'un peu d'ordre était revenu. Les débris avaient été balayés en un joli tas près de la porte. Jenny Murray était assise à côté sur un pouf, retirant les pendeloques en cristal du lustre toujours intactes parmi les détritus et les plaçant dans une coupe. En nous apercevant, elle la déposa et se précipita vers moi.

— De quoi as-tu besoin, Claire ?

— D'eau bouillante, grognai-je en manœuvrant laborieusement le duc vers une bergère.

Bien que mince et ayant une ossature fine comme John, il pesait néanmoins son poids.

— Madame Figg, il nous faut des tasses, demandai-je. Jenny, ma sacoche de médecine. Ne perdez pas le rythme, monsieur le duc. Soufflez... deux... trois... quatre... Inspirez doucement. Laissez l'air venir. Il en entrera assez, je vous le promets.

Le visage de Hal était agité de tics et luisait de sueur. S'il parvenait encore à conserver son sang-froid, je voyais sa panique monter, creusant les lignes autour de ses yeux à mesure que ses voies aériennes s'obstruaient.

Je refoulai à mon tour une montée d'angoisse. Elle ne nous serait d'aucune utilité, ni à l'un ni à l'autre. Le fait était qu'il pouvait mourir. Il faisait une crise aiguë. Même en ayant accès à des injections d'éphédrine et aux installations d'un grand hôpital, il arrivait que des gens y succombent, par crise cardiaque due au stress, par manque d'oxygène ou simplement par suffocation.

Ses doigts étaient crispés sur ses genoux, sa culotte en moleskine froissée et tachée de transpiration. Les veines de son cou saillaient. Non sans mal, je parvins à détacher l'une de ses mains et la serrai dans la mienne. Je devais détourner son attention avant que la panique ne paralyse son cerveau.

— Regardez-moi, dis-je en approchant mon visage et en le fixant dans les yeux. Tout ira bien. Vous m'entendez ? Hochez la tête si vous m'entendez.

Il acquiesça brièvement. Il soufflait, mais trop vite. Je sentais à peine un filet d'air sur ma joue. Je pressai sa main.

— Plus lentement, dis-je en m'efforçant de conserver un ton calme. Respirez avec moi. Froncez les lèvres… soufflez…

Je marquai les temps jusqu'à quatre sur son genou de ma main libre, le plus lentement possible. Il fut à bout de souffle entre le deuxième et le troisième temps, mais continua à froncer les lèvres, forçant.

— Lentement ! dis-je sèchement en le voyant ouvrir la bouche et haleter. Laissez l'air entrer naturellement. Un… deux… soufflez !

J'entendis Jenny redescendre l'escalier en courant avec ma sacoche. Mme Figg était partie comme une flèche vers la cuisine, où elle avait toujours une marmite d'eau bouillonnant sur le feu. Elle revint au pas de charge, trois doigts glissés dans les anses de tasses de thé et serrant contre sa poitrine une casserole d'eau chaude enveloppée dans une serviette.

— Trois… quatre… Jenny, de la grande uvette… Un… deux… soufflez… trois… quatre… Une bonne poignée dans chaque tasse… deux, oui, c'est ça… soufflez…

Je ne lâchai pas son regard, l'enjoignant mentalement de souffler. C'était tout ce qui maintenait ses voies aériennes ouvertes. S'il perdait le rythme et ne maintenait pas la pression de l'air dans ses bronches, celles-ci s'obstrueraient, puis… Je chassai cette pensée, serrant sa main le plus fort possible tout en donnant des instructions à droite et à gauche et en continuant de scander le rythme. De la grande uvette… qu'avais-je d'autre en stock ?

Pas grand-chose. De la spirée à trois feuilles, de la stramoine (beaucoup trop toxique et pas assez rapide)…

— Du nard indien, Jenny, dis-je subitement en pointant un doigt vers l'une des tasses. Il faut moudre la racine. … deux… trois… quatre.

Une généreuse poignée de brindilles d'uvette macérait déjà dans chaque tasse. Je lui en ferais boire dès que l'eau aurait refroidi un peu, mais il fallait attendre une bonne demi-heure pour que l'infusion soit assez concentrée pour être vraiment efficace.

— D'autres tasses, s'il vous plaît, madame Figg. Inspirez, un… deux… c'est très bien.

La main dans la mienne était glissante de sueur, mais il me tenait avec toute sa force. Je sentis mes os craquer et remuai légèrement le poignet pour me soulager. Il s'en rendit compte et desserra légèrement sa prise. Je me penchai vers lui, prenant sa main entre les deux miennes et en profitant pour poser mon pouce sur son pouls.

— Tout ira bien, répétai-je. Je ne vous laisserai pas mourir.

Une vague lueur amusée passa dans ses yeux bleu acier, mais il n'avait pas assez de souffle ne serait-ce que pour envisager de répondre. Ses lèvres étaient encore bleutées et son teint blafard, en dépit de la température.

La première tasse d'uvette le soulagea brièvement. Toutefois, c'était surtout l'effet de la chaleur et de l'humidité plus que celui de la plante elle-même.

L'uvette contenait de l'adrénaline et était le seul bon traitement contre l'asthme que j'avais sous la main. Cependant, après dix minutes d'infusion, la tisane ne contenait pas assez de principe actif. Il se détendit néanmoins, ses doigts s'enroulèrent autour des miens et il répondit à ma pression.

Je souris malgré moi, reconnaissant un vrai combattant.

— Jenny, prépare trois autres tasses, demandai-je.

S'il les buvait lentement (il ne pouvait qu'avaler de toutes petites gorgées entre deux halètements) et continuellement, il aurait ingurgité suffisamment de stimulant lorsqu'il arriverait à la fin de la sixième tasse, la plus concentrée.

— Madame Figg, s'il vous plaît, faites bouillir trois poignées d'uvette et moitié moins de nard indien dans une pinte de café pendant un quart d'heure, puis laissez macérer.

Si le duc ne mourait pas, je tenais à garder une décoction concentrée d'éphédrine à portée de main. De toute évidence, ce n'était pas sa première crise et, s'il y survivait, il en aurait d'autres. Très probablement bientôt.

Dans ma tête, j'avais passé en revue toutes sortes de diagnostics possibles. Maintenant que j'étais raisonnablement sûre qu'il n'allait pas nous claquer entre les doigts, je pouvais y réfléchir plus posément.

Ses traits fins dégoulinaient de sueur. Dès son arrivée, je lui avais retiré sa veste, son gilet et sa cravate en cuir. Sa chemise adhérait à son torse ; les plis de sa culotte, à l'aine, étaient trempés. Cela n'avait rien d'étonnant, compte tenu de la chaleur, de ses efforts et de la tisane. La teinte bleutée de ses lèvres commençait à s'estomper et je ne remarquai aucun signe d'œdème sur son visage et ses mains… pas de distension des vaisseaux sanguins de son cou non plus, en dépit de ses efforts.

Je n'avais pas besoin d'un stéthoscope pour entendre les râles grésillants dans ses poumons, mais il ne présentait pas de gonflement thoracique. Son torse était aussi svelte que celui de John, peut-être un peu plus étroit à la poitrine. Ce n'était donc pas une obstruction pulmonaire chronique… et je ne « pensais » pas qu'il souffrait d'une insuffisance cardiaque congestive. Lorsque je l'avais rencontré, il avait un teint normal. À présent, son pouls battait rapidement mais régulièrement, sans sursaut ni arythmie…

Je me rendis soudain compte que Germain se tenait à mes côtés et observait le duc d'un air fasciné. Ce dernier s'était suffisamment remis pour lancer un regard interrogatif vers le garçon, sans toutefois être en mesure de parler.

— Mmm ? fis-je sans cesser de compter les temps.

— Je me disais, *grand-mère*… qu'on va sans doute se demander où est passé ce monsieur. Ne devrais-je pas apporter un message à quelqu'un avant qu'on envoie des soldats à sa recherche ? Les porteurs parleront sûrement, non ?

— Ah, fis-je.

Il n'avait pas tort. Le général Clinton savait que Pardloe s'était trouvé en ma compagnie lorsqu'il avait été vu la dernière fois. J'ignorais si le duc était en visite à Philadelphie ou si son régiment l'accompagnait. Le cas échéant, on devait déjà être en train de le chercher ; un officier ne pouvait quitter son poste trop longtemps sans qu'on s'en aperçoive.

Toujours aussi perspicace, Germain avait raison au sujet des porteurs. Leurs numéros signifiaient qu'ils étaient inscrits à l'agence centrale de porteurs de chaise de Philadelphie. Il ne faudrait pas longtemps aux hommes du général pour localiser Numéro trente-neuf et Numéro quarante, et apprendre où ils avaient conduit le duc de Pardloe.

Jenny, qui s'occupait des tasses, s'approcha avec une nouvelle infusion et s'agenouilla devant Pardloe. Elle me fit signe qu'elle se chargerait de compter les temps de respiration pendant que je discutais avec Germain.

J'entraînai le garçon vers le porche et lui expliquai :

— Il a demandé aux porteurs de m'emmener au King's Arms. Je l'ai rencontré dans le bureau du général dans le…

— Je sais où c'est, *grand-mère*.

— Je n'en doute pas. Tu as une petite idée derrière la tête, n'est-ce pas ?

— Eh bien, je pensais…

Il lança un regard vers l'intérieur de la maison, puis se tourna à nouveau vers moi, l'air concentré.

— Combien de temps comptez-vous le garder prisonnier, *grand-mère* ?

Je n'ai pas été surprise qu'il ait deviné mes motifs. Il avait dû entendre Mme Figg faire un compte rendu des réjouissances de la matinée, et connaissant Jamie comme il le connaissait, il en avait sans doute déduit beaucoup plus. Je me demandai s'il avait vu William. Si c'était le cas, il savait probablement tout. Dans le cas contraire, il n'était pas nécessaire de lui révéler ce point de détail pour le moment.

— Jusqu'à ce que ton grand-père revienne, répondis-je. Ou lord John.

J'espérais de tout mon cœur que Jamie reviendrait bientôt, mais il serait peut-être contraint d'attendre à l'extérieur de la ville, auquel cas il m'enverrait John avec des nouvelles.

— Dès que je laisserai le duc repartir, il mettra la ville sens dessus dessous à la recherche de son frère, poursuivis-je. S'il ne meurt pas avant.

Ce qu'il fallait éviter coûte que coûte, c'était de déclencher une chasse à l'homme dans laquelle Jamie risquait de se retrouver piégé.

Germain se frotta le menton d'un air songeur. C'était un geste surprenant de la part d'un garçon qui n'avait pas encore de poil au menton. Je souris en reconnaissant là une mimique de son père.

— Ça ne devrait pas tarder, conclut-il. *Grand-père* reviendra directement ici. Il trépignait d'impatience à l'idée de vous voir, hier soir.

Il m'adressa un sourire coquin, puis lança à nouveau un regard vers le seuil.

— Quant au duc, vous ne pouvez le cacher où il est. Mais si vous envoyez un message au général et, peut-être, un autre au King's Arms, en disant qu'il est avec lord John, ils ne lanceront pas de recherches. Et même si quelqu'un vient le chercher ici, vous pourriez donner un petit verre au duc pour l'assommer et déclarer qu'il est déjà reparti. À moins que vous ne l'enfermiez dans un placard ? Ligoté et bâillonné au cas où il retrouverait sa voix ?

Germain était un garçon très méthodique et d'une logique imparable. Il le tenait de Marsali.

— Excellente idée, je m'en occupe tout de suite, dis-je sans m'appesantir sur ses différentes propositions pour faire taire le duc.

Je fis une brève pause pour examiner Pardloe, qui semblait aller mieux, bien qu'il eût toujours autant de mal à respirer, puis grimpai les marches quatre à quatre jusqu'à l'étage et ouvris l'écritoire de John. Il ne me fallut que quelques minutes pour préparer la poudre d'encre et rédiger les deux messages. Au moment de les signer, j'hésitai un instant, puis j'aperçus la chevalière de John sur la coiffeuse. Il n'avait pas eu le temps de la mettre.

J'eus une pointe de remords : entre la joie incommensurable de voir Jamie vivant, la révélation à William, le départ précipité de Jamie prenant John en otage, puis la sortie fracassante de William (Seigneur, où était-il à présent ?), je n'avais pas beaucoup pensé à John.

Il était en sécurité, me rassurai-je. Jamie veillerait à ce qu'il ne lui arrive rien et ils reviendraient… Le carillon de la pendule sur le manteau de cheminée m'interrompit dans mes pensées. Il était seize heures.

— C'est fou ce que le temps file quand on s'amuse, grommelai-je.

Je griffonnai une signature ressemblant raisonnablement à celle de John, allumai une chandelle dans les braises de la cheminée, fis tomber de la cire sur les feuilles pliées, puis pressai dessus la demi-lune souriante de la chevalière. John serait peut-être de retour avant même que ces messages ne soient livrés. Quant à Jamie, il serait avec moi dès que l'obscurité lui permettrait de revenir en ville.

9

Une marée montante dans les affaires humaines

Jamie n'était pas seul sur la route. Il était vaguement conscient d'avoir été dépassé par d'autres chevaux et avait entendu un brouhaha de voix d'hommes à pied, mais maintenant que le brouillard de sa fureur commençait à se dissiper, il se rendait compte qu'ils étaient nombreux. Il vit une compagnie de miliciens qui, sans marcher au pas, avançait comme un seul homme : de petits groupes, des cavaliers solitaires et quelques carrioles chargées de meubles venant de la ville, les femmes et les enfants à pied à côté.

En arrivant, la veille, il avait remarqué des familles quittant Philadelphie (Bigre, c'était seulement *la veille* ?) et avait eu l'intention d'en demander la raison à Fergus. Entre l'excitation des retrouvailles et les complications qui avaient suivi, il avait oublié.

Son malaise augmenta et il fit accélérer sa monture. Il n'était plus qu'à une vingtaine de kilomètres de la ville. Il y serait avant la nuit tombée.

Il vaudrait sans doute mieux qu'il fasse nuit, pensa-t-il. Il serait plus facile de mettre les choses au clair avec Claire si elle était seule. Que cela finisse en pugilat ou au lit, il ne voulait pas être dérangé.

Ce fut comme s'il avait gratté l'une des allumettes de Brianna. La simple pensée du mot «lit» déclencha en lui un nouvel accès de rage.

— *Ifrinn !* cracha-t-il en tapant du poing sur le pommeau de sa selle.

Tout le mal qu'il s'était donné pour se calmer avait été réduit à néant en un instant. Qu'ils aillent au diable, tous ! Lui ! Elle ! Tous !

— Monsieur Fraser ?

Il sursauta comme s'il avait reçu une flèche dans le dos. Son cheval s'arrêta net en s'ébrouant.

— Monsieur Fraser ! répéta la voix forte et nasillarde.

Daniel Morgan le rejoignit en trottant sur un petit cheval bai robuste, un grand sourire illuminant son visage strié de cicatrices.

— Je me disais bien que c'était vous ! Il ne peut pas y avoir deux canailles de cette taille aux cheveux de cette couleur. Et s'il en existe une autre, je ne tiens pas à la rencontrer !

Il portait un uniforme propre, ce qui ne lui ressemblait guère, avec un insigne flambant neuf agrafé au col.

— Colonel Morgan, le salua Jamie. Vous vous rendez à un mariage ?

Il s'efforça de sourire, en dépit des remous émotionnels en lui, aussi traîtres que les courants au large des falaises de l'île de Stroma.

— Pardon ? Oh, ça, dit le vieux Dan en tordant le cou pour tenter d'apercevoir son propre col. Pfff… Washington est très à cheval sur les «tenues correctes». L'armée continentale compte plus de généraux que de troufions. Dès qu'un officier survit à plus de deux batailles, il est aussitôt promu général. En revanche, pour ce qui est de toucher la solde correspondant à son grade, c'est une autre paire de manches !

Il repoussa son chapeau en arrière et examina Jamie de haut en bas.

— Vous venez de rentrer d'Écosse ? J'ai entendu dire que vous aviez accompagné le corps du brigadier Fraser. Un parent à vous, j'imagine ?

Il secoua la tête d'un air navré.

— Quel dommage ! Un sacré bon soldat et un brave type.

— En effet, nous l'avons enterré près de chez lui, à Balnain.

Ils reprirent la route côte à côte, le vieux Dan posant des questions et Jamie y répondant aussi brièvement que la courtoisie et son affection réelle pour Morgan le lui permettaient. Ils ne s'étaient pas revus depuis la bataille de Saratoga, où Jamie avait servi sous le commandement de Morgan en tant qu'officier dans son régiment de fusiliers. Il y avait beaucoup de choses à raconter et, finalement, il n'était pas fâché de la compagnie, ni même des questions. Elles lui évitaient de sombrer à nouveau dans une colère stérile.

Au bout d'un moment, alors qu'ils approchaient d'un carrefour, Jamie ralentit le pas et déclara :

— C'est ici que nos chemins se séparent. Je me rends en ville.

— Pour quoi faire ? demanda Morgan surpris.

— Eh bien, je… Pour voir ma femme.

Sa voix trembla presque en prononçant le mot «femme».

— Vraiment ? Vous n'auriez pas un petit quart d'heure à me consacrer ?

Dan l'observait avec un air calculateur qui ne lui disait rien qui vaille. D'un autre côté, le soleil était encore haut et il ne voulait pas entrer dans Philadelphie avant la nuit.

— Peut-être, répondit-il prudemment. De quoi s'agit-il ?

— Je me rends chez un ami et j'aimerais beaucoup que vous le rencontriez. Il n'habite pas loin, il n'y en a que pour quelques minutes. Allez, venez !

Morgan prit le chemin de droite en faisant signe à Jamie de le suivre, ce qu'il fit tout en se maudissant intérieurement.

17 Chestnut Street

LE TEMPS QUE LES SPASMES s'atténuent suffisamment pour que le duc puisse respirer sans les exercices de pression positive, je transpirais aussi profusément que lui. Mais je n'étais pas aussi épuisée. Il était vidé, avachi dans son fauteuil, les yeux fermés, inspirant lentement et superficiellement, mais librement. Je me sentais moi-même légèrement étourdie. Il était impossible d'aider quelqu'un à respirer sans faire les exercices soi-même. J'étais en hyperpnée.

— Tiens, *a piuthar-chèile*, murmura Jenny à mon oreille.

Ce ne fut qu'en ouvrant les yeux que je me rendis compte de les avoir fermés. Elle déposa un verre de cognac dans ma main.

— Je n'ai pas trouvé de whisky dans la maison, mais cela devrait faire l'affaire. Dois-je en donner aussi un peu à monsieur le duc ?

— Oui, vous le devez, répondit le duc sur un ton ferme sans remuer un muscle ni rouvrir les yeux. Merci, madame.

— Ça ne peut pas lui faire de mal, soupirai-je en me redressant et en m'étirant le dos. À toi non plus. Assieds-toi et bois un verre. Vous aussi, madame Figg.

Jenny et Mme Figg avaient travaillé presque aussi dur que moi, allant et venant, broyant des herbes, préparant des infusions, apportant des linges frais pour éponger la sueur, me remplaçant de temps en temps pour le comptage. En joignant leur bonne volonté non négligeable à la mienne, elles avaient aidé à le conserver en vie.

Mme Figg avait des idées bien arrêtées sur les règles de la bienséance et elles n'incluaient pas de s'asseoir et de boire un verre avec sa patronne, et encore moins avec un duc de passage. Néanmoins, elle devait reconnaître que les circonstances étaient inhabituelles. Un verre à la main, elle s'assit du bout des fesses sur la banquette près de la porte du salon, d'où elle pouvait parer toute invasion potentielle et réagir aux urgences domestiques.

Nous restâmes tous silencieux un long moment. Un profond sentiment de paix régnait dans la pièce. L'air chaud était chargé de cette étrange atmosphère de camaraderie qui lie ensemble, ne serait-ce que provisoirement, ceux qui ont partagé une épreuve. Je pris progressivement conscience de bruits provenant de la rue : des groupes de gens se déplaçant en hâte, des cris dans le pâté de maisons voisin, le roulement de carrioles, un grondement de tambours au loin.

Mme Figg les écoutait également. Je la vis redresser la tête, les rubans de son bonnet tremblant de curiosité.

— Doux Jésus, prenez pitié de nous, déclara-t-elle en reposant soigneusement son verre vide. Il va arriver quelque chose.

Jenny sursauta et me lança un regard inquiet.

— Quelque chose ? Quoi donc ?

— L'armée continentale, je suppose, répondit le duc avant de laisser retomber sa tête en arrière dans un soupir. Seigneur, quel soulagement… de pouvoir respirer !

Il avait toujours le souffle court, mais beaucoup moins laborieux. Il leva son verre dans ma direction.

— Merci, ma chère… Je vous étais déjà… redevable… pour l'opération de mon fils, mais…

— Que voulez-vous dire par l'armée continentale ? l'interrompis-je.

Je reposai mon propre verre, vide également. Mon rythme cardiaque qui avait ralenti après les efforts de la dernière heure repartit au galop.

Pardloe ferma un œil et me regarda de l'autre.

— Les Américains, répondit-il simplement. Les rebelles… que voudrais-je dire d'autre ?

— Mais quand vous dites qu'ils arrivent…

— Ce n'est pas moi qui l'ai dit, me rappela-t-il avec un regard vers Mme Figg. Mais la dame a raison. Les forces du général Clinton… se retirent… de Philadelphie… J'imagine que Wa… Washington va se précipiter.

Jenny émit un petit son étranglé et Mme Figg lâcha un juron très corsé en français avant de plaquer sa main sur sa bouche.

— Oh, fis-je, déconcertée.

J'avais été tellement distraite lors de mon entretien avec Clinton dans la matinée que les conséquences logiques d'un retrait des Anglais ne m'étaient pas apparues.

Mme Figg se leva d'un bond.

— Je ferais bien de cacher l'argenterie, annonça-t-elle. Je vais l'enterrer sous le genêt qui se trouve près de l'entrée des cuisines, lady John.

— Attendez ! l'arrêtai-je. Nous n'en sommes pas encore là, madame Figg. L'armée n'a pas encore quitté la ville et les Américains ne nous menacent pas encore. En outre, il nous faut quelques couverts pour dîner ce soir.

Elle fit une moue renfrognée puis sembla convenir que je n'avais pas tout à fait tort. Elle acquiesça puis se mit à ramasser les verres vides.

— Que souhaitez-vous pour le dîner, lady John ? J'ai un jambon cuit, mais je pensais faire une fricassée de poulet. William en raffole.

Elle lança un regard morne vers le mur de l'escalier, où les traînées de sang avaient bruni.

— Vous croyez qu'il reviendra pour dîner ? me demanda-t-elle.

William avait un cantonnement officiel quelque part en ville, mais il passait souvent ses soirées à la maison, surtout quand Mme Figg préparait sa fricassée de poulet.

— Dieu seul le sait, soupirai-je.

Je n'avais pas eu le temps de me pencher sur son sort. Reviendrait-il, une fois qu'il se serait calmé, afin de régler ses comptes avec John ? J'avais souvent vu un Fraser en ébullition et, en règle générale, ce n'étaient pas des boudeurs. Ils étaient plutôt du genre à réagir, et vite. Je lançai un regard à Jenny. Elle me le retourna, posa son coude sur la table, son menton sur sa main, et tapota ses lèvres du bout des doigts. Je souris en moi-même.

Hal s'était suffisamment remis pour pouvoir penser à autre chose qu'à sa prochaine inspiration.

— Où est mon neveu, au fait ? demanda-t-il. Et John... par la même occasion ?

— Je l'ignore, répondis-je.

Je posai mon verre sur le plateau de Mme Figg puis allai chercher celui du duc.

— Je ne vous ai pas menti à ce sujet, précisai-je. Mais je suis sûre qu'il reviendra bientôt.

Je me passai une main sur le visage et lissai mes cheveux en arrière de mon mieux. Chaque chose en son temps. J'avais d'abord un patient à soigner.

— Je suis sûre que John est lui aussi impatient de vous retrouver, mais...

— Oh, j'en doute fort, m'interrompit-il.

Il promena son regard sur moi, de mes pieds nus à mes cheveux hirsutes, et son air amusé s'accentua encore.

— Un de ces jours... vous devrez m'expliquer... comment John en est venu... à vous épouser.

— Une mesure de dernier recours, expliquai-je succinctement. Pour le moment, nous devons vous mettre au lit. Madame Figg, la chambre du fond est-elle...

— Ce ne sera pas nécessaire, madame Figg, me coupa-t-il. Je n'en... aurai pas...

Il essayait de sortir de son fauteuil et n'avait pas assez d'air pour parler en même temps. Je me plantai devant lui en prenant mon air d'infirmière en chef.

— Harold, dis-je sur un ton mesuré. Je ne suis pas uniquement votre belle-sœur (ce mot me fit un effet étrange), je suis également votre médecin. Si vous ne voulez pas... quoi ?

Il me dévisageait avec une expression entre la surprise et l'hilarité.

— C'est bien vous qui m'avez demandé de vous appeler par votre prénom, non ? lui rappelai-je.

— C'est vrai, admit-il avec un sourire charmant. Mais je ne crois pas que... quelqu'un m'ait appelé... Harold... depuis mes trois ans. Dans ma famille... on m'appelle Hal.

— Fort bien, Hal. Vous allez vous rafraîchir avec un bon bain, puis vous irez vous allonger sur un lit.

Il émit un petit rire, qui se transforma rapidement en toux. Il pressa son poing sous sa cage thoracique jusqu'à ce que la quinte passe, puis s'éclaircit la gorge et se redressa vers moi.

— Vous devez vraiment croire... que j'ai trois ans... chère belle-sœur... pour m'envoyer au lit... sans mon goûter.

Il fléchit les genoux et prit appui sur les accoudoirs pour se lever. Je posai une main sur son torse et le poussai. Il n'avait aucune force dans les jambes et retomba dans son fauteuil, stupéfait et outré. Il était également effrayé : il prenait conscience de sa propre faiblesse. Une crise aiguë laisse généralement sa victime totalement exténuée et les poumons dangereusement sensibles.

— Vous voyez ? demandai-je en prenant mon ton le plus doux. Vous avez déjà eu ce genre de crise, n'est-ce pas ?

— C'est que… oui, admit-il à contrecœur. Mais…

— Après la dernière, combien de temps êtes-vous resté alité ?

Il pinça les lèvres, avant de répondre :

— Une semaine. Mais cet idiot de médecin…

Je l'interrompis en posant une main sur son épaule et déclarai en insistant sur chaque mot :

— Vous. Ne. Pouvez. Pas. Encore. Respirer. Tout. Seul. Écoutez-moi, Hal. Avez-vous vu ce qui vous est arrivé aujourd'hui ? Vous avez eu une crise grave en pleine rue. Si cette foule dans Fourth Street s'était ruée sur vous, vous n'auriez rien pu faire. Ne discutez pas, Hal. J'étais là.

Je le dévisageai en plissant des yeux. Il en fit autant, mais ne me contredit pas.

— Ensuite, le simple chemin depuis la chaise à porteurs jusqu'à l'entrée de cette maison, soit environ vingt pieds, a déclenché chez vous un AAG. Avez-vous déjà entendu ce terme ?

— Non, grommela-t-il.

— Un asthme aigu grave. À présent, vous savez ce que c'est. Vous dites que vous êtes resté au lit une semaine après la dernière crise ? Avait-elle été aussi violente que celle d'aujourd'hui ?

Ses lèvres étaient pincées au point de ne plus former qu'une ligne blanche et ses yeux dardaient des flèches. Peu de gens devaient parler sur ce ton à un duc, et encore moins au commandant de son propre régiment. Cela ne pouvait lui faire que du bien.

— Ce fichu médecin… grogna-t-il en se massant délicatement la poitrine du bout des doigts. Il a dit… que c'était… mon cœur. Je savais bien qu'il… se trompait.

— Et vous avez probablement raison. Est-ce le même médecin qui vous a prescrit des sels ? Si c'est le cas, c'est un charlatan.

Il émit un petit rire sifflant.

— En effet, admit-il. Quoique, en toute… justice…, il ne me les a… pas donnés. Je me les suis procurés… moi-même. Pour les évanouissements… comme je vous l'ai dit.

— En effet.

Je m'assis à ses côtés et pris son poignet. Il se laissa faire, m'observant avec curiosité. Son pouls était normal. Il avait ralenti et battait régulièrement.

— Depuis combien de temps avez-vous des évanouissements ?

Je me penchai pour examiner ses yeux. Pas de signe de pétéchie, ni de jaunisse. Ses pupilles étaient de la même taille.

— Longtemps, répondit-il en libérant brusquement son poignet. Je n'ai pas le temps… de bavarder… sur mon état de santé, madame. Je…

— Claire, lui rappelai-je.

Je posai à nouveau une main sur sa poitrine sans me départir de mon sourire charmant.

— Vous êtes Hal, je suis Claire, et vous n'irez nulle part, monsieur le duc.

— Ôtez votre main !

— Je suis très tentée de le faire, ne serait-ce que pour vous voir tomber le nez en avant. Attendez que Mme Figg ait terminé de faire macérer la décoction. Je n'ai pas envie de vous retrouver vous trémoussant sur le parquet, haletant comme un poisson hors de l'eau et sans un moyen de retirer l'hameçon de votre bouche.

J'ôtai néanmoins ma main et, me levant, je sortis dans le vestibule avant qu'il n'ait retrouvé assez de souffle pour me répondre. Jenny se tenait devant la porte ouverte, examinant la rue.

— Que se passe-t-il dehors ? lui demandai-je.

— Je n'en sais rien, répondit-elle sans quitter des yeux deux types à la mine patibulaire assis sur le trottoir, de l'autre côté de Chestnut Street. Mais si tu veux mon avis, ça sent le roussi. Tu crois qu'il a raison ?

— À propos du départ de l'armée britannique ? Oui. Ils s'en vont, ainsi probablement que la moitié des loyalistes de la ville.

Je comprenais parfaitement son angoisse. L'air était chaud et lourd, résonnant au son des cigales. Les feuilles des marronniers qui bordaient la rue pendaient mollement comme des chiffons. Pourtant, un étrange courant circulait dans la rue. Qu'était-ce ? De l'excitation ? De la panique ? De la peur ? Sans doute les trois à la fois.

Jenny se tourna vers moi, le front plissé.

— Je devrais peut-être retourner à l'imprimerie. Marsali et les enfants ne seront-ils pas plus en sécurité si je les amène ici ? Au cas où il y aurait des émeutes ou je ne sais quoi…

— Non, je ne pense pas. Tout le monde sait que Fergus et Marsali sont patriotes. Ce sont les loyalistes qui seront en danger. Une fois l'armée partie, ils ne seront plus protégés et les rebelles pourraient… se venger sur eux. (Un frisson glacé me parcourut l'échine.) Cette maison est loyaliste.

Je me gardai d'ajouter : *et nous n'avons même pas une porte à fermer et verrouiller.*

Il y eut un bruit sourd dans le salon, comme un corps s'effondrant sur le parquet. Jenny ne réagit pas et moi non plus. Nous avions toutes les deux une longue expérience de l'entêtement des hommes. Je pouvais l'entendre haleter. Si sa respiration redevenait sifflante, j'interviendrais.

Jenny fit un signe de tête vers le salon et me demanda à voix basse :

— Cela ne va pas te mettre en danger de le garder ici ? Tu ferais peut-être mieux d'aller à l'imprimerie, toi aussi.

Je grimaçai et m'efforçai de calculer les probabilités. Les lettres que j'avais confiées à Germain retarderaient les recherches et, s'ils venaient poser des questions, je saurais les refouler. D'un autre côté, cela signifiait que je ne pourrais compter sur une aide immédiate de l'armée en cas d'attaque. Or, je risquais d'en avoir besoin. Quelqu'un dans la foule hostile de Fourth Street avait peut-être entendu l'adresse que j'avais donnée aux porteurs. Cette hostilité prenait à présent une tout autre dimension.

Les courants que je sentais tourbillonner dans les rues étaient de mauvais augure. Si les rebelles de la ville s'apprêtaient à se soulever et à se retourner contre les loyalistes sans défense...

— Quelqu'un pourrait bien se présenter sous ton porche avec un tonneau de goudron et un sac de plumes, observa Jenny en anticipant la fin de ma pensée.

— Ce ne serait pas très bon pour l'asthme de monsieur le duc, répliquai-je en la faisant rire.

— Et si tu le rendais au général Clinton ? suggéra-t-elle. J'ai déjà eu des soldats perquisitionnant chez moi pendant qu'un homme recherché se cachait dans le fond de ma penderie et que j'avais un bébé dans les bras. Si la moitié de ce que m'a dit Marsali est vrai, avoir les Fils de la liberté fouillant cette maison à la recherche du duc risque sérieusement d'éprouver tes nerfs.

— Je ne pense pas que Marsali ait exagéré...

Je fus interrompue par un coup de feu sourd et mat. Il avait été tiré quelque part près de la rivière. Nous nous figeâmes, tendant l'oreille. Comme il n'y en eut pas un second, je respirai à nouveau.

— Le problème, c'est que l'état du duc n'est pas stable, expliquai-je. Je ne peux pas courir le risque de l'emmener dans les rues remplies de poussière et de pollen, puis de le confier à un médecin militaire ou à ce charlatan de Hebdy. S'il subissait une autre crise et que personne ne puisse l'aider...

Jenny fit une grimace.

— Tu as raison, dit-elle à contrecœur. Et tu ne peux pas non plus le laisser ici et te réfugier à l'imprimerie, pour les mêmes raisons.

— En effet.

Sans compter que Jamie viendrait me chercher ici. Je ne pouvais pas partir.

— Si Jamie vient ici et ne te trouve pas, le premier endroit où il te cherchera sera l'imprimerie, observa Jenny.

Je sentis les poils de ma nuque se hérisser.

— Tu veux bien arrêter de faire ça ?

— Quoi donc ? demanda-t-elle surprise.

— Lire dans mes pensées.

— Ah, ça.

Ses yeux bleus se plissèrent en un triangle espiègle.

— On lit tes pensées sur ton visage comme dans un livre ouvert, Claire. Jamie te l'a sûrement déjà dit !

Je sentis une rougeur monter de mon décolleté, ce qui me rappela soudain que je portais toujours ma robe en soie ambre, désormais tachée de sueur, couverte de poussière, l'ourlet en piteux état et le corsage très ajusté. J'espérai que « tout » ce que je pensais ne se voyait pas sur mon visage, car il y avait un certain nombre de choses que je ne souhaitais pas partager avec Jenny pour le moment.

— À vrai dire, je ne peux pas deviner tout ce que tu penses, convint-elle. (Elle remettait ça ! Nom d'un chien !) Mais il est facile de savoir quand tu penses à Jamie.

Je préférais ne pas savoir de quoi j'avais l'air quand je pensais à Jamie et j'étais sur le point de m'excuser pour aller voir où en était le duc, que j'entendais tousser et haleter des jurons en allemand, quand j'aperçus un garçon courant dans la rue comme si le diable était à ses trousses. Il portait sa veste à l'envers et ses pans de chemise volaient derrière lui.

— Colenso! m'exclamai-je.

— Quoi? fit Jenny, surprise.

— Pas quoi, mais qui. Lui!

Je pointai un index vers la petite créature pouilleuse qui s'engageait dans notre allée en pantelant.

— Colenso Baragwanath, le palefrenier de William, ajoutai-je.

Colenso, qui semblait toujours venir de bondir d'un nénuphar, se rua vers la porte avec une telle violence que Jenny et moi dûmes sauter de côté pour l'éviter. Il trébucha contre le seuil et s'étala de tout son long dans l'entrée.

— On dirait que le vieux Lucifer en personne te poursuit, mon garçon! s'exclama Jenny en l'aidant à se hisser debout. Et qu'as-tu fait de ta culotte?

En effet, il était nu-pieds et ne portait que sa chemise sous sa veste.

— Ils me l'ont prise, haleta-t-il.

— Qui? demandai-je.

Je lui ôtai sa veste et la remis à l'endroit.

— Eux, répondit-il en agitant une main vers Locust Street. Je cherchais lord Ellesmere et j'ai passé la tête à l'intérieur de la taverne où il va parfois. Ils étaient tout un tas; ça grouillait comme dans une ruche et il y avait pas mal de grands gaillards. L'un d'eux m'a reconnu et s'est mis à brailler en beuglant que j'étais un espion et que j'allais tout rapporter à l'ennemi. Ils m'ont attrapé, m'ont traité de renégat et m'ont retourné ma veste. Puis un type a dit qu'il allait me battre pour m'apprendre à ne plus virer capot. Il a baissé ma culotte et… et… J'ai réussi à lui échapper en me jetant à terre; j'ai rampé sous les tables et j'ai détalé.

Il s'essuya le nez sur ma manche, puis demanda:

— Sa seigneurie est là, m'dame?

— Non, répondis-je. Que lui veux-tu?

— Oh, c'est pas moi, c'est le major Findlay qui le demande. Tout de suite.

— Hum… Eh bien… où qu'il soit en ce moment, il rentrera sûrement ce soir à son cantonnement. Tu sais où c'est, n'est-ce pas?

— Oui, m'dame, mais je retournerai pas dans les rues sans culotte!

Il paraissait tellement horrifié et indigné que Jenny ne put s'empêcher de rire.

— Je te comprends, mon garçon. Tu sais quoi? Mon petit-fils aîné en aura probablement une à te prêter.

Elle se tourna vers moi et ajouta:

— Je file à l'imprimerie chercher une culotte et expliquer la situation à Marsali.

— D'accord, dis-je tout en rechignant à la laisser partir. Reviens vite, et surtout, dis à Marsali de ne rien imprimer de tout cela dans le journal!

10

La descente du Saint-Esprit sur un disciple récalcitrant

L'ENDROIT DONT AVAIT PARLÉ DAN MORGAN n'était effectivement pas très loin. C'était une cabane délabrée au milieu d'une petite ormaie, au bout d'une courte allée en terre donnant sur la route principale. Un grand hongre gris entravé paissait à côté, son harnais posé sur le seuil. Il releva le museau et hennit en les entendant arriver.

Jamie suivit Dan à l'intérieur et dut baisser la tête pour passer sous le linteau. Il se retrouva dans une pièce sombre et miteuse où régnait une odeur de jus de chou, de saleté et d'urine. Les volets de l'unique fenêtre étaient grand ouverts pour laisser entrer l'air et un faisceau de lumière dans lequel il distingua à contre-jour la silhouette d'un homme corpulent au long crâne assis derrière une table. Il redressa la tête quand ils entrèrent.

— Colonel Morgan, vous m'apportez de bonnes nouvelles, j'espère ? déclara-t-il d'une voix douce marquée par l'accent traînant de la Virginie.

— Vous ne croyez pas si bien dire, général, répondit Dan en poussant Jamie devant lui. Je suis tombé sur cette canaille sur la route et vous l'ai amenée. C'est le colonel Fraser, dont je vous ai parlé. Il revient d'Écosse. C'est l'homme qu'il vous faut pour commander les troupes de Taylor.

L'homme se leva et tendit la main. Il souriait en pinçant les lèvres, comme s'il craignait que quelque chose ne s'échappe de sa bouche. Il était aussi grand que Jamie et ses yeux gris-bleu le jaugèrent pendant les quelques secondes que dura leur poignée de main.

— George Washington, déclara-t-il. À votre service, monsieur.

— James Fraser, répondit Jamie, légèrement abasourdi. Votre… humble serviteur.

Le grand Virginien tendit la main vers un des bancs autour de la table.

— Asseyez-vous avec moi, colonel Fraser. Mon cheval s'est mis à boiter et mon esclave est parti m'en chercher un autre. J'ignore le temps que cela lui prendra, puisqu'il me faut une monture robuste pour supporter mon poids et que celles-ci se font rares, de nos jours. Vous n'auriez pas un bon cheval, par hasard ?

Le message était clair et Jamie obtempéra de bon gré.

— Si, mon général. Me ferez-vous l'honneur de l'accepter ?

Dan émit un son étranglé et se mit à se dandiner d'un pied sur l'autre, voulant s'opposer. Jamie lui fit un discret signe de tête. Philadelphie n'était pas si loin. Il pouvait s'y rendre à pied.

Satisfait, Washington le remercia avec grâce, lui promettant que son cheval lui serait rendu dès qu'on lui aurait procuré une autre monture.

— Il est plus que jamais crucial que je puisse aller et venir à ma guise et rapidement, colonel, expliqua-t-il. Vous savez, je suppose, que Clinton se retire de Philadelphie…

La nouvelle pénétra le cerveau de Jamie telle une pièce de monnaie brûlante dans une motte de beurre.

— Je… Il… Non, mon général. Je l'ignorais.

— J'allais justement y venir, grommela Dan. Encore faudrait-il qu'on me laisse en placer une.

— C'est le moment ou jamais, répliqua Washington, amusé. Profitez-en et dépêchez-vous avant que Lee n'arrive. Mais asseyez-vous donc, messieurs. J'attends… Ah, justement, les voilà !

Des bruits dans la cour indiquèrent l'arrivée de plusieurs cavaliers. Quelques minutes plus tard, la cabane était remplie d'officiers continentaux.

Ils étaient pour la plupart en piteux état, portant des fragments d'uniformes assortis avec d'épaisses chemises en laine ou des culottes en étoffe du pays. Les rares tenues complètes étaient élimées et crottées de boue. Une odeur d'hommes vivant à la dure étouffa rapidement les relents domestiques de la maison.

Pendant qu'ils se saluaient en se marchant sur les pieds, Jamie parvint à identifier la source de l'odeur d'urine : une femme au visage émacié se tenait dans un coin de la pièce, le dos au mur, serrant contre elle un nourrisson enveloppé dans un châle loqueteux et lançant des regards affolés vers les intrus. Il y avait une tache sombre et humide sur le châle, mais elle devait avoir peur de quitter sa cachette pour changer son bébé. Elle se balançait machinalement d'un pied sur l'autre tout en tapotant l'enfant pour le calmer.

— Colonel Fraser ! Quelle bonne surprise !

La voix détourna son attention et, à sa stupéfaction, il se retrouva face à Anthony Wayne, désormais surnommé « Anthony le fou », qui lui broyait la main avec enthousiasme. Ils s'étaient vus la dernière fois quelques semaines avant la chute de Ticonderoga.

— Comment vont votre épouse et votre neveu indien ? lui demanda Wayne avec un sourire rayonnant.

Anthony était petit et râblé, avec des joues rebondies d'écureuil, un nez pointu inquisiteur et des yeux qui, de temps à autre, semblaient darder des flammes. Jamie fut soulagé de constater que, pour le moment, ils brillaient simplement avec un intérêt amical.

— Euh… fort bien, merci, répondit-il. Et vous…

— Dites-moi, votre femme est dans les parages ?

Wayne s'approcha encore et baissa la voix.

— C'est que mon pied goutteux me fait un mal de chien. Elle a fait un miracle avec l'abcès que j'avais dans la raie des fesses lorsque nous étions à Ti…

Au grand soulagement de Jamie, la voix de George Washington s'interposa à point nommé entre Jamie et les fesses d'« Anthony le fou ».

— Colonel Fraser, permettez-moi de vous présenter le major général Charles Lee et le général Nathanael Greene.

Hormis pour Washington lui-même, Charles Lee était le mieux équipé de la bande, avec un uniforme complet et en bon état depuis son hausse-col jusqu'à ses bottes cirées. Jamie ne l'avait encore jamais rencontré, mais il aurait su qu'il était militaire de carrière même sans sa tenue. C'était l'un de ces Anglais qui semblaient toujours sentir une odeur désagréable quelque part. Il lui serra néanmoins cordialement la main avec un bref « À votre service, major général ». Il savait déjà deux choses à propos de Lee, toutes deux grâce à Petit Ian : il avait une épouse indienne, et les Iroquois l'appelaient Ounewaterika. Selon Ian, cela signifiait « eau bouillante ».

Entre « Anthony le fou » et « Eau bouillante », Jamie commençait à regretter de ne pas avoir détalé au grand galop lorsqu'il avait rencontré Dan Morgan sur la route. Il était trop tard pour avoir des regrets.

— Prenez place, messieurs, ordonna Washington. Nous n'avons pas de temps à perdre.

Il se tourna vers la femme dans le coin.

— Vous n'auriez pas quelque chose à boire, madame Hardman ?

Jamie la vit déglutir péniblement et elle serra l'enfant si fort contre elle qu'il se mit à crier comme un goret puis à pleurer. Plusieurs hommes, sans doute des pères, tiquèrent en entendant les braillements. Jamie se rendit compte qu'elle était quaker lorsqu'elle répondit :

— Non, ami. Il n'y a que l'eau du puits. Veux-tu que j'aille en chercher un seau ?

— Ne te dérange pas, amie Hardman, répondit Nathanael Greene d'une voix douce. J'ai dans ma sacoche deux bouteilles qui feront l'affaire.

Il avança lentement vers elle pour ne pas l'effrayer et lui prit délicatement le bras.

— Viens donc dehors avec moi. Tu n'as pas besoin de rester là.

C'était un homme corpulent et imposant qui marchait en boitant. Toutefois, elle parut rassurée qu'il emploie le même langage qu'elle et le suivit, non sans lancer des regards angoissés derrière elle comme si elle craignait que les hommes ne mettent le feu à sa maison.

Un quart d'heure plus tard, Jamie se demandait s'ils n'allaient pas vraiment incendier les lieux par l'ardeur de leur passion. Washington et ses troupes avaient été confinés à Valley Forge pendant les six derniers mois, s'entraînant et se préparant. Les généraux brûlaient d'affronter l'ennemi.

Il y eut beaucoup de discussions. Des plans furent avancés, débattus, écartés, examinés à nouveau. Jamie n'écoutait que d'une oreille ; l'autre partie de lui se trouvait à Philadelphie. Fergus lui avait expliqué que la ville était divisée et qu'il y avait régulièrement des escarmouches entre patriotes et loyalistes. Seule la présence de l'armée empêchait que celles-ci dégénèrent. Toutefois, les loyalistes étaient en minorité. Dès l'armée partie, ils seraient à la merci des insurgés. Or, après avoir été réprimés pendant des mois, les rebelles ne feraient probablement pas de quartiers.

Claire… Sa gorge se noua. Pour les habitants de Philadelphie, elle était l'épouse de lord John Grey, un loyaliste notable. Or, Jamie venait justement de la priver de la protection de John Grey, la laissant livrée à elle-même et impuissante dans une ville sur le point d'exploser.

Combien de temps restait-il avant le départ des Britanniques? Personne autour de la table ne le savait.

Il se tint à l'écart de la conversation, d'une part parce qu'il était occupé à estimer en combien de temps il parviendrait à Philadelphie à pied et s'il ne valait pas mieux prétexter d'aller au petit coin et voler le cheval qu'il venait d'offrir à Washington; de l'autre, parce qu'il se souvenait de ce que le vieux Dan avait déclaré au général Washington en le présentant. S'il y avait bien une chose qu'il voulait éviter, c'était...

— Et vous, colonel Fraser? demanda Washington. (Jamie recommanda son âme à Dieu.) Me rendrez-vous l'immense service d'accepter le commandement du bataillon d'Henry Taylor? Le général a succombé à une maladie voilà deux jours.

— Je... suis très flatté, parvint-il à répondre tout en réfléchissant à toute allure. Mais j'ai une affaire très urgente à régler... à Philadelphie. Je serai honoré d'accepter, dès que je me serai acquitté de mes obligations... En outre, je pourrais ainsi vous informer de l'état exact des forces du général Clinton.

Washington s'était rembruni en entendant la première partie de sa réponse, mais sa dernière phrase reçut l'assentiment de Greene et de Morgan, tandis que Wayne hochait sa tête de petit écureuil.

— Pouvez-vous régler vos affaires en trois jours, colonel?

— Oui, mon général.

Il ne lui faudrait que deux ou trois heures pour parcourir la quinzaine de kilomètres jusqu'à Philadelphie et moins de trente secondes pour faire sortir Claire de cette maison, une fois qu'il y serait.

— Très bien. Dans ce cas, vous voici nommé provisoirement général de l'armée continentale. Ce...

— *Ifrinn!*

— Je vous demande pardon, colonel? demanda Washington, perplexe.

Dan Morgan, qui avait déjà entendu Jamie lâcher «Enfer!» en *gàidhlig*, se retint de rire.

— Je... vous remercie, mon général, se hâta de répondre Jamie.

Il déglutit en sentant une vague de chaleur l'envahir.

— Naturellement, il faudra que le Congrès approuve votre promotion, poursuivit Washington en plissant légèrement le front. On ne sait jamais comment vont réagir ces chicaneurs de fils de pute de petits-bourgeois.

— Je comprends, mon général, l'assura Jamie.

Il ne lui restait plus qu'à espérer. Dan Morgan lui tendit une bouteille et il but de longues gorgées sans même savoir ce qu'il buvait. Transpirant abondamment, il se laissa retomber sur le banc en essayant de se fondre dans le mur.

Quelle tuile! Son intention avait été de se glisser discrètement en ville, puis d'en ressortir aussi sec avec Claire, de descendre vers le sud pour récupérer sa presse typographique et, peut-être, d'établir un petit commerce à Charleston ou Savannah jusqu'à ce que la guerre se termine et qu'ils puissent rentrer à Fraser's Ridge. Certes, il était au courant qu'il y avait un risque: tout homme de moins de soixante ans était susceptible d'être mobilisé. Il était sans doute moins dangereux d'être général que commandant de milice. Sans doute. En outre, un général pouvait démissionner de sa charge, ce qui était encourageant.

En dépit de ses inquiétudes quant au futur immédiat, il se prit à observer le visage de Washington plutôt qu'à écouter son discours, notant la façon dont il s'exprimait et se tenait afin de pouvoir le raconter à Claire. Il aurait aimé en discuter avec Brianna. Il avait parfois entendu Roger Mac et elle se demander quel effet leur ferait de rencontrer des personnalités historiques telles que Washington. Ayant lui-même déjà rencontré un certain nombre de célébrités, il leur avait dit qu'ils seraient probablement déçus.

Il devait reconnaître que Washington connaissait son affaire. Il écoutait plus qu'il ne parlait et, lorsqu'il parlait, son propos était pertinent. Il dégageait une autorité tranquille, même s'il était clairement excité par les nouvelles perspectives. Avec ses traits épais et son visage grêlé, il était loin d'être séduisant, mais il avait une véritable présence et une grande dignité.

Son expression s'était considérablement animée et il alla même jusqu'à rire plusieurs fois, révélant de très mauvaises dents tachées. Jamie était fasciné ; Brianna lui avait raconté qu'elles étaient fausses, taillées dans du bois et de l'ivoire d'hippopotame. Il songea soudain à son grand-père : le Vieux Renard avait eu un dentier en hêtre. Jamie l'avait jeté dans le feu au cours d'une dispute au château de Beaufort. L'espace d'un instant, il replongea dans son passé, sentant la fumée de tourbe et l'odeur du gibier rôti, tous ses sens à l'affût, entouré par des parents qui n'auraient pas hésité à le tuer.

Aussi brusquement, il revint à la réalité, assis entre Lee et Dan, entouré d'odeurs de sueur et d'exaltation, sentant malgré lui l'excitation ambiante s'infiltrer dans son sang.

Il était étrange de se trouver à moins d'un mètre d'un homme qu'il ne connaissait pas mais au sujet duquel il en savait probablement plus que l'homme lui-même.

Certes, il avait passé de nombreuses soirées avec Charles-Édouard Stuart tout en sachant et en croyant ce que Claire lui avait dit sur le sort qui l'attendait. Néanmoins... le Christ avait déclaré à Thomas le sceptique : *Heureux ceux qui n'ont pas vu et qui ont cru*. Il se demanda comment on qualifiait ceux qui avaient vu et étaient contraints de vivre avec ce qu'ils en savaient. « Heureux » n'était probablement pas le mot juste.

Il dut patienter plus d'une heure avant que Washington et les autres se décident à partir, une heure durant laquelle il n'avait cessé de se répéter qu'il aurait dû se lever d'un bond, renverser la table et foncer vers la porte, laissant l'armée continentale se débrouiller sans lui.

Lorsqu'elles ne combattaient pas, les armées se déplaçaient lentement. Washington estimait qu'il faudrait une semaine au moins avant que les Britanniques ne quittent vraiment Philadelphie. Jamie avait beau en être conscient, il ne pouvait raisonner son corps qui, comme d'habitude, décidait seul de ses priorités. Il pouvait oublier ou refouler la faim, la soif, la fatigue ou la douleur, mais il ne pouvait étouffer son besoin de retrouver Claire.

Ce devait être ce qu'elle et Brianna appelaient « une surdose de testostérone », un terme qu'elles utilisaient pour désigner tout comportement typiquement masculin qui les dépassait. Un jour, il lui demanderait ce qu'est la testostérone. En attendant, il s'agitait nerveusement sur son banc étroit, s'efforçant de se concentrer sur ce que disait Washington.

Enfin, on frappa à la porte. Un Noir passa la tête à l'intérieur et fit un signe de tête au général.

— C'est prêt, m'sieur, dit-il avec le même accent traînant que son maître.

— Merci, Caesar, répondit Washington en posant les mains sur la table et en se levant. Messieurs, sommes-nous bien d'accord ? Général Lee, vous venez avec moi. Les autres, je vous retrouverai en temps voulu à la ferme de Sutfin, sauf avis contraire d'ici là.

Le cœur de Jamie fit un bond. Il voulut se lever à son tour, mais Dan le retint d'une main sur son bras.

— Attends un peu, Jamie. Tu ne veux pas en apprendre un peu plus sur ton nouveau commandement ?

— Je... commença-t-il.

C'était inutile. Il se rassit et attendit pendant que Nathanael Greene remerciait Mme Hardman pour son hospitalité et la priait d'accepter une petite gratification de la part de l'armée pour les avoir reçus aussi civilement. Jamie était prêt à parier que les pièces qu'il sortit de sa bourse étaient à lui et non à l'armée. La femme les accepta, son visage las exprimant une émotion trop vague pour être du plaisir. Il vit ses épaules s'affaisser de soulagement lorsque la porte se referma sur les généraux et se rendit compte que leur présence les avait mis, elle et son enfant, dans un péril considérable si des gens du camp opposé voyaient des officiers continentaux en uniforme sortir de chez elle.

Elle lança un regard vers lui et Dan, mais, avec leurs habits ordinaires de civils, ils semblaient beaucoup moins la préoccuper. Dan avait ôté sa veste d'uniforme, l'avait retournée puis l'avait pliée avant de la poser sur le banc.

— Tu ne sens pas des langues de feu te chatouiller le sommet du crâne, Jamie ? lui demanda Dan.

— Quoi ?

Dan récita :

— *Le soir de ce jour, qui était le premier de la semaine, les portes du lieu où se trouvaient les disciples étant fermées, à cause de la crainte qu'ils avaient des Juifs, Jésus se présenta au milieu d'eux et leur dit : la paix soit avec vous !*

Il sourit en voyant l'air ahuri de Jamie, puis expliqua :

— Ma petite Abigail a de l'instruction. Elle me lit souvent des passages de la Bible dans l'espoir que je deviendrais meilleur, même si je lui répète qu'elle s'y prend un peu tard.

Il fouilla dans le sac à dos qu'il avait apporté et en sortit une liasse de vieux papiers, un encrier en corne et plusieurs plumes loqueteuses.

— Maintenant que le Père, le Fils et le Saint-Esprit sont partis vaquer à leurs occupations, laisse-moi t'écrire le nom de tes commandants de compagnie, ce dont tu disposes en termes de miliciens et où les trouver. Parce que ce n'est pas comme s'ils étaient tous dans une caserne, ni même dans le même village.

Madame Hardman, pourrais-je vous demander une goutte d'eau pour préparer mon encre ?

Jamie s'efforça de se concentrer sur la tâche afin d'en finir au plus vite. Un quart d'heure plus tard, il rassemblait les listes rédigées avec l'écriture lente en pattes de mouche de Dan. *Deux heures pour rejoindre Philadelphie... peut-être trois.*

Sur le pas de la porte, Dan se retourna et lui demanda :

— Tu as un peu d'argent sur toi ?

— Pas un sou, admit Jamie.

Il baissa les yeux vers l'endroit de sa ceinture où il attachait habituellement sa bourse. Il l'avait donnée à Jenny pendant le voyage, car elle adorait s'occuper de leurs petites emplettes. Ce matin, il avait été tellement pressé de retrouver Claire qu'il avait quitté l'imprimerie avec uniquement les vêtements qu'il portait sur lui et les documents destinés à Fergus. Il se demanda un instant si tout se serait passé différemment si on ne l'avait pas vu donnant les papiers à Fergus et s'il n'avait pas été suivi jusqu'à la maison de lord John par les soldats... et William. Il ne servait à rien de le regretter à présent.

Dan fouilla à nouveau dans son sac et en extirpa un autre sac plus petit ainsi qu'une bourse émettant un cliquetis. Il les lança tous les deux à Jamie.

— De quoi te nourrir pendant ton voyage et une avance sur ta solde de général, déclara-t-il en riant de sa propre plaisanterie. Il te faudra payer ton uniforme en monnaie sonnante et trébuchante. Il n'y a pas un tailleur à Philadelphie qui acceptera des devises continentales. Et ne t'avise pas de te présenter devant sa magnificence George Washington sans être convenablement vêtu. Il affirme qu'on ne peut inspirer le respect sans avoir l'air de le mériter. Mais je suppose que tu sais déjà tout ça.

Dan, qui avait combattu lors des deux batailles de Saratoga en bras de chemise, ayant laissé sa veste d'uniforme suspendue à une branche dans le camp sous prétexte qu'il faisait trop chaud, adressa un large sourire à Jamie. La cicatrice sur sa lèvre supérieure, là où une balle avait effleuré son visage, formait une tache blanche sur sa peau tannée.

— Bon vent, général Fraser !

Jamie émit un grognement, puis sourit à son tour en serrant la main de son vieil ami. Une fois celui-ci sorti, il ramassa le fouillis sur la table, rangeant dans le sac les papiers, la bourse et une plume que Dan avait oubliée. Il lui était reconnaissant de lui avoir laissé de la nourriture. Une odeur de bœuf séché et de banique[6] s'éleva des profondeurs de la toile et il sentait la forme dure de pommes dans le fond. Il était parti de l'imprimerie sans prendre le temps d'avaler un petit-déjeuner.

Quand il se redressa, une douleur vive le transperça du milieu de la colonne vertébrale jusqu'à la plante de son pied. Il étouffa un cri et s'effondra sur un tabouret, le bas du dos et la fesse droite contractés par une crampe.

— Par Jésus, Marie et sainte Bride... pas maintenant, gémit-il entre ses dents.

---

6. Pain de maïs ou de blé cuit sur des pierres chaudes que les colons de l'Amérique empruntèrent aux Amérindiens. Il supportait les longs voyages, d'où son nom anglais de *journey cake*. (N.d.T.)

Il avait senti une violente torsion ou une déchirure lorsqu'il avait frappé John Grey, mais dans le feu de l'action, il n'y avait pas prêté beaucoup d'attention. Cela ne l'avait pratiquement pas gêné pour marcher et il avait été trop accaparé par ses pensées pour le remarquer. Toutefois, après être resté assis un long moment, ses muscles s'étaient refroidis.

Il tenta de se lever, prudemment, et se laissa retomber. Courbé au-dessus de la table, serrant les poings, il laissa échapper une série de paroles en gaélique qui n'étaient pas toutes très catholiques.

— Tu ne te sens pas bien, ami ?

La maîtresse de maison s'était approchée, le regardant sous le nez d'un air inquiet.

— Un... moment, parvint-il à dire.

Il s'efforçait de suivre les instructions de Claire et de se concentrer sur sa respiration pendant le spasme.

« C'est comme les douleurs du travail », avait-elle déclaré avec une moue comique. Il n'avait pas trouvé ça drôle, la première fois, et ne voyait toujours pas ce qu'il y avait d'amusant.

La douleur s'atténua légèrement. Il étendit sa jambe, puis la fléchit très lentement. Jusque-là, tout allait bien. Mais quand il voulut se lever à nouveau, tout le bas de son dos fut broyé par un étau et la douleur lui coupa le souffle.

— Vous n'auriez pas... quelque chose comme... du whisky ? Du rhum ?

Si seulement il parvenait à se mettre debout !

Elle fit non de la tête.

— Je suis désolée, ami. Je n'ai même pas un peu de bière. Je n'ai même plus de lait pour mes enfants. L'armée a pris mes chèvres.

Elle ne précisa pas quelle armée et cela ne faisait probablement pas de différence pour elle. Il fit une grimace d'excuse, au cas où le vol aurait été perpétré par les continentaux ou une milice, puis s'affaissa à nouveau. C'était la quatrième fois que cela lui arrivait, la même douleur fulgurante, la même paralysie. La première fois, il lui avait fallu quatre jours avant de pouvoir clopiner à nouveau. Les deux autres fois, il s'était remis sur pied en deux jours et, même si la douleur était revenue sporadiquement pendant plusieurs semaines, il avait été capable de marcher.

— Tu es malade ? demanda-t-elle. Je pourrais te donner du sirop de rhubarbe.

Il fit non de la tête et parvint à sourire.

— Je vous remercie. Ce n'est qu'une vilaine crampe. Dès qu'elle passera, tout ira bien.

Le problème était que, jusqu'à ce qu'elle passe, il était impuissant, ce qui fit monter en lui une vague de panique.

La femme hésita un moment, le regardant sans savoir quoi faire, puis son bébé se mit à vagir et elle alla le chercher. Une fillette rachitique d'environ cinq ou six ans s'extirpa de sous le lit et l'observa d'un air intrigué.

— Tu vas rester dîner avec nous ? demanda-t-elle d'une voix aiguë et précise. Tu as l'air du genre qui mange beaucoup.

Il révisa son estimation de l'âge de l'enfant, lui donnant plutôt huit ou neuf ans, et lui sourit.

— Ne t'inquiète pas, je ne prendrai pas ta nourriture, *a nighean*, la rassura-t-il. D'ailleurs, il y a une belle miche de pain et un peu de bœuf séché dans ce sac. C'est pour toi.

Elle ouvrit de grands yeux ronds et il rectifia :

— Je veux dire, pour ta famille.

Elle lança un regard avide vers le sac et déglutit lentement l'eau qui lui montait à la bouche. Il entendit son petit coup de gosier et sentit son cœur se serrer.

— Pru! chuchota-t-elle en se tournant vers la table. À manger!

Une seconde fillette sortit de sa cachette et se tint à côté de sa sœur. Outre le fait qu'elles faisaient toutes deux peine à voir, elles ne se ressemblaient pas beaucoup.

— J'ai entendu, déclara la nouvelle venue.

Elle dévisagea Jamie d'un air grave.

— Ne laisse pas maman te donner de son sirop à la rhubarbe. Ça te donne une courante d'enfer et si tu n'as pas le temps d'arriver au petit coin...

— Prudence!

Prudence se tut docilement, sans cesser d'examiner Jamie avec intérêt. Sa sœur s'agenouilla, fouilla sous le lit et en extirpa le vase de nuit familial, un simple récipient en terre cuite brune. Elle le lui présenta solennellement.

— On tournera le dos, monsieur, si l'envie t'en prend...

— Patience!

Rouge comme une pivoine, Mme Hardman prit le pot de chambre des mains de sa fille et poussa les fillettes vers la table sur laquelle, après un regard vers Jamie pour s'assurer qu'il avait dit vrai, elle sortit le pain, la viande et les pommes du sac. Elle divisa le butin en trois parts : deux grandes pour les enfants et une plus petite pour elle, qu'elle mit de côté pour plus tard.

Elle avait posé le vase de nuit près du lit et, pendant qu'elle aidait Jamie à s'allonger délicatement sur le matelas bourré de spathes de maïs, il remarqua une phrase peinte en blanc au fond du pot. Il plissa les yeux pour mieux la lire dans la faible lumière et sourit. C'était une devise en latin, encerclant une abeille à l'expression joviale et clignant d'un œil : *Sic transit gloria mundi*.

« Ainsi passe la gloire du monde. » Il lança un regard vers la maîtresse de maison, mais cela ne semblait pas être son genre d'esprit. M. Hardman devait être, ou avait dû être, compte tenu de la pauvreté de la maisonnée (il se signa discrètement), un homme de lettres à l'humour acerbe.

Le bébé s'était réveillé et s'agitait dans son berceau en émettant de petits jappements de renard nain. Mme Hardman le prit dans ses bras et, du bout du pied, approcha une chaise de la cheminée. Elle déposa momentanément le nourrisson près de Jamie, sur le lit, déboutonna son corsage d'une main et arrêta machinalement de l'autre une pomme qui roulait vers le bord de la table, poussée par le coude de l'une des filles.

Le bébé fit claquer ses lèvres, aussi affamé que ses sœurs.

— Et qui avons-nous là? roucoula Jamie. Ne serait-ce pas la petite Chasteté?

Mme Hardman écarquilla les yeux.

— Comment as-tu deviné son prénom ?

Il lança un regard vers Prudence et Patience, occupées à enfourner autant de pain et de viande dans leur bouche qu'elle pouvait en contenir.

— C'est que je n'ai encore jamais rencontré une fille s'appelant Tempérance ou Courage, répondit-il. La petite est trempée, vous n'auriez pas un linge propre ?

Il y avait deux chiffons élimés suspendus à sécher devant le feu. Elle alla en chercher un pendant que Jamie dégrafait le lange souillé et essuyait le derrière du nourrisson en lui tenant délicatement les deux chevilles d'une main.

— Je vois que tu as des enfants, observa Mme Hardman.

Elle lui prit le lange sale en le remerciant d'un signe de tête et le laissa tomber dans un seau rempli d'eau vinaigrée placé dans un coin.

— Et des petits-enfants, précisa-t-il en agitant un doigt sous le nez de Chasteté.

Elle gargouilla en louchant et agita ses jambes avec enthousiasme.

— Ainsi que six neveux et nièces, ajouta-t-il.

Où sont Jem et Mandy en ce moment ? Peut-elle enfin respirer librement, la pauvre petite ? Il chatouilla doucement le petit pied rose de l'enfant, se souvenant de la teinte bleutée, étrangement belle et poignante, des petits orteils parfaits de Mandy, avec leurs longues phalanges aussi gracieuses que celles d'une grenouille.

«Elle a tes pieds», avait dit Claire en laissant traîner un doigt sur la plante de Mandy, faisant subitement s'écarter son gros orteil des autres. Comment avait-elle appelé cette réaction ?

Il essaya à son tour, tout doucement, et sourit avec ravissement en constatant le même effet sur les orteils potelés de Chasteté.

— Babinski, déclara-t-il à Mme Hardman avec la profonde satisfaction d'avoir retrouvé le mot. C'est ainsi qu'on l'appelle, quand le gros orteil du bébé s'écarte des autres. Un réflexe de Babinski.

Mme Hardman le regarda, stupéfaite, et plus encore lorsqu'il ragrafa adroitement le lange propre et enveloppa la petite Chasteté dans sa couverture. Elle lui prit l'enfant puis, d'un air hésitant, s'assit sur une chaise et rabattit son châle miteux par-dessus la tête du nourrisson. Ayant du mal à se retourner, Jamie ferma les yeux afin de la laisser allaiter tranquillement.

11

Souviens-toi de Paoli !

Il était difficile de s'essuyer le visage avec les deux mains ligotées et impossible d'empêcher la sueur salée de pénétrer dans son œil blessé. Ce dernier était tellement enflé qu'il ne pouvait plus le fermer complètement. La transpiration dégoulinait sur ses joues et gouttait au bout de son menton. Battant des paupières dans une vaine tentative pour s'éclaircir la vue, John Grey trébucha contre une branche morte et s'étala de tout son long.

Ceux qui marchaient derrière lui sur le sentier étroit s'arrêtèrent brusquement dans un bruit de collisions, d'entrechocs d'armes et de gourdes, ponctué de jurons d'impatience. Des mains lui agrippèrent les épaules et le hissèrent debout. Toutefois, le grand barbu maigre chargé de le surveiller se contenta de le pousser doucement en avant en déclarant d'une voix neutre :

— Faites attention où vous mettez les pieds, milord.

Encouragé par autant de considération, Grey le remercia et lui demanda son nom.

— Moi ? fit l'homme, surpris. Oh. Bumppo. Natty Bumppo.

Au bout d'un instant, il ajouta :

— Mais la plupart des gens m'appellent « Œil de lynx ».

Grey lui fit une courbette avec autant d'élégance qu'il le pouvait tout en marchant et fit un signe de tête vers le long fusil qu'il portait en bandoulière.

— À votre service, monsieur Bumppo. J'en déduis que vous êtes une fine gâchette ?

— Vous déduisez bien, milord, répondit Bumppo, amusé. Pourquoi ? Vous voulez que j'abatte quelque chose ? Ou quelqu'un ?

— Je suis en train de dresser une liste. Je vous l'indiquerai quand je l'aurai complétée.

Il sentit l'autre rire plus qu'il ne l'entendit. Son hilarité était palpable, sauf qu'il n'émettait aucun son.

— Laissez-moi deviner : le premier sur votre liste, ce ne serait pas le grand Écossais qui vous a esquinté ?

— Il y figure en bonne place, en effet.

En fait, il ignorait qui il voulait voir trucidé le premier : Jamie Fraser ou son maudit frère. Tout compte fait, c'était probablement Hal. L'ironie du sort voulait que ce soit Hal qui parviendrait probablement à le faire abattre, quoique ses ravisseurs semblassent avoir une préférence pour la pendaison.

Cela lui rappela la conversation déplaisante qui avait précédé sa promenade forcée sur un sentier forestier envahi de ronciers, de branches basses, de tiques et de taons qui faisaient la taille du bout de son pouce.

— Sauriez-vous par hasard ce qu'est, ou qui est, Paoli, monsieur Bumppo ? demanda-t-il en donnant un coup de pied dans une pomme de pin sur son chemin.

— Ce qu'est Paoli ? répéta Bumppo, interloqué. Vous débarquez ou quoi ?

— Je suis ici depuis peu, en effet, répondit prudemment Grey.

— Ah, fit Bumppo.

Il raccourcit ses longues enjambées pour s'adapter au pas plus lent de Grey.

— C'était la bataille de la honte, pour sûr ! expliqua-t-il. Votre parent, le major général Grey, et ses troupes se sont approchés sournoisement du camp du général Wayne durant la nuit. Pour ne pas risquer d'être repérés à cause d'une étincelle, Grey a fait enlever tous les silex des mousquets de ses hommes et leur a ordonné de n'utiliser que leurs baïonnettes. Ils sont tombés sur les Américains par traîtrise et en ont transpercé une centaine dans leur lit, de sang-froid !

— Vraiment ?

Grey s'efforça de faire correspondre cette version avec d'autres récits de batailles récentes qu'il aurait entendus plus tôt. En vain.

— Et... Paoli ? demanda-t-il.

— C'est le nom d'une taverne du coin. La taverne de Paoli.

— Où est-ce ? Je veux dire, géographiquement. Et quand cette bataille a-t-elle eu lieu ?

Bumppo fronça ses lèvres, réfléchissant, puis déclara :

— Près de Malvern, en septembre dernier. Ils appellent ça « le massacre de Paoli ».

— Le « massacre » ? répéta Grey.

Cela avait eu lieu avant son arrivée, mais cela lui disait désormais quelque chose. Il en avait effectivement entendu parler brièvement et certainement pas en termes de massacre. Il était naturel que la perception de l'événement varie selon le camp de chacun. William Howe lui en avait parlé en termes élogieux, lui décrivant un combat réussi où un petit groupe de soldats anglais avait mis en déroute toute une division américaine avec peu de pertes, n'ayant eu que sept morts de leur côté.

Bumppo semblait disposé à partager l'avis de Grey sur la nature rhétorique du terme, quoique se plaçant dans une troisième perspective.

— Bah, vous savez, c'est une façon de parler, dit-il en haussant une épaule. C'est pas vraiment ce que, personnellement, j'appellerais un massacre, mais la plupart des gens n'en ont jamais vu un, alors que moi, si.

— Ah bon ?

Lançant un regard vers le barbu à la tête de brigand, Grey n'en fut pas surpris.

— J'ai été élevé comme un Indien, déclara fièrement Bumppo. Mes vrais parents sont morts alors que j'étais guère plus grand qu'un têtard, et des Mohicans m'ont recueilli. Oui, j'ai vu un massacre ou deux.

— Vraiment ?

La courtoisie innée de Grey l'obligeait à encourager l'autre à développer son histoire, s'il le souhaitait. En outre, cela ferait passer le temps. Ils marchaient depuis ce qui lui paraissait des heures et il ne semblait toujours pas y avoir de destination en vue. Non pas qu'il soit pressé d'arriver...

De fait, les souvenirs de M. Bumppo étaient si distrayants qu'il fut surpris lorsque le caporal Woodbine, qui menait la procession, fit signe à la compagnie de s'arrêter à la lisière d'un camp de bonne taille. Il était néanmoins soulagé. Il portait ses chaussures de ville, peu adaptées pour le terrain, et la friction avait rongé ses bas, lui laissant les pieds en sang et couverts d'ampoules.

— Éclaireur Bumppo, annonça Woodbine. Tu conduiras la compagnie chez Zeke Bowen. Je livrerai le prisonnier au colonel Smith.

Il y eut des protestations, desquelles Grey déduisit que la compagnie avait très envie de l'accompagner jusqu'au bout afin de ne pas rater son exécution. Ils semblaient tous convaincus qu'elle aurait lieu immédiatement après sa présentation au fameux colonel Smith. Woodbine se montra de la plus grande fermeté et, non sans d'autres marmonnements et imprécations démocratiques, la compagnie reprit la route à contrecœur sous le commandement de Natty Bumppo.

Une fois qu'ils eurent disparu, Woodbine se raidit, chassa une chenille égarée sur le revers de sa veste élimée et redressa sa tuque mitée.

— Eh bien, lieutenant-colonel Grey. On y va ?

Après avoir entendu les réminiscences de Natty Bumppo sur la manière correcte de perpétrer un massacre, Grey se dit que, tout compte fait, la pendaison n'était pas la pire manière de mourir. Toutefois, s'il n'avait jamais été témoin d'un massacre en bonne et due forme, il avait déjà vu des hommes être pendus, et de très près. Ce souvenir lui laissa la gorge sèche. Son œil coulait toujours, quoique moins abondamment. Sa peau était à vif et enflammée. L'enflure lui donnait la sensation désagréable d'avoir une tête difforme. Néanmoins, il rassembla toute sa dignité et, le menton haut, entra sous la tente délavée devant le caporal Woodbine.

Le colonel Smith releva la tête de son petit bureau portable, surpris par l'intrusion, mais pas autant que Grey.

La dernière fois que Grey avait vu Watson Smith, c'était dans le salon de sa belle-sœur, deux ans plus tôt. Il y dégustait des sandwichs au concombre dans un uniforme de capitaine des Buffs, le prestigieux régiment royal d'infanterie de l'East Kent.

Il se ressaisit le premier et s'inclina obligeamment.

— Monsieur Smith, à votre service, colonel.

Il ne se donna pas la peine de masquer son ironie. Il s'assit sur un tabouret avant même qu'on l'y invite et toisa Smith de son œil valide.

Smith rougit légèrement. Il se cala contre le dossier de sa chaise et prit le temps de se recomposer tout en fixant Grey droit dans les yeux d'un air intrigué. Il n'était pas grand, mais il avait les épaules larges et une indéniable présence. Grey savait également que c'était un militaire très habile. Assez habile pour ne pas lui répondre directement mais se tourner vers Woodbine.

— Caporal, que fait ici ce gentleman ?

— C'est le lieutenant-colonel lord John Grey, colonel, répondit Woodbine.

Gonflé d'orgueil par sa capture, il déposa cérémonieusement le mandat royal de Grey et le message de Graves qui l'accompagnait sur la petite table branlante comme un majordome présentant à son souverain un faisan rôti aux yeux de diamants.

— On l'a épinglé dans les bois près de Philadelphie. Sans son uniforme. Euh... comme vous pouvez le constater, colonel.

Il s'éclaircit bruyamment la gorge avant d'ajouter :

— Et il a avoué être un cousin du major général Charles Grey. Vous savez... celui du massacre de Paoli.

Smith lança un regard vers Grey en arquant un sourcil et saisit les documents.

— Vraiment, caporal ? Et que faisait-il dans les bois ?

— Il se faisait tabasser par le colonel Fraser, colonel. C'est un des officiers de Morgan... qu'il a dit.

— Fraser... Ce nom ne me dit rien.

Se tournant vers Grey, Smith lui adressa la parole pour la première fois.

— Vous le connaissez, ce colonel Fraser… colonel Grey ?

Son hésitation étudiée avant de prononcer le grade de Grey était éloquente. Grey s'y était attendu. Il s'essuya le nez sur son avant-bras et se redressa.

— Je refuse de répondre à vos questions, colonel. Elles ne sont pas réglementaires. Vous connaissez mon nom, mon rang et mon régiment. Le reste ne regarde que moi.

Smith le dévisagea en plissant les yeux. Ils étaient assez beaux, d'un gris pâle souligné de cils et de sourcils noirs. L'effet était très spectaculaire. Grey l'avait déjà remarqué lorsqu'il était venu prendre le thé chez Minnie.

Woodbine toussota.

— Euh… le colonel Fraser a dit que cet homme était son prisonnier, mais il n'a pas dit pourquoi et, quand je lui ai demandé des éclaircissements, il… euh… est parti. C'est là que j'ai fouillé lord… euh… le lord colonel ici présent, et que j'ai trouvé ces papiers.

— Il est parti…, répéta lentement Smith. Et vous l'avez laissé faire, caporal ?

Woodbine parut soudain nettement moins sûr de lui, mais il n'était pas du genre à se laisser intimider facilement. Il fronça le front et le dévisagea d'un air buté.

— J'aurais difficilement pu l'arrêter, à moins de lui tirer dans le dos, colonel.

Grey vit les narines de Smith se dilater et il eut la nette impression qu'il trouvait que son nouveau commandement laissait à désirer. Il avait été habitué à mieux.

C'était certainement le cas de ses nouveaux quartiers. Si l'uniforme continental de Smith était bien taillé et entretenu, sa perruque en bon état, sa tente, bien que grande, n'en était pas à sa première campagne. La toile était élimée au point d'être presque transparente par endroits et rapiécée ici et là. Ce n'était pas plus mal, car une légère brise du soir s'infiltrait à travers les parois, dissipant un peu la chaleur étouffante et soulageant l'épouvantable mal de crâne de Grey.

Smith se tut un instant, réfléchissant, mais il échoua à trouver une autre question à poser.

— Très bien, caporal, dit-il finalement. Vous avez fait du bon travail.

— Merci, colonel.

Woodbine ne fit pas mine de se retirer. Il rechignait sans doute à abandonner sa prise et voulait participer aux réjouissances à venir.

— Si je peux me permettre, colonel, que comptez-vous faire du prisonnier ?

Curieux lui aussi de connaître la réponse, Grey entrouvrit un œil et vit Smith l'observer avec une expression légèrement carnassière. Le traître sourit.

— Ne vous inquiétez pas, caporal Woodbine, je trouverai quelque chose. Vous pouvez disposer. Bonne nuit.

Smith se leva, s'approcha de Grey et se pencha pour examiner son visage. Grey sentit sa sueur, âcre et musquée.

— Avez-vous besoin d'un docteur ? demanda-t-il sur un ton neutre, mais non hostile.

— Non, répondit Grey.

Sa tête et son flanc lui faisaient un mal épouvantable, et la tête lui tournait. Toutefois, il doutait qu'un médecin puisse le soulager. En outre, sa foi en la médecine militaire, déjà ténue, s'était considérablement étiolée à force de côtoyer Claire et ses opinions.

Smith se redressa, se dirigea vers un vieux cabinet de campagne et en sortit deux gobelets en étain bosselés ainsi qu'une bouteille. De l'eau-de-vie de pomme, à en juger par l'arôme lorsqu'il la déboucha. Il remplit généreusement les gobelets et ils restèrent un moment assis en silence, sirotant la liqueur.

La Saint-Jean approchait et il faisait encore jour. Grey percevait les bruits et les mouvements d'un camp se préparant pour le soir. Une mule se mit à braire et plusieurs autres lui répondirent dans un concert cacophonique. Un roulement de carrioles... de l'artillerie, peut-être ? Il inspira profondément. Une compagnie d'artillerie dégageait toujours une odeur particulière, une sorte de distillat de transpiration, de poudre noire et de métal chaud qui était bien plus âcre que celui que produisaient les mousquets d'une compagnie d'infanterie. Les effluves du fer chauffé au rouge pénétraient les vêtements de l'artilleur, ainsi que son âme.

Toutefois, ce ne fut pas la puanteur des canons qui titilla ses narines, mais un fumet de viande rôtie. Il s'insinua dans la tente, faisant gronder son ventre. Il n'avait rien avalé depuis la bière qui avait été son prélude à un petit-déjeuner avorté. Il lui sembla voir Smith réprimer un sourire en entendant ses borborygmes, mais le colonel eut la courtoisie de ne rien dire.

Smith acheva son eau-de-vie, remplit à nouveau leurs gobelets, puis se racla la gorge.

— Je ne vais pas vous faire subir un interrogatoire, puisque vous ne souhaitez pas répondre. Mais si vous désirez me poser des questions, je n'en prendrai pas ombrage.

Grey esquissa un sourire ironique.

— C'est très aimable à vous, colonel. Pensez-vous devoir justifier votre changement d'allégeance ? Je vous assure que c'est inutile.

Les joues de Smith s'empourprèrent aussitôt.

— Ce n'était pas mon intention, monsieur, répondit-il sur un ton raide.

— Dans ce cas, je vous présente mes excuses, dit Grey avant d'avaler une autre gorgée.

L'alcool fort soulageait ses tiraillements d'estomac ainsi que la douleur dans son flanc, mais elle n'arrangeait pas ses vertiges.

— Quel genre de questions pourrais-je vous poser ? reprit-il. Sur l'état actuel de l'armée continentale ? Je peux m'en rendre compte par moi-même en me basant sur la mise des hommes qui m'ont capturé et... d'autres signes.

Il promena lentement son regard dans la tente, notant au passage le pot de chambre fêlé sous le lit de camp bancal, le linge sale suspendu à un portemanteau dans un coin. De toute évidence, Smith ne disposait pas d'une ordonnance ou, s'il en avait une, elle était incompétente. Grey songea un instant avec nostalgie à Tom Byrd, le meilleur valet qu'il avait jamais eu.

Smith s'était remis de sa gêne et émit un petit rire sarcastique.

— Oui, j'imagine que vous le pouvez. Ce n'est un secret pour personne. En fait, je pensais plutôt que vous aimeriez savoir ce que je compte faire de vous.

— Ah, ça.

Grey se massa doucement le front en essayant de ne pas toucher la région enflée autour de son œil.

— Dans la surprise de vous voir ici et le plaisir de votre aimable hospitalité, j'avais totalement oublié.

Il leva son gobelet vers le colonel, avant de reprendre :

— Le caporal Woodbine et ses petits camarades sont d'avis que je devrais être pendu sans tarder, non seulement pour le crime d'espionnage mais surtout pour celui, bien plus grave, d'être apparenté au major général Charles Grey qui, si j'ai bien compris, aurait commis des atrocités dans un lieu appelé Paoli.

— Vous niez être un espion ?

— Ne soyez pas ridicule, Smith. Je suis lieutenant-colonel. Que voulez-vous que j'espionne dans une forêt déserte ? Enfin, déserte jusqu'à ce que Woodbine et ses joyeux lurons apparaissent.

Il fixa le fond de son gobelet, le découvrit vide et se demanda comment c'était possible. Smith soupira et le lui remplit.

— En outre, reprit Grey, je ne portais sur moi aucun renseignement, aucun document secret, aucune preuve permettant de m'incriminer.

— Il vous aura suffi de mémoriser les renseignements que vous avez glanés, répliqua Smith. Je me souviens que vous avez une mémoire prodigieuse.

Il émit un petit son qui ressemblait à un ricanement avant de réciter :

— « *Ainsi parlait Sally aux doigts de fée tandis que sa main s'attardait sur son vit gonflé.* »

De fait, la mémoire de Grey était suffisamment bonne pour se souvenir d'un certain dîner où avaient été conviés des officiers appartenant à divers régiments. À l'heure du digestif, sur l'invitation des gentlemen et sous des applaudissements tonitruants, Grey avait récité de mémoire l'un des plus longs et scabreux poèmes du recueil notoire de Harry Quarry, *Quelques couplets au sujet d'Eros,* dont on s'arrachait encore des exemplaires que l'on s'échangeait dans les cercles de la bonne société, près de vingt ans après sa publication.

Se rendant compte trop tard du piège que l'autre lui avait tendu, Grey s'exclama :

— Que voulez-vous donc que j'espionne ?

— C'est à moi de vous le dire ?

Naturellement, ce qu'il était censé ne pas savoir était que toute l'armée de Washington était en train de prendre position dans les parages, se préparant à entrer dans Philadelphie et, éventuellement, à attaquer les forces de Clinton alors qu'elles battaient en retraite.

Grey considéra la question de Smith comme purement rhétorique et essaya une autre tactique, tout en la sachant dangereuse.

— Woodbine vous a raconté les circonstances dans lesquelles il m'a découvert. De toute évidence, le colonel Fraser ne m'a pas surpris en flagrant délit. Autrement, il aurait fait comme le caporal Woodbine et m'aurait arrêté.

— Laissez-vous entendre que le colonel Fraser vous avait donné rendez-vous afin de vous transmettre des renseignements ?

Seigneur ! Il s'était douté qu'il s'aventurait sur un terrain dangereux mais n'avait pas prévu cette complication : que Jamie Fraser soit soupçonné d'être son complice. Naturellement, Smith était particulièrement sensible à cette possibilité, ayant lui-même retourné sa veste.

— Certainement pas, répondit Grey fermement. La scène à laquelle le caporal Woodbine a assisté était d'ordre purement personnel.

Smith, qui n'en était certainement pas à son premier interrogatoire, lui adressa un regard sceptique. Grey, qui n'était pas sans expérience non plus, se contenta de siroter son eau-de-vie d'un air insouciant, comme si sa réponse avait réglé la question une fois pour toutes.

Au bout d'un long moment, tout en gardant les yeux sur le filet ambré de l'eau-de-vie qu'il versait dans leurs gobelets, Smith déclara sur un ton détaché :

— Ils vous pendront probablement, vous savez. Après ce que Howe a fait au capitaine Hale... Et plus encore après Paoli. Charles Grey est bien votre cousin, non ?

— Au deuxième ou troisième degré, en effet.

Grey le connaissait, même s'ils ne naviguaient pas dans les mêmes cercles, socialement comme militairement. Charles Grey avait un visage porcin et était un tueur plus qu'un soldat. Il doutait que le massacre de Paoli se soit passé exactement comme on le lui avait décrit (il fallait vraiment être idiot pour rester couché dans son lit en attendant de se faire transpercer par une baïonnette, sans compter qu'il était pratiquement impossible pour une colonne d'infanterie d'approcher aussi près de l'ennemi dans le noir sur un terrain accidenté sans être repérée). En revanche, il avait été témoin des méthodes impitoyables de Charles à Culloden.

Il s'efforça de paraître sûr de lui et reprit :

— C'est absurde. Quoi que l'on pense du haut commandement américain, je doute qu'il soit entièrement composé de sots. Mon exécution n'apporterait rien, alors que je constituerais une monnaie d'échange précieuse. Mon frère a de l'entregent.

Smith sourit.

— C'est un excellent argument, lord John. Je suis sûr qu'il plairait au général Washington. Hélas, le Congrès et le roi ne sont toujours pas parvenus à se mettre d'accord sur l'échange de prisonniers. À ce jour, il n'existe donc aucun mécanisme qui permette de le faire.

Sa réplique fit mouche. Grey était bien placé pour savoir qu'il n'y avait aucun recours officiel. Cela faisait des mois qu'il essayait de faire échanger William.

Smith saisit à nouveau la bouteille et en versa les dernières gouttes dans le gobelet de Grey.

— Êtes-vous un fin connaisseur de la Bible, lord John ?

Grey le dévisagea sans comprendre.

— Pas vraiment. Je l'ai lue, certes. Enfin... en partie. Pourquoi ?

— Je me demandais si vous connaissiez le concept du bouc émissaire ?

Smith se balança légèrement sur sa chaise, fixant Grey de ses ravissants yeux gris qui reflétaient une certaine compassion, à moins que ce ne soit que l'effet de l'eau-de-vie de pomme.

— Parce que, voyez-vous, reprit-il, je crois que c'est là que se trouve votre vraie valeur. Tout le monde sait que l'armée continentale est dans un piètre état. Nous manquons d'argent, nos hommes sont désabusés et les désertions sont légion. Pour leur redonner du courage et unifier nos troupes, sans parler d'envoyer un puissant message au général Clinton, rien ne serait plus efficace que le procès et l'exécution très publique d'un officier britannique haut gradé, un espion et un parent proche du tristement célèbre Charles Grey « sans silex ».

Il rota délicatement et battit des cils.

— Vous m'avez demandé ce que je comptais faire de vous.

— Non, répondit Grey.

Smith ne releva pas et agita un long doigt noueux vers lui.

— Je vous envoie au général Wayne qui, croyez-moi, porte le mot « Paoli » gravé sur le cœur.

— Comme ce doit être douloureux, répondit poliment Grey avant de finir son gobelet d'un trait.

12

Eine kleine Nachtmusik

La journée interminable ne voulait toujours pas s'achever. Heureusement, la chaleur de la forêt commençait à baisser avec la lumière du jour. Grey ne s'attendait pas à être conduit directement devant le général Wayne, à moins que le brave homme ne se trouve dans les parages, ce qui était peu probable. Aux bruits qu'il percevait, le camp était petit et le colonel Smith devait être l'officier le plus haut gradé sur place.

Selon les règles, ce dernier lui avait demandé sa parole de ne pas s'enfuir et il avait paru décontenancé lorsque Grey avait courtoisement refusé.

— Vous oubliez que je suis un officier britannique, avait-il indiqué. Il est donc de mon devoir de m'évader.

Smith l'avait dévisagé avec une expression ambiguë. Dans la lumière faiblissante, Grey n'aurait su dire s'il réprimait un sourire ou pas. Probablement pas.

— Vous ne vous évaderez pas, déclara-t-il fermement.

Il sortit et Grey entendit une brève conversation animée à voix basse devant la tente. Un camp de miliciens en campagne ne possédait pas de geôle où écrouer un prisonnier. Grey s'amusa en imaginant Smith contraint de partager son étroit lit de camp avec lui afin de s'assurer qu'il n'irait nulle part.

Finalement, un caporal entra avec un jeu de fers rouillés qui semblaient dater de l'Inquisition espagnole et le conduisit à la lisière du camp. Là, un soldat qui avait été forgeron dans la vie civile les lui posa à grands coups de marteau, utilisant une pierre plate comme enclume.

La scène était étrange. Il s'agenouilla sur l'herbe dans la lumière crépusculaire et un groupe de miliciens se rassembla en cercle autour de lui. Il fut contraint de se pencher en avant, se retrouvant à quatre pattes comme s'il était sur le point d'être décapité, pendant que les coups de marteau résonnaient à travers le métal, se répercutant dans les os de ses poignets et de ses mains.

Il gardait les yeux sur le marteau et pas seulement par crainte que le forgeron ne rate son coup dans la faible lumière et ne lui broie une main. Entre son ivresse et une peur sourde plus profonde qu'il refusait de reconnaître, il ressentait le mélange de curiosité et d'animosité autour de lui comme un orage approchant, l'électricité courant sur sa peau, et la menace de la foudre si proche qu'il pouvait sentir son odeur métallique mêlée à celles de la poudre à canon et des hommes autour de lui.

Ozone. Son esprit s'empara du mot, se raccrochant à un semblant de rationalité. C'était ainsi que Claire appelait l'odeur des éclairs. Il lui avait dit qu'il pensait que le terme dérivait du grec ancien *ozon*, le participe présent du verbe *ozein*, ou « exhaler une odeur ».

Il récita méthodiquement toutes les déclinaisons du verbe. Le temps qu'il arrive au bout, ils en auraient sûrement terminé. *Ozein*, sentir. *Je sens, tu sens…*

Il sentait surtout sa propre sueur, âcre et sucrée. Autrefois, la décapitation était considérée comme une mort noble. La pendaison était honteuse, réservée aux roturiers et aux criminels. Plus lente.

Il y eut un dernier coup résonnant et un profond soupir viscéral de satisfaction dans l'assistance. Il était enchaîné.

En l'absence d'autres abris que les wigwams défraîchis et les fragments de toile tendus par les miliciens autour des feux, il fut de nouveau escorté sous la grande tente de Smith. On lui apporta son dîner, qu'il avala sans trop se soucier de ce qu'il mangeait, puis on l'attacha à un pieu avec une corde passée dans ses fers, assez longue pour lui permettre de s'allonger et d'utiliser le pot de chambre.

Smith insista pour lui laisser son lit de camp et il s'y étendit dans un gémissement de soulagement. Ses tempes l'élançaient à chaque battement de cœur, tout comme le côté gauche de son visage, qui envoyait des décharges jusque dans sa mâchoire inférieure, ce qui était très désagréable. Par comparaison, la douleur sourde dans son flanc était négligeable. Fort heureusement, il était tellement épuisé que le sommeil engloutit tous ses inconforts et il s'y abandonna avec une profonde gratitude.

Il se réveilla quelque temps plus tard d'un affreux cauchemar, en nage, le cœur battant. Il voulut écarter les cheveux trempés de sur son visage, oubliant les fers lourds qui lui entaillaient la chair. La sentinelle dont la silhouette se détachait devant le feu, de l'autre côté de la tente, se retourna brusquement, puis se détendit quand Grey se retourna sur son lit dans un nouveau cliquetis.

Crétin, pensa-t-il encore à moitié endormi. *Je ne pourrais même pas me masturber si j'en avais envie.* Il trouva cette idée hilarante et pouffa dans sa couverture.

Un autre corps se retourna lourdement près de lui. Ce devait être Smith, dormant sur un matelas fait de toile bourrée d'herbes sèches. Grey sentait l'odeur du foin auquel l'humidité donnait des relents de moisi. Le sac de couchage était un article de l'armée britannique. Smith avait dû le conserver, avec la tente et d'autres équipements, ne changeant que son uniforme.

Pourquoi Smith avait-il changé de camp ? se demanda-t-il en observant la forme bossue dans le noir. Pour la promotion ? Les continentaux, en manque de militaires professionnels, les appâtaient avec des grades. Un capitaine de n'importe quelle armée européenne pouvait se retrouver de major à général en un clin d'œil, alors qu'en Angleterre le seul moyen d'accéder à un échelon supérieur était de l'acheter.

Toutefois, à quoi servait un grade sans la solde ? Grey n'était plus espion, mais il l'avait été autrefois et connaissait encore des hommes qui œuvraient dans ce monde trouble. D'après ce qu'on lui avait rapporté, le Congrès américain n'avait plus un sou et vivait d'emprunts aux versements erratiques et aux montants imprévisibles. Certains fonds provenaient d'Espagne et de France, même si, naturellement, les Français ne l'auraient jamais reconnu ; d'autres, selon un de ses correspondants, de prêteurs juifs. *Salomon, Solomon… quelque chose comme ça.*

Ces méditations nocturnes furent interrompues par un son qui le figea. Un rire féminin.

Il y avait des femmes dans le camp, des épouses qui suivaient leurs maris à la guerre. Il en avait vu quelques-unes en traversant le camp. L'une d'elles lui avait apporté son dîner, lui lançant des regards intrigués par-dessous son bonnet. Toutefois, il connaissait ce rire-là, profond, gazouilleur et totalement naturel.

— Seigneur ! murmura-t-il. Dottie ?

Ce n'était pas impossible. Il tendit l'oreille gauche, essayant de faire un tri parmi la multitude de bruits, à l'extérieur. Denzell Hunter était un médecin de l'armée continentale et Dottie, au grand dam de son frère, de son cousin et de son oncle, avait suivi son fiancé à Valley Forge pour l'assister, même si elle revenait régulièrement à Philadelphie pour voir son frère Henry. Si les troupes de Washington se déplaçaient, ce qui était manifestement le cas, il était fort probable qu'un médecin les accompagne sur le terrain.

Une voix claire et haut perchée posa une question. C'était une voix anglaise, avec une élocution raffinée. Il ne parvenait pas à discerner les paroles. Si seulement elle pouvait rire à nouveau…

S'il s'agissait de Dottie… Il inspira profondément, essayant de réfléchir. Il ne pouvait crier son nom. Il avait senti l'hostilité marquée de tous les hommes dans le camp. S'ils apprenaient que Dottie était sa nièce, Denzell et elle pourraient être en danger, sans que cela lui soit d'aucun secours. Pourtant, il devait courir le risque. Ils le déplaceraient au matin.

Incapable de trouver une meilleure solution, il se redressa en position assise sur le lit et se mit à chanter *Die Sommernacht*, d'abord timidement, puis gagnant en assurance et en volume. Lorsqu'il atteignit « *In den Kulugen wehn* » en projetant sa voix de ténor, Smith se redressa d'un bond tel un diable à ressort en émettant un « Quoi ? » de stupéfaction.

« So umschatten mich Gedanken an das Grab
Meiner Geliebten, und ich seh' im Walde
Nur es dämmern, und es weht mir
Von der Blüte nicht her. »

Grey poursuivit en baissant à peine la voix. Il ne voulait pas que Dottie, si c'était bien elle, vienne le chercher ; uniquement lui faire savoir qu'il était présent. Il lui avait appris ce lied quand elle avait quatorze ans et elle le chantait souvent dans les soirées musicales.

« Ich genoß einst, o ihr Toten, es mit euch !
Wie umwehten uns der Duft und die Kühlung,
Wie verschönt warst von dem Monde,
Du, o schöne Natur ! »

Il s'interrompit, toussa légèrement, puis, dans le silence de plomb, demanda d'une voix encore voilée par l'alcool :

— Pourrais-je avoir un peu d'eau, colonel ?

— Si je vous en donne, vous allez vous remettre à chanter ? demanda Smith sur un ton suspicieux.

— Non, je crois que j'ai terminé. Je ne pouvais pas dormir. J'ai un peu forcé sur l'alcool, mais chanter apaise mon esprit rem-marquablement.

— Vous m'en direz tant ! maugréa Smith.

Il se leva avec un soupir et alla chercher l'aiguière posée près de sa bassine. Grey sentit qu'il se retenait de lui jeter son contenu à la figure, mais Smith était un homme de caractère. Il se contenta de lui tenir le récipient pendant qu'il buvait puis le remit à sa place et se recoucha en ronchonnant à peine.

Le lied avait suscité quelques commentaires dans le camp et inspiré plusieurs âmes musicales qui se mirent à chanter tout et n'importe quoi, de la ballade traditionnelle *Greensleeves* (dans une version très tendre et poignante) à l'hymne patriotique *Chester*. Grey se laissa bercer par les voix, quoiqu'il dût se maîtriser pour ne pas secouer ses fers lorsqu'ils entonnèrent :

« Laissez les tyrans brandir leurs verges de fer ; et l'esclavage agiter ses chaînes sanglantes. »

On chantait toujours lorsqu'il se rendormit, sombrant dans des bribes de rêves fébriles, les vapeurs de l'eau-de-vie de pomme s'infiltrant dans les espaces vides de sa tête.

17 Chestnut Street

Quand la cloche de l'église presbytérienne sonna minuit, la ville ne dormait toujours pas. Les bruits étaient désormais plus furtifs, étouffés par l'obscurité, mais l'on entendait toujours des pas pressés et des roulements de carrioles dans les rues. Au loin, quelqu'un cria : « Au feu ! »

Je me tins devant la fenêtre ouverte, humant l'air en tentant de détecter une odeur de fumée et à l'affût de signes de flammes se dirigeant vers nous. Je ne me souvenais pas d'avoir lu que Philadelphie avait été réduite en cendres, à l'instar de Londres ou de Chicago, mais un incendie de quartier ne serait guère mieux.

Il n'y avait pas un souffle d'air, ce qui était une bonne chose. L'atmosphère était lourde, moite comme une éponge. J'attendis un moment, puis les cris cessèrent. Je ne vis aucune lueur orangée dans le ciel chargé. Les seuls feux étaient les petites étincelles vert clair des lucioles qui voletaient entre les feuilles du jardin, devant la maison.

Je laissai retomber mes épaules et abandonnai mes débuts de plan pour une évacuation express des lieux. Bien qu'épuisée, j'étais incapable de dormir. Outre le fait de surveiller mon patient à l'état instable et les rues à l'atmosphère instable, j'étais très instable moi-même. J'avais passé la journée sur les nerfs, guettant constamment un bruit de pas familier, le son de la voix de Jamie. Il n'était pas venu.

Et si John lui avait appris que nous avions couché ensemble ? La nouvelle, assénée sans préparation ni explication, l'aurait-elle fait fuir... pour de bon ?

Je sentis soudain les yeux me piquer et fermai les paupières, m'agrippant des deux mains au rebord de la fenêtre.

Ne sois pas idiote. Il viendra dès qu'il le pourra, quoi qu'il advienne. Tu le sais très bien. Toutefois, le choc de l'avoir vu en vie avait réveillé des nerfs endormis depuis trop longtemps. Si je paraissais calme extérieurement, tout en moi bouillonnait. La tension ne cessait de monter et je n'avais d'autre exutoire que mes larmes, auxquelles je refusais de céder. Je craignais de ne plus pouvoir les arrêter.

Je pressai brièvement la manche de ma robe de chambre sur mes yeux, puis me tournai résolument vers la pièce sombre.

Un petit feu brûlait dans le braséro posé près du lit au-dessus duquel nous avions dressé une tente en mousseline mouillée. Il projetait une lueur rougeoyante sur les traits de Pardloe. Sa respiration était toujours sifflante, mais profonde et régulière. Il me vint soudain à l'esprit que je n'avais peut-être pas senti d'odeurs d'incendie à l'extérieur car l'atmosphère de la chambre était chargée de menthe poivrée, d'eucalyptus et de... cannabis. En dépit du tissu humide, un peu de fumée s'était échappée du braséro et formait un petit nuage de volutes qui s'enroulaient sur elles-mêmes, se déplaçant tels des spectres dans l'obscurité.

J'aspergeai encore un peu d'eau sur la mousseline et m'assis dans un petit fauteuil près du lit, inhalant prudemment l'air saturé, mais avec un agréable sentiment de plaisir clandestin. Hal m'avait expliqué qu'il avait pris l'habitude de fumer du chanvre pour détendre ses poumons et que cela paraissait efficace. Il s'agissait de chanvre agricole ; la variété indienne, aux principes actifs psychotropes, ne poussait pas en Angleterre et était rarement importée.

Je n'avais pas de feuilles de chanvre dans ma pharmacie, mais je détenais une bonne dose de marijuana que John avait achetée à un marchand de Philadelphie qui possédait deux navires se rendant régulièrement aux Indes. C'était utile pour traiter les glaucomes, comme j'avais pu m'en rendre compte à l'époque où je soignais Jocasta, la tante de Jamie. Cela soulageait les nausées et l'anxiété. John m'avait informée le plus sérieusement du monde que certains l'utilisaient également pour un usage non médicinal.

J'eus un petit pincement au cœur en pensant à John, qui vint s'ajouter à mon angoisse pour Jamie. J'inspirai délibérément une profonde goulée d'air épicé. Où était-il ? Que lui avait fait Jamie ?

La voix calme de Hal s'éleva dans la pénombre.

— Vous arrive-t-il de conclure des marchés avec Dieu ?

J'avais dû inconsciemment savoir qu'il ne dormait pas car je ne sursautai même pas.

— Comme tout le monde, répondis-je. Même ceux qui ne croient pas en Dieu. Et vous ?

Il émit un petit rire, immédiatement suivi par une quinte de toux qui, heureusement, ne dura pas. Finalement, la fumée était peut-être bienfaisante.

— Vous avez un marché à conclure ? demandai-je. Vous n'allez pas mourir, vous savez. Je ne vous laisserai pas.

— Je sais, vous me l'avez déjà dit.

Il marqua une pause, puis se tourna sur le flanc pour me regarder.

— Je vous crois, dit-il plutôt solennellement. Et… je vous en remercie.

— Je vous en prie. John m'en voudrait beaucoup si vous mouriez dans cette maison.

Cela le fit sourire. Nous restâmes silencieux un moment, nous regardant sans gêne, tous deux apaisés par la fumée et le son hypnotique des criquets, à l'extérieur. Je n'entendais plus de carrioles, mais il y avait encore des gens qui passaient dans la rue. Je reconnaîtrais sûrement le pas de Jamie, même parmi tant d'autres…

— Vous êtes inquiète pour John, n'est-ce pas ? demanda-t-il.

— Non.

J'avais répondu trop rapidement et, le voyant arquer un sourcil, je me souvins qu'il m'avait traitée de mauvaise menteuse, à juste titre. Je repris :

— C'est que… je suis sûre qu'il va bien. Néanmoins, il devrait déjà être rentré. Avec tout ce qui se passe en ville, on ne sait jamais ce qui peut arriver.

— Et vous refusez toujours de me dire où il est.

Je pris mon inspiration pour répondre, puis laissai retomber mes épaules. À quoi bon lui répéter que je l'ignorais, même si c'était la vérité. Je saisis un peigne et me mis à démêler lentement mes cheveux, prenant plaisir à les lisser entre mes doigts. Après avoir baigné Hal et l'avoir mis au lit avec l'aide de Mme Figg, je m'étais accordé un quart d'heure pour me laver à mon tour et me débarrasser de la poussière et de la sueur dans ma chevelure, tout en sachant qu'elle mettrait des heures à sécher dans l'air humide.

— Le marché auquel je pensais n'avait pas pour but de sauver ma propre peau, déclara-t-il soudain.

— Je suis sûre que John ne va pas mourir, si c'est ce à quoi vous…

— Non, pas John. Je pensais à mon fils, à ma fille, à mon petit-fils. Vous avez des petits-enfants, je présume… Il me semble avoir entendu un robuste petit jeune homme vous appeler « grand-mère », ce matin.

— En effet, j'en ai plusieurs. Vous voulez parler de Dorothea ? Il lui est arrivé quelque chose ?

Je reposai mon peigne, légèrement alarmée. J'avais vu Dottie quelques jours plus tôt, dans la maison où était hébergé son frère Henry.

— Outre le fait qu'elle s'entête à vouloir épouser un rebelle, qu'elle m'ait informé de sa décision de le suivre sur les champs de bataille et de vivre avec lui dans des conditions d'insalubrité inconcevables ?

Il s'était redressé sur le lit et parlait avec passion. Je ne pus m'empêcher de sourire. Les frères Grey avaient la même manière de s'exprimer. Je toussotai dans mon poing pour ne pas lui montrer mon amusement, puis demandai avec le plus de tact possible.

— Vous... euh... vous avez donc vu Dottie ?

— Oui. Elle se trouvait avec Henry quand je suis arrivé, hier, et portait une tenue tout à fait extravagante. Apparemment, l'individu auquel elle se considère fiancée est un quaker et elle affirme qu'elle en est devenue une à son tour.

— C'est ce que j'ai cru comprendre, murmurai-je. Vous... euh... n'étiez pas au courant ?

— Absolument pas ! D'ailleurs, j'aurais quelques mots à dire à John à propos de sa couardise, pour ne m'avoir rien dit, et de son fils, qui par ses machinations impar... impardonna...

Sa colère l'étrangla littéralement et il dut s'interrompre pour tousser. Il enroula ses bras autour de ses genoux et se roula en boule jusqu'à ce que cessent les convulsions.

— Je vous aurais dit de ne pas vous énerver si j'avais pensé qu'il y avait une chance que vous m'écoutiez, le grondai-je.

Je lui tendis une tasse de la décoction d'éphédrine bouillie dans du café.

— Buvez ça, lentement. Quant à John, il a envisagé de vous écrire lorsqu'il a appris les intentions de Dottie. S'il ne l'a pas fait, c'est parce qu'il croyait que ce n'était qu'une tocade passagère et qu'après avoir vu la vie réelle de Denny... euh, c'est le prénom du Dr Hunter, son fiancé, elle changerait d'avis. Il ne voulait pas vous inquiéter pour rien. En outre, il ne s'attendait pas à vous voir débarquer ici.

— Moi non plus, admit Hal.

Il reposa sa tasse, toussa à nouveau, puis se renfonça confortablement dans sa pile d'oreillers.

— Lorsque la nouvelle stratégie a été mise en œuvre, le ministère de la Guerre a décidé d'envoyer mon régiment soutenir Clinton. Je n'ai pas eu le temps de prévenir John.

— De quelle nouvelle stratégie s'agit-il ?

— Séparer les colonies du Sud de celles du Nord, y mater la rébellion puis affamer le Nord jusqu'à ce qu'il se soumette. Et empêcher ces maudits Français de faire main basse sur les Antilles.

Il s'interrompit un instant, puis demanda :

— Vous croyez que Dottie changera d'avis ?

Il paraissait dubitatif, mais gardait espoir.

— Sincèrement, non.

Je m'étirai et passai mes mains dans mes cheveux humides qui retombaient dans ma nuque et sur mes épaules, formant des boucles légères qui me chatouillaient les joues.

— Je me demandais de qui elle tenait son opiniâtreté, de vous ou de votre épouse, déclarai-je. Maintenant que je vous connais, j'ai ma réponse.

Il me lança un regard torve, mais ne put s'empêcher de sourire.

— C'est un fait, admit-il. Mon fils aîné, Benjamin, me ressemble également. Henry et Adam tiennent de leur mère, ce qui ne signifie pas qu'ils ne savent pas obtenir ce qu'ils veulent. Ils sont simplement plus diplomates.

— J'aimerais connaître votre épouse, dis-je en souriant à mon tour. John m'a dit qu'elle s'appelait Minnie…

— Minerva. Plus précisément, Minerva Cunnegunda. Je pouvais difficilement la surnommer « Cunni », n'est-ce pas ?

— En tout cas, pas en public.

— Je n'essayerais pas en privé non plus, m'assura-t-il. Elle est très réservée… en apparence.

Je me mis à rire et lançai un regard vers le brasero. Je n'avais pas cru que le chanvre indien aurait des effets aussi puissants brûlé dans l'atmosphère plutôt que fumé directement. Néanmoins, il avait un effet bénéfique sur l'humeur et l'asthme de Hal. Pour ma part, je commençais à ressentir un étrange bien-être. Je m'inquiétais toujours pour Jamie et John, mais mon angoisse ne pesait plus sur mes épaules. Elle semblait flotter légèrement au-dessus de ma tête, d'une couleur terne gris-violet. *Comme un ballon en plomb*, pensai-je, amusée.

Les yeux mi-clos, Hal m'observait avec un mélange d'intérêt et de détachement.

— Vous êtes une belle femme, observa-t-il d'un air légèrement surpris. Mais vous n'êtes pas réservée. Je me demande bien ce qui est passé par la tête de John.

Je le savais fort bien, mais ne tenais pas à en discuter pour toute une série de raisons. Je lui demandai plutôt :

— Que vouliez-vous dire, tout à l'heure, au sujet de marchés avec Dieu ?

— Ah.

Il referma lentement ses paupières.

— Lorsque je suis arrivé dans le bureau du général Clinton, ce matin – fichtre, ce n'était que ce matin ? –, il avait de mauvaises nouvelles pour moi, ainsi qu'une lettre. Elle a été envoyée du New Jersey il y a plusieurs semaines et lui a été transmise par la poste militaire. Mon fils aîné, Benjamin, a été capturé par les rebelles à Brandywine.

Il avait parlé sur un ton neutre, mais le feu diffusait suffisamment de lumière pour que je voie le muscle de sa mâchoire se contracter.

— Il n'existe actuellement aucun accord avec les Américains concernant l'échange de prisonniers. Il restera donc en captivité.

— Où ?

— Je l'ignore pour le moment. Mais je compte bien le découvrir le plus rapidement possible.

— Je vous souhaite bonne chance, déclarai-je sincèrement. La lettre était de Benjamin ?

— Non.

Ses mâchoires se crispèrent encore un peu plus.

La lettre avait été rédigée par une jeune femme du nom d'Amaranthus Cowden. Elle informait monsieur le duc de Pardloe qu'elle était l'épouse de son fils Benjamin et la mère de son petit-fils, Trevor Wattiswade Grey, âgé de trois mois. *Donc, né après la capture de Benjamin,* calculai-je rapidement. Benjamin savait-il qu'il était père ?

La jeune Mme Grey se trouvait en difficulté en raison de la douloureuse absence de son époux et n'avait d'autre recours que de se réfugier chez des parents à Charleston. Elle se sentait profondément gênée de demander de l'aide à monsieur le duc, mais sa situation précaire ne lui laissait guère le choix. Elle espérait qu'il lui pardonnerait son effronterie et considérerait sa requête avec bienveillance. Elle joignait à sa lettre une boucle des cheveux du petit Trevor, pensant que monsieur le duc aimerait avoir un souvenir de son petit-fils.

— Doux Jésus ! murmurai-je.

J'hésitai un instant, mais la même pensée avait dû traverser l'esprit du duc.

— Vous pensez qu'elle dit la vérité ? demandai-je.

Il parut à la fois inquiet et irrité.

— J'en suis pratiquement sûr. Wattiswade est le nom de jeune fille de ma femme et personne en dehors de la famille ne le sait.

D'un geste du menton, il m'indiqua la penderie où Mme Figg avait suspendu son uniforme.

— La lettre est dans la poche de ma veste, si vous souhaitez la lire.

Je lui fis signe que ce n'était pas nécessaire.

— Je comprends mieux ce que vous entendiez par « conclure un marché avec Dieu ». Vous voulez vivre pour connaître votre petit-fils, et revoir votre fils, naturellement.

Il poussa un long soupir et son corps tout entier sembla s'affaisser. Mme Figg avait dénoué sa tresse (malgré ses vives protestations), avait brossé ses cheveux et les avait attachés en une queue lâche qui retombait à présent sur son épaule. Sa chevelure châtain foncé était striée de filaments argentés qui prenaient des reflets roux et or à la lueur du feu.

— Pas exactement, répondit-il. Certes, je le souhaite ardemment, mais…

Il cherchait ses mots, ce qui contrastait avec son élégante faconde habituelle.

— … On donnerait volontiers sa vie pour sa famille, reprit-il. Parallèlement, on se dit : « Je ne peux pas mourir ! Que leur arrivera-t-il quand je ne serai plus là ? » Naturellement, vous savez pertinemment que vous ne pouvez pratiquement rien faire pour les aider. Ils doivent s'en sortir seuls, ou pas.

— Malheureusement, oui.

Un courant d'air fit frémir la mousseline et agita le nuage de fumée.

— Toutefois, ce n'est pas le cas de vos petits-enfants, déclarai-je. Eux, vous pouvez les aider.

Je songeai avec une profonde nostalgie au poids d'Henri-Christian dans mes bras, sa tête reposant contre mon épaule. Je lui avais sauvé la vie en l'opérant des amygdales et des végétations, et je remerciai le ciel d'avoir pu intervenir à temps. Quant à Mandy… *Que Dieu la protège !* J'avais établi un diagnostic et assuré à Bree que sa malformation cardiaque n'était pas rédhibitoire. Malheureusement, je ne pouvais l'opérer moi-même faute d'un équipement moderne, ce que je regretterais chaque jour de ma vie. Si j'avais été en mesure d'effectuer l'intervention chirurgicale, ils seraient toujours ici avec nous…

Un air frais et propre pénétra dans la chambre, agitant à nouveau la tente en mousseline. J'inhalai profondément, percevant l'odeur discrète mais pénétrante de l'ozone.

— Je sens la pluie, annonçai-je. Elle ne va pas tarder à tomber.

Le duc se tourna vers la fenêtre. Je me levai et soulevai plus haut le châssis à guillotine afin de laisser entrer la brise fraîche. Des nuages défilaient rapidement devant la lune, cachant sa lueur par intermittence tel un cœur battant. Les rues étaient sombres et l'on n'apercevait de temps à autre que le halo lointain d'une lanterne se déplaçant, signe de l'agitation sourde de la ville.

La pluie ralentirait peut-être les mouvements, ceux des loyalistes en fuite comme ceux de l'armée sur le départ. Un orage faciliterait-il le retour de Jamie ? S'il était violent, il risquait de le gêner, transformant les routes en rivières de boue. Était-il encore loin ?

Le ballon en plomb m'était retombé sur la tête. Mon moral était en chute libre, que ce soit à cause de la fatigue, de l'orage imminent ou simplement un effet naturel du cannabinol. Je frissonnai en dépit de la chaleur ambiante. Je ne pouvais empêcher mon esprit de projeter des images terrifiantes de tout ce qui pouvait arriver à un homme coincé entre deux armées, seul dans la nuit.

Peut-être n'était-il pas seul. Qu'avait-il fait de John ? Il ne lui aurait tout de même pas…

— J'avais vingt et un ans quand mon père est mort, déclara brusquement Hal. J'étais déjà un adulte. J'avais fait ma vie, j'avais une épouse… Je croyais n'avoir pas besoin de lui, jusqu'à ce que, soudain, il ne soit plus là.

— Qu'aurait-il pu faire pour vous ? demandai-je en me rasseyant.

J'étais curieuse, mais je voulais surtout échapper à mes propres pensées. Il s'était redressé sur un coude. Le col de sa chemise de nuit était ouvert, à la fois à cause de la chaleur et pour me permettre de voir le pouls battre dans son cou. Le tissu alourdi par l'humidité pendait mollement, dévoilant sa clavicule, haute et saillante, projetant une ombre noire sur sa peau.

— Il aurait été présent, répondit-il simplement. Il m'aurait écouté. Peut-être aurait-il approuvé mes décisions… ou pas. Mais… il aurait été là.

— Je comprends.

J'avais eu de la chance. J'étais très jeune lorsque mes parents étaient morts. Mon oncle avait rapidement pris leur place. En dépit de sa propre vie décousue, il avait toujours été là pour moi. À sa mort, j'avais été durement éprouvée, mais j'étais alors déjà mariée. Je ressentis soudain une pointe de culpabilité en pensant à Franck, puis une autre encore plus douloureuse en songeant à Brianna. Je l'avais quittée, une fois… Puis cela avait été son tour de me quitter.

Cela déclencha en moi une foule de pensées morbides : au sujet de Laoghaire, abandonnée par ses deux filles. Elle ne verrait probablement jamais ses petits-enfants, qui étaient désormais les miens. Je pensais à Jem et à Mandy... à Jamie.

Où était-il ? Pourquoi n'était-il pas venu ? Quoi que John ait pu lui raconter...

— Et zut... murmurai-je, découragée.

Je sentais les larmes monter et menacer de déborder, faisant céder le barrage de ma détermination.

— Vous savez quoi ? J'ai une faim de loup, déclara soudain Hal d'un air surpris. Il y a quelque chose à manger dans la maison ?

Le ventre de Jamie gronda et il toussa pour couvrir le bruit. C'était inutile. Les fillettes étaient recroquevillées dos à dos sous une courtepointe effilochée, près du feu, ressemblant à deux hérissons coiffés de bonnets. Elles ronflaient comme deux bourdons ivres. Assise sur le banc à dossier, Mme Hardman fredonnait une mélodie à son bébé. N'entendant pas les paroles, il ignorait de quelle chanson il s'agissait ; sans doute une berceuse. D'un autre côté, dans les Highlands, il avait souvent entendu des mères bercer leurs enfants avec des chants guerriers tels que *Nighean Nan Geug*, où il était question de têtes coupées et de terre imbibée de sang. En bonne quakeresse, Mme Hardman n'aurait sûrement pas choisi ce genre de thème. Peut-être *Le Grand Selkie de Sule Skerry* ? Après tout, les Amis n'étaient pas opposés aux relations charnelles.

Cela lui fit penser à ce maudit John Grey. Il grimaça, puis réprima un gémissement quand une douleur fulgurante fusa de sa colonne vertébrale à ses orteils, lui rappelant que même un geste aussi infime lui était interdit.

Le chant n'était guère plus mélodieux à ses oreilles que les ronflements, mais tous deux étaient des sons doux et il se détendit. Il vérifia que son couteau et son pistolet étaient à portée de main et ferma les yeux. En dépit de sa fatigue, il doutait de réussir à dormir. Il ne pouvait même pas se retourner dans le lit sans être transpercé par des décharges de douleur comme si le Diable lui enfonçait sa fourche dans les fesses.

Cela faisait des années que son dos ne l'avait pas fait souffrir ainsi. Il avait souvent eu mal, et il lui arrivait d'avoir le dos raide le matin, mais à ce point, cela faisait... dix ans ? Il s'en souvenait fort bien. C'était peu après leur arrivée à Fraser's Ridge. Après que Petit Ian et lui avaient eu fini de construire la cabane, il était parti chasser. En traquant un élan en fuite, il avait bondi par-dessus un ruisseau et s'était retrouvé à plat ventre au pied de la berge, incapable de bouger.

Claire – *que Dieu la bénisse !* – s'était lancée à sa recherche. Il sourit en lui-même. Elle avait été si fière d'être parvenue à suivre ses traces dans la forêt ! Si elle ne l'avait pas trouvé, il aurait été bien en mal de se défendre contre un puma, un ours ou un loup passant par là. Il ne serait probablement pas mort de froid, mais les engelures lui auraient coûté quelques orteils.

Elle...

Il redressa brusquement la tête en entendant un bruit. La douleur fut brutale, mais il serra les dents et sortit son pistolet de sous l'oreiller.

Mme Hardman sursauta. Elle le dévisagea en écarquillant les yeux, puis entendit à son tour et se leva précipitamment. Il y avait des pas sur le sentier, plusieurs personnes. Elle se tourna vers le berceau et il l'arrêta d'un signe de tête.

— Gardez le bébé avec vous, chuchota-t-il. Répondez s'ils toquent. Ouvrez s'ils le demandent.

Elle pâlit et obéit. Aux sons, ils étaient trois ou quatre, mais ils ne semblaient pas animés de mauvaises intentions. Il y eut des bruits de pas sur le seuil, des messes basses et quelques rires. On frappa à la porte et Mme Hardman demanda :

— Qui est là ?

— Des amis, madame, dit une voix avinée. Laissez-nous entrer.

Elle lança un regard affolé vers Jamie, qui hocha la tête. Elle souleva la barre et ouvrit la porte sur la nuit noire. Le premier homme fit un pas à l'intérieur puis se figea, la bouche ouverte, en apercevant un homme sur le lit.

— Bonsoir, lui dit Jamie poliment.

Il fixa l'homme droit dans les yeux, son pistolet bien visible devant lui.

— Oh, fit l'homme, décontenancé.

Jeune et assez corpulent, il portait une veste de chasse sur laquelle était agrafé un badge de milice. Il lança un regard à ses compagnons par-dessus son épaule. Ces derniers étaient restés en arrière.

— Je… euh… bonsoir à vous, monsieur. Nous ne… nous pensions que…

Il s'éclaircit la gorge. Jamie lui sourit, sachant parfaitement ce qu'il avait pensé. Tout en le surveillant du coin de l'œil, il fit signe à Mme Hardman de s'asseoir. Elle s'exécuta et pencha la tête vers son enfant, déposant un bref baiser sur le crâne de Chasteté.

— Nous n'avons aucune nourriture à vous offrir, messieurs, déclara Jamie. Mais il y a de l'eau fraîche dans le puits et de quoi dormir dans la remise, si vous voulez.

Les deux autres hommes se dandinaient sur le seuil, mal à l'aise. Ils dégageaient une forte odeur d'alcool mais ne cherchaient pas la bagarre.

— Ce n'est rien, dit le jeune homme en reculant vers ses compagnons. Nous… euh… désolés de vous avoir dérangé, monsieur.

Les deux autres acquiescèrent et ils battirent en retraite, se bousculant dans leur hâte de partir. Le dernier tira la porte sans la fermer complètement. Mme Hardman se leva et la claqua d'un coup de pied. Puis elle s'adossa à elle, les yeux fermés, serrant son enfant contre son sein.

— Merci, murmura-t-elle.

— Je vous en prie. Ils ne reviendront pas. Déposez la petite et verrouillez bien la porte.

Lorsque ce fut fait, elle posa ses deux mains à plat sur la porte et resta un moment à fixer le plancher. Puis elle se redressa lentement.

Sa veste difforme était retenue par des épingles. Il ignorait si c'était pour éviter la vanité des boutons, à l'instar de frères moraves, ou simplement parce qu'elle était trop pauvre pour en posséder. Ses doigts ôtèrent nerveusement la première épingle, qu'elle déposa sur une étagère. Puis elle se tourna vers lui, les doigts sur la suivante, et le regarda fixement. Elle se mordit la lèvre supérieure au-dessus de laquelle perlait un voile de transpiration.

— N'y pensez même pas, dit-il. Dans mon état actuel, je ne pourrais même pas monter une carcasse de brebis, sans parler du fait que j'ai l'âge d'être votre père et que je suis marié.

Ses lèvres tremblèrent. Il n'aurait su dire si c'était de soulagement ou de déception. Elle se décrispa néanmoins et laissa retomber ses mains.

— Vous n'avez pas besoin de me payer pour la nourriture, reprit-il. C'était un cadeau.

— Oui, je sais. Je te remercie, ami.

Elle détourna les yeux, gênée, avant d'ajouter :

— C'est juste que… j'espérais que, peut-être, tu resterais un peu.

— Je suis marié, répéta-t-il doucement.

Après une longue pause, il ne put s'empêcher de demander :

— Vous recevez souvent ce genre de visites ?

Il était clair que, si elle ne connaissait pas ces hommes, eux la connaissaient. Ils avaient entendu parler de la quakeresse qui vivait seule avec trois petites filles.

— Je les emmène dans la remise, lâcha-t-elle en devenant cramoisie. Une fois que les petites sont endormies.

— Mmphm, fit-il après un autre silence beaucoup trop long.

Il lança malgré lui un bref regard vers le berceau. Il se demanda depuis combien de temps M. Hardman était absent. Cependant, cela ne le regardait pas, pas plus que la manière dont elle parvenait à nourrir ses filles.

— Allez dormir, lui conseilla-t-il. Je monterai la garde.

13

Un air matinal chargé d'anges

Le lendemain

JAMIE FUT RÉVEILLÉ PAR UNE ODEUR de viande grillée et se redressa sur son lit, oubliant son dos.

Mme Hardman lui lança un regard par-dessus son épaule.

— Doux Jésus, je n'avais pas entendu un tel raffut depuis que mon mari Gabriel a tué un cochon !

Elle se tourna à nouveau vers sa cuisine et versa une pâte dans une poêle en fonte huilée posée sur les braises, la faisant grésiller et fumer.

— Je suis navré, madame.

— Mon nom est Silvia, ami. Et le tien ?

— Amie Silvia, dit-il sans desserrer les dents. Je m'appelle Jamie. Jamie Fraser.

Dans son sursaut, il avait fléchi les jambes par réflexe. Il enroula ses bras autour d'eux et posa son front sur ses genoux, essayant d'étirer son dos récalcitrant. L'effort provoqua une douleur vive dans toute sa jambe droite et une crampe dans son mollet gauche qui le fit gémir et panteler jusqu'à ce qu'elle passe.

— Je suis ravie de te voir assis, ami Jamie, déclara Silvia Hardman. Ton dos va mieux ?

Elle lui apporta une assiette chargée de saucisses, d'oignons frits et de banique.

— Un peu, répondit-il en s'efforçant de sourire. Je vois que tu as trouvé de quoi manger.

— Oui, que Dieu soit loué ! Ce matin, à l'aube, j'ai envoyé Pru et Patience sur la grand-route pour surveiller les carrioles qui se rendent au marché, à Philadelphie. Elles sont revenues avec une livre de saucisses, deux de farine de maïs, un sac d'avoine et une douzaine d'œufs. Mange !

Elle plaça l'assiette en bois devant lui avec une cuillère.

Jamie apercevait Prudence et Patience derrière leur mère, essuyant consciencieusement leur assiette avec un morceau de banique. Il pivota doucement sur le lit afin de s'adosser au mur et étira ses jambes devant lui.

Manger le remplit d'une étonnante sensation de bien-être. Il reposa son assiette vide, déterminé à agir.

— Amie Silvia, je dois aller me soulager, mais j'aurais besoin d'aide.

Une fois debout, il découvrit qu'il parvenait à avancer, quelques centimètres à la fois, en titubant. Prudence et Patience se précipitèrent et le prirent par les coudes, à la manière de deux petits arcs-boutants.

— Ne t'inquiète pas, lui dit Prudence avec assurance. On ne te laissera pas tomber.

— Je n'en doute pas, répondit-il gravement.

De fait, en dépit de leurs épaules maigrelettes, les fillettes étaient plus costaudes qu'elles ne le paraissaient. Leur présence l'aidait, lui donnant quelque chose à quoi se tenir chaque fois qu'il devait s'arrêter, soit tous les quelques pas.

Autant pour alimenter la conversation que parce que l'information l'intéressait, il demanda :

— Parlez-moi des carrioles qui vont à Philadelphie. Elles ne passent que le matin ?

— Principalement, répondit Patience. Elles rentrent à vide une ou deux heures avant le coucher du soleil.

Elle fléchit les genoux et écarta légèrement les pieds.

— Tu peux y aller, l'assura-t-elle. Prends appui sur moi. Tu es tout flageolant.

Il exerça une légère pression sur son épaule pour la remercier et reporta un peu de son poids sur elle. « Flageolant » n'était pas peu dire. Il y avait bien huit cents mètres jusqu'à la grand-route. À ce rythme, il lui faudrait une heure pour l'atteindre, même avec l'aide des fillettes. Outre le fait que son dos pouvait se bloquer à tout moment, le laissant paralysé à mi-chemin, le risque était trop grand. Sans parler de celui d'arriver à Philadelphie incapable de bouger. Demain, peut-être…

— Y avait-il des soldats sur la route ? demanda-t-il.

Il posa délicatement un pied sur le sol, et une décharge fusa de sa hanche jusqu'à son pied.

— Aïe !

— Courage, ami, lui dit Patience en tenant plus fermement son coude. Tu y arriveras. Oui, nous avons vu deux compagnies de miliciens et un officier continental sur une mule.

— On a vu aussi des soldats britanniques, ajouta Prudence. Ils escortaient un convoi de carrioles allant dans l'autre sens.

— L'autre sens… ils quittaient Philadelphie ? demanda Jamie.

Fichtre, l'évacuation de la ville avait-elle déjà commencé ?

— Vous avez pu voir ce que contenaient les carrioles ?

— Des meubles, des malles, des paniers, répondit Prudence. Il y avait parfois aussi des dames perchées dedans, mais la plupart marchaient à côté, faute de place.

Elle marqua une pause, puis déclara :

— Prends garde à tes pans de chemise, ami, ou ta modestie sera en danger.

L'air matinal était frais et venteux. Une risée avait gonflé sa chemise, ce qui était délicieux sur son corps en sueur, mais dévoilait un spectacle qui n'était pas pour les petites filles.

— Veux-tu que je te les attache entre les jambes ? proposa Patience. Je sais faire un nœud de vache, un demi-nœud et un nœud plat. C'est mon papa qui m'a appris.

— Ne sois pas idiote, Patience, rétorqua sa sœur. Comment pourra-t-il soulever sa chemise pour faire caca si tu l'attaches ?

Elle lança un regard à Jamie et confia :

— Personne n'arrive à défaire ses nœuds. Elle les serre trop.

— Ce n'est pas vrai, menteuse !

— Honte à toi, sœur ! Je répéterai à maman ce que tu as dit !

Jamie préféra intervenir avant qu'elles n'en viennent aux mains et demanda :

— Où est votre père ?

Elles s'interrompirent aussitôt et échangèrent un regard.

— On ne sait pas, répondit Prudence d'une petite voix. Un jour, il y a un an, il est parti chasser et il n'est jamais revenu.

— Ça pourrait être les Indiens qui l'ont attrapé, déclara Patience. Dans ce cas, il parviendra peut-être à s'échapper un jour et rentrera à la maison.

— Peut-être, soupira Prudence peu convaincue. Maman pense que des miliciens l'ont tué.

— Pourquoi ? demanda Jamie. Qu'est-ce qu'ils auraient à lui reprocher ?

— D'être un Ami, expliqua Patience. Comme il refusait de se battre, ils l'ont accusé d'être un loyaliste.

— Je vois. Et l'était-il… je veux dire, l'est-il ?

Prudence lui sut gré d'avoir rectifié et utilisé le présent.

— Je ne crois pas, répondit-elle. Mais maman dit que, l'année dernière, l'Assemblée annuelle a décidé que tous les Amis devaient être pour le roi, parce qu'il maintiendrait la paix alors que les rebelles créeront l'anarchie. Du coup, tout le monde pense que tous les Amis sont loyalistes.

— Papa ne l'était pas... ne « l'est » pas, intervint Patience. Il disait toujours du mal du roi. Maman avait peur et le suppliait de se taire. Voici la latrine.

Elle lâcha le coude de Jamie afin d'ouvrir la porte et précisa :

— Ne te torche pas avec la serviette, c'est pour les mains. Il y a des feuilles de maïs dans le panier.

John Grey se réveilla fiévreux, les jambes lourdes, avec un terrible mal de crâne et une douleur vive dans l'œil gauche lorsqu'il tenta de l'ouvrir. Ses paupières étaient croûtées et collantes. Il avait fait des rêves fracturés, une confusion d'images, de voix, d'émotions... Jamie Fraser lui criait dessus, le visage empourpré par la rage, puis il y eut un changement, une sorte de poursuite. Ils couraient tous les deux dans une tourbière, un bourbier visqueux qui retenait leurs pas. Fraser se débattait juste devant lui, piégé. Il lui hurlait de faire demi-tour, mais il était trop tard. Ses pieds s'enfonçaient et il était aspiré par la boue. Il battait désespérément des bras, mais il n'y avait aucune prise à laquelle se retenir.

— Aaah !

Une main lui secoua l'épaule, l'extirpant brusquement de la mélasse. Il ouvrit son bon œil et distingua la silhouette vacillante d'un jeune homme portant une veste noire et des lunettes. Il l'observait comme s'il le connaissait.

— John Grey ? demanda-t-il.

Il déglutit péniblement avant de répondre :

— Oui. Ai-je... l'honneur de vous connaître, monsieur ?

Le jeune homme parut légèrement dépité.

— Oui, ami Grey, dit-il à voix basse. Je suis...

— Oh ! fit Grey en se redressant soudain. Oui, bien sûr, vous... oh, juste ciel !

Sa tête, dérangée par son mouvement brusque, avait apparemment décidé de quitter ses épaules pour aller percuter le mur le plus proche. *Hunter...* son nom se détacha avec une clarté surprenante dans le chaos qui régnait à l'intérieur de son crâne. Le *Dr* Hunter. Le quaker de Dottie.

— Je crois que tu ferais mieux de te rallonger, ami.

— Je crois que je ferais mieux de vomir avant.

Hunter saisit le pot de chambre de dessous le lit juste à temps. Lorsque Grey eut fini de rendre ses tripes, il lui donna de l'eau en lui recommandant de boire lentement, puis il l'aida à s'allonger. Entre-temps, le colonel Smith était réapparu. Il regarda par-dessus l'épaule de Hunter.

— Qu'en dites-vous, docteur ? A-t-il perdu la raison ? Il s'est soudain mis à chanter à tue-tête, hier soir. Puis il n'a pas cessé de gémir et de dire toutes sortes de choses étranges pendant la nuit. Quant à sa mine...

Il fit une grimace, au point que Grey se demanda de quoi il pouvait bien avoir l'air.

— Il a une forte fièvre, déclara Hunter en prenant le pouls de Grey. Et tu peux constater par toi-même l'état de son œil. Le déplacer serait trop dangereux. Une nouvelle extravasation sanguine dans son cerveau...

Smith émit un son de dépit et pinça les lèvres. Il poussa Hunter du coude et se pencha sur Grey.

— Colonel, vous m'entendez ? demanda-t-il en articulant lentement comme s'il s'adressait à un étranger ou un demeuré.

— *Ich bin ein Fisch...* murmura Grey d'un air béat et en fermant les yeux.

— Son pouls est erratique, annonça Hunter.

Il tenait toujours le poignet de Grey. Sa main était fraîche et ferme, ce qui était réconfortant.

— Si tu insistes pour lui faire prendre la route, je ne réponds de rien, ajouta-t-il.

— Je vois, dit Smith.

Il se tut un moment. Grey pouvait l'entendre respirer fortement mais il se garda de rouvrir les yeux.

— Fort bien, conclut Smith. Si Mahomet ne va pas à la montagne, la montagne n'a plus qu'à venir ici. Je vais envoyer un message au général Wayne. S'il vous plaît, docteur, faites le nécessaire pour qu'il soit cohérent.

Il pouvait voir Denzell Hunter avec son œil blessé, ce qui était rassurant. Il n'était pas aveugle. Du moins, pas encore. Hunter avait ôté ses lunettes afin d'examiner de plus près l'organe endommagé. Il avait lui-même de très beaux yeux, nota Grey. Son iris avait la couleur brun clair d'une olive mûre et était parsemé de paillettes d'un vert profond.

— Regarde vers le haut, je te prie, murmura-t-il.

Grey s'exécuta.

— Aïe !

— Non ? Bon, alors regarde vers le bas.

Cette tentative ne fut guère plus fructueuse. Il ne pouvait pas non plus regarder vers la droite ni vers la gauche. Son œil semblait s'être solidifié dans son orbite tel un œuf dur. Il exposa cette théorie à Hunter, qui sourit tout en paraissant légèrement inquiet.

— L'intumescence est considérable, observa-t-il. Le coup que tu as reçu devait être très puissant.

Ses doigts palpaient délicatement le visage de Grey, appuyant doucement ici et là.

— Et là ? demanda-t-il.

— Effectivement, celui qui m'a frappé n'y est pas allé de main morte, répondit Grey. Et cessez de me demander si cela me fait mal. Tout me fait mal, depuis la racine des cheveux au menton, en passant par mon oreille gauche. Cette histoire d'extravasation sanguine, c'était vrai ?

— C'est une possibilité, répondit Hunter avec un léger sourire. Dans la mesure où tu n'as pas présenté de signes d'apoplexie ni d'évanouissements, hormis ceux provoqués par l'alcool, et que tu as marché pendant plusieurs heures après avoir été blessé, cela paraît peu probable. Néanmoins, il y a un épanchement de sang sous la sclérotique. (Il effleura du doigt la paupière boursouflée.) Ton globe oculaire est cramoisi, tout comme la bordure de ta paupière. C'est assez... spectaculaire.

Son ton amusé rassura Grey.

— Vous m'en voyez ravi, grommela-t-il. Combien de temps avant que cela s'en aille ?

Le quaker fit une grimace.

— Entre une semaine et un mois. C'est plus ou moins comme une ecchymose, une rupture des vaisseaux sanguins sous le derme. Ce qui m'inquiète, c'est que tu ne puisses pas remuer ton œil. Je crains une fracture de l'orbite qui coincerait ton muscle orbiculaire. Je regrette que ton épouse ne soit pas là ; elle en sait plus que moi sur...

— Mon épouse... répéta Grey sans comprendre.

Sa mémoire et sa conscience se rejoignirent enfin et le déclic se fit.

— Oh ! Mais ce n'est pas ma femme ! Enfin, elle ne l'est plus.

Il se redressa et chuchota à l'oreille de Hunter :

— Jamie Fraser est toujours vivant.

Hunter le dévisagea d'un air ahuri, puis remit ses lunettes et le dévisagea encore. Il semblait se demander si, tout compte fait, le cerveau de Grey n'avait pas été atteint.

— C'est lui qui m'a frappé, expliqua Grey.

En le voyant froncer les sourcils, il précisa :

— Ce n'est rien. Je l'avais cherché.

— Que Dieu soit loué ! murmura Hunter avec un grand sourire. Ian sera...

Il fit un grand geste qui exprimait son incapacité à décrire les émotions probables de Ian Murray.

— Et l'amie Claire ? demanda-t-il. Elle sait ?

— Oui, mais...

Grey s'interrompit en entendant des pas approcher. Il se rallongea aussitôt en prenant une expression de martyr très convaincante. Il ferma les yeux et tourna sa tête sur le côté en gémissant.

— Apparemment, la montagne se trouve avec le général Washington, déclara Smith sur un ton offensé.

Grey le sentit qui s'arrêtait près de son lit.

— Faites votre possible pour qu'il soit en état de voyager demain, docteur. Au besoin, nous le chargerons dans une carriole.

17 Chestnut Street

Monsieur le duc se réveilla le lendemain matin avec des yeux rouges de furet et une humeur de blaireau enragé. Si j'avais eu un fusil hypodermique, je lui aurais tiré une fléchette tranquillisante sans hésiter. À défaut, je versai une généreuse portion de cognac dans son café et, après une brève empoignade avec ma conscience hippocratique, j'y rajoutai une toute petite dose de laudanum.

Je ne pouvais lui en donner trop car, entre autres choses, cela aurait pu entraver sa respiration. Tout en comptant les gouttes aromatiques d'un brun roux qui tombaient dans le cognac, je me dis que c'était un moyen plus humain de le calmer que de lui renverser le pot de chambre sur la tête ou de demander à Mme Figg de s'asseoir sur lui pendant que je l'attacherais aux montants du lit et que je le bâillonnerais.

J'avais juste besoin qu'il se taise et reste immobile un petit moment. Nous attendions M. Figg, prédicateur de la Société méthodiste, et deux jeunes hommes de son église qui se trouvaient être menuisiers. Ils venaient réparer la porte d'entrée et clouer des planches sur les volets du rez-de-chaussée afin de nous protéger d'éventuels pillages. J'avais expliqué à Mme Figg qu'elle pouvait naturellement faire part de notre situation à son mari (je pouvais difficilement l'en empêcher), mais qu'il serait sans doute préférable de taire la présence de monsieur le duc afin de protéger lord John et ses biens, sans parler de la vie de notre invité lui-même qui, après tout, était le cher frère de sa seigneurie.

Mme Figg aurait volontiers livré le duc à une foule équipée de goudron et de plumes. Néanmoins, dès qu'il s'agissait du bien-être de lord John, elle était disposée à entendre raison. Elle acquiesça d'un air grave. Tant que monsieur le duc n'attirait pas l'attention sur lui en hurlant depuis la fenêtre du premier étage ou en lançant des projectiles sur les ouvriers, sa présence passerait inaperçue.

Elle lança un regard inquiet vers le plafond.

— Que comptez-vous faire de lui, au juste, lady John ?

Nous nous trouvions dans le petit salon, discutant à voix basse pendant que Jenny donnait son petit-déjeuner au duc et s'assurait qu'il buvait bien tout son café arrosé de cognac.

— Et si l'armée envoie quelqu'un le chercher ici ? enchaîna-t-elle.

Je fis un geste d'impuissance.

— Je n'en sais rien, avouai-je. Il faut juste le garder ici jusqu'à ce que lord John ou mon mar... M. Fraser revienne. Ils sauront quoi faire. Quant à l'armée... Si quelqu'un vient, je... euh... je lui parlerai.

Elle me lança un regard indiquant qu'elle avait déjà entendu des plans mieux ficelés, puis hocha la tête bon gré mal gré et partit chercher son panier pour le marché. Le premier symptôme d'une ville nouvellement occupée est la pénurie de nourriture. Avec l'armée continentale sur le point de fondre sur Philadelphie tel un nuage de sauterelles, les carrioles apportant les denrées de la campagne allaient se faire rares. Si les deux armées étaient déjà sur les routes, elles s'approprieraient tout ce qui tomberait sous leur portée.

Sur le seuil, Mme Figg s'arrêta et se tourna vers moi.

— Et William ? demanda-t-elle. S'il vient...

Elle était tiraillée entre l'espoir de le voir revenir et son inquiétude quant à sa réaction en découvrant que son oncle était prisonnier.

— Je lui parlerai, répétai-je fermement en lui faisant signe de partir.

Je grimpai à l'étage et trouvai Hal bâillant au-dessus de son plateau pratiquement vide. Jenny était en train de lui essuyer méticuleusement un peu de jaune d'œuf au coin des lèvres. Elle avait passé la nuit à l'imprimerie et était revenue à la première heure pour m'aider, apportant une vieille malle remplie d'ustensiles qui pourraient nous être utiles.

Son travail achevé, elle se leva et examina le malade d'un œil critique.

— Monsieur le duc a avalé tout son petit-déjeuner, m'informa-t-elle. Je lui ai fait faire ses besoins avant qu'il boive son café, au cas où. Je ne savais pas si l'effet serait rapide.

Hal la regarda en fronçant les sourcils. Je n'aurais su dire s'il était perplexe ou froissé. Ses pupilles étaient déjà considérablement rétrécies, ce qui lui donnait un regard de chouette. Il se tourna vers moi en battant des paupières et secoua la tête comme pour s'éclaircir les idées.

— Laissez-moi vérifier rapidement vos signes vitaux, Hal, dis-je avec un charmant sourire.

Je me sentais comme Judas. Il était mon patient, mais Jamie était mon mari.

Son pouls était lent et très régulier, ce qui me rassura. Je sortis mon stéthoscope, déboutonnai sa chemise et écoutai son cœur : les battements étaient réguliers, forts, sans palpitations. En revanche, ses poumons gargouillaient comme une citerne percée et sa respiration était ponctuée de petits hoquets.

— Il vaudrait mieux lui redonner un peu de la décoction d'éphédrine, conclus-je en me redressant.

C'était un stimulant qui risquait de contrecarrer les effets de l'opiacé dans son sang, mais je ne pouvais risquer qu'il cesse de respirer en dormant.

— Je vais rester auprès de lui, dis-je à Jenny. Tu veux bien aller en chercher une tasse ? Peu importe si le café est froid.

Je craignais qu'il s'endorme avant qu'on ait eu le temps de réchauffer le café.

— Je dois vraiment voir le général Clinton, ce matin, déclara Pardloe avec une fermeté surprenante compte tenu de son cerveau embrumé.

Il se racla la gorge et toussa avant de reprendre :

— Il y a des décisions à prendre... Mon régiment...

— Ah... euh... où est votre régiment en ce moment ? demandai-je prudemment.

S'il était déjà à Philadelphie, l'adjudant de Hal devait le chercher partout. On pouvait supposer qu'il avait passé la nuit avec son fils ou sa fille, mais il serait rentré au matin... J'ignorais si mes messages contrefaits avaient porté leurs fruits.

— New York, répondit-il. Du moins, je l'espère.

Il ferma les yeux, oscilla légèrement, puis se redressa en sursaut.

— C'est là-bas que j'ai débarqué... Je suis descendu à Philadelphie... pour voir Henry... Dottie.

Ses traits se tordirent de douleur.

— Je dois... repartir avec Clinton.

— Oui, bien sûr, dis-je sur un ton apaisant.

Je m'efforçai de réfléchir rapidement. Quand Clinton et ses troupes repartiraient-ils exactement ? En supposant que Pardloe soit suffisamment remis pour survivre au voyage sans mes soins, je pouvais lui rendre sa liberté dès que l'exode aurait commencé. Il serait alors trop tard pour qu'il lance des recherches pour trouver John et mettre Jamie en danger. D'un autre côté, Jamie allait sûrement réapparaître d'un moment à l'autre, avec ou sans John.

En l'occurrence, ce fut Jenny qui réapparut, avec la décoction d'éphédrine, un marteau glissé dans la poche de son tablier et trois lattes sous le bras. Elle me tendit la tasse sans commentaire et se mit à clouer les lattes devant la fenêtre avec une rapidité et une efficacité surprenantes.

Hal but lentement sa décoction en l'observant d'un air perplexe.

— Que fait-elle ? me demanda-t-il vaguement intéressé.

— C'est contre les ouragans, répondit-elle le plus sérieusement du monde.

Elle ressortit pour rendre leur marteau aux menuisiers que l'on entendait marteler joyeusement au rez-de-chaussée comme un bataillon de pics-verts attaquant la maison.

Hal lança un regard vitreux à travers la chambre, sans doute à la recherche de sa culotte, que Mme Figg avait emportée et cachée dans sa cuisine. Il aperçut une pile de livres de William que j'avais déplacée sur un coin de la commode. Il dut en reconnaître quelques-uns car il déclara :

— Oh, William. Où est William ?

— J'imagine que Willie est très occupé aujourd'hui, répondis-je en reprenant son pouls. Il passera peut-être plus tard.

Son cœur battait lentement, mais sûrement. Il lâcha sa tasse, que je rattrapai de justesse et déposai sur la table de nuit. Sa tête retomba en avant et je l'aidai à se rallonger sur les oreillers entassés pour faciliter sa respiration.

« Si William revient… » avait dit Mme Figg en laissant entendre : « Que se passera-t-il alors ? »

C'était une bonne question.

Colenso n'était pas revenu, ce qui signifiait sans doute qu'il avait trouvé William. C'était rassurant. Quant à ce qu'il faisait ou ce qu'il pensait…

14

LE TONNERRE GRONDE

« UNE MISSION ADAPTÉE à votre situation particulière », avait dit le major Findlay. *Si seulement Findlay avait su !* pensa amèrement William. Compte tenu de sa découverte récente, sa situation était encore plus particulière qu'il ne l'avait cru.

En octobre 1777, il s'était rendu à Saratoga avec le reste de l'armée de Burgoyne. Les soldats britanniques et leurs alliés allemands avaient été contraints de rendre les armes, sans toutefois être faits prisonniers. La Convention de Saratoga, signée par Burgoyne et Gates, le général des continentaux, stipulait que toutes les troupes seraient autorisées à rentrer en Europe après avoir juré sur l'honneur de ne plus prendre part au conflit américain.

Toutefois, les navires ne pouvant prendre la mer durant les tempêtes d'hiver, il fallait bien faire quelque chose des soldats capturés. Rebaptisés « armée de la Convention », ils avaient donc été conduits au pas à Cambridge, dans le Massachusetts, pour y attendre d'être rapatriés, au printemps. Tous sauf quelques-uns, qui avaient soit des relations influentes en Amérique, soit des liens avec sir Henry, qui avait remplacé Howe comme commandant en chef de la campagne américaine.

William, le bienheureux, avait les deux. Il avait servi dans l'état-major de Howe ; son oncle était colonel d'un régiment ; son père était un influent diplomate actuellement basé à Philadelphie. Il avait ainsi pu bénéficier d'une libération conditionnelle exceptionnelle, accordée comme un service au général lord Howe, et avait été envoyé à lord John. Néanmoins, il faisait toujours partie de l'armée britannique et ne pouvait donc participer aux combats. Dans une armée, il y avait toujours un certain nombre de corvées à accomplir qui ne nécessitaient pas de se battre. Le général Clinton s'était fait un plaisir de mettre William à contribution.

Profondément exaspéré par cette situation, William avait supplié son père de tout faire pour qu'il soit échangé avec un prisonnier continental. Cela le libérerait de son serment sur l'honneur et lui permettrait de reprendre de vraies activités militaires. Lord John avait fait de son mieux, mais en janvier 1778, un différend avait éclaté entre le Congrès continental et le général Burgoyne, après que ce dernier eut refusé de fournir une liste des soldats ayant rendu les armes. Le Congrès avait alors rejeté la Convention de Saratoga et décrété que la totalité de l'armée de la Convention serait retenue prisonnière jusqu'à ce que ladite Convention et la liste demandée soient ratifiées par le roi George. Le Congrès savait pertinemment que le souverain britannique n'en ferait rien, car cela reviendrait à reconnaître l'indépendance des colonies. L'une des conséquences de cette situation était qu'il n'y avait pour le moment aucun mécanisme d'échange de prisonniers, quels qu'ils soient.

Cela plaçait William dans une position ambiguë. Techniquement, il était un prisonnier évadé. Si les Américains le capturaient et découvraient qu'il était l'un des officiers de Saratoga, il serait envoyé aussi sec dans le Massachusetts pour y croupir jusqu'à la fin de la guerre. Parallèlement, personne ne savait vraiment s'il avait droit de reprendre les armes ou non, car, bien que la Convention eût été annulée, il avait donné sa parole de ne plus se mêler aux combats.

D'où la tâche ingrate qui lui était incombée, à la tête des troupes chargées d'aider à l'évacuation des loyalistes les plus riches de Philadelphie. On n'aurait rien pu lui demander de pire, mis à part de conduire un troupeau de porcs à travers le chas d'une aiguille.

Alors que les citoyens pauvres qui redoutaient l'arrivée des milices de Washington étaient contraints de braver les dangers de la route avec leurs carrioles et leurs charrettes à bras, les loyalistes riches avaient droit à une fuite plus sûre et théoriquement plus luxueuse par bateau. Or, pas un seul d'entre eux ne voulait comprendre qu'il n'y avait qu'un seul navire disponible pour le moment, celui du général Howe, et que celui-ci disposait d'un espace très limité.

— Non, madame. Je suis navré, il est tout simplement impossible d'emporter votre...

— Mais vous n'y pensez pas, jeune homme ! Le grand-père de mon mari a acheté cette horloge de parquet aux Pays-Bas en 1670. Non seulement elle donne l'heure mais également les phases de la lune et le calendrier des marées dans la baie de Naples ! Vous ne voudriez quand même pas que je laisse un tel instrument tomber entre les griffes des rebelles ?

— Hélas si, madame. Non, monsieur, pas de domestiques, uniquement les membres proches de votre famille et quelques bagages. Je suis sûr que vos serviteurs vous rejoindront rapidement par la route en toute…

— Mais ils mourront de faim ! s'exclama un monsieur cadavérique.

Il refusait de se séparer de son talentueux cuisinier et d'une servante de chambre gironde qui, si elle n'était pas douée pour le ménage, avait d'autres qualités fort désirables, celles-ci étant bien mises en valeur.

— … ou ils pourraient être enlevés ! insista-t-il. Ils sont sous ma responsabilité. Vous ne pouvez pas…

— Si, je le peux et je le dois, l'interrompit fermement William. Caporal Higgins, veuillez raccompagner les domestiques de M. Hennings hors du quai. Non, madame. Je veux bien croire que cette paire de fauteuils assortis est très précieuse, mais pas autant que les vies de ceux qui se noieront si le navire coule. Oui, vous pouvez emporter votre pendulette.

Il haussa la voix et beugla :

— Lieutenant Rendill !

Rendill, le visage rouge et ruisselant, se fraya péniblement un passage à travers la cohue des évacués qui se pressaient, se marchaient sur les pieds, pestaient et vociféraient. Parvenu devant William, qui était perché sur une caisse pour éviter d'être piétiné ou poussé dans le port, il fut brutalement bousculé par plusieurs personnes qui tentaient d'attirer l'attention de William et finit avec sa perruque lui retombant devant les yeux.

— Oui, capitaine ? demanda-t-il en repoussant du coude un gentleman aussi poliment que possible.

— Voici une liste des relations personnelles du général Howe. Montez sur le pont et vérifiez qu'elles sont toutes à bord, sinon…

Il balaya du regard la masse grouillante sur le quai, entourée de montagnes de biens abandonnés et de bagages piétinés, puis fourra la liste entre les mains du lieutenant.

— … Trouvez-les !

— Seigneur ! gémit Rendill. Je veux dire… oui, capitaine. Tout de suite, capitaine.

La mine abattue, il tourna les talons et se mit à nager à contre-courant à travers la foule, effectuant une version altérée mais vigoureuse de la brasse.

— Rendill !

Le lieutenant se tourna docilement et revint sur ses pas d'un air résigné tel un marsouin rouge vif traversant un banc de harengs en furie.

— Oui, capitaine ?

William se pencha vers lui, indiqua d'un signe de tête les piles instables de meubles et de bagages sur le quai, bon nombre dangereusement proches du bord, et baissa la voix afin de ne pas être entendu par la cohue autour d'eux.

— En passant, dites aux débardeurs que si, par mégarde, ces amoncellements tombaient dans le fleuve, on ne leur en tiendrait pas rigueur.

Les traits ruisselants de Rendill s'illuminèrent soudain.

— Oui, capitaine !

Il salua son supérieur et repartit ragaillardi. Se sentant lui-même rasséréné, William se tourna avec un sourire aimable vers un Allemand à l'air soucieux et ses six filles qui portaient chacune dans leurs bras ce qui semblait être leur garde-robe tout entière, leurs visages anxieux le fixant entre le bord de leurs capelines en paille et une montagne de soieries et de dentelles.

Paradoxalement, la chaleur et l'orage approchant convenaient à son état d'esprit, et l'impossibilité de sa mission le détendait. Après s'être rendu compte de la futilité de vouloir satisfaire tout le monde (ou même une personne sur dix), il cessa de s'en préoccuper et se contenta de faire son possible pour maintenir l'ordre, laissant son esprit errer pendant qu'il s'inclinait courtoisement et émettait des sons rassurants aux hordes se pressant devant lui pour se plaindre.

S'il avait été d'une humeur ironique, il aurait ricané. Il n'était ni chair ni poisson, ni même lard ou cochon, comme disaient les gens de la campagne. Ni vrai soldat ni civil libre. Ni comte ni même Anglais… et pourtant, comment pouvait-il ne pas être Anglais ?

Après avoir retrouvé suffisamment de son sang-froid pour réfléchir, il s'était rendu compte qu'il était toujours légalement le neuvième comte d'Ellesmere, indépendamment de son père biologique. Ses parents, ou ceux qui étaient théoriquement ses vrais parents, avaient été mariés au moment de sa naissance. Sur le coup, cela lui avait paru être un facteur aggravant : comment pouvait-il laisser croire que coulait en lui le sang noble et ancien des Ellesmere en sachant pertinemment que son vrai père était…

Il repoussa violemment cette pensée, mais pas avant qu'elle n'en ait invoqué une autre, qui concernait celui qu'il appelait « papa ». Il inspira profondément l'air chaud et moite qui sentait le poisson frit, essayant d'étouffer un pincement au cœur.

Sans vouloir se l'admettre, il n'avait cessé de le chercher dans la foule, examinant les visages dans l'espoir d'apercevoir de celui de son pè… Oui, bon sang, de son père ! Tout menteur qu'il était, John Grey était toujours son père, comme il l'avait été depuis sa petite enfance. William était de plus en plus inquiet pour lui. Colenso lui avait rapporté ce matin que lord John n'était pas rentré chez lui… Or, il aurait dû être de retour à présent. Si c'était le cas, il serait venu le trouver, William n'en doutait pas. À moins que Fraser ne l'ait tué.

Pourquoi ? Ils avaient été de bons amis autrefois. Il sentit la bile lui monter à la gorge.

Certes, la guerre brisait souvent les amitiés. Mais même ainsi…

Était-ce à cause de mère Claire ? Il refusa d'abord d'y croire, puis se reposa la question. Il voyait encore son visage rayonnant de bonheur et de joie en voyant Jamie Fraser, et sentit une pointe de jalousie pour son père. Si Fraser l'aimait tout aussi passionnément, serait-il capable de… C'était absurde ! Il était forcément conscient que lord John ne l'avait épousée que pour la protéger et que, en outre, il l'avait fait au nom de leur amitié !

D'un autre côté, ils étaient mariés et son père avait toujours eu des idées très ouvertes sur la sexualité. Il eut une bouffée de chaleur en imaginant son père sautant gaillardement dans le lit de madame pas tout à fait ex Fraser. Si Fraser l'avait appris…

— Non, monsieur ! dit-il sèchement à un marchand qui, il s'en rendait compte avec un temps de retard, venait de lui proposer un pot-de-vin pour laisser monter sa famille à bord du vaisseau de Howe. Comment osez-vous ? Partez et estimez-vous heureux que je n'aie pas le temps de m'occuper de vous comme il se doit !

L'homme s'éloigna les épaules tombantes. William sentit une pointe de remords, mais il était réellement impuissant. Même s'il avait pu faire un geste pour le marchand, à partir du moment où de l'argent avait été offert, il n'avait plus le choix.

Pour en revenir à son père : s'il avait réellement consommé son mariage, comment Fraser l'avait-il découvert ? Lord John ne pouvait avoir été idiot au point de le lui dire. Non, il devait y avoir une autre raison au retard de papa, sans doute le chaos des gens quittant Philadelphie. Les routes devaient être encombrées.

— Oui, madame, je crois que nous avons de la place pour vous et votre fille, dit-il à une jeune femme à l'air terrifié qui tenait un bébé contre son épaule.

Il caressa la joue du nourrisson. Elle était réveillée et ne paraissait pas impressionnée par la foule. Elle le dévisagea avec de grands yeux marron bordés de longs cils.

— Bonjour, ma petite. Tu veux monter sur le bateau avec ta maman ?

Cette dernière laissa échapper un sanglot de soulagement.

— Oh, merci milord… Vous êtes bien lord Ellesmere, n'est-ce pas ?

— En effet, répondit-il machinalement.

Puis ce fut comme s'il avait reçu un coup de poing dans le ventre. Il déglutit et devint cramoisi.

— Mon mari est le lieutenant Beaman Gardner, déclara-t-elle en faisant une légère révérence. Nous nous sommes déjà rencontrés. Au bal de la Mischianza ?

— Mais oui, bien sûr ! répondit-il même s'il ne se souvenait pas d'elle. C'est un honneur que de rendre service à l'épouse d'un confrère officier. Si vous voulez bien embarquer tout de suite… Caporal Anderson ? Veuillez escorter Mme et Mlle Gardner à bord.

Il s'inclina à nouveau, avec la sensation que ses entrailles avaient été retournées sens dessus dessous.

Un confrère officier ! Que penserait Mme Gardner si elle savait ? Et le lieutenant lui-même ?

Il poussa un profond soupir puis ferma les yeux afin de s'accorder un instant de répit. Quand il les rouvrit, il se trouva nez à nez avec le capitaine Ezekiel Richardson.

— *Stercus !* s'exclama-t-il.

Il avait attrapé la manie de son oncle de jurer en latin dans des moments de grand stress.

— Je ne vous le fais pas dire, observa poliment Richardson. Puis-je vous parler un instant ? Parfait… Rendill !

Il fit signe au lieutenant, qui était aux prises avec une dame âgée drapée en bombasin noir et accompagnée de quatre petits chiens qui jappaient à ses pieds, tenus en laisse par un petit garçon noir à l'air résigné. Rendill la foudroya du regard avant de se tourner vers Richardson.

— Oui, capitaine ?

— Veuillez remplacer le capitaine lord Ellesmere, je vous prie. Je dois l'emprunter un moment.

Avant que William n'ait eu le temps de décider s'il était d'accord ou pas, Richardson le prit par le coude et l'entraîna hors de la mêlée. Il s'arrêta derrière un petit hangar à bateaux bleu ciel qui projetait une ombre bienvenue.

Entre-temps, William avait retrouvé ses esprits. Sa première impulsion avait été d'envoyer Richardson paître, voire de le pousser dans le fleuve. Toutefois, la sagesse l'en avait retenu.

C'était à l'instigation de Richardson que William était brièvement devenu espion, collectant des renseignements au cours de divers déplacements et les rapportant à Richardson pour le compte de l'armée. Sa dernière mission pour lui l'avait conduit au cœur du Great Dismal de Virginie (le justement nommé « sinistre marais »), où il avait eu la mauvaise fortune de s'égarer, d'être blessé puis atteint d'une fièvre à laquelle il n'aurait pas survécu s'il n'avait été sauvé par Ian Murray. Ce dernier lui avait affirmé qu'il avait été dupé et envoyé non pas chez des alliés britanniques mais dans un nid de rebelles, qui l'auraient sûrement pendu s'ils avaient découvert sa véritable identité.

William hésitait encore à croire Murray, surtout maintenant qu'il savait que Murray était son cousin et que ce dernier n'avait pas jugé nécessaire de l'en informer. Néanmoins, il nourrissait de profonds soupçons sur Richardson et ses motifs.

— Que voulez-vous ? lui demanda-t-il sèchement.

— Votre père, répliqua Richardson. Où est-il ?

Le cœur de William fit un bond.

— Je n'en ai pas la moindre idée, répondit-il. Je ne l'ai pas vu depuis hier. (*Le jour où ma vie s'est arrêtée.*) Que lui voulez-vous ?

Il ne cachait pas son hostilité. Richardson tiqua, mais il conserva son sang-froid.

— Son frère, le duc de Pardloe, a disparu.

— Quoi ?

William le dévisagea un moment, hébété.

— Son frère ? répéta-t-il. Disparu… D'où ? Quand ?

— De chez votre père. Lady John a déclaré qu'il avait quitté sa demeure hier, après être venu prendre le thé, apparemment à la recherche de votre père. Vous ne l'avez pas vu depuis ?

William sentit ses oreilles siffler. Ce devait être son cerveau qui tentait de sortir de son crâne.

— Je ne l'ai pas vu du tout. Je… j'ignorais qu'il se trouvait à Philadelphie, ou même dans les colonies. Quand est-il arrivé ?

Fichtre ! Est-il venu pour empêcher le mariage de Dottie et de son quaker ? Non, c'est impossible, il ne peut pas l'avoir appris si vite… Ou si ?

Richardson l'étudiait attentivement, se demandant probablement s'il disait la vérité.

— Je n'ai vu ni l'un ni l'autre, insista-t-il. À présent, si vous voulez bien m'excuser capitaine, je dois…

Il fut interrompu par un grand bruit d'éclaboussement près du quai, suivi d'un concert de cris de surprise et d'exclamations consternées.

— Excusez-moi, répéta-t-il en tournant le dos à Richardson.

Ce dernier le retint par un bras et le fixa dans les yeux pendant que William s'obstinait à regarder vers son poste abandonné.

— Quand vous verrez l'un ou l'autre, capitaine Ransom, ayez l'amabilité de me faire prévenir. Cela serait très utile… pour beaucoup de monde.

William libéra son bras d'un geste sec et s'éloigna sans répondre. Richardson avait utilisé son patronyme plutôt que son titre. Cela signifiait-il quelque chose, hormis que c'était un malotru ? Pour le moment, peu lui importait. Il ne pouvait pas se battre, il ne pouvait aider personne, il ne pouvait dire la vérité, et il ne pouvait vivre dans le mensonge. Il était coincé comme un porc embourbé jusqu'aux jarrets.

Il essuya son front moite sur sa manche, redressa les épaules et replongea dans la foule. Il ne lui restait plus qu'une chose à faire : son devoir.

15

Une armée en marche

IL ÉTAIT MOINS UNE. J'avais à peine refermé la porte de la chambre où Pardloe ronflait doucement qu'on frappa à la celle de l'entrée, qui venait d'être remise sur ses gonds. Je me précipitai vers l'escalier et vis Jenny en contrebas devant un soldat britannique ; un lieutenant, cette fois. Le général Clinton intensifiait ses recherches.

— Non, mon garçon, disait-elle sur un ton légèrement surpris. Le colonel n'est pas ici. Il a pris le thé avec lady John hier, puis il est reparti chercher son frère. Lord John n'est pas rentré et… (elle se pencha vers lui et baissa la voix). Lady John est morte d'inquiétude. Vous n'auriez pas de ses nouvelles, par hasard ?

C'était le signal pour faire mon entrée. Je descendis les marches, assez surprise de découvrir que j'étais réellement inquiète. La santé de Hal avait relégué provisoirement tout le reste au second plan. Toutefois, je ne pouvais plus me leurrer : quelque chose clochait sérieusement.

— Lady John, je suis le lieutenant Roswell. Votre serviteur, milady.

Le lieutenant s'inclina avec un sourire professionnel qui ne pouvait masquer son air préoccupé. Si l'armée s'inquiétait elle aussi, l'heure était grave.

— Auriez-vous des nouvelles de lord John et de lord Melton… oh, pardonnez-moi milady, je voulais dire de monsieur le duc ?

— Quoi, vous me prenez pour une menteuse ? lui demanda Jenny sur un ton aigre.

— Oh non, madame, loin de moi… s'excusa-t-il. Mais le général voudra savoir si j'ai parlé à lady John.

— Bien sûr, dis-je en m'approchant. Dites au général que je n'ai aucune nouvelle de mon mari (*ni de l'un ni de l'autre*). Je suis très inquiète.

J'étais une mauvaise menteuse, mais je n'avais pas besoin de feindre.

Il fit une grimace.

— C'est que… l'armée a commencé à se retirer de Philadelphie. Il est recommandé à tous les loyalistes restant en ville de… euh… se préparer.

Il pinça les lèvres en lançant un regard vers la cage d'escalier, remarquant la balustrade défoncée et les traces de sang sur le mur.

— Je… je vois que vous avez déjà rencontré quelques… difficultés ?

— Mais non, lui répondit Jenny en me lançant un regard de reproche.

Elle se rapprocha du lieutenant, posa une main sur son bras et le poussa discrètement vers la porte. Il se laissa faire par réflexe et j'entendis Jenny lui chuchoter à l'oreille :

— … rien qu'une petite scène de ménage… sa seigneurie…

Le lieutenant me lança un regard où la surprise se mêlait à la compassion. Néanmoins, il parut soulagé. Il avait une explication à rapporter à Clinton.

Je sentis mes joues s'empourprer, comme si nous avions vraiment eu une scène de ménage et que lord John était parti en laissant une maison dévastée et son épouse à la merci des rebelles. Certes, il s'agissait bien d'une querelle familiale, mais, comme dans *Alice à travers le miroir*, les circonstances étaient trompeuses.

Comme le Lapin blanc, Jenny referma hardiment la porte sur le lieutenant et se tourna vers moi.

— Lord Melton ? me demanda-t-elle en haussant un sourcil noir.

— C'est l'un des titres de Harold, celui qu'il utilisait avant de devenir duc de Pardloe. Le lieutenant Roswell doit le connaître depuis longtemps.

— Duc ou lord, combien de temps peux-tu le garder endormi ?

Je lançai un regard vers la pendulette en bronze doré sur le manteau de la cheminée. Elle avait miraculeusement échappé au carnage.

— Le laudanum devait le laisser K.O. pendant deux ou trois heures. Toutefois, après sa longue journée d'hier et sa nuit agitée, il pourrait continuer à dormir naturellement après que la drogue aura fini son effet.

Je tiquai en entendant les éclats de voix d'une violente altercation, non loin dans la rue, et ajoutai :

— Si personne ne vient démolir la maison avec nous dessous.

— Je ferais bien d'aller à l'imprimerie tout de suite pour savoir ce qui se passe en ville, opina Jenny. Qui sait ? Jamie y sera peut-être, ayant pensé qu'il était trop dangereux de venir ici avec tous ces soldats dans les rues.

Une lueur d'espoir s'alluma aussitôt en moi. Toutefois, tout en examinant cette possibilité, je savais que si Jamie était à Philadelphie, il se tiendrait devant moi, en ce moment. Peut-être furieux, sans doute perturbé, mais devant moi.

Avec l'armée déjà en marche et les troubles publics concomitants, personne n'aurait le temps ni l'envie de s'intéresser à un grand Écossais qui, finalement, était simplement soupçonné d'avoir transmis des documents douteux. Il n'y avait pas d'avis de recherche avec son portrait placardés à chaque coin de rue, du moins l'espérais-je. William était le seul soldat à savoir qu'il avait pris lord John en otage et, vu la manière dont il avait quitté la maison, je doutais qu'il soit allé faire un rapport à ses supérieurs.

J'en parlais avec Jenny, tout en convenant qu'elle devait retourner à l'imprimerie pour s'assurer que la famille de Fergus et de Marsali allait bien, et découvrir ce que mijotaient les rebelles de la ville.

— Tu feras bien attention dans les rues, lui recommandai-je en l'aidant à enfiler sa cape.

— Ne t'inquiète pas, personne ne remarquera une vieille femme, répondit-elle. Cela dit, je ferais bien de cacher ma petite babiole.

La babiole en question était une petite montre à carillon dont le boîtier en argent était délicatement filigrané. Elle la portait agrafée à son corsage.

— Jamie me l'a achetée à Brest, expliqua-t-elle en la détachant. Je lui ai dit que c'était une folie. Je n'ai pas besoin de ça pour savoir l'heure, pas plus que lui. Il a insisté en déclarant que connaître exactement l'heure à la minute près te donnait l'illusion de mieux contrôler ta vie.

Elle glissa sa montre dans sa poche et ajouta en ouvrant la porte :

— Tu sais comment il est. Il faut toujours qu'il t'explique qui tu es. Cela dit, il se trompe rarement. Je serai de retour avant que l'autre, là-haut, se réveille, sauf si j'en suis empêchée. Dans ce cas, j'enverrai Germain te prévenir.

— Pourquoi serais-tu empêchée ? demandai-je, surprise.

— Petit Ian, répondit-elle, également surprise que je n'y ai pas pensé. Maintenant que l'armée s'en va, il est peut-être revenu de Valley Forge. Or, comme tu sais, le pauvre garçon me croit morte.

16

La source aux secrets

Dans une forêt, à huit kilomètres de Valley Forge

— Les quakers croient-ils au paradis ? demanda Ian Murray.

— Certains, répondit Rachel Hunter.

Elle s'arrêta pour retourner du bout de son soulier une grosse amanite.

— Non, le chien, dit-elle. Ne touche pas celui-ci. Tu vois la couleur de ses lamelles ?

Rollo, qui s'était approché pour renifler le champignon, s'en détourna en éternuant puis leva sa truffe dans le vent à la recherche d'une proie plus prometteuse.

— Tante Claire dit que les chiens ne voient pas les couleurs, observa Ian. Et que veux-tu dire par « certains » ? Il existe différentes opinions sur le sujet ?

Les croyances des quakers le laissaient perplexe, même s'il trouvait les explications de Rachel toujours passionnantes.

— Peut-être les sentent-ils, répondit-elle. Je parle des chiens. Pour en revenir à ta question, nous considérons notre vie sur terre comme un sacrement, vécu dans la lumière du Christ. Il existe peut-être un au-delà, mais comme personne n'en est revenu pour en témoigner, on ne peut qu'émettre des hypothèses. À chacun de se faire son idée.

— Comme je n'y ai pas été moi-même, je ne peux pas dire qu'il n'existe pas, dit-il. Il se pencha vers elle et déposa un baiser juste au-dessus de son oreille. Il vit sa peau se hérisser légèrement un instant au niveau de sa tempe et en fut ému.

— Pourquoi penses-tu soudain au paradis ? demanda-t-elle. Tu crois qu'il y aura des combats en ville ? Cela ne te ressemble pas de craindre pour ta vie.

Lorsqu'ils avaient quitté Valley Forge, une heure plus tôt, le camp grouillait comme un sac de blé rempli de charançons. Les soldats récupéraient tout ce qu'ils pouvaient, moulaient de nouvelles balles de mousquet, emballaient des cartouches, se préparant à marcher sur Philadelphie dès le signal que les hommes de Clinton se seraient retirés.

— Oh non, répondit-il. Ils ne se battront pas dans la ville. Washington tentera d'attaquer les troupes de Clinton pendant leur retraite.

Il prit sa main, petite, hâlée et rendue rugueuse par le travail manuel mais aux doigts étonnamment forts qui se retournèrent et s'entrelacèrent avec les siens.

— Non, je pensais à ma mère, reprit-il. J'aurais aimé lui montrer des endroits comme celui-ci.

Ils se tenaient dans une petite clairière. Une source à l'eau d'un bleu profond sourdait sur une roche à leurs pieds, à l'ombre d'un églantier jaune bourdonnant d'abeilles.

— … Elle avait un grand rosier sauvage jaune comme celui-ci qui grimpait tout le long d'un mur, à Lallybroch. Il avait été planté par ma grand-mère. Cela dit, elle est sûrement plus heureuse là-haut avec mon père qu'elle l'aurait été ici sans lui.

Les doigts de Rachel serrèrent fort les siens.

— Elle aurait toujours été avec lui, dans la vie comme dans la mort, murmura-t-elle.

Elle se dressa sur la pointe des pieds et l'embrassa à son tour avant d'ajouter :

— Un jour, tu m'emmèneras en Écosse voir le rosier de ta grand-mère.

Ils restèrent silencieux un moment. La compagnie et la compassion de Rachel atténuaient la douleur de Ian. Ce qu'il ne disait pas, c'était que son plus grand regret n'était pas de n'avoir pu montrer l'Amérique à sa mère, mais de ne pas pouvoir lui présenter l'élue de son cœur.

— Tu lui aurais plu, dit-il au bout d'un moment. À ma mère.

— Je l'espère, répondit-elle, légèrement dubitative. Tu lui as parlé de moi quand tu étais en Écosse ? Je veux dire, tu lui as dit que je suis une Amie ? Certains catholiques nous trouvent révoltants.

Ian tenta vainement de se souvenir s'il lui en avait parlé. De toute manière, cela ne changeait rien.

— Je lui ai dit que je t'aimais et cela a semblé lui suffire. Mon père m'a posé plein de questions sur toi. Il voulait tout savoir. Il savait que tu es quaker, je suppose donc que ma mère le savait aussi.

Il lui prit le coude pour l'aider à descendre du rocher, puis elle le suivit à travers la clairière. Elle demanda derrière lui :

— Tu crois que les couples mariés devraient tout se dire, partager non seulement leurs histoires, mais aussi leurs pensées ?

Il sentit un frisson lui parcourir l'échine comme les petites pattes froides d'une souris. Il aimait Rachel de tout son cœur, mais il trouvait troublante son apparente faculté de lire en lui comme dans un livre ouvert (voire d'entendre ses pensées).

Il lui avait proposé de marcher jusqu'à Matson's Ford et, là, de retrouver Denzell et sa carriole, plutôt que de partir avec lui de Valley Forge. Il voulait avoir suffisamment de temps et d'intimité afin de lui parler. Il aurait préféré être torturé par des Abenakis plutôt que de lui raconter certains détails, mais elle avait le droit de savoir, quelles qu'en seraient les conséquences.

— Euh... oui, peut-être, autant que l'on peut, répondit-il. Peut-être pas ses moindres pensées, mais les choses importantes. Les... histoires, comme tu dis. Tiens, asseyons-nous là un instant.

Il lui indiqua un grand tronc couché, à moitié pourri, couvert de mousse et de lichens gris et duveteux. Ils s'assirent côte à côte à l'ombre d'un grand cèdre rouge.

Elle se tut et l'encouragea du regard.

— Eh bien... commença-t-il.

Il prit une profonde inspiration, mais il semblait ne pas y avoir assez d'air dans la forêt pour remplir ses poumons.

— Tu savais que... j'avais déjà été marié ?

Une ombre passa sur le visage de Rachel, mais sa détermination l'emporta si rapidement sur sa surprise qu'il n'aurait rien vu s'il ne l'avait observée. Elle se mit à tripoter les plis de sa jupe, ses yeux noisette fixés sur lui.

— Non, je l'ignorais, dit-elle. Tu as dit que tu « avais été » marié. Cela signifie que tu ne l'es plus, je suppose ?

Il fit non de la tête, légèrement soulagé et très reconnaissant. Toutes les jeunes femmes ne l'auraient pas pris aussi calmement.

— Autrement, je ne t'aurais jamais demandé de m'épouser, ajouta-t-il.

Elle fronça les lèvres et prit un air songeur avant de répondre :

— En fait, tu ne me l'as jamais demandé.

— Ah bon ? fit-il, abasourdi. Tu en es sûre ?

— Je crois que je m'en souviendrais. Certes, tu m'as fait quelques belles déclarations émouvantes, mais elles n'incluaient pas une proposition de mariage.

— Mais... euh... tu... tu as dit que... Tu ne m'as pas dit que tu m'aimais ?

— Pas littéralement, mais oui, je te l'ai fait comprendre. Ou du moins, c'était mon intention.

— Ah, fit-il considérablement rassuré.

Il la prit dans ses bras et l'embrassa longuement avec ferveur. Elle répondit à son baiser, haletante, ses doigts tordant les pans de sa chemise. Puis elle s'écarta, légèrement étourdie. Ses lèvres étaient enflées et la peau autour de sa bouche irritée par les poils de sa barbe.

Elle posa une main à plat sur son torse pour le tenir à distance et déclara :

— Avant qu'on aille plus loin, peut-être devrais-tu finir de me raconter pourquoi tu n'es plus marié... Qui était ta femme et que lui est-il arrivé ?

Il s'écarta à contrecœur, mais refusa de lâcher sa main. Elle était vivante et chaude dans la sienne.

— Elle s'appelle Wakyo'teyehsnonhsa, commença-t-il.

En prononçant ce nom, il ressentit comme un changement en lui, comme si la frontière entre sa personnalité iroquoise et sa personnalité blanche disparaissait provisoirement, le laissant en suspens entre deux mondes. Il s'éclaircit la gorge.

— Ça veut dire « Travaille avec ses mains ». La plupart du temps, je l'appelais simplement Emily.

La petite main de Rachel se crispa légèrement dans la sienne.

— Tu as bien dit « elle s'appelle » ? Ta femme est toujours vivante ?

— Elle l'était il y a un an.

Avec un effort, il lâcha sa main. Elle croisa ses mains sur ses genoux sans le quitter des yeux, l'air anxieux.

— Parle-moi d'elle, demanda-t-elle d'une voix légèrement tremblante.

— Tu tiens vraiment à tout savoir sur elle, Rachel, ou veux-tu simplement savoir si je l'aimais, ou si je l'aime toujours ?

— Commence par ça. Tu l'aimes toujours ?

— Je... oui.

Il était incapable de ne pas lui dire la vérité. Percevant une tension dans sa meute, Rollo se leva et vint s'asseoir aux pieds de Rachel, choisissant clairement son camp. Il fixa Ian par-dessus les genoux de la jeune femme d'un regard jaune de loup qui ressemblait un peu trop au regard de Rachel.

— Mais... balbutia-t-il.

Elle haussa un sourcil.

— Elle était... mon refuge, lâcha-t-il. Lorsque j'ai quitté ma propre famille pour devenir un Iroquois, c'était autant pour être avec elle que parce qu'il le fallait.

— Il le fallait ?

Il vit son regard descendre légèrement et suivre les points tatoués sur ses pommettes.

— Pourquoi fallait-il que tu deviennes iroquois ? insista-t-elle.

Il hocha la tête, se sentant provisoirement en terrain plus sûr. Cette partie de son histoire était racontable. Elle écarquilla les yeux lorsqu'il expliqua comment oncle Jamie et lui avaient rencontré Roger Wakefield et, ne sachant pas qui il était, l'avaient pris pour l'homme qui avait violé sa cousine Brianna, la laissant enceinte. Ils avaient été à deux doigts de le tuer, mais s'étaient ravisés...

— Ah, tant mieux, murmura-t-elle.

Il lui lança un regard de biais, ne sachant pas si elle se moquait ou pas. Puis il toussota et poursuivit, décrivant comment ils l'avaient livré aux Tuscaroras qui, à leur tour, l'avaient vendu comme esclave aux Iroquois.

— Nous voulions être sûrs qu'il ne reviendrait pas tourmenter Brianna, tu comprends ? Sauf que…

Il frémit, revivant le moment d'angoisse où il avait demandé à Brianna de l'épouser, puis son horreur absolue lorsqu'elle lui avait dessiné un portrait de l'homme qu'elle aimait et attendait, le grand brun aux traits saillants qu'ils avaient livré aux Indiens.

— Tu as demandé à ta cousine de t'épouser ? demanda Rachel, stupéfaite. Tu le voulais vraiment ?

Elle devait s'imaginer qu'il demandait la main de toutes les femmes qu'il rencontrait.

— Non, non. C'est que… Brianna est… En fait, je n'y voyais pas d'objection. On s'entendait bien et… enfin, non pas vraiment.

En vérité, il avait dix-sept ans et Brianna était légèrement plus âgée que lui. Elle l'avait terrifié, mais l'idée de partager son lit… Il repoussa aussitôt cette pensée comme un serpent venimeux.

— C'était l'idée d'oncle Jamie, dit-il en prenant un air dégagé. Il fallait que l'enfant ait un nom, n'est-ce pas ? J'ai donc accepté, pour l'honneur de la famille.

— L'honneur de la famille, répéta-t-elle d'un air sceptique. Et ensuite ?

— Ensuite, quand nous avons compris qui était Roger Mac – il avait repris son propre nom, MacKenzie, ce qui explique que nous ne l'avions pas identifié –, nous sommes allés le rechercher.

Il lui raconta la série d'événements qui avaient culminé avec son offre de prendre la place d'un Iroquois tué durant le sauvetage de Roger, sa toilette dans la rivière, son récurage par les femmes de la tribu avec du sable pour effacer les dernières traces de son sang blanc, son épilation et ses tatouages. Arrivé à ce stade, il pensait que son mariage avec Emily n'apparaîtrait que comme un détail pittoresque de plus.

Naturellement, ce n'était pas le cas.

— Je…

Il s'interrompit soudainement, se rendant compte que la conversation était sur le point de devenir encore plus délicate qu'il ne l'avait cru. Il lui lança un regard inquiet, son cœur battant jusque dans ses oreilles. Elle le dévisageait toujours calmement, la rougeur autour de sa bouche paraissant plus prononcée parce qu'elle avait légèrement pâli.

— Je n'étais pas vierge quand je me suis marié.

Elle haussa à nouveau les sourcils.

— Sincèrement, je ne sais plus si je dois vraiment te poser des questions.

Elle l'examinait à la manière de tante Claire quand elle se trouvait devant une horrible excroissance, plus fascinée que révulsée, mais avec la ferme intention de trouver une solution au problème. Il espérait qu'elle n'allait pas l'extraire de sa vie telle une verrue ou l'amputer comme un orteil gangréneux.

— Je te dirai tout ce que tu veux savoir, dit-il courageusement. Demande-moi n'importe quoi.

— C'est très généreux de ta part et j'ai bien l'intention de te prendre au mot, mais je te dois la même franchise. Tu ne souhaites pas savoir si je suis vierge ?

Il resta bouche bée.

— Tu ne l'es pas ? demanda-t-il d'une voix rauque.

— Si, l'assura-t-elle en se retenant de rire. Mais pourquoi présumais-tu que je l'étais ?

— Pourquoi ? répéta-t-il en rougissant. Parce que… parce qu'il suffit de te regarder pour savoir que tu es une… une… une femme vertueuse.

Il n'était pas peu soulagé d'avoir trouvé un terme raisonnable.

— J'aurais pu avoir été violée, souligna-t-elle. En serais-je moins vertueuse ?

— Eh bien… non.

Il connaissait beaucoup de gens qui auraient considéré qu'une femme violée n'était pas vertueuse, et Rachel le savait. Il était de plus en plus confus, et elle le savait aussi. Il sentait qu'elle s'efforçait de conserver son sérieux. Il redressa les épaules, poussa un grand soupir et la regarda dans les yeux.

— Tu veux que je te parle de toutes les femmes avec qui j'ai couché ? Soit. Je n'ai jamais pris une femme contre son gré… même si la plupart étaient des putains. Mais je ne suis pas vérolé, je tiens à ce que tu le saches.

Elle réfléchit un instant.

— Je ne tiens pas à connaître les détails, déclara-t-elle enfin. Mais si nous croisons un jour une femme avec qui tu as fricoté, je préférerais le savoir. Et cela ne veut pas dire que tu continueras à forniquer avec des prostituées quand nous serons mariés, j'espère ?

— Non !

— Tant mieux.

Elle se balança légèrement sur le tronc d'arbre, les bras autour des genoux, soutenant ton regard.

— J'aimerais en savoir plus sur ta femme, Emily.

Il sentait la chaleur de sa jambe contre la sienne. Elle ne s'était pas écartée lorsqu'il avait mentionné les putains. Le silence retomba autour d'eux. Un geai jasait quelque part dans la forêt.

— Nous nous aimions, dit-il doucement en fixant le sol. Et je la désirais. Je pouvais lui parler. Du moins, au début.

Rachel se taisait. Il prit son courage à deux mains et redressa la tête vers elle. Elle conservait une expression neutre, le regardant attentivement.

— Je ne sais pas comment te le dire, reprit-il. Je ne la voulais pas comme je te veux, toi, mais je ne voudrais pas avoir l'air de dire que… elle ne comptait pas pour moi. Au contraire.

Il baissa à nouveau les yeux.

— Et… elle compte toujours ? demanda-t-elle doucement après un long silence.

Après une pause plus longue encore, il acquiesça.

— Mais…

Il s'interrompit, cherchant la meilleure manière d'aborder la partie la plus périlleuse de sa confession, celle après laquelle Rachel se lèverait peut-être et s'en irait, traînant derrière elle son cœur dans les cailloux et les ronces.

— Mais ? l'encouragea-t-elle doucement.

— Chez les Iroquois, c'est la femme qui choisit son mari. Ensuite, s'il la bat, s'il est trop paresseux ou boit trop, si ses pets sentent trop mauvais, elle place ses affaires devant la hutte et il n'a plus qu'à retourner vivre avec les hommes célibataires, à se chercher une autre femme qui l'acceptera devant son feu ou à quitter la tribu.

— Emily t'a mis dehors?

Elle parut à la fois surprise et légèrement indignée. Il lui adressa un petit sourire.

— Oui. Ce n'était pas parce que je la battais, c'était à cause... des petits.

Il sentit les larmes lui monter aux yeux, et ses mains se crispèrent sur ses genoux. Il s'était juré de ne pas pleurer. Elle croirait qu'il cherchait à attirer sa pitié, ou elle verrait trop profondément en lui et il ne se sentait pas prêt. Pourtant, il devait lui dire. Ils étaient venus ici pour ça. Il fallait qu'elle sache.

— Je n'ai pas pu lui donner d'enfants. La première, une petite fille, est née trop tôt. Je l'ai baptisée Iseabaìl.

Il se passa rageusement le dos de la main sous le nez, ravalant sa peine.

— Ensuite, Emily est redevenue enceinte. Puis encore. Quand elle a perdu le troisième, son cœur s'est fermé à moi.

Rachel émit un petit son. Il évita de la regarder. Il ne pouvait pas. Il resta assis sur le tronc, le dos voûté, la vue brouillée par des larmes qu'il ne pouvait verser.

Une petite main se posa sur la sienne.

— Et ton cœur? demanda-t-elle. Il s'est fermé aussi?

Il referma sa main sur la sienne et acquiesça. Il se contenta de respirer lentement en la tenant ainsi, jusqu'à ce qu'il puisse à nouveau parler sans que sa voix se brise.

— Les Iroquois croient que, quand un couple fait l'amour, l'esprit de l'homme combat celui de la femme. Pour qu'elle soit enceinte, il faut qu'il l'emporte.

— Oh, je comprends, dit-elle doucement. Alors elle t'a tenu responsable.

— Je ne peux pas le lui reprocher, répondit-il avec un haussement d'épaules.

Il se tourna afin de la regarder droit dans les yeux.

— Je ne peux pas t'assurer que ce serait différent... pour nous. Toutefois, j'ai demandé à tante Claire et elle m'a parlé de choses dans le sang. En fait, je serais incapable de t'expliquer; il vaudrait mieux que tu le lui demandes directement. Toujours est-il qu'elle pense que ce ne serait pas nécessairement pareil avec une autre femme, que je pourrais peut-être. Je veux dire: te donner des enfants.

Rachel avait dû retenir son souffle, car elle poussa un long soupir qui caressa ses joues.

— Veux-tu... commença-t-il.

Elle l'interrompit en l'embrassant doucement sur les lèvres. Ensuite, elle lui tint la tête contre son sein et utilisa un coin de son mouchoir pour essuyer ses yeux, puis les siens.

— Oh, Ian, murmura-t-elle. Je t'aime vraiment.

17

LIBRE !

GREY VÉCUT UNE AUTRE JOURNÉE INTERMINABLE, quoique moins mouvementée. Sa seule distraction fut de regarder le colonel Smith rédiger des dépêches, ce qu'il faisait à un rythme effréné, sa plume grattant le papier en émettant un son de cafard courant se mettre à l'abri. Cette image ne facilita pas la digestion de Grey à qui, après sa nuit d'ivresse, n'avait guère réussi la galette tartinée de graisse froide et la décoction de glands grillés qu'on lui avait servies en guise de petit-déjeuner.

En dépit de son inconfort physique et de son avenir plus qu'incertain, il était pourtant d'excellente humeur. Jamie Fraser était vivant et lui, John, n'était plus marié. Il y avait là de quoi se réjouir, si bien que ses maigres chances d'évasion et ses perspectives nettement plus grandes d'être pendu ne lui paraissaient que vaguement inquiétantes. Il se résolut à attendre le plus dignement possible, dormant quand sa tête le lui permettait, ou fredonnant des mélodies, ce qui avait l'art d'horripiler Smith, qui rentrait la tête entre les épaules et grattait encore plus vite.

Des messagers entraient et sortaient régulièrement. S'il n'avait pas déjà su que les continentaux se préparaient au combat, ces allées et venues l'en auraient rapidement convaincu. L'air chaud était chargé de l'odeur du plomb fondu et résonnait du grincement des meules à aiguiser. Il régnait dans le camp une tension que n'importe quel soldat aurait reconnue sur-le-champ.

Smith ne faisait aucun effort pour l'empêcher d'entendre ses conversations avec les messagers et ses subalternes, ayant sans doute décidé que ces renseignements ne seraient d'aucune utilité à son prisonnier. Il avait raison.

En début de soirée, la porte de la tente fut obscurcie par une silhouette féminine élancée, et Grey se redressa aussitôt en position assise en veillant à ne pas trop remuer la tête. Les battements de son cœur s'étaient accélérés, provoquant un élancement dans son œil.

Sa nièce Dottie portait la tenue sobre des quakers, mais le ton bleu pâle de l'indigo maintes fois lavé seyait à ravir à son teint de rose anglaise. Elle était superbe. Elle salua le colonel Smith et déposa son plateau sur son bureau avant de lancer un regard par-dessus l'épaule de ce dernier. Elle écarquilla des yeux choqués et Grey lui adressa un large sourire rassurant. Denzell avait dû la prévenir, mais il devait vraiment faire peur avec son visage grotesquement enflé et son œil fixe rempli de sang.

Elle battit des paupières puis parla à voix basse à Smith en faisant un geste interrogateur vers Grey. Il acquiesça d'un air impatient, sa cuillère déjà à la main. Elle plaça un épais chiffon autour de l'un des bols fumants sur le plateau et s'approcha du lit de camp.

— Doux Jésus, ami, dit-elle doucement. Tu as l'air bien mal en point. Le Dr Hunter a dit que tu pouvais manger autant que tu le souhaitais sans te rendre malade. Il passera plus tard faire un pansement pour ton œil.

— Merci, mademoiselle, répondit-il gravement.

Il s'assura que Smith avait toujours le dos tourné avant de lui faire un signe de tête.

— C'est du ragoût d'écureuil ? demanda-t-il.

— D'opossum, ami. Tiens, je t'ai apporté une cuillère. Fais attention, le ragoût est brûlant.

Se positionnant entre lui et Smith, elle plaça le bol entre ses genoux, toucha rapidement le chiffon, puis la chaîne de ses fers, les sourcils haussés. Elle sortit une cuillère en corne du sac accroché à sa ceinture, ainsi qu'un couteau, qu'elle glissa sous son oreiller avec la rapidité d'un magicien.

Il voyait son pouls battre dans son cou et un voile de transpiration qui brillait sur ses tempes. Il effleura brièvement sa main et prit la cuillère.

— Merci, répéta-t-il. Dites au Dr Hunter que je suis impatient de le voir.

La corde était en crin de cheval et la lame du couteau était émoussée. Il était très tard quand, les mains couvertes de petites entailles, il se leva prudemment du lit. Son cœur battait si fort à l'arrière de son œil blessé qu'il se demandait si celui-ci n'allait pas exploser.

Il ramassa le pot de chambre en étain et se soulagea. Dieu merci, Smith avait un sommeil profond. S'il se réveillait néanmoins et entendait ce son familier, il serait rassuré et se rendormirait probablement, ne prêtant plus attention aux autres bruits que pourrait faire Grey, pensant qu'il se recoucherait simplement.

La respiration de Smith ne changea pas. Il émettait un petit ronflement bourdonnant, comme une abeille butinant une fleur, un son propret et affairé que Grey trouvait plutôt comique. Il se mit lentement à genoux entre son lit et la paillasse du colonel et résista à l'impulsion absurde de déposer un baiser sur son oreille (il avait de charmantes petites oreilles roses). Avançant à quatre pattes, il s'approcha du bord de la tente. Pour ne pas faire de bruit, il avait enveloppé la chaîne de ses fers dans les chiffons et la gaze que Denzell Hunter lui avait laissés pour son œil. S'il se faisait prendre, ce serait mauvais pour lui, mais catastrophique pour Hunter et Dottie.

Il avait écouté attentivement les sentinelles durant des heures. Elles étaient deux à garder la tente du colonel. Elles se trouvaient à présent près de la porte, se réchauffant devant le feu. S'il faisait très chaud durant le jour, la nuit, le souffle de la forêt était glacé, comme son sang.

Il s'étendit sur le sol et se trémoussa de son mieux sous la toile, la tenant des deux mains afin de ne pas faire trembler la tente. Il avait pris soin de donner de nombreux coups secs sur sa corde durant toute la soirée, afin que tout mouvement de la structure soit attribué à ses gesticulations habituelles.

Il était dehors ! Il s'autorisa une grande goulée d'air froid, puis se leva. Serrant ses fers emmaillotés contre lui, il s'éloigna le plus discrètement possible de la tente. Il ne devait pas courir.

Il avait eu une brève dispute en messes basses avec Hunter lorsque celui-ci était venu l'examiner, profitant d'un moment où Smith était parti aux latrines. Hunter avait insisté pour que Grey se cache dans sa carriole. Tout le monde savait qu'il partait pour Philadelphie, si bien qu'on ne soupçonnerait rien et que Grey serait à l'abri des patrouilles. Tout en lui était reconnaissant du fait qu'il voulait l'aider, Grey ne pouvait donc le mettre en danger, et encore moins Dottie. À la place de Smith, la première chose qu'il ferait en découvrant son prisonnier disparu serait d'empêcher tout le monde de partir ; la seconde serait de fouiller le camp de fond en comble.

— Tu as peut-être raison, avait convenu Hunter en achevant d'enrouler le bandage autour de son crâne.

Il lança un regard par-dessus son épaule. Smith allait revenir d'un instant à l'autre.

— Je laisserai un paquet avec des provisions et des vêtements pour toi dans ma carriole, reprit-il. Si tu t'en sers, j'en serai heureux. Sinon, que Dieu te garde.

Grey le retint par la manche, faisant cliqueter ses fers.

— Attendez ! Comment reconnaîtrai-je votre carriole ?

Hunter toussota dans son poing, l'air embarrassé.

— Euh… il y a un signe peint sur le hayon. Un présent de Dottie.

Il haussa brusquement la voix.

— Prends bien soin de toi, ami. Mange à ta faim, mais lentement, ne bois pas d'alcool et ne te lève pas trop vite.

Le colonel Smith réapparut et, apercevant le médecin, s'approcha pour examiner le patient à son tour.

— Vous sentez-vous mieux, colonel ? demanda-t-il. Ou souffrez-vous encore du besoin de chanter à tue-tête ? Le cas échéant, puis-je vous suggérer de donner votre petit récital tout de suite, avant que je me couche ?

Naturellement, Hunter avait entendu *Die Sommernacht* la veille. Il émit un petit bruit de gorge mais parvint à prendre congé sans perdre son sérieux.

Grey sourit en lui-même en pensant à la tête que ferait Smith dans quelques heures, en se réveillant et en découvrant que son rossignol s'était envolé. Il contourna le camp, évitant la zone où les mules et les chevaux étaient attachés (l'odeur de fumier la rendait facile à repérer). Les carrioles étaient garées non loin. Il remarqua au passage l'absence d'artillerie.

Le ciel était lourd. Un croissant de lune clignotait faiblement entre les nuages qui filaient rapidement et l'air était chargé d'une odeur d'humidité. Tant mieux. Il y avait des situations pires que d'être trempé et transi, et la pluie ralentirait les recherches si son absence était découverte avant l'aube.

La carriole de Hunter fut facile à reconnaître. Quand il avait parlé d'un « signe », Grey avait pensé à un nom. En fait, il s'agissait d'un *distlefink*, comme les immigrants allemands en peignaient sur leurs granges et leurs maisons. Il sourit quand les nuages s'écartèrent, le révélant clairement. Il comprenait pourquoi Dottie l'avait choisi : deux chardonnerets comiques se tenaient face à face dans un cercle, le bec ouvert comme deux amoureux. Quelqu'un lui avait dit que ces peintures étaient des symboles de chance.

— Tant mieux, je vais en avoir besoin, murmura-t-il en grimpant dans la carriole.

Il trouva le balluchon sous le siège, comme Hunter le lui avait indiqué. Il lui fallut un moment pour ôter les boucles en argent de ses souliers et attacher ceux-ci avec un long lacet en cuir qui avait sans doute été destiné à ses cheveux. Il glissa les boucles sous le siège, enfila un vieux manteau qui sentait fort la bière rance et ce qu'il crut être du sang séché, puis examina le bonnet en tricot, qui contenait deux pains baniques, une pomme et une petite gourde d'eau. Il retourna le bord du bonnet et, à la lumière capricieuse de la lune, lut LA LIBERTÉ OU LA MORT, tricoté en lettres blanches.

Il ne prit pas de direction précise. Même si le ciel avait été suffisamment clair, il ne connaissait pas assez le terrain pour se guider à l'aide des étoiles. Son unique but était de mettre le plus de distance entre lui et Smith, sans tomber sur une autre compagnie de miliciens ou une patrouille de continentaux. Une fois le soleil levé, il pourrait s'orienter. Hunter lui avait dit que la route principale se trouvait à un peu plus d'une lieue au sud-sud-ouest du camp.

Ce que penseraient les gens en voyant un homme déambuler sur la route avec des fers était une autre question, à laquelle il n'avait pas besoin de répondre pour le moment. Après avoir marché un peu plus d'une heure, il trouva un abri entre les racines d'un énorme pin. Il sortit son couteau et coupa ses cheveux de son mieux. Il enterra ses mèches sous une racine, saisit des poignées de terre, puis se frotta vigoureusement le crâne et le visage avec, avant de coiffer son bonnet phrygien.

Ainsi camouflé, il entassa une épaisse couche d'aiguilles de pin sur lui, se recroquevilla en chien de fusil et s'endormit au son de la pluie clapotant sur le feuillage. Il était de nouveau un homme libre.

18

Sans nom, sans toit, sans ressources et très ivre

En nage, échevelé et encore énervé par son entretien avec Richardson, William rentra chez lui par les rues grouillantes. Ce serait sa dernière nuit dans un vrai lit et il comptait en profiter. Demain, il quitterait Philadelphie avec les dernières compagnies de l'armée, suivant Clinton vers le nord et laissant les loyalistes restants se débrouiller seuls. Il était partagé entre le soulagement et les scrupules, mais il n'avait plus assez d'énergie pour s'appesantir sur le sujet.

En arrivant dans le logis qui lui avait été attribué, il découvrit que son ordonnance avait déserté en emportant son meilleur manteau, deux paires de bas de soie, une demi-bouteille de cognac et le cadre incrusté de semence de perles contenant les deux miniatures représentant sa mère, Geneva, et sa sœur Isobel, sa seconde mère.

C'était la proverbiale goutte d'eau, à tel point qu'il ne jura même pas. Il se laissa tomber assis sur le bord du lit, ferma les yeux et respira lentement sans desserrer les dents jusqu'à ce que s'atténue la douleur dans le creux de son ventre. Il n'était plus qu'un trou béant aux bords glissants. Il possédait ces miniatures depuis sa naissance et avait l'habitude de leur souhaiter bonne nuit avant de s'endormir (en silence depuis qu'il avait quitté la maison).

Il se répéta que cela n'avait pas d'importance. Il ne risquait pas d'oublier à quoi ses mères ressemblaient. Il y avait d'autres portraits chez lui, à Helwater. Il se souvenait de mère Isobel. Quant à sa vraie mère, il pouvait retrouver des traces de son visage sur le sien. Il lança un regard vers le petit miroir accroché au-dessus de la bassine (dans sa précipitation, son ordonnance avait oublié de le voler) et sentit le vide en lui se remplir de goudron bouillant. Il ne voyait ni la courbe douce des lèvres de sa mère ni ses cheveux châtain ondulés, mais un nez trop long et tranchant, des yeux bridés, des pommettes larges et saillantes.

Il fixa cette preuve flagrante de trahison un instant, puis tourna les talons et sortit.

— J'emmerde la ressemblance ! lâcha-t-il en claquant la porte derrière lui.

Peu lui importait où il allait. Quelques rues plus loin, il tomba à nouveau sur Lindsay et deux autres connaissances, tous fermement décidés à profiter au maximum de leur dernière soirée dans une ville semi-civilisée.

Sandy l'attrapa par le cou et l'entraîna avec lui.

— Allez, viens avec nous, Ellesmere. On va glaner quelques bons souvenirs pour nous aider à supporter les longues nuits d'hiver du Nord.

Quelques heures plus tard, examinant le monde à travers le cul d'une pinte de bière, William se demanda vaguement si les souvenirs comptaient quand on ne s'en souvenait pas. Il avait perdu le compte de tout ce qu'il avait déjà bu jusque-là. Il lui semblait également avoir perdu un, deux ou trois de ses compagnons de beuverie en cours de route, mais il n'en était pas certain.

Sandy était toujours là, oscillant devant lui. Il lui parlait, l'enjoignait de se lever. William sourit niaisement à la serveuse, fouilla dans sa poche et déposa sa dernière pièce sur la table. Ce n'était pas grave, il en avait d'autres dans sa malle, cachées dans une paire de bas de rechange.

Il suivit Sandy à l'extérieur. L'air de la nuit était si chaud et épais qu'on avait du mal à respirer. Il était chargé de relents de crottin, d'ordures, d'écailles de poisson, de légumes pourris et de boucherie. Il était tard. La lune ne s'était pas encore levée et le ciel était noir. Il trébuchait contre les pavés et se cognait contre Sandy, qui ne formait qu'une tache sombre devant lui.

Puis il y eut une porte, un flou lumineux et une odeur chaude et enveloppante d'alcool et de femmes. Leurs parfums étaient encore plus étourdissants que la lumière soudaine. Une femme coiffée d'un bonnet à rubans lui souriait, l'accueillant. Elle était trop âgée pour être une putain. Il la salua courtoisement et ouvrit les lèvres pour découvrir qu'il ne savait plus parler. Il referma la bouche et continua à hocher la tête. La femme émit un rire professionnel et l'entraîna vers une bergère miteuse où elle le déposa comme on dépose un paquet qu'on reprendra plus tard.

Il resta prostré un long moment, la transpiration coulant sous sa cravate et mouillant sa chemise. Un feu brûlait dans une cheminée près de sa jambe. Un petit chaudron rempli de punch bouillonnait sur une plaque en fonte, émettant des vapeurs qui lui retournaient le cœur. Il avait l'impression de fondre comme une chandelle, mais il ne pouvait bouger sans rendre ses tripes. Il se contenta donc de fermer les yeux.

Quelque temps plus tard, il prit conscience de voix non loin. Il tendit l'oreille, incapable de comprendre les mots mais trouvant la conversation apaisante, comme le bruit des vagues sur une plage. Sa nausée était passée et il entrouvrit les paupières, contemplant placidement les jeux d'ombres et de lumières parsemés de couleurs vives qui évoquaient les virevoltes d'oiseaux tropicaux.

Il cligna plusieurs fois des yeux et les couleurs prirent des formes cohérentes : les blancs devinrent des coiffures, des rubans et des chemises de femmes ; les rouges, des redingotes de dragons d'infanterie anglais ; le bleu, la veste d'un artilleur perdu parmi eux. Leurs voix lui donnaient la sensation de se tenir dans une volière. Aiguës, elles roucoulaient et trillaient, parfois croassaient, ou même gargouillaient comme les merles moqueurs qui nichaient dans le grand chêne près de la maison, dans sa plantation de Mount Josiah. Toutefois, ce ne furent pas les voix féminines qui attirèrent son attention.

Deux dragons étaient vautrés sur un canapé non loin, buvant du punch et lorgnant les femmes. Ils discutaient depuis un certain temps déjà, mais ce n'était qu'à présent qu'il comprenait ce qu'ils disaient.

— Tu as déjà enfilé une fille par la porte de derrière ? demanda l'un d'eux.

Son ami pouffa de rire en rougissant, puis fit non de la tête et répondit :

— C'est au-dessus de mes moyens.

— Le truc, c'est d'en choisir une qui n'aime pas ça, expliqua le premier en fixant des yeux des femmes, de l'autre côté de la pièce.

Il haussa légèrement la voix en poursuivant :

— Elle se contracte pour essayer de se débarrasser de toi, sauf qu'elle ne peut pas.

William se tourna vers lui et ne lui cacha pas son écœurement. Le butor ne lui prêta pas attention. Il lui était vaguement familier, brun avec des traits épais, mais il ignorait son nom.

— Puis tu lui prends la main, tu lui tires le bras en arrière et tu la fais te palper. Je ne te dis pas comme elle va se trémousser ! Elle te traira comme une bonne fille de ferme, c'est moi qui te le dis !

Il s'esclaffa bruyamment en regardant toujours de l'autre côté de la salle. William se tourna pour voir la cible de son impudence. Trois femmes se tenaient ensemble, deux en chemise, le tissu fin et humide moulant leurs corps, et la troisième, grande, portant un jupon brodé. Les propos vulgaires du dragon s'adressaient clairement à cette dernière. Elle serrait les poings et lançait vers le mufle des regards noirs qui, si elle l'avait pu, lui auraient percé un trou entre les deux yeux.

La maquerelle se tenait légèrement à l'écart, observant le dragon d'un air réprobateur. Les autres hommes présents buvaient et discutaient avec quatre filles dans un autre coin de la salle et n'avaient rien entendu.

Entre l'alcool, l'amusement et la gêne, le compagnon du grossier personnage était aussi cramoisi que sa redingote.

L'offenseur était rouge lui aussi. Une ligne blanche s'était formée là où son cou mal rasé était comprimé par le cuir de sa cravate. D'une main absente, il tripotait l'entrejambe taché de sueur de sa culotte en moleskine. Il s'amusait trop pour cesser de jouer avec sa proie.

— C'est mieux si elle n'y est pas habituée. Elle sera plus étroite.

Il se pencha en avant et posa les coudes sur ses genoux, fixant toujours la grande fille.

— Mais il n'en faut pas une qui ne se soit jamais fait prendre comme ça non plus. C'est toujours meilleur quand elle sait à quoi s'attendre, pas vrai?

Son ami marmonna une phrase inintelligible, lança un regard furtif vers la fille et détourna rapidement la tête. William la regarda à son tour. Elle fit un petit mouvement involontaire, presque un sursaut, et la lueur des chandelles fit luire un instant le sommet de son crâne : sa chevelure était châtaine, avec des reflets auburn et luisants comme un marron frais. *Fichtre !*

Il se leva d'un bond sans réfléchir. Il rejoignit la maquerelle en deux enjambées, lui donna poliment une petite tape sur l'épaule et, quand elle se retourna vers lui, surprise (elle avait été occupée à surveiller le dragon, le front soucieux), il déclara lentement en articulant avec soin :

— Je prendrai celle-ci. La grande avec son jupon. Pour la nuit.

Les sourcils épilés de la maquerelle remontèrent sous son bonnet. Elle lança un bref regard vers le dragon, qui était tellement concentré sur sa proie qu'il n'avait pas remarqué William. Son camarade, si. Il lui donna un coup de coude et lui glissa quelque chose à l'oreille.

— Hein? Quoi?

Le malotru était déjà debout. William fouilla précipitamment dans sa poche, se souvenant trop tard qu'il n'avait plus un sou.

— Qu'est-ce que c'est que cette histoire, Madge? demanda le dragon.

William se redressa instinctivement et bomba le torse. Il mesurait une tête de plus que l'autre. Le dragon évalua sa taille et son âge. Il retroussa un coin de sa lèvre supérieure, dévoilant une canine.

— Arabella est à moi, monsieur, déclara-t-il. Je suis sûr que Madge saura vous trouver une autre compagne.

— J'étais avant vous, monsieur, répliqua William avec une légère courbette.

Il surveillait attentivement le malotru, le jugeant capable de lui envoyer un coup de genou dans les parties. À voir son expression, il ne capitulerait pas facilement.

— Il a raison, capitaine Harkness, intervint la maquerelle en se plaçant rapidement entre les deux hommes. Il a déjà fait une offre pour la fille et vous n'étiez pas encore décidé...

Elle ne regardait pas Harkness. Elle fit un léger signe de tête à l'une des filles, qui parut alarmée et s'éclipsa rapidement par une porte dérobée. *Elle est partie chercher Ned*, pensa machinalement William tout en se demandant comment il connaissait le nom du videur.

— Vous n'avez pas encore vu la couleur de son argent, n'est-ce pas? déclara Harkness.

Il extirpa de sa poche un épais portefeuille duquel il sortit une liasse de billets.

— Elle est à moi, insista-t-il.

Il adressa un sourire narquois à William en précisant :

— Pour la nuit.

William arracha son gorgerin en argent, prit la main de la maquerelle et le déposa dans sa paume.

— Pour la nuit, répéta-t-il sur un ton courtois.

Sans attendre, il tourna les talons et traversa la pièce. Le sol semblait onduler légèrement sous ses pas. Il prit Arabella (*Arabella ?*) par un bras et l'entraîna vers la porte. Elle parut épouvantée (elle avait dû le reconnaître), mais, après un bref regard vers le capitaine Harkness, elle décida que, de deux maux, William était le moindre « mâle ».

Il entendit Harkness crier derrière lui, puis la porte s'ouvrit et un hercule à l'air patibulaire entra. Il n'avait qu'un œil, mais il se riva aussitôt sur le trublion. Il se dirigea droit sur lui, marchant d'un pas léger, les poings serrés. *Un ancien boxeur*, déduisit William avec satisfaction. *Prends-toi ça dans les dents, Harkness !*

Puis, une main sur la rampe pour ne pas trébucher, il suivit une croupe ronde et dandinante sur les mêmes marches usées et sentant la lessive qu'il avait empruntées la veille, se demandant ce qu'il allait bien pouvoir dire à la fille une fois en haut de l'escalier.

Il avait espéré que ce ne serait pas la même chambre, mais il fut déçu. Il faisait nuit et, cette fois, la fenêtre était ouverte. La chaleur de la journée imprégnait encore les murs et le plancher. Une brise chargée d'une odeur de sève et du souffle de la rivière faisait vaciller et se coucher la flamme de l'unique chandelle. La jeune femme attendit qu'il entre puis referma la porte et s'adossa à elle, la main toujours sur la poignée.

— Je ne vous ferai aucun mal, balbutia-t-il. Je ne l'ai pas fait exprès hier.

Elle se détendit légèrement tout en continuant à le regarder avec méfiance. Dans la pénombre, il distinguait la lueur dans ses yeux. Elle ne semblait guère amicale.

— Vous ne m'avez pas fait mal, répondit-elle. Vous avez gâché mon meilleur jupon et une carafe de vin. Ça m'a valu une raclée et coûté une semaine de gages.

— J'en suis navré. Sincèrement. Je… je vous rembourserai le jupon.

Avec quoi ? Il venait de se souvenir que ses bas de rechange avaient disparu avec son ordonnance et très probablement avec l'argent qu'ils contenaient. Tant pis, il irait voir un prêteur sur gages ou emprunterait à un ami.

— Je ne peux rien faire pour la raclée, ajouta-t-il. Je suis profondément désolé.

Elle souffla bruyamment par les narines, mais sembla néanmoins accepter ses excuses. Elle lâcha enfin la poignée et s'avança dans la lumière de la chandelle. Elle était vraiment très jolie. Il commença à sentir une légère excitation monter en lui. Elle le regarda de haut en bas comme lorsqu'il l'avait rencontrée dans la ruelle.

— William, c'est bien comme ça que vous vous appelez, non ?

— En effet.

Il y eut un long silence, puis il demanda malgré lui.

— Et vous, vous vous appelez vraiment Arabella ?

Elle parut surprise et esquissa un sourire.

— Non. Mais je suis une poule de luxe et Madge pense que les filles qui sont plus chères devraient avoir des noms de… de dame ?

Elle arqua un sourcil. Il ignorait si elle doutait elle-même que les dames de l'aristocratie eussent porté des prénoms tels qu'Arabella ou si elle lui demandait ce qu'il pensait de la philosophie de Madge.

— Je connais deux Arabella, déclara-t-il. L'une d'elles a six ans et l'autre quatre-vingt-deux.

— Et elles sont nobles ?

Elle agita une main, effaçant sa question à peine posée.

— Bien sûr qu'elles le sont, répondit-elle elle-même. Autrement, vous ne les connaîtriez pas. Voulez-vous que j'aille chercher du vin ? Ou du punch ? (Elle le jaugea du regard.) Si vous tenez à faire quelque chose, vous devriez sans doute éviter de continuer à boire. À vous de voir.

Elle posa une main sur les lacets de son jupon sans les dénouer et attendit sa réaction. De toute évidence, elle ne voulait pas l'encourager à « faire quelque chose ».

Il passa une main sur son visage en sueur et imagina qu'il devait empester l'alcool par tous les pores de sa peau. Il essuya sa paume sur sa culotte.

— Non merci, je ne veux pas de vin. Et je n'ai pas l'intention de faire… Enfin, ce n'est pas tout à fait vrai. J'en ai très envie… mais je ne ferai rien.

Elle parut interloquée.

— Pourquoi pas ? Vous avez payé plus qu'il ne fallait pour faire tout ce que vous vouliez. Y compris me sodomiser, si c'est votre truc.

Elle pinça les lèvres et il devint cramoisi.

— Vous croyez que je vous ai épargné cette infamie pour vous faire subir le même sort ?

— Oui. Souvent, les hommes n'y pensent pas jusqu'à ce qu'un autre le leur en donne l'idée, puis ils meurent d'envie d'essayer.

Il était scandalisé.

— Vous avez une piètre opinion des gentlemen, mademoiselle !

Elle le regarda d'un air entendu et fit une moue ironique.

— Hum… oui, je comprends votre point de vue, reprit-il en rougissant de plus belle.

— Ça, c'est une première, déclara-t-elle avec un sourire malicieux. Généralement, c'est plutôt l'inverse.

Il avait du mal à soutenir son regard.

— Je… j'ai agi pour me faire pardonner. Pour ce que j'ai fait la dernière fois.

Un courant d'air agita la chevelure d'Arabella et souleva le tissu de son corsage, lui laissant entrapercevoir un téton telle une rose sombre dans la lueur de la chandelle. Il détourna rapidement les yeux.

— Mon… euh… beau-père m'a confié un jour qu'une entremetteuse lui avait dit que le plus beau cadeau qu'on puisse offrir à une prostituée était une bonne nuit de sommeil.

— Je vois que la fréquentation des bordels est une habitude familiale, répondit-elle avec amusement. Cela dit, il a raison. Vous voulez dire que vous souhaitez que je... dorme ?

À son ton incrédule, on aurait pensé qu'il lui proposait de s'adonner à une perversion bien pire que la sodomie. Il s'efforça de garder son calme.

— Vous pouvez chanter des chansons ou faire le poirier si tel est votre plaisir, mademoiselle, déclara-t-il. Je... je ne vous importunerai pas.

Elle le dévisagea avec un léger froncement de sourcils. Elle ne le croyait pas.

— Je m'en irais bien, reprit-il, mal à l'aise. Mais je crains que le capitaine Harkness soit toujours dans les parages. S'il apprenait que vous êtes seule...

En outre, il n'avait pas envie de se retrouver en tête à tête avec lui-même dans sa propre chambre vide et sombre.

Elle s'éclaircit la gorge, puis déclara :

— Ned nous en a sûrement débarrassés, mais ne partez pas. Autrement, Madge m'enverra un autre client.

Elle secoua son jupon, sans coquetterie ni artifice. Il y avait un paravent dans un coin. Elle se glissa derrière et il l'entendit se soulager dans un pot de chambre.

Quand elle en ressortit, elle lui fit un signe.

— C'est par ici derrière. Si vous...

— Non merci, je n'en ai pas besoin, répondit-il précipitamment.

En réalité, il avait une forte envie de pisser, mais l'idée d'utiliser le pot juste après elle le gênait profondément. Il lança un regard autour de lui, vit un fauteuil et s'y installa. Il étira les jambes devant lui et affecta un air détendu. Il ferma les yeux, ou presque.

À travers ses paupières, il la vit qui l'observait attentivement. Puis elle souffla la chandelle. Tel un spectre dans l'obscurité, elle se glissa dans son lit en faisant grincer le sommier et rabattit la courtepointe sur elle. Il entendit un léger soupir par-dessus les bruits du bordel au rez-de-chaussée.

— Euh... Arabella ?

Même s'il ne s'attendait pas à ce qu'elle le remercie, il aurait aimé qu'elle lui dise quelque chose.

— Quoi ?

Elle parut résignée, pensant probablement qu'il avait changé d'avis au sujet de la sodomie.

— Quel est votre véritable prénom ?

Il y eut un silence.

— Jane, répondit-elle enfin.

— Ah. Une dernière chose : ma veste et mon gilet...

— Je les ai vendus.

— Ah... euh... eh bien, bonne nuit.

Il y eut un autre long silence, chargé des pensées secrètes de deux personnes, suivi d'un soupir exaspéré.

— Venez donc vous coucher, idiot.

Il ne pouvait se coucher dans son uniforme. Il conserva néanmoins sa chemise afin de préserver la pudeur de la jeune femme et de respecter son intention initiale. Il s'étendit à ses côtés, raide comme un piquet, essayant de s'imaginer comme le gisant d'un croisé : un monument en hommage à l'esprit noble, voué à la chasteté par son incarnation en marbre.

Malheureusement, le lit était petit et William était grand. En outre, Arabella-Jane ne faisait aucun effort pour ne pas le toucher. Elle ne cherchait pas à l'émoustiller ; sa seule présence s'en chargeait assez bien.

Il était conscient de chaque parcelle de son corps frôlant le sien. Il sentait le parfum de ses cheveux, une vague odeur de savon mêlée à celle, douceâtre, de la fumée de tabac. Son haleine sentait le rhum et il avait envie de le goûter dans sa bouche, de partager sa moiteur sucrée. Il ferma les yeux et déglutit.

Seule son envie désespérée d'uriner le retenait de poser les mains sur elle. Il était dans cet état d'ivresse où il percevait un problème sans être capable de réfléchir à sa solution. Son incapacité à penser à deux choses à la fois l'empêchait de lui parler ou de la toucher.

— Que se passe-t-il ? chuchota-t-elle. Vous gigotez comme si vous aviez des fourmis dans la culotte, sauf que vous ne portez pas de culotte.

Elle pouffa de rire, son souffle lui chatouillant l'oreille.

Il gémit doucement et elle se redressa brusquement.

— Hé, vous n'allez pas être malade dans mon lit, hein ? s'alarma-t-elle. Levez-vous ! Levez-vous tout de suite !

Elle le poussa et il chancela hors du lit, oscillant et se retenant aux meubles pour ne pas tomber.

La fenêtre lui tendait les bras, ouverte sur la nuit telle une invitation céleste couronnée par un croissant de lune pâle. Il souleva sa chemise, s'accrocha au rebord et pissa en projetant un arc majestueux. Son soulagement était si exquis qu'il ne remarqua plus rien jusqu'à ce qu'Arabella le tire en arrière par le bras.

— Ne vous faites pas voir, bon sang !

Elle lança un bref regard vers la rue et recula précipitamment.

— Tant pis, soupira-t-elle. De toute manière, je doute que le capitaine Harkness ait eu l'intention de soutenir votre adhésion dans son club préféré.

— Harkness ? répéta William en clignant des yeux.

Effectivement, on entendait en contrebas des cris outrés et des insultes. Il lança un bref regard à son tour, mais il ne vit qu'un flou d'uniformes de dragons rendus encore plus rouges par la lanterne suspendue au-dessus de la porte du bordel.

— Peu importe, dit-elle sur un ton résigné. Il pensera probablement que c'est moi.

— Vous êtes une fille, déclara William avec une logique imparable. Vous ne pouvez pas pisser par une fenêtre.

— En effet, pas sans me donner en spectacle, convint-elle. Mais il n'est pas rare qu'une putain vide son pot de chambre sur la tête de quelqu'un, involontairement ou pas.

Elle haussa les épaules, alla derrière le paravent, revint avec le pot et déversa son contenu dans la rue, soulevant un nouveau concert de cris. Elle se pencha par la fenêtre et hurla à son tour un chapelet d'insultes dignes d'un sergent de régiment, avant de refermer les volets en les claquant.

— Quitte à être punie, ou sodomisée, autant se faire plaisir, observa-t-elle en le prenant par le bras. Revenez vous coucher.

— Il n'y a qu'en Écosse qu'ils enculent les moutons, savez-vous, déclara William en la suivant docilement. Peut-être aussi dans certaines parties du Yorkshire. Éventuellement en Northumbrie aussi.

— Vraiment ? Le capitaine Harkness vient de l'un de ces endroits ?

— Lui ?

William se laissa tomber assis sur le bord du lit, la pièce tournant étrangement autour de lui.

— Non, reprit-il. À son accent, je dirais plutôt qu'il est du Devon.

— Il y a aussi des moutons dans le Devon, je suppose ?

Arabella-Jane était en train de déboutonner sa chemise. Il leva une main pour l'arrêter, se demanda pourquoi et la laissa en suspens à mi-chemin.

— Plein de moutons, répondit-il. Il y en a partout en Angleterre.

— Alors que Dieu protège la reine ! murmura-t-elle, concentrée sur son travail.

Le dernier bouton s'ouvrit et il sentit un léger courant d'air agiter les poils sur son torse.

Il se souvint soudain pourquoi il devait l'arrêter, mais, entre-temps, elle s'était approchée et lécha son téton avant qu'il ait achevé son mouvement. Sa main se posa doucement sur le sommet de son crâne, qui était d'une chaleur agréable. Comme son souffle. Comme ses doigts, qui s'étaient refermés sur son sexe.

Après un long moment qui ne dura peut-être que quelques secondes, il abaissa la main et retint doucement son poignet.

— Non, parvint-il à dire. Je... j'étais sincère. Je ne vous importunerai pas.

Elle ne le lâcha pas. Elle se redressa et le dévisagea avec un mélange de perplexité et d'impatience.

— Si vous m'importunez, je vous demanderai d'arrêter, proposa-t-elle. Ça vous va ?

Il se concentra de son mieux. Il lui paraissait essentiel qu'elle le comprenne.

— Non, répéta-t-il. C'est... mon honneur.

— Peut-être auriez-vous dû penser à votre honneur avant d'entrer dans un bordel, répliqua-t-elle, amusée. À moins qu'on vous y ait entraîné de force ?

— Je suis venu avec un ami, dit-il dignement.

Elle le tenait toujours, mais elle pouvait difficilement le lâcher vu qu'il lui retenait le poignet.

— C'est... ce n'est pas ce que je voulais dire, balbutia-t-il. Je voulais dire que...

Les mots qui lui étaient venus si facilement un instant plus tôt l'avaient subitement abandonné, le laissant vide.

— Vous me l'expliquerez quand vous aurez réfléchi, suggéra-t-elle.

Il venait de découvrir avec stupeur qu'elle avait deux mains et savait très bien s'en servir.

— Voulez-vous bien lâcher mes... mes... (*Fichtre, comment les appelait-on, déjà ?*) Lâchez mes testicules, je vous prie.

— Comme vous voudrez, répondit-elle.

Au lieu de cela, elle saisit à nouveau son téton entre ses dents et le suça si fort que sa tête se vida entièrement de mots.

Les choses devinrent ensuite assez confuses mais très agréables. À un moment toutefois, il se retrouva sur elle, la sueur de son front dégoulinant sur les seins d'Arabella-Jane et marmonna :

— Je suis un bâtard, je suis un bâtard, je suis un bâtard, tu comprends ?

Elle ne répondit pas, mais elle allongea un bras blanc, glissa la main derrière sa nuque et l'attira de nouveau à elle.

Quelque temps plus tard, il se rendit compte qu'il parlait, sans doute depuis un certain temps déjà, tout en ayant la tête posée dans le creux de l'épaule de la putain, ses sens enivrés par son odeur (*comme la transpiration d'une fleur*, pensa-t-il). Son mamelon formait un cercle sombre à quelques centimètres de son nez.

— … le seul honneur qu'il me reste, c'est ma parole. Je dois m'y tenir.

Les larmes lui montèrent soudain aux yeux, ainsi que des bribes de souvenirs de ce qu'ils venaient de faire.

— Pourquoi m'avez-vous fait briser ma parole ? gémit-il.

Elle ne répondit pas tout de suite et il aurait pu croire qu'elle dormait, n'eût été sa main qui caressait doucement son dos nu.

— Il ne vous est jamais venu à l'esprit qu'une putain pouvait avoir un sens de l'honneur, elle aussi ? répondit-elle enfin.

Sincèrement, il n'y avait jamais pensé et il ouvrit la bouche pour le lui dire, sauf que les mots avaient de nouveau disparu de son esprit. Il ferma les yeux et s'endormit sur son sein.

19

Mesures de dernier recours

Silvia Hardman dévisageait Jamie le front baissé et les lèvres froncées par la concentration. Enfin, elle secoua la tête, soupira et se redressa.

— C'est ton dernier mot, je suppose ?

— Oui, amie Silvia. Il est urgent que je rentre à Philadelphie. Pour ça, il faut que je rejoigne la grand-route. Je dois être en mesure de marcher, même lentement, demain matin.

— Comme tu voudras. Patience, va me chercher la flasque de ton père. Prudence, mouds-moi une bonne dose de graines de moutarde…

Elle s'approcha encore du lit et examina le dos de Jamie en plissant ses yeux de myope comme si elle évaluait la surface à couvrir.

— Non, Prudence. Avec tes petites mains, mouds plutôt deux bonnes doses de graines. Et surtout, ne touche pas Chasteté sans t'être d'abord lavé les mains. Si elle pleure, Patience s'occupera d'elle.

Bien que récemment nourrie et changée, Chasteté commençait à s'agiter dans son berceau. Patience était déjà sortie en courant de la maison. Jamie se demanda où se trouvait la flasque de son père. Cachée à l'extérieur, apparemment.

— Mettez la petite à côté de moi, proposa-t-il. Je veillerai sur elle.

Silvia accepta sans hésiter, ce qui lui fit plaisir. Il se retrouva étendu nez à nez avec la petite Chasteté, lui faisant des grimaces pour les amuser toutes les deux. Elle gargouilla de plaisir et Prudence pouffa de rire tout en pilonnant assidûment. Une forte odeur de moutarde s'élevait dans la pièce. Il tira la langue et l'agita. Chasteté se trémoussa comme une petite gelée et pointa à son tour un minuscule bout de langue, ce qui le fit rire.

— Qu'est-ce que vous avez à glousser comme ça ? demanda Patience en ouvrant la porte.

Son air sévère les fit rire de plus belle. Quand Mme Hardman entra quelques instants plus tard en tenant une grosse racine terreuse, ils étaient tous pris d'un fou rire sans trop savoir pourquoi. Elle les regarda stupéfaite un moment, puis sourit.

— On dit que le rire est le meilleur des remèdes, conclut-elle.

Lorsqu'ils eurent retrouvé leur sérieux, Jamie constata avec surprise qu'il se sentait légèrement mieux.

— Puis-je emprunter ton couteau, ami James ? demanda Silvia. Il est plus adapté à cette tache que le mien.

Effectivement, le sien était une simple lame en fer mal affûtée, le manche attaché avec une ficelle. Jamie possédait un bon couteau au manche en ivoire acheté à Brest. Sa lame aurait pu raser les poils de son avant-bras. Il la vit sourire brièvement en le prenant en main et une image lui revint brusquement en tête : Brianna sortant la lame de son couteau suisse avec le même air de satisfaction sur son visage.

Claire, elle aussi, appréciait les bons outils. Toutefois, quand elle en touchait un, c'était toujours en pensant à ce qu'elle en ferait plutôt que par simple admiration pour son élégance et sa fonction. Entre ses doigts, une lame n'était plus un outil mais une extension de son bras. Il referma sa propre main, caressant du pouce le bout de ses doigts en se souvenant du couteau qu'il avait fabriqué pour elle, le manche soigneusement incurvé et poli pour épouser la forme de sa paume. Puis il serra le poing, ces pensées étant trop intimes pour le moment.

Après avoir ordonné à ses filles de s'éloigner, Silvia éplucha soigneusement la racine de raifort puis la râpa, écartant son visage de son mieux pour éviter les exhalaisons piquantes mais ne pouvant s'empêcher de larmoyer. Quand elle eut fini, elle s'essuya les yeux sur son tablier puis prit la fameuse « flasque » de son mari, en fait une cruche en grès tachée de terre (Patience l'avait-elle déterrée ?). Elle versa très délicatement une petite quantité d'un liquide fortement alcoolisé. Intrigué, Jamie huma l'air en se demandant ce que c'était. Une très vieille eau-de-vie de pomme ? Un alcool de prune deux fois fermenté ? Cela avait sûrement commencé avec un fruit, mais ce dernier était tombé de l'arbre depuis belle lurette.

Mme Hardman reboucha précautionneusement la bouteille, semblant soulagée que son contenu ne lui ait pas explosé au visage lors du transvasement.

Elle vint rechercher Chasteté, qui se mit à crier en se voyant éloignée de Jamie, qu'elle considérait visiblement comme un gros jouet.

— La préparation doit reposer quelques heures, expliqua-t-elle. Profites-en pour te reposer si tu le peux. Tu as mal dormi hier soir et cette nuit risque d'être encore plus inconfortable.

Jamie s'était préparé mentalement à avaler la liqueur de raifort avec un mélange d'appréhension et de curiosité. Il fut d'abord soulagé en constatant que Mme Hardman n'avait pas l'intention de la lui faire boire, puis affolé en se retrouvant à plat ventre, sa chemise retroussée jusqu'aux aisselles, tandis qu'elle lui massait vigoureusement les fesses avec la mixture.

Il redressa la tête et tenta de regarder derrière lui sans tordre le dos ni contracter ses fessiers.

— Prenez garde, amie Silvia. Si ça me coule dans la raie des fesses, je ne réponds plus de rien !

Elle émit un petit rire et son souffle caressa le creux de ses reins, là où sa peau commençait à chauffer et à piquer sous l'effet de la préparation. Parlant à voix basse pour ne pas réveiller les fillettes enroulées dans leurs couvertures devant le feu, elle répondit :

— Ma grand-mère disait que ce remède était capable de réveiller les morts. Elle devait l'appliquer avec moins de précautions que moi.

« Tu as besoin de chaleur », avait-elle expliqué. Entre l'onguent au raifort et le cataplasme à la graine de moutarde étalé sur le bas de son dos, il était sur le point d'entrer en combustion. Il était sûr que sa peau était en train de cloquer. « Tu as mal dormi hier soir et cette nuit risque d'être encore plus inconfortable. » Elle ne s'était pas trompée.

Il remua, essayant de se tourner sur le flanc sans faire de bruit ni déloger le cataplasme. Elle l'avait attaché à son dos avec des bandes de flanelle enroulées autour de son corps, mais elles avaient tendance à glisser. Le mouvement fut nettement moins douloureux que prévu, ce qui l'encouragea. D'un autre côté, il avait l'impression qu'on le frôlait sans cesse avec une torche en pin enflammée. Bien qu'elle eût été très prudente en appliquant le baume depuis sa cage thoracique jusqu'à ses genoux, un peu du liquide brûlant avait touché ses bourses, lui donnant une sensation de grande chaleur qui n'était pas désagréable, mais également une envie incontrôlable de se tortiller.

Il s'était retenu et n'avait pas bronché pendant qu'elle travaillait, surtout après avoir vu l'état de ses mains : aussi rouges qu'une redingote de dragon, avec une cloque laiteuse à la base de son pouce. Elle non plus n'avait rien dit. Elle avait simplement rabattu sa chemise et lui avait donné une petite tape sur les fesses avant d'aller se laver et d'enduire ses paumes d'un peu de graisse.

À présent, elle dormait, recroquevillée sur le canapé, le berceau de la petite Chasteté à ses pieds, loin des braises de la cheminée. De temps en temps, des fragments de bois rougeoyants se fendaient en craquant et en projetant un petit nuage d'étincelles.

Il s'étira très lentement et constata une amélioration. De toute manière, guéri ou pas, il partirait le lendemain matin, dût-il ramper sur les coudes jusqu'à la route. Les Hardman avaient besoin de récupérer leur lit... et lui le sien, celui de Claire.

Cette idée fit pénétrer la chaleur de sa peau jusque dans le creux de son ventre et, cette fois, il ne put s'empêcher de se tortiller. Ses pensées s'entortillèrent également, autour de Claire. Il en attrapa une, l'immobilisant comme un chien désobéissant.

Ce n'est pas sa faute, se répéta-t-il. *Elle ne m'a pas trompé.* Tout le monde le croyait mort. Marsali le lui avait dit, tout comme elle lui avait expliqué que lord John avait épousé Claire précipitamment après avoir reçu la nouvelle de son décès afin de leur éviter à tous une arrestation imminente, à elle, mais également à Fergus et Marsali.

Ce n'était pas une raison pour coucher avec elle ! Ses doigts se crispèrent. Un jour, dans une autre vie, alors qu'ils observaient un combat entre deux des hommes de Colum, dans la cour du château de Leoch, Dougal lui avait dit : « Ne les frappe jamais au visage, mon garçon. Vise les parties molles. »

Ils l'avaient frappé dans les parties molles.

— Pas sa faute, répéta-t-il en marmonnant dans sa barbe.

Qu'avait-il pu arriver ? Comment avaient-ils fait ? Pourquoi ?

Il se sentait fiévreux, l'esprit étourdi par les ondes de chaleur qui parcouraient son corps. Tels des fragments d'images entraperçues dans des rêves enfiévrés, il voyait sa peau nue, pâle et luisante de transpiration dans la nuit humide, et la main de John Grey...

« C'est *vous* que nous baisions ! »

Il avait l'impression qu'on lui avait posé une poêle brûlante dans le creux du dos. Dans un grognement exaspéré, il se tourna à nouveau sur le côté, tira sur les bandages qui retenaient son cataplasme et parvint à s'extirper de son étreinte torride. Il le laissa tomber sur le sol et repoussa la courtepointe qui le couvrait, cherchant le soulagement de l'air froid sur son corps et son esprit.

Toutefois, l'air confiné de la cabane était rempli de la chaleur de l'âtre et des corps endormis. Le feu qui couvait sur sa peau semblait s'être enraciné entre ses cuisses. Il serra le drap sous lui entre ses doigts, s'efforçant de ne pas bouger et de se calmer.

— Seigneur, aide-moi à me tempérer, murmura-t-il en gaélique. Accorde-moi la force de la compréhension et du pardon.

Au lieu de cela, il fut traversé par la vision fugace, aussi surprenante que rafraîchissante, d'un lieu sombre et froid.

Cela ne dura qu'un instant, mais ce fut assez pour laisser sur sa paume la sensation du contact avec la pierre glacée. Il s'accrocha à ce souvenir, ferma les yeux et, dans son imagination, pressa sa joue contre la paroi de la grotte.

Car il s'agissait de « sa » grotte, celle où il s'était caché et où il avait vécu au cours des années qui avaient suivi Culloden. Il y avait connu la rage, la douleur, la fièvre, la détresse et la brève consolation de doux rêves où il retrouvait son épouse. Il revécut le frisson sombre et glacé qui avait failli l'emporter. Il se vit pressant son dos brûlant et nu contre le mur rugueux et humide de la grotte, priant pour que sa froideur traverse sa chair et éteigne le feu en lui.

Ses membres raides se détendirent légèrement et sa respiration ralentit. Il oublia un peu les relents fétides de la cabane, les vapeurs de raifort, de vieille prune et de moutarde, les odeurs de cuisine et des corps mal lavés. Il inspira profondément, essayant de capter l'air pur du vent du nord, le parfum des genêts et de la bruyère.

Mais ce qu'il sentit fut...

— Mary, chuchota-t-il en rouvrant les yeux.

Une odeur d'oignons verts et de cerises presque mûres. De volaille bouillie. La peau d'une femme, rendue légèrement âcre par la transpiration sur ses vêtements, avec le vague parfum gras de la lessive de sa sœur.

Il inspira profondément dans l'espoir de se remplir d'autres odeurs, mais l'air frais des Highlands s'était enfui. Il aspira une grande goulée d'émanations de moutarde et se mit à tousser.

— Bon, ça va, j'ai compris, marmonna-t-il à Dieu.

Même dans son abjecte solitude, au fond de la grotte, il n'avait pas aspiré à la compagnie d'une femme. Mais lorsque Mary MacNab s'était offerte à lui, la veille de son départ pour une prison anglaise, il avait soulagé sa détresse dans ses bras. Il ne s'agissait pas de remplacer Claire, en aucun cas, mais d'un besoin désespéré et de l'acceptation reconnaissante d'un contact humain. L'espace d'un bref instant, il s'était senti moins seul. Comment pouvait-il reprocher à Claire d'en avoir fait autant ?

Il soupira et remua doucement pour se trouver une position plus confortable. La petite Chasteté émit un petit cri et Silvia Hardman se redressa aussitôt dans un bruissement d'étoffes. Elle se pencha sur le berceau et murmura des paroles apaisantes d'une voix endormie.

Pour la première fois, il s'interrogea sur le nom du bébé. La petite avait environ trois mois. Depuis combien de temps Gabriel Hardman était-il parti ? Depuis plus d'un an, d'après ce que lui avaient dit les fillettes. Chasteté... Tu parles ! Ce prénom était-il simplement le compagnon naturel de Prudence et de Patience, ou l'expression de l'amertume secrète de Mme Hardman, un reproche à son mari absent ?

Il referma les yeux et chercha un semblant de fraîcheur dans l'obscurité. Il s'était consumé suffisamment longtemps.

20

DES CHOUX ET DES ROIS

IL MARCHA JUSQU'À LA ROUTE peu avant l'aube, refusant l'aide de Prudence et de Patience, qui tinrent néanmoins à l'accompagner au cas où il tomberait à plat ventre, serait frappé d'une soudaine paralysie ou enfoncerait le pied dans un terrier de marmotte et se tordrait la cheville. Elles n'avaient pas une très haute opinion de ses facultés, mais elles étaient suffisamment polies pour maintenir une distance de quelques centimètres de chaque côté de lui, leurs petites mains blanches flottant tels des papillons près de ses coudes.

— Il n'y a pas beaucoup de carrioles qui passent, ces jours-ci, observa Patience, partagée entre l'espoir et l'inquiétude. Tu ne trouveras peut-être pas un véhicule à ta convenance.

— Une charrette remplie de fumier ou de choux fera l'affaire, l'assura-t-il. Je suis pressé.

— On sait, dit Prudence. On était sous le lit quand Washington t'a fait général.

Elle parlait avec un air légèrement pincé, en bonne quakeresse opposée à la guerre. Il sourit en voyant son petit visage sérieux, ses lèvres boudeuses et ses yeux bons qui ressemblaient tant à ceux de sa mère.

— Washington n'est pas mon premier souci, répondit-il. Je dois voir ma femme avant... avant tout.

— Tu ne l'as pas vue depuis longtemps? demanda Prudence. Pourquoi?

— J'ai été retenu par mes affaires en Écosse, répondit-il sans préciser qu'il l'avait vue deux jours plus tôt. Ce n'est pas une carriole qui approche, là-bas?

C'était un éleveur qui conduisait un troupeau de cochons. Ils reculèrent précipitamment du bord de la route pour éviter d'être piétinés ou mordus.

Ils durent attendre que le soleil soit enfin suffisamment haut dans le ciel pour que des voitures commencent enfin à passer régulièrement.

La plupart venaient de Philadelphie, comme le lui avaient annoncé les fillettes: les familles loyalistes qui n'avaient pas les moyens de prendre le bateau fuyaient la ville en emportant ce qu'elles pouvaient, certaines dans des carrioles, d'autres dans des charrettes à bras, bon nombre uniquement avec ce qu'elles pouvaient porter sur leur dos. Il y avait également des groupes et des colonnes de soldats britanniques tentant d'encadrer l'exode et de protéger les loyalistes contre les attaques et les vols des miliciens rebelles tapis dans la forêt.

Cette idée lui rappela John Grey, heureusement absent de ses pensées depuis plusieurs heures. Jamie le repoussa à nouveau.

— Fiche-moi la paix, marmonna-t-il dans sa barbe.

Une seconde idée vint le turlupiner. Si John Grey avait été libéré par les miliciens et qu'il était déjà de retour à Philadelphie? D'un côté, on pouvait compter sur lui pour assurer la sécurité de Claire. De l'autre...

Tant pis. Si, en entrant dans la maison, il trouvait Grey avec Claire, il la prendrait par la main et l'entraînerait ailleurs sans rien dire. À moins que...

— Tu souffres encore des effets du raifort, ami James? demanda Patience. Tu renifles comme un cheval. Tu veux mon mouchoir?

Grey se réveilla en sursaut, le soleil dans la figure et le canon d'un mousquet enfoncé dans le ventre.

— Sortez de là les mains en l'air, ordonna une voix froide.

Il ouvrit plus grand son œil valide et constata que son interlocuteur portait une veste d'officier continental par-dessus une chemise au col ouvert et une culotte en étoffe du pays. Il était coiffé d'un chapeau mou orné d'une plume de dindon. Un milicien rebelle. La gorge nouée, il rampa hors de son refuge et se leva, les membres endoloris et les mains en l'air.

Surpris, l'homme examina son visage tuméfié et ses fers, des fragments de bandages pendant aux chaînes rouillées. Il abaissa légèrement son mousquet, mais pas complètement. Maintenant qu'il était debout, Grey apercevait d'autres hommes derrière lui, tous l'observant avec un grand intérêt.

— Ah…, fit l'officier au mousquet. D'où vous êtes-vous évadé ?

Il y avait deux réponses possibles. Grey choisit la plus risquée. S'il répondait « de prison », ils le laisseraient peut-être tranquille ou, pire, l'emmèneraient avec eux. Dans un cas comme dans l'autre, il conserverait ses entraves.

— J'ai été mis aux fers par un officier britannique qui m'a pris pour un espion, répondit-il.

Ce n'était pas vraiment un mensonge.

Un murmure parcourut la bande d'hommes qui se rapprochèrent pour le voir de plus près. Cette fois, le canon du mousquet pointa vers le sol.

— Je vois, dit l'officier. Puis-je vous demander votre nom, monsieur ?

Il parlait avec une intonation cultivée et un léger accent du Dorset.

— Bertram Armstrong, répondit promptement Grey en utilisant deux de ses prénoms. Puis-je connaître le vôtre, monsieur ?

L'homme fronça légèrement les lèvres, puis répondit :

— Je suis le révérend Peleg Woodsworth, capitaine du seizième régiment de Pennsylvanie, monsieur. Et quelle est votre compagnie ?

— Je n'en ai pas encore rejoint une, capitaine, dit-il en atténuant légèrement son propre accent. J'allais justement le faire lorsque je suis tombé sur une patrouille britannique et me suis retrouvé dans la situation que vous constatez.

Il leva ses poignets en faisant cliqueter ses chaînes. Le murmure reprit, cette fois avec une note d'approbation.

Woodsworth balança son mousquet sur une épaule.

— Suivez-nous, monsieur Armstrong. Je crois que nous allons pouvoir vous soulager de vos liens.

21

COUP DE SANG

LA PISTE ÉTAIT EMPRUNTÉE par de nombreux chevaux, mules, véhicules et compagnies de miliciens. Rachel grimpa à bord d'une carriole chargée de sacs d'avoine, Ian et Rollo trottant à ses côtés. Ils s'arrêtèrent au gué de Matson, où ils étaient censés retrouver Denzell et Dottie. Ils attendirent jusqu'au milieu de la matinée sans apercevoir la carriole du docteur. Aucun des miliciens qui passaient par là ne l'avait vu.

— Il a dû être retenu par une urgence, conclut Rachel d'un ton résigné. Nous ferions mieux de poursuivre notre route tous seuls. Nous trouverons sans doute une voiture sur la grand-route pour nous conduire jusqu'en ville.

Elle n'était pas inquiète. Les proches d'un médecin étaient habitués aux contretemps et savaient se débrouiller. Et puis, elle aimait être seule avec Ian pour discuter avec lui et le regarder dans les yeux.

Ian convint que c'était la meilleure solution. Ils se déchaussèrent et avancèrent sur les pierres du gué, l'eau froide leur rafraîchissant les pieds. Même dans la forêt, l'air était chaud et lourd, chargé des grondements lointains d'un orage qui n'approchait jamais.

Soudain, Ian tendit à Rachel ses mocassins, son fusil et sa ceinture, à laquelle étaient accrochés sa corne à poudre, son sac de munitions et son couteau.

— Tiens-les et recule un peu, demanda-t-il.

Il lui montra une tache bleu sombre où l'affouillement avait creusé un profond bassin dans le lit de la rivière. Il bondit de pierre en pierre puis, parvenu sur la dernière, sauta dans le trou en projetant une grande éclaboussure. Rollo, dans l'eau jusqu'au ventre, se mit à aboyer et agita sa grande queue touffue en aspergeant Rachel.

La tête de Ian réapparut à la surface, ruisselante. Il tendit un long bras maigre vers elle, lui faisant signe de le rejoindre. Elle lui montra son fusil, qu'elle tenait à bout de bras, et il n'insista pas. Il grimpa hors du bassin et se releva dans l'eau peu profonde avant de s'ébrouer comme Rollo et de l'éclabousser à nouveau.

— Tu es sûre de ne pas vouloir te baigner ? demanda-t-il en reprenant ses armes. L'eau est délicieuse.

— Je le ferais volontiers si j'étais vêtue comme toi, répondit-elle en s'essuyant le visage.

Il portait des jambières usées en daim, un pagne et une chemise en calicot si fanée que les fleurs autrefois rouges de l'imprimé disparaissaient dans le fond marron. Mouillé ou sec, il avait toujours la même allure tandis que, trempée, elle aurait eu l'air d'un rat noyé. Un rat impudique, de surcroît, sa chemise et sa robe rendues presque transparentes par l'eau et adhérant à son corps.

Cette image coïncida avec la vision du pagne en lin de Ian. Ou plutôt de ce qu'il y avait sous son pagne quand il le souleva pour rattacher sa ceinture.

Elle sursauta et Ian redressa la tête.

— Quoi ?

— Rien, répondit-elle en rougissant.

Il baissa les yeux, comprit, et les releva vers elle. Mortifiée, elle se retint de se jeter dans le bassin à son tour, les conséquences sur sa tenue devenant soudain secondaires.

— Ça te gêne ? demanda-t-il en essorant son pagne.

— Non, répondit-elle dignement. J'en ai déjà vu, tu sais. Souvent, même. Mais pas…

Pas un avec lequel je vais bientôt faire intimement connaissance.

— Pas le tien, acheva-t-elle.

— Il n'a rien d'extraordinaire, l'assura-t-il sérieusement. Tu peux le regarder, si tu veux. Au cas où. Je ne voudrais pas que tu sois horrifiée le jour venu.

— Horrifiée ? répéta-t-elle avec un regard ironique. Si tu crois qu'après avoir vécu durant des mois dans un camp militaire j'ai encore le moindre doute sur l'instrument ou le processus ! Je ne crois pas être choquée lorsque la question sera sou...

Elle s'interrompit, une fraction de seconde trop tard.

— ... soulevée, acheva Ian en souriant. Il me semble que tu serais très déçue si ce n'était pas le cas, pas vrai ?

En dépit de sa gêne, qui la fit rougir de la racine des cheveux jusqu'aux orteils, elle ne lui en voulait pas de la taquiner. Tout ce qui le faisait sourire était un baume pour son propre cœur.

Il avait été profondément affecté par le naufrage du navire de sa mère et de son oncle. Bien qu'il ait enduré sa peine avec un stoïcisme qui semblait naturel chez les Highlanders comme chez les Indiens, il n'avait pas tenté non plus de la lui cacher. Elle lui en était reconnaissante, en dépit de son propre chagrin, car elle avait eu une affection et un respect profonds pour M. Fraser.

Elle se demandait comment elle se serait entendue avec la mère de Ian. Dans le meilleur des cas, elle aurait trouvé une nouvelle mère, ce qui aurait été une bénédiction. Toutefois, étant d'une nature réaliste, elle ne s'était pas attendue à ce que Jenny Murray soit plus ravie d'apprendre que son fils épouserait une quakeresse qu'une assemblée d'Amis le serait de découvrir qu'elle comptait se marier avec un guerrier, et catholique de surcroît. Elle ignorait ce qui les consternerait le plus, mais elle était convaincue que les tatouages de Ian les choqueraient moins que son attachement au pape.

Ian avançait devant elle sur le sentier étroit. Quand il y eut assez de place pour marcher côte à côte, il retint une branche pour qu'elle le rejoigne et lui demanda :

— Comment allons-nous nous marier, à ton avis ?

— Je n'en sais rien, répondit-elle franchement. Je ne peux pas, en mon âme et conscience, me faire baptiser catholique, tout comme tu ne pourrais pas vivre comme un Ami.

— Les Amis ne se marient-ils qu'entre eux ? demanda-t-il avec un petit sourire en coin. Voilà qui réduit considérablement les choix. Vous êtes tous cousins, alors ?

Elle décida d'ignorer cette boutade.

— Ils épousent d'autres Amis ou sont exclus de l'assemblée. Il peut y avoir quelques exceptions pour des cas très particuliers. Un comité de discernement s'entretient alors avec les promis, séparément, mais c'est rare. Je crains que Dottie ne rencontre des difficultés, en dépit de la sincérité évidente de sa conversion.

Ian se mit à rire en pensant à la fiancée de Denny. Lady Dorothea Jacqueline Benedicta Grey ne correspondait en rien à l'image de la quakeresse modeste et réservée. D'un autre côté, selon Rachel, ceux qui imaginaient les Amies comme des femmes réservées n'en avaient jamais rencontrées.

— As-tu demandé à Denny ce qu'ils comptaient faire ?

— Non, avoua-t-elle. À dire vrai, j'ai un peu peur de sa réponse.

— Peur ? Pourquoi ?

— Peur pour eux comme pour nous. Tu sais que nous avons été exclus de notre assemblée en Virginie. Enfin, il a été exclu et je l'ai suivi. Il en a été très affecté et je sais qu'il souhaite par-dessus tout épouser Dottie dans les formes, devant le groupe auquel ils appartiennent tous les deux.

Ian lui lança un bref regard. Devinant qu'il allait lui demander si elle souhaitait en faire autant, elle prit les devants :

— Il y a d'autres Amis dans le même cas que lui : des hommes qui ne supportent pas que l'on se soumette au roi et qui se sentent obligés de soutenir l'armée continentale. Ils s'appellent les « quakers combattants ».

Ce nom la fit sourire tant il invoquait des images incongrues.

— Certains d'entre eux ont tenu des réunions à Valley Forge, mais ils ne sont pas acceptés par l'assemblée annuelle de Philadelphie. Denny entretient des liens avec eux, mais il ne les a pas encore rejoints.

Le sentier s'était à nouveau rétréci et Ian passa devant. Il lui lançait des regards par-dessus son épaule pour l'assurer qu'il l'écoutait. Elle était elle-même légèrement distraite. Les jambières en daim séchaient lentement et moulaient les longues jambes musclées et nerveuses de Ian, lui rappelant son pagne.

Elle s'éclaircit la gorge.

— Sais-tu ce qu'est un schisme, Ian ?

Cela le fit rire à nouveau.

— Je m'en doutais, dit-elle sèchement. C'est quand un groupe de… de… personnes sont en désaccord avec un des enseignements fondamentaux de…

— Des hérétiques ? proposa-t-il plein de bonne volonté. Les quakers ne brûleraient pas les dissidents, tout de même ?

— Disons que ce sont des gens à qui l'esprit inspire une autre voie. Et non, ils ne feraient jamais ça. Ce que j'essaie de dire c'est que, quand un groupe s'écarte du reste de sa communauté parce qu'il n'est pas d'accord sur un point de doctrine, il tend à s'accrocher au reste de ses croyances et à devenir plus rigoriste que son groupe d'origine.

Ian et Rollo avaient brusquement relevé la tête. Les deux chasseurs lancèrent des regards de droite à gauche, humant l'air, les narines dilatées. Puis ils se remirent à marcher.

— Et ? demanda Ian.

— Si Denny estime qu'il doit rejoindre une assemblée de quakers combattants, ces derniers pourraient rechigner à accueillir parmi eux un membre comme Dottie. D'un autre côté, s'ils l'acceptent, cela pourrait signifier qu'ils considéreront notre mariage…

Elle s'efforçait de paraître optimiste, mais en réalité elle pensait qu'il neigerait en enfer avant qu'une assemblée d'Amis, quelle qu'elle soit, accepte Ian Murray, et inversement.

— Tu m'écoutes, Ian ?

Ian et Rollo avançaient toujours, mais ils paraissaient sur leurs gardes. Les oreilles du chien étaient dressées et Ian ne cessait de passer son fusil d'une épaule sur l'autre. Au bout de quelques pas, elle entendit à son tour ce qu'ils avaient perçu : un bruit lointain de carrioles et de bottes. Une armée en marche. Elle en eut la chair de poule en dépit de la chaleur.

— Pardon ? demanda Ian en se tournant vers elle avec un sourire. En fait, non. Je me demandais ce qui constituait un cas particulier pour les quakers.

Rachel s'était posé la même question.

— Eh bien… commença-t-elle.

En réalité, elle ignorait quelle particularité rendrait leur union possible.

Avant qu'elle ait pu trouver une réponse adéquate, il poursuivit :

— Oncle Jamie m'a raconté comment ses parents s'étaient mariés. Son père a enlevé sa mère et ils ont dû se cacher pour ne pas essuyer la colère des MacKenzie de Leoch. Et crois-moi, il ne faisait pas bon se les mettre à dos.

Ses traits s'étaient animés en racontant l'histoire.

— … Ils ne pouvaient se marier dans une église car il aurait fallu publier les bans, et les frères d'Ellen, ma grand-mère, les auraient capturés dès qu'ils seraient sortis de leur cachette pour se rendre devant le prêtre. Ils ont donc attendu qu'elle soit enceinte. Les MacKenzie ne pouvaient alors plus s'opposer à leur union et la cérémonie a eu lieu.

Il haussa les épaules et ajouta :

— Je me demandais si les Amis considéraient la venue d'un enfant comme un cas particulier…

Rachel le fusilla du regard.

— Si tu t'imagines que je vais partager ta couche sans être mariée, Ian Murray, tu ne sais pas à quel point ton propre cas va devenir particulier.

Lorsqu'ils rejoignirent la route principale qui menait à Philadelphie, le bruit s'était considérablement amplifié, ainsi que la circulation qui en était responsable. D'ordinaire très fréquentée par les voyageurs et les marchands, elle était à présent pratiquement bouchée par une multitude de mules brayant, d'enfants criant, de parents épuisés appelant leur progéniture, de charrettes et de brouettes croulant de meubles et de biens, souvent avec un cochon récalcitrant traîné au bout d'une corde ou un panier de volailles couronnant la pile.

Parmi et autour du flot de civils fuyant la ville se trouvait l'armée. Des colonnes marchaient en rang, par deux, faisant crisser leurs lanières et leurs guêtres en cuir, leurs vestes maculées de sueur, leurs visages aussi rouges que leurs uniformes. Il y avait également de petites sections de cavalerie, les cavaliers relativement plus frais sur leurs montures ; des groupes de mercenaires allemands en veste verte ; et, ici et là, des compagnies d'infanterie stationnées sur le bord de la route, épaulant les officiers qui arrêtaient des carrioles, tantôt les réquisitionnant, tantôt les laissant passer.

Ian s'arrêta à l'ombre des arbres pour évaluer la situation. Le soleil était presque au zénith. Ils avaient encore du temps devant eux. Ils ne possédaient rien qui puisse intéresser l'armée. Personne ne les arrêterait.

Il fallait également tenir compte des compagnies de miliciens. Ils en avaient croisé plusieurs dans la forêt. En général, elles évitaient les routes, avançant prudemment dans le sous-bois par petites bandes de deux ou trois, cherchant à ne pas attirer l'attention, sans se cacher pour autant.

La main de Rachel se crispa soudain sur son bras.

— Regarde! s'exclama-t-elle. C'est William!

Elle pointa un doigt vers un grand officier de l'autre côté de la route et se tourna vers Ian, le visage aussi rayonnant que le reflet du soleil sur l'eau.

— Nous devons aller lui parler!

Il posa une main sur son épaule et sentit l'urgence dans sa chair. Il perçut également la terrible fragilité de ses os.

— Pas toi, répondit-il.

Il indiqua du menton les troupes qui marchaient d'un pas lent, l'air renfrogné et couvertes de poussière.

— Je ne veux pas que tu t'approches d'eux.

Elle plissa légèrement les yeux. Ayant déjà été marié, Ian reconnut le signe et ôta rapidement sa main, reprenant précipitamment :

— Je veux dire que j'irai lui parler et te l'amènerai ici.

Elle ouvrit la bouche pour répondre, mais il se faufila dans un rideau de joncs avant qu'elle ait pu émettre quelque objection. Il se retourna pour lancer à Rollo :

— Reste là!

Le chien, qui n'avait pas bougé de sa position confortable aux pieds de Rachel, agita à peine une oreille.

William était en sueur, hirsute, les traits las et paraissait profondément malheureux. Ian le comprenait. Il savait que William s'était rendu à Saratoga. Il devait être en route pour l'Angleterre, s'il avait eu de la chance, ou vers un camp de prisonniers dans le Nord. Dans un cas comme dans l'autre, son rôle actif dans l'armée était terminé pour un moment.

Ses traits se métamorphosèrent quand il aperçut Ian. Il fut d'abord surpris, ensuite indigné, puis il lança un bref regard autour de lui et afficha un air décidé. Ian fut étonné de lire aussi facilement sur son visage, puis comprit pourquoi. Oncle Jamie gardait toujours une expression neutre en société, mais pas quand il était seul avec son neveu. Ian savait lui aussi masquer ses sentiments.

Le caporal qui discutait avec William lui adressa un bref regard indifférent. Il salua son chef et replongea dans le flot des passants.

— Que voulez-vous, Murray? demanda sèchement William en s'essuyant le front sur sa manche.

Ian fut pris de court par son hostilité. La dernière fois qu'ils s'étaient vus, ils s'étaient séparés en bons termes, même s'ils n'avaient pas eu l'occasion de discuter. William venait de tirer une balle entre les deux yeux d'un vieux fou qui avait voulu tuer Rachel, ou Ian, ou les deux, avec une hache. Le bras de Ian s'était suffisamment remis pour qu'il puisse se passer d'une écharpe, mais il était encore raide.

— Une demoiselle souhaiterait vous parler, déclara-t-il sans prêter attention au regard noir de William.

— Mlle Hunter?

Une petite lueur de plaisir illumina les yeux de William et Ian se tendit légèrement. *Attends un peu qu'elle te dise qui elle va épouser,* pensa-t-il.

William fit un signe à un autre caporal un peu plus loin sur le bord de la route pour indiquer qu'il s'absentait, puis suivit Ian. Quelques soldats se retournèrent sur leur passage, mais sans que Ian ne suscite une curiosité particulière. Avec la double ligne de points tatoués sur ses pommettes, ses jambières en daim et sa peau hâlée, ils reconnaissaient en lui un éclaireur indien. Un bon nombre de ces derniers avaient déserté l'armée britannique, mais il en restait encore, principalement des loyalistes comme Joseph Brant, qui possédaient des terres en Pennsylvanie et à New York. Plusieurs factions provenant des nations iroquoises qui s'étaient battues à Saratoga continuaient également à travailler pour les continentaux.

— William !

Rachel traversa en courant la petite clairière et saisit les deux mains du capitaine, rayonnant d'une telle joie qu'il sourit à son tour, son irascibilité envolée. Ian resta à l'écart pour lui laisser un peu d'espace. Elle n'avait guère eu le temps de le remercier, la dernière fois. Effondrée sur le sol, elle avait été figée par l'effroi tandis que Rollo attaquait la misérable dépouille du vieux Arch Bug, que Ian gisait au milieu de l'imprimerie en pissant le sang et que la foule au-dehors criait au meurtre.

William l'avait relevée et poussée dans les bras de la première venue, en l'occurrence Marsali, en hurlant : « Sortez-la d'ici ! »

Rachel s'était rapidement ressaisie et, serrant les dents, avait enjambé le cadavre du vieil Arch. Elle était tombée à genoux dans une flaque de sang et d'éclats de cervelle, avait enveloppé le bras blessé de Ian dans son tablier et l'avait attaché avec son mouchoir. Puis, avec Marsali, elles l'avaient traîné jusque dans la rue où il avait rapidement perdu connaissance, ne se réveillant que lorsque tante Claire avait recousu son bras.

Ian n'avait pas eu le temps de remercier William non plus, mais Rachel tenait visiblement à lui parler la première et il attendit tout en admirant sa beauté, avec ses yeux noisette où brillaient des reflets de halliers et d'éléocharides, son visage intelligent et vif comme une flamme.

— Tu es maigre et fatigué, William, disait-elle en faisant courir un doigt sur sa joue creuse. Ils ne te nourrissent donc pas dans l'armée ? Je croyais que seuls les continentaux souffraient des pénuries.

La joie qui avait illuminé les traits de William s'estompa.

— Oh. C'est que… je n'ai pas eu beaucoup de temps pour manger dernièrement. Comme vous pouvez le voir…

Il fit un geste vers la route, invisible, de l'autre côté des joncs. Les ordres aboyés par les sergents raisonnaient comme des croassements de corbeaux par-dessus les bruits de pas et de roues.

— Je comprends, dit Rachel. Où vas-tu ?

William s'essuya la bouche du revers de la main et lança un regard vers Ian. Celui-ci s'approcha, prit le bras de Rachel et sourit à William.

— Il n'a probablement pas le droit de nous le dire, devina-t-il. C'est que nous sommes l'ennemi, *mo nighean donn.*

William tiqua en entendant le ton de sa voix, puis il regarda Rachel dont il tenait toujours la main.

— Nous sommes fiancés, Ian et moi, dit-elle en retirant doucement ses doigts et en les posant sur ceux de Ian.

L'expression de William changea brusquement. Cette fois, il n'y avait plus la moindre trace de joie. Il dévisagea Ian avec ce qui ressemblait fortement à du ressentiment.

— Vraiment ? dit-il froidement. Dans ce cas, je vous souhaite bien du bonheur. Au revoir.

Il tourna les talons. Surpris, Ian tenta de le retenir.

— Attendez que…

Il n'eut pas le temps d'en dire plus. William pivota et lui envoya son poing dans la figure.

Il se retrouva étendu dans l'herbe, clignant des yeux, ahuri. Rollo bondit et enfonça ses crocs dans une partie charnue de William, à en juger par son cri et par l'exclamation de surprise de Rachel.

— Rollo ! Méchant chien ! Reviens ici. Et toi aussi, William Ransom, tu n'es qu'un méchant ! Qu'est-ce qui te prend ?

Ian se redressa en position assise et toucha délicatement sa lèvre qui saignait. Rollo avait légèrement battu en retraite sous les injonctions de Rachel, mais il gardait ses yeux jaunes fixés sur William et montrait ses crocs en grondant.

· — *Fuirich*, lui dit Ian en se relevant.

William s'était assis et examinait son mollet. Du sang suintait à travers son bas de soie déchiré. En voyant Ian, il se releva précipitamment. Son visage était rouge vif. Il était difficile de dire s'il s'apprêtait à se jeter à nouveau sur lui ou à fondre en larmes. *Peut-être les deux*, pensa Ian.

Il veilla à garder une certaine distance tout en se plaçant devant Rachel au cas où il attaquerait. Après tout, il était armé. Il portait un pistolet et un couteau à sa ceinture.

— Quelque chose ne va pas ? demanda-t-il.

Il employait le même ton vaguement inquiet qu'avait parfois utilisé son père avec Mam et oncle Jamie. Ce devait être la bonne attitude à adopter face à un Fraser en furie car, après avoir soufflé comme un phoque quelques instants, William se recomposa.

— Je vous demande pardon, déclara-t-il à Ian, le dos raide. C'est impardonnable. Je… je vais vous quitter. Je… Mademoiselle Hunter… Je…

Il se tourna en oscillant légèrement, ce qui laissa à Rachel le temps de contourner Ian.

— William ! le rappela-t-elle. Que se passe-t-il ? Ai-je… ?

— Vous n'avez rien fait, la rassura-t-il non sans effort. Vous… vous ne pourriez jamais faire le moindre mal.

Il se tourna soudain vers Ian, la main sur la garde de son épée.

— Mais vous ! Espèce de bâta… de fils de chien ! *Cousin !*

— Ah, fit Ian. Vous êtes au courant.

— Oui, je suis au courant ! Pourquoi ne m'avoir rien dit ?

— Dire quoi ? demanda Rachel, dont le regard allait de l'un à l'autre.

— Ne vous avisez pas de le lui répéter ! aboya William à Ian.

— Ne sois pas absurde, déclara calmement Rachel. Bien sûr qu'il me le dira dès que nous serons seuls. Ne préfères-tu pas m'en parler toi-même ? Ne crains-tu pas que Ian déforme tes propos en le racontant à ta place ?

Elle esquissa un petit sourire à Ian, qui aurait pu s'offenser si le désarroi de William n'avait été aussi flagrant.

— Il n'y a pas de quoi avoir honte… commença-t-il.

Il recula prudemment en voyant William se préparer à le frapper à nouveau.

— Ah non ? dit William d'une voix rendue presque inaudible par la fureur. Découvrir que je suis le… le… rejeton d'un criminel écossais ?

En dépit de sa détermination à faire preuve de patience, Ian sentit la moutarde lui monter au nez.

— Ce n'est pas un criminel ! N'importe quel homme serait fier d'être le fils de Jamie Fraser !

— Ah, ça, fit Rachel.

William lui lança un regard noir.

— Comment ça ? Que voulez-vous dire ?

Elle haussa une épaule, surveillant attentivement William, qui semblait sur le point d'exploser comme un baril de poudre.

— Nous nous en doutions, Denny et moi. Nous pensions simplement que tu ne voulais pas en parler. J'ignorais que tu… Comment as-tu pu ne pas t'en rendre compte ? La ressemblance…

— Rien à foutre de la ressemblance !

Ian oublia Rachel et abattit ses deux poings sur le crâne de William, le faisant tomber à genoux, puis il lui envoya un coup de pied dans le ventre. S'il avait atteint sa cible, la question aurait été réglée une fois pour toutes, mais William se montra plus rapide que prévu. Il esquiva, attrapa le pied de Ian et tira. Ian atterrit sur un coude, roula sur le côté et se jeta sur lui, lui agrippant une oreille. Il était vaguement conscient que Rachel criait, en fut brièvement navré, puis la fureur du combat l'emporta sur tout le reste.

Il avait du sang dans la bouche et ses oreilles sifflaient. D'une main, il serrait la gorge de William, de l'autre, il tentait de lui enfoncer les doigts dans les yeux. Puis il se sentit soulevé par les épaules et arraché au corps gesticulant de son cousin.

Il secoua la tête pour s'éclaircir les idées, haletant et se débattant pour se débarrasser de celui qui le retenait. En fait, ils étaient deux et cela lui valut un coup dans les côtes qui lui coupa le peu de souffle qui lui restait.

William était dans un état aussi piteux. Il se releva, passa une main sous son nez qui saignait abondamment, examina le résultat et, avec une grimace de dégoût, s'essuya sur sa veste.

— Emmenez-le, ordonna-t-il d'une voix essoufflée.

L'un de ses yeux était enflé, mais l'autre fixait Ian avec une lueur assassine. En dépit des circonstances, Ian fut surpris de voir à nouveau l'une des expressions de son oncle sur le visage d'un autre.

Rollo aboyait férocement. Rachel le retenait par la peau du cou, mais s'il décidait de sauter à la gorge de William, elle serait bien en mal de l'en empêcher. Le cas échéant, les soldats l'abattraient sans hésiter.

— *Fuirich, a cu !* lança-t-il.

Le chien s'assit sur son arrière-train. Il retroussait les babines, exhibant ses crocs dégoulinant de salive et émettant un grondement sourd et continu.

William lança un regard vers Rollo, puis lui tourna le dos. Il renifla, se racla la gorge et cracha un jet de sang.

— Conduisez-le au colonel Prescott en tête de colonne, ordonna-t-il. Il est arrêté pour avoir agressé un officier. Nous nous occuperons de lui ce soir, au camp.

— Que veux-tu dire par là ? demanda Rachel en se plantant devant les deux soldats qui tenaient Ian. Et comment oses-tu, William Ransom ? Comment… Comment *oses*-tu ?

Elle était blême de rage, ses petits poings serrés contre ses flancs. Ian lui sourit, attendri, mais elle ne lui prêta pas attention, étant entièrement concentrée sur William, qui se redressa et la regarda du haut de son long nez.

— Cela ne vous concerne plus, mademoiselle, déclara-t-il froidement.

Ian crut qu'elle allait lui donner un coup de pied dans les tibias. Il aurait payé cher pour voir ça, mais les principes quakers de Rachel reprirent le dessus. Elle se redressa à son tour sur toute sa hauteur, qui n'était pas négligeable (elle était aussi grande que tante Claire) et pointa vers William un menton pugnace.

— Tu es un lâche et une brute, lança-t-elle d'une voix forte.

Elle pivota vers les hommes qui tenaient Ian et ajouta :

— Et vous aussi, vous êtes deux lâches pour obéir à un ordre aussi injuste !

L'un des soldats ricana, puis se reprit en croisant le regard noir de William.

— Emmenez-le, répéta William.

Il tourna les talons et s'éloigna d'un pas martial. Le dos de sa veste et ses cheveux étaient couverts de poussière.

— Vous feriez mieux de ficher le camp, mademoiselle, dit l'un des soldats non sans compassion. Vous ne voulez pas vous retrouver toute seule au milieu des troupes.

— Je ne ficherai pas le camp, rétorqua Rachel avec un regard de panthère prête à bondir. Qu'avez-vous l'intention de faire de cet homme ?

— Rachel… commença Ian.

— Pour avoir agressé un officier ? répondit l'autre soldat. Il devrait s'en tirer avec cinq cents coups de fouet. Je ne crois pas qu'ils le pendront, vu que notre jeune Galaad n'a pas été estropié.

Rachel pâlit encore un peu plus. Ian tira un grand coup sur ses bras, essayant de se libérer.

— Tout ira bien, *a nighean*, tenta-t-il de la rassurer. Rollo ! *Sheas !* Il a raison. Le camp n'est pas un endroit pour toi et tu ne m'aideras pas en venant. Retourne en ville et raconte à tante Claire ce qui s'est passé. Elle pourra parler à lo… *Oumph !*

Un troisième soldat surgi de nulle part venait de lui enfoncer la crosse de son mousquet dans le ventre.

— Qu'est-ce que vous attendez ? aboya-t-il. Allez-y !

Il se tourna vers Rachel et le chien.

— Quant à vous, ouste !

Il fit signe aux deux autres, qui entraînèrent Ian. Celui-ci voulut tourner la tête pour lancer un dernier mot à Rachel, mais ils le poussèrent brutalement en avant vers la route.

Il se laissa faire, préférant cela à être traîné de force. Il réfléchissait à toute allure. Tante Claire était la meilleure solution… probablement sa seule chance. Elle pourrait convaincre lord John d'intervenir, en parlant directement à William ou à ce colonel Prescott… Il lança un regard vers le ciel. Il était plus ou moins midi. Lorsqu'elle était en campagne, l'armée britannique infligeait les coups de fouet et autres châtiments après le dîner. Il y avait assisté à plusieurs reprises et avait vu le dos de son oncle. Un frisson glacé lui parcourut l'échine.

Cela lui laissait six heures, plus ou moins.

Il risqua un autre regard par-dessus son épaule. Rachel courait, Rollo bondissant à ses côtés.

William tapota son visage avec ce qui lui restait de mouchoir. Il ne reconnaissait pas ses propres traits enflés. Il explora l'intérieur de sa bouche avec sa langue : aucune dent de cassée, quelques-unes bougeaient légèrement, une entaille cuisante à l'intérieur de sa joue. Ce n'était pas si mal. Il se réconforta en se disant qu'il avait fait pire à Ian Murray.

Il tremblait encore, non pas du choc mais de l'envie de démembrer quelqu'un morceau par morceau. Parallèlement, la raison commençait à lui revenir par bribes, le laissant dans un état de stupeur. Que lui avait-il pris ?

Il n'y était pour rien. Murray l'avait attaqué. Comment Rachel Hunter se permettait-elle de le traiter de lâche et de brute ? Il sentit un filet de sang couler de sa narine et se moucha dans son mouchoir crasseux. Il vit une silhouette approcher, accompagnée par un grand chien. Il se redressa et fourra le mouchoir dans sa poche.

— En parlant de la louve, marmonna-t-il.

Il toussa et sentit un goût métallique de sang dans le fond de sa gorge.

Rachel Hunter frémissait de rage. Apparemment, elle n'avait pas fait demi-tour pour s'excuser de l'avoir insulté. Elle avait arraché son bonnet et le tenait serré dans une main. Avait-elle l'intention de le lui lancer au visage ? se demanda-t-il vaguement.

— Mademoiselle Hunter, la salua-t-il d'une voix rauque.

Il se serait incliné s'il n'avait craint de se remettre à saigner du nez.

— Tu ne peux pas être sérieux, William !

— Comment ça ?

— Ne fais pas le malin ! Que t'a-t-il pris de…

— Qu'a-t-il pris à votre… « fiancé » ? L'ai-je attaqué ? Non.

— Mais si ! Tu l'as frappé au visage sans la moindre provocation de sa part.

— Et il a voulu m'assommer sans raison ! S'il y a un lâche dans cette histoire…

— Ne t'avise pas de traiter Ian Murray de lâche ! Espèce de… de…

— Je le traiterai comme bon me semblera, comme… il le mérite. Lui et son foutu oncle, ce maudit fils de pute d'Écossais…

— Son oncle ? Ton père ?

— Taisez-vous ! hurla-t-il. Je vous interdis de l'appeler mon père !

Elle souffla bruyamment par les narines.

— Si tu permets qu'on le fouette, William Ransom, je… je…

William ressentit une sensation étrange dans le creux de son ventre et crut qu'il allait s'évanouir. Ce n'était pas à cause de ses menaces.

— Que ferez-vous ? répliqua-t-il, le souffle court. Vous êtes une quakeresse. Vous ne croyez pas en la violence. Par conséquent, vous ne pouvez pas me planter un couteau dans le ventre. Vous ne me frapperez probablement même pas. Alors que comptez-vous faire ?

La main de Rachel partit avec la détente d'un serpent. Elle le gifla si fort qu'il chancela.

— Voilà ! dit-elle. Tu as condamné ton cousin, tu as renié ton père et tu m'as obligée à trahir mes principes. Tu es content ?

— Oh foutre de merde ! lâcha-t-il.

Il l'attrapa par les bras, l'attira brusquement à lui et l'embrassa sur la bouche. Il la lâcha et recula promptement, la laissant pantoise et les yeux écarquillés.

Le chien se mit à gronder. Elle foudroya William du regard, cracha par terre à ses pieds et s'essuya la bouche sur sa manche. Puis elle tourna le dos et s'éloigna d'un pas énergique, le chien sur ses talons.

— Cracher sur les gens fait aussi partie de vos principes ? lança-t-il derrière elle.

Elle pivota, serrant les poings.

— Molester les femmes fait partie des vôtres ? rétorqua-t-elle.

Les soldats sur le bord de la route observaient la scène accoudés sur la crosse de leur mousquet. Ils s'amusaient bien.

Elle lança rageusement son bonnet à ses pieds, tourna les talons et repartit avant qu'il ait trouvé autre chose à dire.

Jamie aperçut une petite troupe de dragons anglais approchant sur la route et s'avachit sur le banc de la carriole, son chapeau baissé devant ses yeux. Avec l'armée britannique en retraite, personne ne le recherchait. Même s'il était reconnu, on ne se donnerait probablement pas la peine de l'arrêter ou de l'interroger au milieu d'un tel exode. Néanmoins, la vue de soldats britanniques continuerait de lui nouer le ventre jusqu'à la fin de ses jours.

Lorsqu'ils arrivèrent à sa hauteur, il regarda nonchalamment de l'autre côté, puis il entendit un « *Ifrinn !* » sonore prononcé par une voix très familière et tourna brusquement la tête pour se retrouver face au visage ahuri et horrifié de son neveu Ian.

Il était tout aussi ahuri que lui, et presque aussi horrifié de le voir les mains attachées dans le dos, couvert de poussière et de sang, poussé sans ménagement par deux troufions à l'air énervé, au visage rouge et transpirant dans leurs lourds uniformes.

Il résista au réflexe de bondir de son siège et fixa intensément Ian, l'enjoignant en silence de se taire. Son neveu continua de le dévisager avec les yeux exorbités et les traits livides, puis poursuivit son chemin sans broncher.

— Seigneur, murmura Jamie. Il croit avoir vu mon fantôme.

— Qui donc ? demanda le conducteur assis à ses côtés.

— Je crois que je vais descendre ici, monsieur, répondit Jamie. Auriez-vous la bonté de vous arrêter un instant ? Je vous remercie.

Oubliant son dos, il sauta de la carriole. Il ressentit un tiraillement le long de sa jambe, mais pas de douleur vive. Quand bien même, rien ne l'aurait empêché de remonter la route le plus rapidement possible, car il venait d'apercevoir au loin une petite silhouette courant comme un lapin à la queue en feu et accompagnée d'un grand chien. Il se doutait qu'il s'agissait de Rachel Hunter.

Elle soulevait ses jupes, ses petits pieds battant la poussière. Il parvint à sa hauteur et lui attrapa un bras sans cesser de courir.

— Venez avec moi, lui glissa-t-il.

Il la prit par la taille, la souleva et la porta à l'écart de la route. Elle émit un petit cri étouffé, puis un autre nettement plus sonore lorsqu'elle releva la tête et vit son visage.

— Non, je ne suis pas mort, dit-il rapidement. Nous en parlerons plus tard, d'accord ? À présent, revenez sur la route avec moi, autrement on va croire que j'essaie de vous violer dans les buissons.

Il baissa les yeux vers Rollo, qui reniflait ses mollets avec application.

— *Ciamar a tha thu, a choin ?*

Rachel émit un gargouillis du fond de sa gorge sans cesser de le dévisager d'un air incrédule, puis elle battit des paupières et hocha la tête. L'instant suivant, ils étaient de retour sur la route. Jamie salua d'un signe de tête un homme qui s'était arrêté, avait lâché les bras de sa brouette et les observait d'un air suspicieux. Rachel lui adressa un petit sourire. Il haussa les épaules et reprit son chemin.

— Que… que… balbutia-t-elle.

Elle paraissait sur le point de tourner de l'œil ou de vomir. Elle respirait laborieusement, ses traits passant du rouge vif au blanc, puis au rouge vif à nouveau. Elle avait perdu son bonnet et ses cheveux bruns emmêlés lui collaient au visage.

— Plus tard, répéta-t-il doucement. Qu'est-il arrivé à Ian ? Où l'emmènent-ils ?

Entre deux respirations saccadées, elle lui raconta ce qui s'était passé.

— *A mh'ic an diabhail*, murmura-t-il.

« Fils du diable. » L'espace d'un instant, il se demanda à qui il se référait exactement, puis cette pensée s'envola lorsqu'il aperçut la masse des réfugiés qui n'était plus qu'à environ huit cents mètres derrière, avançant laborieusement, encadrée par des colonnes de soldats à l'uniforme écarlate. Il posa une main sur l'épaule de Rachel.

— Ne vous inquiétez pas, ma petite. Reprenez votre souffle et suivez Ian, mais sans vous approcher. Les soldats ne doivent pas vous remarquer. Dès qu'il sera libre, filez droit en ville. Rendez-vous à l'imprimerie. Oh… et vous feriez mieux d'attacher ce chien avec votre écharpe avant qu'il ne dévore quelqu'un.

— Libre ? Mais comment… Que vas-tu faire ?

Elle avait écarté les mèches de cheveux de devant son visage et retrouvé son calme, même si elle le dévisageait toujours avec de grands yeux ronds. Elle lui rappelait un jeune blaireau paniqué et il esquissa un petit sourire.

— Je vais toucher deux mots à mon fils, répondit-il.

Là-dessus, il s'éloigna d'un pas déterminé.

Il reconnut William de loin. Il se tenait sur le bord de la route, tête nue, passablement amoché mais faisant de son mieux pour paraître maître de lui. Les mains croisées dans le dos, il comptait les carrioles qui passaient devant lui. Il était seul. Jamie hâta le pas pour le rejoindre avant que quelqu'un ne vienne lui parler. Il avait besoin de s'entretenir avec lui en tête à tête.

Il soupçonnait Rachel de ne pas lui avoir tout dit sur la confrontation entre les deux jeunes hommes et se demandait si elle n'en avait pas été la cause. Elle avait dit que la bagarre avait commencé après qu'elle eut annoncé ses fiançailles à William. Son récit avait été plutôt confus, mais il en avait compris l'essentiel.

Il se tendit en approchant de William et en voyant son expression. *Bigre, c'est à ça que je ressemble quand je suis de mauvais poil ?* Il semblait espérer une occasion d'éviscérer le premier venu et de danser sur ses entrailles.

— Essaie un peu, marmonna-t-il. On verra bien qui dansera le premier.

Il s'arrêta près de William et ôta son chapeau.

— Toi, dit-il. Suis-moi. Tout de suite.

L'expression de William passa de l'envie de meurtre à l'horreur absolue. En d'autres circonstances, Jamie en aurait ri. Il agrippa William par le haut d'un bras, le déséquilibra et l'entraîna derrière un écran d'arbres avant qu'il n'ait eu le temps de planter ses talons dans le sol.

— Vous ! balbutia William en se libérant d'un coup sec. Que faites-vous ici ? Où est mon… Qu'avez-vous fait de… (Il fit une grimace, incapable de trouver ses mots.) Que faites-vous ici ?

— Je suis en train de te parler, si tu voulais bien la fermer un instant, répondit sèchement Jamie. Écoute-moi bien, parce que je vais te dire ce que tu vas faire.

— Vous ne me direz rien ! cracha William en serrant le poing.

Jamie lui attrapa le bras à nouveau, cette fois en enfonçant ses doigts dans l'endroit que Claire lui avait indiqué, sous l'os. William poussa un cri étranglé et se mit à haleter, les yeux saillants.

— Tu vas rattraper les hommes qui emmènent Ian et leur ordonner de le relâcher, dit calmement Jamie. Autrement, je me rendrai avec un drapeau blanc dans le camp où ils le conduisent, me présenterai, expliquerai au commandant qui tu es et pourquoi vous vous êtes battus. Le tout devant toi. Me suis-je bien fait comprendre ?

Il serra plus fort son bras.

— Oui ! gémit William.

Jamie le lâcha aussitôt et serra le poing pour cacher le fait que ses doigts tremblaient.

— Je vous maudis, monsieur, chuchota William, ivre de rage. J'espère que vous rôtirez en enfer.

Son bras pendait mollement. Il devait avoir très mal, mais pour rien au monde il ne se serait massé devant Jamie.

— C'est assez probable, répondit ce dernier.

Après un bref salut, il s'enfonça dans la forêt. Une fois hors de vue, il s'adossa à un tronc, sentant la sueur ruisseler sur son visage. Son dos paraissait coulé dans du ciment. Il tremblait des pieds à la tête et espérait que William avait été trop ébranlé pour le remarquer.

Si nous en étions venus aux mains, il m'aurait réduit en bouillie.

Il ferma les yeux et écouta les battements de son cœur qui résonnaient comme un *bodhran*. Quelques instants plus tard, il entendit des bruits de sabots. Un cheval galopait sur la route. Il plissa les yeux à travers le feuillage et vit William qui filait dans la direction où Ian avait été emmené.

22

L'ORAGE APPROCHE

LE JEUDI MATIN, AU PETIT-DÉJEUNER, j'en étais arrivée à la conclusion que ce serait le duc de Pardloe ou moi. Si je restais dans cette maison, l'un de nous deux ne serait plus de ce monde avant la tombée du soir. Denzell Hunter devait être arrivé en ville. Il passerait sûrement chez Mme Woodcock pour voir où en était la convalescence d'Henry Grey. Homme bon et médecin très compétent, il pourrait s'occuper de Hal. Peut-être même que son futur beau-père lui serait reconnaissant de ses soins.

Je ris en moi-même en dépit de mon anxiété.

Au Dr Denzell Hunter
De la part du Dr C. B. R. Fraser

Je dois m'absenter et me rendre à Kingsessing pour la journée. Je confie monsieur le duc de Pardloe à vos soins avisés, dans l'espoir que vos scrupules religieux vous retiendront de lui fendre le crâne en deux d'un coup de hache.

Veuillez agréer l'expression de mes sentiments très distingués.

C.

Post-scriptum : Je vous rapporterai un peu d'ase fétide et de racine de ginseng en guise de récompense.

Post-post-scriptum : Je vous déconseille fortement d'amener Dottie, à moins que vous ne possédiez une paire de menottes. Deux, de préférence.

Je sablai ma lettre et la confiai à Colenso afin qu'il la dépose chez Mme Woodcock, puis je m'éclipsai sans bruit par la porte d'entrée avant que Jenny ou Mme Figg ne surgissent et me demandent où j'allais.

Il était à peine sept heures du matin et la chaleur montait déjà. Avant midi, le mélange âcre des odeurs d'animaux, d'humains, d'égouts, de déchets organiques, d'arbres résineux, de vase et de briques chaudes deviendrait un miasme étouffant. Pour le moment, il ne formait qu'une vague émanation piquante dans l'air doux. Je fus tentée de marcher, mais même mes chaussures les plus confortables n'auraient pas survécu à une heure de marche sur les routes de campagne. En outre, si j'attendais le coucher du soleil pour rentrer dans la fraîcheur du soir, je serais terriblement en retard.

Sans compter qu'il n'était pas conseillé pour une femme d'errer seule sur les routes, de jour comme de nuit.

Je croyais pouvoir parcourir les trois pâtés de maisons jusqu'à l'écurie de louage sans incident. Toutefois, parvenue au coin de Walnut Street, j'entendis une voix familière m'appeler depuis la fenêtre d'une voiture.

— Madame Fraser ? Ça par exemple, madame Fraser !

Je me retournai, surprise, vers le visage souriant de Benedict Arnold. Ses traits habituellement charnus autour de son bec d'aigle avaient fondu et son teint autrefois rougeaud revêtait une pâleur maladive.

— Oh, fis-je en m'inclinant. Quelle bonne surprise, général !

Mon pouls s'était accéléré. Bien que Denny Hunter m'eût appris qu'Arnold avait été nommé gouverneur militaire de Philadelphie, je ne m'étais pas attendue à ce qu'il prenne ses fonctions si vite, ni à tomber sur lui par hasard.

J'aurais dû en rester là, mais je ne pus m'empêcher de demander :

— Comment va votre jambe ?

Il avait été grièvement blessé à Saratoga, ayant reçu une balle dans un genou déjà mal en point, puis il avait eu la même la jambe écrasée lorsque son cheval s'était effondré sur lui lors de l'assaut de la redoute de Breymann. Je ne l'avais pas revu depuis. Il avait été soigné par les chirurgiens militaires et, les connaissant, je m'étonnais qu'il soit non seulement encore en vie, mais avec ses deux jambes.

Son expression se rembrunit légèrement, sans qu'il ne cesse de sourire.

— Elle est toujours là, madame Fraser, quoique quelques pouces plus courte que l'autre. Où allez-vous de si bon matin ?

Il lança machinalement un regard derrière moi, notant l'absence d'une servante ou d'un compagnon. Cela ne sembla pas le perturber. M'ayant rencontrée sur le champ de bataille, il me connaissait et m'appréciait pour ce que j'étais.

Je savais également qui il était et ce qu'il deviendrait.

Le pire était que je l'aimais bien.

— Je suis en route pour Kingsessing.

— À pied ?

— Je compte louer un cabriolet à l'écurie Davidson. C'est juste au coin de la rue. Ravie de vous avoir revu, général.

— Attendez, madame Fraser !

Il se tourna vers son aide de camp assis à ses côtés et ils échangèrent quelques paroles inaudibles. L'instant suivant, la portière s'ouvrit, l'aide bondit au sol et m'offrit son bras.

— Montez, madame.

— Mais...

— Le capitaine Evans m'informe que l'écurie Davidson est fermée, m'assura Arnold. Permettez-moi de mettre ma voiture à votre disposition.

— Mais...

Avant que j'aie pu trouver une bonne raison d'objecter quelque opposition, je me retrouvai assise en face de lui. La portière se referma sur moi et l'aide de camp grimpa à côté du cocher.

— Je suppose que M. Davidson était loyaliste, déclara Arnold.

— « Était »? répétai-je alarmée. Que lui est-il arrivé?

— D'après le capitaine Evans, il a quitté la ville avec sa famille.

En effet, lorsque la voiture tourna dans Fifth Street, je vis les portes de l'écurie ouvertes, un battant arraché gisant dans la rue. La cour était vide. La carriole, le cabriolet et le petit coche avaient disparu, tout comme les chevaux. Vendus ou volés. Dans la maison des Davidson, attenante à l'écurie, les rideaux en dentelle de Mme Davidson, en lambeaux, voletaient derrière une vitre brisée.

— Ah, fis-je.

Je déglutis et lançai un regard au général. Il m'avait appelée « Madame Fraser » et devait donc ignorer mon nouvel état civil. J'hésitai à le lui dire, puis décidai de me taire. Moins les autorités s'intéresseraient à ce qui se passait au 17 Chestnut Street, mieux cela vaudrait, que ces autorités soient britanniques ou américaines.

— J'ai cru comprendre que les Anglais avaient mené la vie dure aux whigs[7] de la ville, observa Arnold. J'espère que le colonel et vous n'avez pas eu d'ennuis?

— Non, pas vraiment, répondis-je.

Je pris une profonde inspiration, cherchant un moyen de détourner la conversation.

— En revanche, je n'ai pas beaucoup de nouvelles de... des Américains, repris-je. Y a-t-il eu de nouveaux... développements intéressants, ces derniers temps?

Il se mit à rire.

— Je ne saurais par où commencer, madame.

En dépit de ma gêne, je n'étais pas fâchée qu'Arnold ait eu l'amabilité de m'emmener. L'air était chargé d'humidité et le ciel était aussi blanc qu'un voile de mousseline. J'aurais été trempée et au bord du coup de chaleur si j'avais dû marcher jusqu'à Kingsessing.

Le général était excité, tant par sa nouvelle affectation que par les opérations militaires imminentes. Il ne pouvait me parler de ces dernières mais, résuma-t-il, Washington était en marche. Je sentais néanmoins son euphorie tempérée par des regrets. C'était un guerrier dans l'âme, et rester assis derrière

---

7. Nom adopté par les colons britanniques s'étant rebellés contre la Couronne. (N.d.T.)

un bureau, aussi important et ouvragé fût-il, ne pouvait remplacer le frisson exaltant que procurait le fait de mener des hommes dans un combat désespéré.

En le regardant s'agiter sur sa banquette, ses mains se serrant et se desserrant sur ses cuisses tandis qu'il parlait, je sentis mon malaise s'accroître. Ce n'était pas uniquement à cause de lui, mais aussi pour Jamie. Ils étaient très différents, mais Jamie avait lui aussi du mal à résister à l'appel du combat. Je ne pouvais qu'espérer qu'il serait loin lorsque surviendrait la prochaine bataille, quelle qu'elle soit.

Le général me déposa au ferry. Kingsessing se trouvait sur l'autre rive de la Schuylkill. Il sortit le premier de la voiture pour m'aider à descendre, en dépit de sa mauvaise jambe, et me tendit la main.

— Souhaitez-vous que j'envoie la voiture vous chercher plus tard, madame Fraser ? demanda-t-il en lançant un regard vers le ciel brumeux. Le temps me paraît bien incertain.

— Non, merci. Je n'en ai que pour une heure ou deux, et il ne pleuvra pas avant quatre heures. Il en va toujours ainsi à cette époque de l'année. C'est mon fils qui me l'a assuré.

— Votre fils ? Je le connais ?

Jamie m'avait dit qu'il était très fier de son excellente mémoire.

— Je ne le crois pas, répondis-je. Il s'appelle Fergus Fraser. En fait, c'est le fils adoptif de mon mari. Avec sa femme, ils possèdent l'imprimerie dans Market Street.

Son visage s'illumina et il sourit.

— Il n'éditerait pas un journal appelé *The Onion* ? J'en ai entendu parler dans la taverne où j'ai pris mon petit-déjeuner, ce matin. Un périodique patriote, ai-je cru comprendre, avec un certain penchant pour la satire.

— *L'Oignon*, rectifiai-je en riant. Fergus est français et son épouse a le sens de l'humour. Ils n'impriment pas que cela et ils vendent aussi des livres.

— Je leur rendrai visite, assura Arnold. Je n'ai plus grand-chose à lire, mes affaires personnelles ne m'ayant pas encore suivi. Mais sincèrement, ma chère, comment rentrerez-vous à Philadelphie ?

— J'emprunterai un moyen de transport aux Bartram, l'assurai-je. Ils me connaissent bien ; je me suis souvent rendue dans leurs jardins.

En réalité, j'avais l'intention de rentrer à pied, ce que je me gardai bien de lui dire. Je n'étais pas pressée de retrouver Chestnut Street et mon prisonnier irascible (que diable allais-je faire de lui ? Surtout maintenant que les Anglais étaient partis...). Nous nous séparâmes après avoir exprimé notre estime réciproque.

Il n'y avait qu'un quart d'heure de marche entre le débarcadère du ferry et Bartram's Garden, mais je pris tout mon temps, mon esprit encore occupé par le général Arnold.

Quand ? me demandai-je le cœur serré. Quand aurait lieu le basculement ? Pas encore, j'en étais presque sûre. Quel serait le déclencheur qui transformerait cet homme galant et honorable en traître ? À qui parlerait-il ? Qui ou quel incident planterait la graine empoisonnée ?

Seigneur ! Faites que ce ne soit pas quelque chose que je lui ai dit ! pensai-je, horrifiée.

Cette seule idée me faisait frissonner. Plus j'observais l'inéluctable enchaînement des événements, moins j'en savais. Cela avait toujours profondément préoccupé Roger, le *pourquoi*. Pourquoi certaines personnes pouvaient-elles franchir les pierres et pas d'autres ? Quels effets, conscients ou pas, les voyageurs avaient-ils sur le cours de l'histoire ? Et s'il y en avait, comment devaient-ils réagir ?

De savoir ce qui arriverait à Charles-Édouard Stuart et au soulèvement jacobite n'avait rien empêché, tout comme cela ne nous avait pas évité d'être entraînés dans la tragédie. Peut-être cela avait-il sauvé la vie des hommes que Jamie avait pu éloigner de Culloden. Cela avait sauvé celle de Frank, du moins je le pensais. L'aurais-je dit à Jamie si j'avais su le prix que nous aurions à payer, lui et moi ? Et si je ne lui avais rien dit, aurions-nous été entraînés de toute manière ?

Je n'avais aucune réponse, pas plus que les centaines de fois où je m'étais posé ces questions. Je poussai un soupir de soulagement en apercevant le portail du jardin botanique, au loin. Ce qu'il me fallait, c'était une heure au frais au milieu des plantes sur des hectares de verdure.

23

Mme Figg prend les choses en main

Jamie était à bout de souffle. En tournant dans Chestnut Street, il se rendit compte qu'il ne cessait de serrer et de desserrer les poings. Ce n'était pas pour contrôler son humeur, celle-ci était soigneusement bridée et le resterait, mais pour libérer le trop-plein d'énergie en lui.

Il tremblait du besoin de la voir, de la toucher, de la serrer contre lui. Rien d'autre n'avait d'importance. Ils parleraient, certes, il le fallait, mais cela pouvait attendre. Tout le reste pouvait attendre.

Il avait laissé Rachel et Ian au coin de Market et de Second Street. Ils devaient se rendre à l'imprimerie pour y retrouver Jenny. Il s'accorda un bref instant pour prier que sa sœur et la petite quakeresse s'entendent, puis les oublia.

Une brûlure sous ses côtes se répandait dans toute sa poitrine et jusqu'au bout de ses doigts. La ville elle-même sentait le brûlé. De la fumée flottait sous le ciel bas. Il remarqua au passage les traces de pillage et de violence : un mur à demi calciné, une traînée de suie telle une empreinte de pouce géante sur un pan de plâtre blanc, des fenêtres brisées, un bonnet de femme abandonné sur un buisson. Les rues étaient noires de monde, mais les passants ne vaquaient pas à leurs occupations quotidiennes. Il y avait principalement des hommes, bon nombre d'entre eux armés, marchant en lançant des regards méfiants autour d'eux ou rassemblés en petits groupes et plongés dans des conversations animées.

Peu lui importait ce qui se passait, tant que cela ne concernait pas Claire.

Il y était : le numéro 17, la jolie maison en briques rouges de trois étages dans laquelle il s'était précipité (et de laquelle il était ressorti aussi rapidement) trois jours plus tôt. Il n'y était resté que cinq minutes et se souvenait de chaque seconde passée à l'intérieur. La chevelure de Claire, à moitié brossée et formant un nuage autour de son visage, son parfum de bergamote et de vanille mêlé à l'odeur végétale de sa peau, sa chaleur et sa solidité quand il l'avait tenue dans ses bras. Il avait plaqué ses mains sur ses fesses, sa jolie croupe ronde si ferme sous sa fine chemise. Ses paumes fourmillaient encore au souvenir de l'embrasement instantané de tous ses sens. Puis, l'instant suivant...

Il repoussa l'image de William. Lui aussi, il pouvait attendre.

Il toqua à la porte. La même femme noire replète lui ouvrit et il la salua de la même manière que la première fois, même si les mots n'étaient pas tout à fait les mêmes.

— Bonjour, madame, je viens chercher ma femme.

Il passa devant elle sans attendre tandis qu'elle le dévisageait, bouche bée, puis il s'arrêta net en voyant le vestibule dévasté.

Il fit volte-face.

— Que s'est-il passé ? demanda-t-il affolé. Elle n'a rien ?

— Si vous voulez parler de « lady John », elle va bien, répondit la gouvernante. Quant à ça...

Elle pivota lentement sur son axe, faisant un geste vers le mur taché de sang, la balustrade défoncée, la carcasse en fer du lustre gisant de guingois dans un coin de la pièce.

— C'est l'œuvre du capitaine lord Ellesmere, le « fils » de lord John.

Elle le fixa d'un regard indiquant clairement qu'elle savait fort bien ce qui s'était passé sur le palier lorsqu'il était tombé nez à nez avec William et qu'elle désapprouvait profondément.

Il n'avait pas le temps de se préoccuper de ses états d'âme et grimpa les marches aussi rapidement que les muscles de son dos le lui permettaient.

Une fois à l'étage, il entendit une voix de femme. Ce n'était pas celle de Claire mais celle de sa sœur. Interdit, il avança dans le couloir et vit le dos de Jenny sur le seuil de la dernière chambre. Et, par-dessus son épaule...

Depuis sa conversation avec William sur le bord de la route, il avait l'impression de vivre dans un rêve. Cette fois, il crut halluciner. Ce ne pouvait être le duc de Pardloe, l'air fort contrarié, qui se levait d'un fauteuil vêtu d'une simple chemise de nuit.

— Restez assis.

Jenny avait parlé à voix basse, mais ses paroles eurent un effet instantané sur Pardloe. Il se figea, son visage se vidant de toute expression.

En se penchant en avant, Jamie aperçut un gros pistolet à silex dans les mains de sa sœur, le canon d'une quarantaine de centimètres pointé sur le torse du duc. Ce qu'il distinguait du visage de Jenny était livide et comme figé dans le granit.

— Vous m'avez entendue, murmura-t-elle.

Très lentement, Pardloe (oui, c'était bien lui) recula de deux pas et se rassit dans le fauteuil. Jamie sentait l'odeur de la poudre dans le bassinet. Le duc devait la sentir lui aussi.

— Lord Melton, déclara Jenny. Ma belle-sœur m'a dit que vous êtes lord Melton, ou l'étiez. C'est vrai ?

— Oui, répondit Pardloe.

Il ne bougeait pas, mais il s'était rassis en gardant les jambes fléchies sous lui, prêt à bondir. Jamie se déplaça très lentement sur le côté. Il se tenait si près que Jenny aurait dû percevoir sa présence si elle n'avait été aussi concentrée. Il voyait ses omoplates se rejoindre sous sa robe, telles des ailes de faucon.

— Ce sont vos hommes qui sont venus chez moi, poursuivit-elle. Plus d'une fois. Pour piller et détruire, pour nous ôter le pain de la bouche. Ce sont eux qui ont emmené mon mari (le canon trembla légèrement, puis se stabilisa). Ils l'ont enfermé dans une prison, où il a attrapé le mal qui l'a tué. Bougez d'un pouce et je vous troue la panse. Vous mourrez plus vite que mon Ian, mais vous trouverez que ce n'est pas encore assez rapide, croyez-moi.

Pardloe ne dit pas un mot. Il hocha simplement la tête pour indiquer qu'il comprenait. Ses mains, crispées sur les bras du fauteuil, se détendirent. Son regard quitta la gueule du canon et il aperçut Jamie. Il écarquilla les yeux et le doigt de Jenny blêmit sur la détente.

Jamie poussa le pistolet au moment où le coup partait dans un nuage de fumée noire, la détonation coïncidant avec l'explosion d'un bibelot en faïence sur le manteau de cheminée.

Pardloe resta pétrifié un instant puis, très lentement, extirpa un grand éclat de porcelaine de ses cheveux.

— Monsieur Fraser, salua-t-il d'une voix presque calme. Votre serviteur, monsieur.

— À votre service, monsieur le duc, répondit Jamie en s'inclinant.

Il fut pris d'une folle envie de rire mais se retint en sachant que sa sœur rechargerait aussitôt son arme et tirerait sur le duc à bout portant.

— Je vois que vous avez fait la connaissance de ma sœur, monsieur le duc.

— Votre… oh, Seigneur, mais bien sûr !

Le regard de Pardloe alla de l'un à l'autre, puis il poussa un long soupir.

— L'irascibilité est donc un trait de famille, chez vous ? demanda-t-il.

— En effet, monsieur le duc. Je vous remercie du compliment.

Jamie posa une main dans le dos de Jenny. Il sentait son cœur battre à tout rompre et elle respirait difficilement. Il lui prit le pistolet, le déposa sur le côté, puis saisit ses deux mains. Elles étaient glacées en dépit de la température, qui était de quelques degrés plus élevée que celle de l'enfer en raison des fenêtres fermées et barricadées.

— Auriez-vous l'amabilité de servir un verre avec ce que contient cette carafe, monsieur le duc ? demanda-t-il.

Pardloe s'exécuta et s'avança prudemment en tenant le verre devant lui. Il contenait du cognac.

— Ne le laisse pas sortir de cette chambre, déclara Jenny en se ressaisissant.

Elle prit le verre, puis se tourna vers Jamie avec un regard noir.

— Et peut-on savoir ce que tu as fichu ces trois derniers jours ?

Avant qu'il ait pu répondre, des pas lourds retentirent dans le couloir. La gouvernante noire apparut sur le seuil, soufflant bruyamment et tenant devant elle un fusil de chasse orné d'incrustations en argent.

Elle pointa le canon vers Pardloe, puis vers Jamie, avec l'air de savoir se servir de son arme.

— Vous deux, asseyez-vous tout de suite, ordonna-t-elle.

Elle ajouta en direction de Jamie :

— Si vous croyez que je vais vous laisser sortir cet homme d'ici, vous...

— Je vous demande pardon, madame, l'interrompit Jamie. Puis-je avoir l'honneur de connaître votre nom ?

— Mon... quoi ?

Elle cligna des yeux, déconcertée.

— Je... Madame Mortimer Figg, si ça vous intéresse, ce dont je doute.

— Moi aussi, l'assura Jamie sans s'asseoir. Madame Figg, comme je vous l'ai dit tout à l'heure, je suis venu chercher ma femme et rien d'autre. Si vous aviez l'obligeance de me dire où la trouver, je vous laisserais à votre affaire. Quelle qu'elle soit. (Il lança un regard vers Pardloe.)

— « Votre » femme, répéta Mme Figg en braquant son arme sur lui. Vous feriez mieux de vous asseoir et d'attendre bien sagement le retour de sa seigneurie. Nous verrons bien ce qu'il aura à dire à ce sujet.

— Ne soyez pas sotte, Jerusha, s'impatienta Jenny. Vous savez très bien que Claire est la femme de mon frère. Elle vous l'a dit elle-même.

— Claire ? s'exclama Pardloe en se relevant d'un bond. La femme de mon frère ?

Il avait bu à la carafe et la tenait négligemment au bout de son bras.

— Elle n'est pas sa femme, rétorqua Jamie. C'est la mienne et j'aimerais bien que quelqu'un se décide à me dire où elle est.

— Elle est partie chercher des plantes dans un lieu nommé Kingsessing, répondit Jenny. Nous soignons ce *mac na galladh* (elle lança un regard torve à Pardloe). Si j'avais su qui vous étiez, *a mh'ic an diabhail*, j'aurais mis du verre pilé dans vos plats.

— Vous m'en direz tant, murmura Pardloe.

Il but une autre gorgée au goulot, puis demanda à Jamie :

— Vous ne sauriez pas où est mon frère, par hasard ?

Jamie sentit les poils de sa nuque se hérisser.

— Comment, il n'est pas ici ?

Pardloe balaya la pièce d'un grand geste du bras, l'invitant à constater par lui-même. Jamie se tourna vers la gouvernante.

— Quand l'avez-vous vu pour la dernière fois, madame ?

— Juste avant que vous ne déguerpissiez tous les deux par la fenêtre du grenier, répondit-elle sèchement.

Elle lui enfonça le canon de son fusil dans les côtes et le poussa légèrement.

— Qu'avez-vous fait de lui, *fils de chienne*[8] ?

---

8. En français dans le texte. (N.d.T.)

Jamie écarta délicatement le canon du bout d'un doigt. Le fusil était armé, mais pas amorcé.

— Je l'ai laissé dans la forêt hors de la ville, il y a deux jours, répondit-il.

Il sentit soudain un tiraillement dans le creux de ses reins. Il recula et pressa discrètement ses fesses contre le mur pour soulager son dos.

— Je m'attendais à le trouver chez lui, avec ma femme, reprit-il. Puis-je vous demander ce que vous faites ici, monsieur le duc ?

— Claire l'a séquestré, répondit Jenny à sa place.

Les yeux du duc saillirent légèrement sans que Jamie sache si c'était à cause de la remarque de sa sœur ou parce qu'elle rechargeait son pistolet.

— Vraiment ? dit-il. A-t-elle expliqué pourquoi ?

— Elle craignait qu'il ne mette la ville sens dessus dessous à la recherche de son frère et que tu te retrouves encore dans de sales draps.

— Je ne cours plus de danger, l'assura-t-il. Tu ne devrais pas le libérer, à présent ?

— Non, répondit-elle promptement en enfonçant une balle dans le canon.

Elle fouilla dans la poche de son tablier et en sortit une minuscule corne à poudre tout en expliquant :

— Si on le relâche, il risque de mourir.

— Ah, fit Jamie.

Il réfléchit un instant en observant le duc, dont le teint venait de prendre un léger reflet violet.

— Et pourquoi ? demanda-t-il à nouveau.

— Il n'arrive pas à respirer correctement. Claire craint que, si on le laisse sortir dans la rue, il meure asphyxié. Elle dit que sa conscience le lui interdit.

— Je vois.

Son envie de rire était revenue et il la refoula de son mieux.

— Donc, tu t'apprêtais à l'abattre dans la maison afin qu'il ne meure pas dans la rue, c'est ça ?

Elle plissa les yeux sans quitter du regard la poudre qu'elle versait dans le bassinet.

— Je n'allais pas vraiment lui trouer la panse, répondit-elle. J'allais juste lui tirer dans une jambe, ou peut-être lui faire sauter quelques orteils.

Pardloe émit un son qui aurait pu passer pour de l'indignation mais, le connaissant, Jamie sut qu'il étouffait un rire. Il pria pour que sa sœur ne s'en rende pas compte. Il ouvrit la bouche pour demander depuis combien de temps le duc était retenu captif quand on frappa à la porte d'entrée. Il lança un regard à la gouvernante. Celle-ci le tenait toujours en joue et n'abaissa pas son arme. Elle n'avait aucunement l'intention de bouger ni de descendre ouvrir.

— Entrez ! cria Jamie en passant la tête par la porte.

Il se redressa rapidement et recula avant que Mme Figg ne s'imagine qu'il voulait s'enfuir et lui envoie une charge de chevrotine dans l'arrière-train.

La porte s'ouvrit, se referma. Il y eut un silence tandis que le visiteur examinait les dégâts dans le vestibule, puis des pas rapides et légers dans l'escalier.

— C'est lord John, soupira Mme Figg avec un profond soulagement.

— Par ici ! cria le duc.

Les pas résonnèrent dans le couloir. L'instant suivant, la silhouette frêle de Denzell Hunter apparut dans l'encadrement de la porte.

— *Merde !* lâcha Mme Figg en braquant son arme sur le nouveau venu. Je veux dire, berger de Judée ! Au nom de la Sainte Trinité, qui êtes-vous ?

Hunter était presque aussi pâle que Jenny. Il ne s'arrêta pas et ne sourcilla même pas. Il s'avança droit vers Pardloe et déclara :

— Je suis Denzell Hunter, ami Grey. Je suis médecin. Claire Fraser m'a demandé de venir prendre soin de toi.

Le duc lâcha la carafe qui tomba sur le tapis tressé devant le foyer en répandant son contenu. Bien que n'étant pas plus grand que Hunter, il avait une stature de commandant.

— Vous ! rugit-il. Vous êtes le sinistre maraudeur qui a eu la témérité de séduire ma fille ! Et vous osez vous traîner ici pour offrir vos services ? Hors de ma vue ! Avant que je ne…

Il se souvint soudain qu'il était en chemise de nuit et sans armes. Imperturbable, il ramassa la carafe sur le sol et la balança vers la tête de Denzell.

Celui-ci esquiva le coup et Jamie retint le poignet de Pardloe avant qu'il puisse recommencer. Denzell se redressa, ses yeux dardant des flammes derrière ses lunettes.

— Je m'insurge contre ta description de mon comportement et l'insulte portée à la réputation de ta fille, déclama-t-il. Je ne peux l'imputer qu'à ton esprit dérangé par la maladie ou les médicaments car, en vérité, l'homme qui a engendré et élevé une personne aussi exquise que Dorothea ne peut tenir, en son âme et conscience, des propos aussi offensants à son égard. Il faut vraiment avoir peu de foi en la force de son caractère et de sa vertu pour croire qu'elle aurait pu être séduite.

— Je suis sûr que monsieur le duc ne parlait pas de séduction physique, expliqua précipitamment Jamie.

Il serrait le poignet de Pardloe pour lui faire lâcher la carafe.

— Un gentleman ne persuaderait jamais une jeune fille de s'enfuir avec lui, monsieur ! gronda le duc. Aïe ! Vous allez me lâcher, bon sang !

Jamie lui tordit le bras dans le dos. La carafe tomba sur le rebord du foyer et explosa en une pluie de verre.

— Un gentleman aurait demandé l'autorisation du père avant même d'adresser la parole à la jeune fille ! poursuivit Pardloe.

— Ce que j'ai fait, répondit Denzell plus doucement. Ou plutôt, je t'ai écrit sur-le-champ, m'excusant de ne pouvoir te parler en personne, t'expliquant que Dorothea et moi souhaitions nous fiancer et demandant ta bénédiction. Malheureusement, tu as dû t'embarquer pour l'Amérique avant de recevoir ma lettre.

— Ma « bénédiction » ? ricana Pardloe en rejetant une mèche de cheveux de son visage. Vous allez me lâcher, oui, bougre d'Écossais ? Que croyez-vous, que je vais l'étrangler avec mon mouchoir ?

— Vous en seriez bien capable, répondit Jamie.

Il desserra sa prise sans pour autant lâcher son poignet.

— Jenny, dit Jamie. Tu veux bien mettre ce pistolet hors de portée de monsieur le duc ?

Jenny déposa aussitôt son arme chargée entre les mains de Denzell, qui l'accepta machinalement, puis regarda l'objet d'un air incrédule.

— Vous en avez plus besoin que moi, l'assura-t-elle. Si vous lui tirez dessus, nous jurerons tous que c'était pour vous défendre.

— Jamais de la vie! s'indigna Mme Figg. Si vous vous imaginez que je vais vous laisser trucider de sang-froid le frère de sa seigneurie, vous...

— Ami Jamie, l'interrompit Denzell en lui tendant le pistolet. Je me sentirais beaucoup mieux si tu prenais cette chose et lâchais le père de Dorothea. Je crois que cela rendra notre conversation plus sereine.

— Si vous le dites, répondit Jamie, peu convaincu.

Il libéra néanmoins Pardloe et prit l'arme.

Denzell s'approcha du duc en écartant du pied les débris de verre sur le parquet. Il le dévisagea attentivement.

— Ami, je serais ravi de parler et de réfléchir avec toi. Je ferai de mon mieux pour te rassurer au sujet de ta fille, mais, avant tout, ta respiration m'inquiète et je dois t'examiner.

De fait, le duc émettait un léger sifflement et son teint était passé du bleuté au violacé.

— Ne me touchez pas! protesta-t-il. Espèce de... de... d'arracheur de dents!

Denzell regarda autour de lui, puis se tourna vers Jenny.

— Qu'a dit l'amie Claire au sujet de son mal et que lui a-t-elle administré?

— De l'asthme, et de l'uvette macérée dans du café, répondit aussitôt Jenny. Elle appelle ça de l'éphédrine.

Elle déclara à Pardloe:

— Vous savez, je n'étais pas obligée de le lui dire. J'aurais pu vous laisser vous étouffer, mais ce ne serait pas très catholique de ma part.

Elle lança un regard intrigué à Denzell.

— Au fait, les quakers sont bien chrétiens?

— Oui, répondit Denzell en s'approchant prudemment de Pardloe. Nous croyons que la lumière du Christ est présente en chacun de nous, même si, parfois, elle est difficile à percevoir.

Jamie avait forcé le duc à s'asseoir en pressant sur son épaule. Pardloe soufflait entre ses lèvres froncées tout en fixant Denzell d'un regard assassin. Entre deux respirations, il parvint à articuler:

— Je ne... veux pas être... soigné par... vous, monsieur.

Il s'interrompit pour souffler et haleter, avant de reprendre:

— Je ne... laisserai... pas ma fille... entre vos... griffes... (quelques respirations laborieuses)... si vous me tuez... Je ne... veux pas non plus... que vous me... sauviez... et vous être... redevable...

L'effort de parler avait fait virer son teint au gris pâle. Cette fois, Jamie était sérieusement inquiet.

— Il reste encore un peu de son remède, Jenny? demanda-t-il.

Elle hocha la tête et, après un dernier regard noir à Pardloe, elle fila hors de la pièce.

Prudemment, comme s'il s'approchait d'un crocodile, Denzell Hunter s'accroupit devant le duc, lui prit le pouls et examina le blanc de ses yeux. Ces derniers se plissèrent et se fixèrent sur lui avec autant de haine que pouvait en exprimer un homme en train de suffoquer. Malgré lui, Jamie ne pouvait qu'admirer la force de caractère de Pardloe. Toutefois, il devait reconnaître que Hunter avait lui aussi du cran.

Il fut extirpé de la contemplation de ce tableau par un tambourinement contre la porte d'entrée. Celle-ci s'ouvrit et il entendit son neveu s'écrier « Mam ! » presque en même temps que l'exclamation de surprise de sa sœur.

— Ian !

Il sortit dans le couloir et se pencha par-dessus les vestiges de la balustrade. Jenny avait pratiquement disparu dans les bras de son grand fils. Celui-ci fermait les yeux et serrait contre lui le petit corps frêle de sa mère. Jamie sentit sa gorge se nouer. Que n'aurait-il donné pour étreindre ainsi sa fille une dernière fois ?

Un mouvement attira son attention. Rachel Hunter se tenait légèrement en retrait, souriant à la mère et au fils, les yeux humides. Elle s'essuya le nez sur son mouchoir puis, levant la tête, aperçut Jamie.

Il lui sourit et lui montra une cruche posée sur la console, devinant qu'il s'agissait du remède de Pardloe.

— Mademoiselle Rachel ! appela-t-il. Voulez-vous bien nous apporter cette cruche ? Rapidement ?

Il entendait les stridulations de Pardloe derrière lui. Même si son état ne semblait pas empirer, ce n'était guère encourageant.

Le son fut provisoirement étouffé par les pas de Mme Figg qui apparut à son tour sur le palier en tenant toujours son fusil de chasse. Elle lança un regard vers la scène touchante en contrebas, puis vers Rachel Hunter qui grimpait l'escalier la cruche à la main.

— Et celle-là, qui c'est encore ? grogna-t-elle.

— La sœur du Dr Hunter, répondit-il.

Il s'interposa entre la jeune femme, qui parut prise de court, et la gouvernante irascible.

— Votre frère a besoin de cette cruche, mademoiselle Rachel.

Mme Figg émit un grondement sourd, puis recula et laissa passer Rachel. Après un dernier regard morne vers Jenny et Ian, qui s'étaient suffisamment écartés l'un de l'autre pour pouvoir parler, agiter les mains et s'interrompre mutuellement en gaélique, elle retourna dans la chambre sur les talons de la quakeresse. Jamie hésita, tiraillé entre l'envie de partir en courant à Kingsessing et son sens des responsabilités qui l'obligeait à rester. Dans un soupir, il suivit la gouvernante.

Denzell avait approché le tabouret de la coiffeuse et tenait toujours le poignet du duc. Il lui parlait doucement.

— Tu ne cours pas de danger immédiat, comme tu le sais probablement. Ton pouls est fort et régulier. Bien que tes voies aériennes soient obstruées, je ne pense pas que... Ah, c'est la préparation dont a parlé la dame écossaise ? Merci, Rachel, tu veux bien en...

Habituée aux urgences médicales, Rachel versait déjà dans un verre à liqueur un liquide brun noirâtre qui ressemblait fort au contenu d'un crachoir.

— Voulez-vous que…

Denzell s'apprêtait à tenir le verre pour le duc, mais celui-ci le lui prit des mains et le vida d'une traite, manquant de s'étrangler. Hunter attendit patiemment qu'il eût fini de tousser et de cracher, puis lui tendit son mouchoir.

— Selon une théorie, des cataclysmes de la respiration tels que ce que tu vis en ce moment seraient précipités par un effort violent, un brusque changement de température, l'exposition à la fumée ou à la poussière, ou, parfois, par une émotion forte. Il se pourrait que ma présence ait déclenché ta crise, auquel cas, je te demande pardon.

Hunter récupéra son mouchoir et tendit à nouveau le verre plein à Pardloe, ne se donnant pas la peine de lui rappeler de boire doucement.

— Je peux éventuellement compenser le mal que je t'ai fait, poursuivit-il. Je suppose que ton frère n'est pas chez lui ; autrement, il se tiendrait sûrement dans cette chambre à moins d'être mort dans la cave, et j'espère que ce n'est pas le cas. L'as-tu vu récemment ?

— N-n-non, répondit Pardloe.

Il respirait déjà mieux et son teint reprenait une couleur normale. En revanche, son expression était toujours venimeuse.

— Et vous ? demanda-t-il.

Hunter ôta ses lunettes et sourit. Jamie fut frappé par la bonté de ses yeux vert foncé. Il lança un regard à Rachel. Les siens étaient noisette et, bien que doux, ils étaient nettement plus méfiants. Jamie trouvait que la prudence était une excellente qualité chez une femme.

— Oui, je l'ai vu, ami, répondit Denzell. Ta fille et moi l'avons découvert dans un camp de miliciens, à quelque distance de la ville. Il avait été fait prisonnier et…

L'exclamation de Pardloe coïncida avec celle de Jamie. Hunter lui tapota la main pour le recentrer.

— … Nous avons pu l'aider à s'évader et, comme il avait été blessé au cours de sa capture, je l'ai soigné. Ses blessures ne sont pas trop graves.

— Quand ? demanda Jamie. Quand l'avez-vous vu ?

Il était lui-même surpris d'être aussi soulagé de savoir John Grey toujours en vie.

— Hier soir. Nous avons appris ce matin qu'il était parvenu à s'enfuir et, à notre connaissance, il n'a pas été repris. En rentrant à Philadelphie, j'ai interrogé tous les miliciens sur notre chemin. Il devra se montrer très prudent car les routes et la forêt grouillent de soldats, mais j'ai bon espoir qu'il soit bientôt de retour parmi vous.

Pardloe laissa échapper un long et profond soupir.

— Seigneur, gémit-il avant de fermer les yeux.

24

Un brin de réconfort au milieu de la tourmente

Ce n'était pas la verdure qui manquait. Les jardins se déployaient sur une quarantaine d'hectares couverts d'arbres, d'arbustes, de buissons, de plantes grimpantes et de toutes sortes de fleurs, sans parler de quelques champignons exotiques ici et là pour la variété. John Bartram avait consacré le plus clair de sa longue vie à sillonner le continent américain à la recherche de spécimens botaniques. Il en avait rapporté la majeure partie afin de les replanter. Je regrettais de ne pas avoir rencontré le vieux monsieur : il était mort un an plus tôt, laissant son célèbre jardin entre les mains compétentes de ses enfants.

Je trouvai le jeune M. Bartram (il avait la quarantaine et était dénommé ainsi pour le distinguer de son frère plus âgé) au centre des jardins, assis à l'ombre d'une immense vigne vierge qui recouvrait la quasi-totalité du porche de sa maison. Un carnet à esquisse ouvert devant lui, il dessinait avec application une poignée de racines pâles et longues alignées sur une serviette.

— Du ginseng ? demandai-je en me penchant sur elles.

— Exact, répondit-il sans détacher les yeux de la pointe de son crayon. Bonjour, lady John. Je vois que vous connaissez cette racine…

— Elle est assez commune dans les montagnes de la Caroline du Nord où je… où j'ai vécu.

Cette simple phrase me noua la gorge et me replongea soudain au milieu de la forêt de Fraser's Ridge. Je sentis le piquant des sapins baumiers et de la sève de peuplier, l'odeur de moisissure des oreilles de Judas et la saveur âcre du muscat sauvage.

Ayant atteint la fin de sa ligne, Bartram posa son crayon, ôta ses lunettes et releva vers moi le visage lumineux d'un homme qui ne vivait que pour les plantes et s'attendait à ce que tout le monde partage sa passion.

— Ces racines-là viennent de Chine. J'aimerais les convaincre de pousser ici. La variété de la Caroline se languit et le ginseng canadien refuse obstinément de faire le moindre effort !

— Comme c'est désobligeant de sa part, plaisantai-je. Il fait probablement trop chaud pour lui. Il aime le froid.

Je posai mon panier sur le sol et m'assis sur le tabouret qu'il m'indiquait. Ma chemise me collait à la peau et je sentais une grande tache de moiteur se répandre entre mes omoplates. Le souvenir de la forêt de Fraser's Ridge avait réveillé en moi une profonde nostalgie. Je voyais le fantôme de ma maison se dresser autour de moi, un vent froid de montagne frôlant ses murs. En me penchant, j'aurais presque senti la fourrure grise et douce d'Adso entre mes doigts.

— C'est vrai qu'il fait chaud, convint-il même s'il paraissait aussi sec que les racines devant lui. Puis-je vous offrir un rafraîchissement, lady John ? Il y a du négus glacé dans la maison.

— Avec plaisir. Vous avez dit « glacé » ?

— Sissy et moi avons construit une grande glacière au bord de la rivière, répondit-il fièrement. Je vais prévenir ma sœur.

Je sortis mon éventail du panier. Mon élan de nostalgie s'était mué en une découverte merveilleuse. *Nous pouvions rentrer chez nous.* Jamie avait été libéré de sa charge dans l'armée continentale afin de ramener le corps de son cousin en Écosse. Il avait eu l'intention, à notre retour, de retourner en Caroline du Nord, de récupérer sa presse d'imprimerie et de participer à la révolution avec la plume plutôt qu'avec l'épée.

Ce plan était tombé à l'eau, avec le reste de ma vie, lorsqu'il avait été porté disparu au milieu de l'océan. Mais à présent… Un frisson d'excitation me parcourut. Cela devait se voir sur mon visage car M. et Mlle Bartram, qui venaient d'apparaître sur le seuil, me regardaient d'un air intrigué. Ils étaient jumeaux et, bien qu'ils ne se ressemblassent que vaguement, ils avaient souvent exactement la même expression, comme à présent, paraissant à la fois légèrement déconcertés mais contents.

Je me retins de leur faire part des raisons de ma joie et me concentrai sur la conversation, exprimant mon admiration pour les améliorations des jardins, déjà célèbres pour leur beauté et leur richesse tout en dégustant le négus, du porto mélangé à de l'eau chaude, du sucre et des épices, puis refroidi, avec de vrais glaçons !

Bartram père avait dessiné, planté et agrandi son jardin botanique pendant cinquante ans. Ses enfants avaient hérité de la propriété ainsi que de sa passion.

— … Nous avons amélioré le chemin le long de la rivière et venons juste d'achever la construction d'un nouvel abri de jardin beaucoup plus grand que l'ancien, expliquait Sissy Bartram avec enthousiasme. Beaucoup de clients nous réclament des plantes en pot pour leurs salons et leurs serres. Quoique je me demande… avec tout ce qui se passe en ce moment. La guerre est très mauvaise pour les affaires !

— Tout dépend de quelles affaires, objecta M. Bartram. La demande de plantes médicinales va sûrement augmenter considérablement.

— Mais si l'armée s'en va… commença Mlle Bartram avec espoir.

— Tu ne le sens donc pas dans l'air, amie ? demanda doucement son frère. Il se prépare quelque chose.

Il leva son visage vers le ciel comme s'il pouvait sentir quelque chose dans l'air. Elle posa une main sur son bras et écouta avec lui le grondement lointain des violences.

Afin de briser le silence pesant, je déclarai :

— J'ignorais que vous apparteniez à la Société des Amis, monsieur Bartram.

Ils revinrent tous deux sur terre et me sourirent.

— Notre père a été exclu de l'assemblée il y a longtemps, répondit Mlle Bartram. Mais certaines habitudes de l'enfance ressurgissent parfois quand on s'y attend le moins.

Elle haussa les épaules avec un petit sourire navré.

— Je vois que vous avez préparé une liste, lady John ?

Cela me rappela le but de ma visite et nous passâmes l'heure suivante à explorer les réserves, à discuter des vertus et des effets néfastes de certaines plantes, à sélectionner des herbes dans les vastes séchoirs et à en cueillir des fraîches dans les massifs. Entre le fait que nous pourrions probablement rentrer bientôt à Fraser's Ridge et la remarque très pertinente de M. Bartram sur l'augmentation de la demande de plantes médicinales, j'achetai beaucoup plus que prévu, réapprovisionnant mon stock habituel (y compris une livre d'uvette chinoise, au cas où. Qu'allais-je faire de ce foutu duc ?) et y ajoutant une bonne quantité d'écorce de quinquina, de grande aunée, et même de lobélie, sans oublier l'ase fétide et le ginseng promis à Denzell.

Comme mon panier ne suffisait pas, Mlle Bartram offrit de me faire un paquet et de le confier à l'un des aides-jardiniers qui habitait en ville. Il me l'apporterait à la maison en rentrant chez lui dans la soirée.

— Vous ne voulez pas voir le chemin au bord de la rivière avant de partir ? proposa-t-elle. Il n'est pas encore terminé, mais nous avons fait des aménagements formidables et il y fait frais à cette heure de la journée.

— Volontiers, répondis-je. Oh, au fait, vous n'y auriez pas planté de la sagette par hasard ?

— Mais si ! s'exclama-t-elle, ravie. Il y en a des masses !

Nous nous trouvions dans le plus grand des séchoirs et la lumière de l'après-midi filtrait à travers les lattes en faisceaux dorés, illuminant la pluie de minuscules grains de pollen qui tombaient des fleurs suspendues aux poutres. Il y avait une série d'outils éparpillés sur la table. Elle choisit un déplantoir en bois et un petit couteau.

— Cela vous dirait d'aller en déterrer vous-même ?

J'éclatai de rire, aux anges. Ce n'était pas tous les jours qu'une femme proposait à une autre, surtout une autre vêtue d'une robe en mousseline bleu pâle, d'aller jouer dans la vase. Toutefois, Mlle Bartram et moi parlions le même langage. Cela faisait des mois que je n'avais pas tripoté la terre et mes doigts me chatouillaient déjà.

Le chemin au bord de la rivière était ravissant. Il était bordé de saules et de bouleaux argentés qui projetaient leurs ombres dansantes sur la berge envahie de nasturtiums, d'azalées et de masses flottantes de cresson vert sombre. Je sentais ma tension retomber tandis que nous marchions, discutant de choses et d'autres.

— Vous permettez que je vous pose une question au sujet de la Société des Amis ? demandai-je. Un de mes collègues a été exclu de son assemblée, avec sa sœur, pour s'être porté volontaire comme médecin dans l'armée continentale. Comme vous m'avez parlé de votre père... je m'interroge. Est-ce si important d'appartenir à une assemblée ?

À ma surprise, elle se mit à rire.

— Tout dépend de l'individu, comme c'est toujours le cas avec les Amis, répondit-elle. Par exemple, mon père a été exclu car il refusait de reconnaître la divinité de Jésus-Christ, mais cela ne l'empêchait pas d'assister au culte. Pour lui, cela ne changeait rien.

Voilà qui était plutôt rassurant.

— À quoi ressemble un mariage quaker ? Faut-il aller à une assemblée pour se marier ?

Elle réfléchit un instant à la question tout en émettant de petits bruits avec sa bouche.

— Disons qu'un mariage entre Amis se déroule… entre Amis. Il n'y a pas de pasteur ou de prêtre, pas de cérémonie ni d'office particulier. Plutôt qu'un sacrement, les deux Amis se déclarent l'un à l'autre devant des témoins, c'est-à-dire devant d'autres Amis. Toutefois, je crois qu'il peut y avoir une opposition quand les Amis qui se marient, ou l'un d'eux, ont été exclus officiellement.

— Comme c'est intéressant. Merci.

Je me demandais dans quelle mesure cela affecterait Denzell et Dorothea, et plus encore Rachel et Ian.

— Un Ami peut-il épouser un… euh… non-Ami ? demandai-je encore.

— Oui, bien sûr, même si cela entraînera probablement son exclusion. Cela dit, il peut y avoir des exceptions dans des cas désespérés. Un groupe de discernement est alors chargé d'examiner la situation.

Je n'en étais pas encore à m'inquiéter de cas désespérés et la remerciai, puis la conversation revint sur les plantes.

Elle n'avait pas menti au sujet de la sagette : il y en avait beaucoup. Mon émerveillement la fit sourire et elle me laissa à mon travail, m'assurant que je pouvais prendre également des lotus et quelques rhizomes d'acore odorant.

— Et du cresson frais, bien sûr ! ajouta-t-elle par-dessus son épaule avec un geste vers l'eau. Autant que vous voudrez !

Elle avait eu la prévenance d'apporter un sac en jute sur lequel je pouvais m'agenouiller. Je l'étalai soigneusement pour ne rien écraser et relevai mes jupes. Une petite brise courait sur l'eau et je soupirai d'aise, ravie tant par la fraîcheur que par le plaisir d'être seule. La compagnie des plantes était toujours réconfortante, surtout après la présence constante de gens nécessitant d'être dirigés, soignés, harcelés, réprimandés, amadoués, convaincus, dupés… comme cela avait été le cas ces derniers jours. Le calme du jardin, le clapotis de la rivière et le bruissement des feuilles agissaient comme un baume sur mon esprit.

Il en avait sérieusement besoin. Entre Jamie, John, Hal, William, Ian, Denny Hunter et Benedict Arnold (sans parler du capitaine Richardson, du général Clinton, de Colenso et de toute la fichue armée continentale), les mâles de l'espèce humaine avaient gravement éprouvé mes nerfs, dernièrement.

Je creusai tranquillement, déposant les racines dégoulinantes dans mon panier et recouvrant chaque couche avec un coussin de cresson. Je remarquais à peine la sueur qui coulait sur mon front et entre mes seins. Je me fondais lentement dans le paysage, mon souffle et mes efforts se transformant en vent, en terre et en eau.

Des cigales chantaient dans les arbres. Les moucherons et les moustiques commençaient à se rassembler en nuages au-dessus de ma tête. Heureusement, ils ne me gênaient que lorsqu'ils me rentraient dans une narine ou voletaient trop près de mon visage. Apparemment, les insectes du XVIIIe siècle n'étaient pas friands de mon sang du XXe siècle, je n'étais donc pratiquement jamais piquée, une bénédiction pour une jardinière. Bientôt, bercée par mon travail, je perdis la notion du temps et de l'espace jusqu'à ce qu'une paire de grands souliers crottés apparaisse dans mon champ de vision. Je les observai un moment en clignant des yeux comme si une grenouille venait de bondir devant moi.

Puis je relevai la tête.

— Oh, fis-je un peu bêtement.

Puis je me relevai précipitamment et m'exclamai :

— Te voilà enfin ! Mais où étais-tu donc passé, bon sang !

Jamie sourit et prit mes mains mouillées et boueuses. Les siennes étaient grandes, chaudes et solides.

— Récemment, dans une carriole remplie de choux, répondit-il.

Il m'examina des pieds à la tête.

— Tu es belle, *Sassenach*. Tu as l'air en forme.

— Pas toi.

Il était maigre, crasseux et il n'avait pas beaucoup dormi. Il s'était rasé, mais ses traits étaient tirés et ses yeux, cernés.

— Que t'est-il arrivé ? demandai-je.

Il ouvrit la bouche pour répondre, puis la referma. Il lâcha mes mains, s'éclaircit la gorge en émettant un son grave typiquement écossais et me regarda dans le fond des yeux. Son sourire avait disparu.

— Tu es allée au lit avec John Grey ?

Je clignai des yeux, interdite, puis fronçai les sourcils.

— Pas vraiment.

— C'est ce qu'il m'a dit.

— Il t'a dit ça ? demandai-je, surprise.

— Mmphm… fit-il en fronçant les sourcils à son tour. Il m'a dit qu'il t'avait connue charnellement. Pourquoi mentirait-il à ce sujet ?

— Ah. Non, il a dit vrai. « Connaître charnellement » est l'expression juste.

— Mais…

— En revanche, je ne dirais pas que nous sommes « allés au lit ». Cela a commencé sur une coiffeuse et, si je me souviens bien, s'est terminé sur le parquet.

Devant son air ahuri, je m'empressai de corriger l'impression qu'il se faisait sûrement.

— « Aller au lit » laisse entendre que nous avions décidé de coucher ensemble et sommes allés dans une chambre bras dessus bras dessous. Ce n'est pas du tout ce qui s'est passé. Euh… si on s'asseyait ?

Je n'avais plus pensé à cette nuit depuis que j'avais appris que Jamie était en vie. Je commençais à me rendre compte que cet « incident » pouvait paraître important à ses yeux et que lui expliquer ce qui s'était passé risquait d'être délicat.

Il acquiesça, l'air renfrogné, et se tourna vers le banc. En le suivant, je remarquai la raideur de ses épaules et sa manière de s'asseoir prudemment.

— Tu t'es fait mal au dos ? demandai-je, inquiète.

— Que s'est-il passé ? répéta-t-il en ignorant ma question.

J'inspirai profondément, puis soufflai bruyamment.

Il grogna. Je lui lançai un regard surpris, ne l'ayant encore jamais entendu faire ce bruit, du moins s'adressant à moi. Visiblement, c'était plus qu'important.

— Euh… que t'a dit John exactement ? Je veux dire, après t'avoir informé qu'il m'avait connue charnellement ?

— Il voulait que je le tue. Et si tu me dis que tu préfères que je te tue toi aussi plutôt que de me raconter ce qui s'est passé, je ne réponds plus de rien.

Il paraissait maître de lui, mais je notai une indéniable tension dans sa posture.

— Eh bien… je me souviens comment ça a commencé, c'est déjà ça.

— Commence par là, suggéra-t-il d'un ton sec.

— Si tu tiens vraiment à le savoir, j'étais assise dans ma chambre, sifflant de l'eau-de-vie de prune en essayant de justifier mon suicide.

Je lui lançai un regard, le défiant de parler. Il se contenta de hocher la tête et me fit signe de continuer.

— Une fois à court d'eau-de-vie, j'en étais à me demander si j'étais capable de descendre l'escalier pour en chercher une autre bouteille sans me briser le cou ou si j'en avais eu assez pour boire tout le flacon de laudanum sans me sentir coupable. C'est là que John est entré.

Ma bouche fut soudain sèche et poisseuse comme elle l'avait été cette nuit-là.

— Il a effectivement mentionné la consommation d'une certaine quantité d'alcool, observa-t-il.

— Il était presque aussi soûl que moi, sauf qu'il tenait encore debout.

Je revoyais John, le visage blême ; les yeux si enflés et si rouges qu'on les aurait dit passés au papier émeri.

— Il m'a regardée avec la tête d'un homme sur le point de sauter d'une falaise, poursuivis-je. Il tenait une carafe pleine à la main et m'a dit : « Cette nuit, je ne veux pas le pleurer seul. »

— Et ?

— Et il ne t'a pas pleuré seul, rétorquai-je, agacée. Je lui ai dit de venir s'asseoir. Il nous a servi de l'eau-de-vie, nous avons bu et, sincèrement, je n'ai aucune idée de ce que nous avons pu dire mais nous parlions de toi. Puis il s'est levé, je me suis levée. Et… je ne supportais pas l'idée d'être seule ni qu'il soit seul et je me suis plus ou moins jetée dans ses bras car, à ce moment, j'avais désespérément besoin que quelqu'un me touche.

— Ce qu'il a fait obligeamment, je suppose.

Son ton cynique me fit rougir, non de gêne mais de colère.

— Il t'a prise par-derrière ?

Je le regardai, interloquée, pendant une bonne minute. Il était sérieux.

— Tu n'es vraiment qu'un imbécile ! m'exclamai-je, indignée.

Un soupçon me prit soudain.

— Tu m'as dit qu'il t'avait demandé de le tuer, dis-je lentement. Tu… ne l'as pas fait, n'est-ce pas ?

Il soutint mon regard.

— Cela t'ennuierait ?

— Je pense bien ! Mais tu ne l'as pas fait, je le sais.

— Non, répondit-il doucement, tu n'en sais rien.

Bien que convaincue qu'il bluffait, je sentis un frisson glacé me hérisser les poils des bras.

— J'aurais été dans mon droit, ajouta-t-il.

— Certainement pas ! Tu n'avais aucun droit, tu étais mort !

En dépit de ma colère, ma voix se brisa sur le mot « mort » et son expression changea aussitôt.

— Quoi ? demandai-je en détournant les yeux. Tu crois que cela ne changeait rien ?

— Non, dit-il en prenant ma main pleine de boue. Mais je ne pensais pas que cela aurait autant d'importance.

Sa voix était devenue rauque. Quand je me tournai à nouveau vers lui, je vis des larmes dans ses yeux. J'émis un son incohérent et je me jetai dans ses bras, m'accrochant à lui en hoquetant.

Il me serra contre lui, son souffle chaud balayant le sommet de mon crâne. Quand j'eus fini de sangloter, il m'écarta légèrement et prit mon visage entre ses mains.

— Je t'aime depuis le jour où je t'ai rencontrée, *Sassenach*, dit-il doucement. Je t'aimerai toujours. Peu m'importe si tu couches avec toute l'armée anglaise... enfin, non, cela me poserait un sérieux problème, mais je ne cesserai pas de t'aimer.

Je reniflai. Il sortit un mouchoir de sa manche et me le tendit. Il était en batiste, usé et portant un « P » maladroitement brodé au fil bleu dans un coin. Je me demandai où il l'avait dégoté, mais le moment était mal choisi pour lui poser la question.

Le banc n'était pas très grand et son genou n'était qu'à quelques centimètres du mien. Mais il ne me toucha plus et mon pouls s'accéléra. Il avait été sincère en affirmant son amour pour moi, ce qui ne signifiait pas que la suite allait être agréable.

— J'ai le sentiment qu'il m'en a parlé parce qu'il était sûr que tu me le dirais, déclara-t-il prudemment.

— Effectivement, répondis-je en me mouchant. Sauf que j'aurais attendu que tu sois rentré à la maison, que tu aies pris un bain et que tu aies avalé un bon dîner. Si je sais une chose sur les hommes, c'est qu'on ne leur annonce pas ce genre de chose quand ils ont le ventre vide. Quand as-tu mangé pour la dernière fois ?

— Ce matin. Des saucisses. Ne change pas de sujet.

Sa voix était calme, mais je sentais le bouillonnement sous-jacent, comme du lait frémissant sur le feu. Un degré de plus et le lait monterait et déborderait sur la cuisinière.

— Je comprends, poursuivit-il. Mais... j'ai besoin de savoir ce qui s'est passé.

— Tu comprends ? répétai-je, surprise.

Je voulais le croire, mais son attitude ne cadrait pas avec ses paroles. Mes mains n'étaient plus glacées, elles commençaient à transpirer. Je pressai mes paumes sur mes genoux, indifférente aux taches de boue sur ma jupe.

— Disons que, reprit-il sans desserrer les dents, ça ne me plaît pas, mais je comprends.

— Vraiment ?

— Oui. Vous me croyiez mort tous les deux. Et je sais comment tu es quand tu as bu, *Sassenach*.

Je le giflai si vite et si fort qu'il n'eut pas le temps d'esquiver.

— Tu… tu…, balbutiai-je, incapable de trouver des mots assez forts pour exprimer la violence de mes sentiments. Quel culot !

Il se massa la joue. Il semblait presque amusé.

— Je… euh… je me suis mal exprimé, *Sassenach*. Et puis, c'est quand même moi qui suis la victime dans cette histoire, non ?

— Absolument pas ! rétorquai-je. Tu faisais le mort, te faisant passer pour un… un noyé, me laissant toute seule dans un nid d'es… d'espions et de s-s-soldats. Avec des enfants ! Toi et Fergus, bande de salauds ! Vous nous avez abandonnées, Marsali et moi, l-l-livrées à…

L'émotion m'étouffant, je ne parvins pas à achever ma phrase. D'un autre côté, je refusais de pleurer. Pour rien au monde je n'aurais versé une autre larme devant lui.

Il saisit à nouveau ma main et je me laissai faire. Il m'attira un peu plus près de lui, assez près pour que je sente la poussière dans sa barbe, la sueur froide sur ses vêtements et la chaleur de son corps.

Je tremblotais, émettant de petits hoquets. Il entrelaça ses doigts avec les miens et caressa doucement ma paume avec son pouce calleux.

— Je n'ai pas voulu dire que tu étais une soûlarde, *Sassenach*, déclara-t-il dans un effort de conciliation. C'est juste que tu penses avec ton corps. Comme toujours.

Faisant un immense effort à mon tour, je retrouvai l'usage de la parole.

— Si… si je comprends bien, je suis une femme facile ? Une traînée ? Une catin ? Tu trouves que c'est mieux que de me traiter de soûlarde ?

Il émit un petit son qui aurait pu être d'amusement. Je voulus reprendre ma main, mais il la retint. Il m'agrippa également le bras pour m'empêcher de me relever.

— J'ai dit la vérité, *Sassenach*. Tu penses avec ton corps. C'est ce qui fait de toi une excellente chirurgienne, non ?

— Je… Ah…

En passant outre ma dignité offensée, je devais reconnaître que son observation n'était pas dénuée de sens.

— Peut-être, convins-je en regardant ailleurs. Mais je ne crois pas que ce soit ce que tu as voulu dire.

— Pas entièrement, c'est vrai.

Sa voix s'était à nouveau tendue.

— Écoute-moi, insista-t-il.

Je continuai à fuir son regard et restai obtusément silencieuse. Néanmoins, il était plus têtu que je ne le serais jamais même après cent ans d'entraînement.

Je devais écouter ce qu'il voulait me dire, et lui dire ce qu'il voulait entendre, que cela me plaise ou pas.

— Je t'écoute, dis-je enfin.

Il inspira et se détendit légèrement, sans pour autant me lâcher.

— Je t'ai fait l'amour au moins un millier de fois, *Sassenach*. Tu crois que je ne te connais pas ?

— Je dirais plutôt deux ou trois mille fois, répondis-je par souci de précision tout en fixant le couteau que j'avais laissé tomber au sol.

— Je sais comment tu es au lit. Et je peux imaginer, un peu trop bien, comment cela s'est passé.

— Non, tu ne le peux pas, rétorquai-je.

Il émit encore un son écossais, indiquant cette fois le doute.

— Je t'ai parlé de Mary MacNab, n'est-ce pas ? Quand elle est venue me trouver dans la grotte ?

— Plusieurs années après les faits, lui rappelai-je. Mais oui, tu as fini par me le dire. Je ne te l'ai jamais reproché et je ne t'ai jamais demandé non plus les détails scabreux.

— En effet.

Il se frotta l'arête du nez.

— Peut-être n'es-tu pas jalouse, mais moi si. (Il hésita.) Je peux te raconter à présent comment c'était, si tu le souhaites.

Je me tournai vers lui, me mordant la lèvre. Voulais-je vraiment savoir ? Je n'en étais pas sûre. Et si je répondais non, le prendrait-il pour de l'indifférence de ma part ?

Avec un soupir, j'acceptai son marché implicite.

— Raconte-moi, dis-je.

Ce fut à son tour de regarder ailleurs. Je vis sa pomme d'Adam sursauter.

— C'était… triste, dit-il doucement. Et tendre.

— Triste ? Pourquoi ?

Il fixait un massif de fleurs, suivant des yeux un gros bourdon noir qui voletait entre les pétales repliés.

— Nous pleurions tous deux tout ce que nous avions perdu. Elle a dit qu'elle voulait te garder en vie pour moi, me laisser imaginer que… qu'elle était toi.

— Ça n'a pas vraiment marché ?

— Non.

Il se redressa et son regard me traversa comme un coup d'épée dans un épouvantail.

— Personne ne peut te remplacer.

Ce n'était pas un compliment, plutôt un état de fait, presque un reproche.

— Et ?

Il soupira et baissa les yeux vers ses mains croisées. Il serrait les doigts mutilés de sa main droite dans ceux de la gauche, comme pour se rappeler ses phalanges manquantes.

— C'était paisible, reprit-il. Nous n'avons pratiquement rien dit après avoir… commencé.

Il ferma les yeux et je me demandai ce qu'il voyait. J'étais surprise de ne ressentir qu'une vague curiosité et, peut-être, de la compassion pour eux deux. J'avais vu la grotte où ils avaient fait l'amour, une tombe de granit, froide et humide. Je savais à quel point la situation avait été désespérée alors dans les Highlands. La promesse d'un peu de chaleur humaine… *Nous pleurions tous deux tout ce que nous avions perdu.*

— Cela n'est arrivé qu'une seule fois et n'a pas duré longtemps. Cela faisait… longtemps que je n'avais rien fait. (Il rougit légèrement.) Mais j'en avais besoin. Après, elle m'a tenu contre elle, et j'en avais encore plus besoin. Je me suis endormi dans ses bras. À mon réveil, elle était partie. J'ai porté sa chaleur en moi pendant longtemps.

Cette fois, je ressentis une pointe de jalousie inattendue. Je me redressai légèrement, serrant les poings pour refouler cette pulsion. Il le sentit et se tourna vers moi.

— Et toi? demanda-t-il en me regardant dans les yeux.

— Ce n'était pas tendre, répondis-je froidement. Et ce n'était pas triste non plus. Ç'aurait dû l'être. Lorsque je suis allée vers lui, je ne sais pas à quoi je m'attendais. À rien, probablement. Je crois que je n'avais plus de pensée consciente.

— Vraiment? Ce devait être une sacrée cuite.

— Oui! Tout comme la sienne.

Je savais ce qu'il pensait, il ne faisait aucun effort pour le cacher. Il me revint un souvenir net: j'étais assise avec lui dans le coin d'une taverne de Cross Creek. Il avait soudain pris mon visage entre ses mains et m'avait embrassée, la douceur chaude du vin passant de sa bouche à la mienne. Je me relevai brusquement et tapai du poing sur le dossier du banc.

— Oui, j'étais ronde comme une queue de pelle, répétai-je. Je buvais tous les soirs depuis que j'avais appris ta mort.

Il prit une inspiration très profonde, fixant ses mains crispées sur ses genoux, et expira lentement.

— Et que t'a-t-il donné? demanda-t-il.

— Quelque chose sur quoi frapper.

Il redressa brusquement la tête.

— Tu l'as frappé?

— Non, c'est *toi* que j'ai frappé.

Je serrai le poing inconsciemment. Je me souvenais de ce premier coup, lancé aveuglément avec toute la force de mon chagrin contre un corps qui ne s'y attendait pas. Le froid qui m'avait saisie quand il avait reculé, puis la chaleur de l'impact qui m'avait projetée contre la coiffeuse; le poids d'un homme m'écrasant, l'étau de ses mains retenant mes poignets. Je ne me souvenais plus trop ce qui s'était passé ensuite. Ou plutôt, je revoyais certains détails très nettement, mais sans savoir dans quel ordre ils étaient survenus.

Les gens disent: « Tout s'est passé dans un flou. » En réalité, ils veulent dire qu'il est impossible de comprendre cette expérience de l'extérieur, qu'il est futile de l'expliquer.

— Mary MacNab… repris-je. Tu dis qu'elle t'a donné de la tendresse. Il doit y avoir un mot pour désigner ce que John m'a donné, mais je ne l'ai pas encore trouvé.

Il me fallait un terme qui puisse incarner l'essence de ce qui s'était passé.

— De la violence, en partie, essayai-je.

Jamie se raidit et me lança un regard de biais. Je devinai ce qu'il pensait.

— Non, pas comme ça. J'étais paralysée, volontairement paralysée pour ne plus rien ressentir. Je ne supportais pas cette douleur. Lui, il pouvait. Il était plus courageux que moi. Il m'a fait ressentir à mon tour. C'est pour ça que je l'ai frappé.

John avait déchiré mon enveloppe de déni, le bandage des besoins quotidiens qui me permettait de survivre et de fonctionner. Sa présence physique avait arraché les pansements de la douleur et m'avait montré ce qu'il y avait dessous : moi, sanglante et malade de chagrin.

Je sentis l'air épais dans ma gorge, chaud et moite sur ma peau. Soudain, je trouvai le mot.

— Le triage médical, dis-je abruptement. Sous la paralysie, j'étais… écorchée vive. Quand on fait le triage des blessés, on commence par arrêter le saignement. Il le faut, autrement le patient meurt. John a arrêté le mien.

Il l'avait fait en plaquant son propre chagrin, sa propre fureur, sur ma chair sanglante. Deux blessures, pressées l'une contre l'autre, le sang s'écoulant toujours mais dans un autre corps. Le mien dans le sien, le sien dans le mien, brûlant, caustique, invasif… mais me redonnant la vie.

Jamie marmonna quelque chose en gaélique que je ne compris pas. Il gardait la tête baissée, les coudes sur les genoux, le menton dans une main.

Au bout d'un moment, je me rassis à ses côtés. Le chant des cigales avait augmenté de volume, noyant le gargouillis de l'eau et le bruissement des feuilles. Il résonnait dans mes os.

— Maudit John Grey, grommela Jamie en se redressant.

Il paraissait troublé et en colère, mais pas contre moi.

— Il… euh, il va bien, n'est-ce pas ?

À ma surprise, il tordit légèrement les lèvres, ce qui accentua mon malaise.

— Oui, j'en suis sûr, répondit-il.

Son ton laissait néanmoins place à un certain doute, ce qui acheva de m'alarmer.

— Que lui as-tu fait ? demandai-je en me redressant.

— Je l'ai frappé. Deux fois.

— Deux fois ? répétai-je choquée. Il t'a rendu le premier coup ?

— Non.

Je l'observai attentivement. Maintenant que je m'étais calmée, je lui trouvai un air… Comment dire ? Préoccupé ? Coupable ?

— Pourquoi l'as-tu frappé ? demandai-je.

J'avais pris soin de prendre un ton vaguement curieux plutôt qu'accusateur. Ce ne fut pas une grande réussite, car il se tourna vers moi tel un ours piqué aux fesses par une abeille.

— Pourquoi ? Tu me demandes vraiment pourquoi ?

— Oui. Qu'a-t-il fait pour que tu le frappes ? Deux fois ?

Jamie ne rechignait jamais devant une bagarre, mais il lui fallait généralement une bonne raison. Il grommela dans sa barbe. Toutefois, il m'avait promis un jour une honnêteté absolue et n'était encore jamais revenu sur sa parole.

— Le premier coup, c'était entre lui et moi. Je le lui devais depuis longtemps.

— Et tu as soudain saisi cette occasion parce que c'était pratique ?

Je n'osai pas lui demander ce qu'il entendait par « entre lui et moi ».

— Je n'ai pas pu m'en empêcher, répondit-il. Il m'a dit quelque chose et le coup est parti.

Je ne lui demandai pas d'explication, mais je soufflai bruyamment par le nez, lui faisant comprendre que j'en attendais une quand même. Il y eut un long silence, puis il lâcha en regardant le sol :

— Il a déclaré que vous ne vous faisiez pas l'amour l'un à l'autre.

— En effet, répondis-je, surprise. Je te l'ai expliqué. Nous... Ah !

— « Ah ! » répéta-t-il avec sarcasme. Il a dit : « C'est vous que nous baisions. »

— Je vois, murmurai-je. Oui, il a dit vrai.

Il me semblait effectivement comprendre. Une longue et profonde amitié unissait Jamie et John, mais elle reposait sur des piliers très précis, l'un d'eux étant d'éviter toute allusion à l'attirance sexuelle que John éprouvait pour Jamie. Si John, dans un moment d'égarement, avait fait s'effondrer ce pilier qui les soutenait tous les deux...

Je préférai ne pas m'appesantir sur ce premier coup.

— Et le second ? demandai-je.

— Le second, c'était pour toi.

— J'en suis flattée, mais ce n'était vraiment pas la peine, rétorquai-je sèchement.

— Je le sais à présent, mais j'avais déjà perdu mon calme et je ne l'avais pas encore retrouvé. *Ifrinn*.

Il ramassa le couteau sur le sol et le planta dans le banc à ses côtés.

Il ferma les yeux, pinça les lèvres et pianota sur sa cuisse avec les doigts de sa main droite. Je fus surprise : je ne l'avais pas vu faire ce geste depuis que j'avais amputé son annulaire. Je commençais à mesurer la vraie complexité de la situation.

— Dis-moi à quoi tu penses, demandai-je en haussant la voix pour me faire entendre par-dessus les cigales.

— Je pense à John Grey. À Hellwater.

Il poussa un profond soupir exaspéré et rouvrit les yeux, sans pour autant me regarder.

— Comme toi, j'ai survécu là-bas en étant paralysé. J'aurais sans doute passé mon temps à boire, moi aussi, si j'en avais eu les moyens.

Il replia sa main droite, serrant le poing, puis baissa les yeux vers elle d'un air surpris. Il avait été incapable de refermer complètement sa main pendant trente ans. Il la rouvrit et la posa à plat sur son genou.

— Je survivais, répéta-t-il. Puis il y a eu Geneva. Je t'ai parlé d'elle aussi, n'est-ce pas ?

— En effet.

— Ensuite, il y a eu William. Quand Geneva est morte par ma faute, j'ai reçu un coup de couteau en plein cœur, puis William… Il m'a fendu en deux, *Sassenach*. Il a déversé mes entrailles entre mes mains.

Je posai ma main sur la sienne et nos doigts s'entrelacèrent.

— Ce foutu sodomite anglais m'a soigné, murmura-t-il. Il a bandé mes plaies avec son amitié. Non, je ne l'ai pas tué. Je ne sais pas si je dois m'en réjouir ou pas, mais je ne l'ai pas fait.

Je libérai le souffle que j'avais retenu et me laissai aller contre lui.

— Je le savais. J'en suis heureuse.

Le voile gris dans le ciel s'était épaissi en nuages gris acier qui remontaient la rivière, grondant au loin. Je remplis mes poumons du parfum de l'ozone puis sentis d'autres émanations, plus animales. Outre son odeur mâle habituelle et très appétissante, je détectai un bouquet assez inhabituel, mais non moins alléchant : de vagues effluves de saucisses, l'amertume du chou et… oui, de la moutarde, entrelacée avec une autre saveur épicée. Je humai à nouveau, me retenant de lécher sa peau.

— Tu sens comme…

— Je sens comme une grande assiette de *choucroute garnie*[9], me coupa-t-il avec une grimace. Donne-moi quelques minutes, je vais me laver.

Il voulut se lever pour aller à la rivière, mais je le retins par le bras. Il se tourna et me dévisagea un instant, puis il m'attira à lui. Je me laissai faire. Mes bras s'enroulèrent machinalement autour de son cou et nous soupirâmes à l'unisson, nous vidant l'un dans l'autre dans le soulagement de l'étreinte.

J'aurais pu rester assise ainsi pour l'éternité, inhalant son odeur musquée, poussiéreuse et épicée de chou, et écoutant les battements de son cœur contre mon oreille. Tout ce qui s'était passé, toutes les paroles prononcées, flottait dans l'air autour de nous tels les maux échappés de la boîte de Pandore, mais pour le moment, nous étions seuls au monde et rien d'autre ne comptait.

Au bout d'un moment, sa main remonta et écarta une mèche de cheveux de devant mon visage. Il s'éclaircit la gorge et se redressa. Je le lâchai à contre-cœur, mais gardai une main sur sa cuisse.

— J'ai quelque chose à dire, annonça-t-il comme s'il faisait une déclaration formelle devant un tribunal.

Mon pouls, qui s'était ralenti durant notre étreinte, s'accéléra à nouveau.

— Quoi ?

Je parus si inquiète qu'il se mit à rire. Ce n'était qu'un souffle, mais il riait néanmoins. Je fus rassurée. Il prit fermement ma main et la tint en me regardant dans les yeux.

— Je ne peux pas dire que cela ne me fait rien, car ce serait un mensonge. Je ne peux pas affirmer non plus que je n'en ferai pas tout un plat plus tard, car

---

9. En français dans le texte. (N.d.T.)

ce sera probablement le cas. Mais je tiens à dire que rien, dans ce monde ni le prochain, ne pourra t'enlever à moi… ou inversement. Tu en conviens ?

— Oui, absolument, répondis-je avec ferveur.

— Tant mieux, parce que, dans le cas contraire, cela n'y changerait rien. J'ai juste une question : es-tu ma femme ?

— Bien sûr ! répondis-je, stupéfaite. Comment pourrais-je ne pas l'être ?

Son expression changea alors. Il expira profondément et me prit dans ses bras. Je le serrai, fort. Il pencha la tête vers moi et embrassa mes cheveux tandis que je me blottissais dans le creux de son épaule, mes lèvres ouvertes près du col de sa chemise. Nos genoux cédèrent lentement et nous nous retrouvâmes à genoux dans la terre retournée, accrochés l'un à l'autre, enracinés tel un arbre aux nombreuses branches et aux feuilles agitées par le vent mais au tronc unique et solide.

Puis les premières gouttes de pluie tombèrent.

Son visage était ouvert, à présent, ses yeux clairs et sereins, du moins pour le moment.

— Où y a-t-il un lit ? J'ai besoin d'être nu contre toi.

J'abondai dans son sens, mais sa question me prit de court. Nous ne pouvions pas rentrer dans la maison de John ; en tout cas, pas pour y faire l'amour. Même si John ne pouvait guère s'y opposer, j'imaginais mal la tête de Mme Figg en me voyant revenir avec un grand Écossais et en grimpant directement dans ma chambre avec lui… puis il y avait Jenny. D'un autre côté, en dépit de mon enthousiasme, je n'avais pas envie de me rouler nue avec lui dans les renoncules, où nous risquions à tout moment d'être interrompus par les Bartram, les frelons ou la pluie.

— Une auberge ? proposai-je.

— Y en a-t-il une où on ne te reconnaîtra pas ? Enfin, une pas trop miteuse.

Je réfléchis. Le King's Arms était exclu, naturellement. Autrement… je ne connaissais que deux ou trois tavernes où Marsali allait acheter de la bière et du pain, mais où l'on saurait qui était lady John Grey.

Jamie n'avait plus besoin de se cacher, mais son prétendu décès et mon mariage avec John avaient suscité un immense intérêt public en raison du caractère tragique de la situation. Si le bruit courait que le colonel Fraser avait ressuscité d'entre les morts et récupéré sa femme, le retentissement serait tel qu'il étoufferait celui du départ de l'armée anglaise. Un souvenir me revint soudain, celui de notre nuit de noces qui s'était déroulée au milieu d'une foule de Highlanders tapageurs et très ivres. Je m'imaginais revivant une scène similaire, avec les commentaires salaces des clients de la taverne.

Je lançai un regard vers la rivière en me demandant si, finalement, un gros buisson ne ferait pas l'affaire. Toutefois, il était tard dans l'après-midi. L'orage menaçait. Les moucherons et les moustiques formaient des nuages carnivores sous les arbres. Soudain, Jamie se pencha et me souleva de terre.

— Je vais nous trouver un endroit, annonça-t-il.

Il ouvrit la porte du nouvel abri de jardin d'un coup de pied et nous nous retrouvâmes soudain plongés dans une pénombre striée de faisceaux de lumière. L'air sentait le bois chauffé par le soleil, la terre, l'eau, l'argile humide et les plantes.

— Quoi, *ici* ?

Ma question était purement rhétorique. Il n'avait pas cherché un coin tranquille pour me faire la conversation.

Il me déposa, me fit pivoter et s'attaqua aux lacets de ma robe. Son souffle sur ma nuque me fit frissonner.

— Tu veux…

— Chut, m'interrompit-il.

J'entendis alors ce qu'il avait déjà perçu : les Bartram, discutant ensemble. Ils se tenaient assez loin, probablement sur le seuil à l'arrière de leur maison, de l'autre côté d'une épaisse haie d'ifs anglais.

— Je ne crois pas qu'ils puissent nous entendre, chuchotai-je.

— J'ai suffisamment parlé comme ça, murmura-t-il.

Il se pencha sur moi et referma doucement ses dents sur mon cou.

— Chut, fit-il encore.

Je n'avais rien dit, mais simplement émis un son trop aigu pour être entendu par autre chose qu'une chauve-souris passant par là. Je soufflai fortement par le nez et je l'entendis rire doucement.

Mon corset céda et un air frais se glissa sous la mousseline humide de ma chemise. Il marqua une pause, une main tenant les cordons de mes jupons, l'autre se glissant autour de ma taille et remontant pour soupeser un sein, libre et lourd. Son pouce caressa doucement mon mamelon, dur comme un noyau de cerise. J'émis un autre son, celui-ci plus grave.

Je pensai vaguement que c'était une chance qu'il soit gaucher, car ce fut sa main gauche qui dénoua les cordons. Mes jupons tombèrent à mes pieds et, tandis qu'il soulevait ma chemise et la passait par-dessus ma tête, j'eus une vision soudaine du jeune M. Bartram ayant brusquement décidé qu'il lui fallait absolument empoter un lot de graines de romarin. Le choc ne le tuerait probablement pas, mais…

Quand je me tournai vers Jamie, cachant mon intimité telle la Vénus de Botticelli, il lut dans mes pensées.

— Quitte à se faire prendre, autant que ça en vaille la peine, chuchota-t-il. Je te veux nue.

Il sourit et se débarrassa de sa chemise crasseuse. Il avait déjà jeté sa veste après être entré dans l'abri. Il abaissa sa culotte sans prendre le temps d'en délacer la braguette. Il avait tellement maigri qu'elle était tout juste retenue par les os de ses hanches. Je vis l'ombre de ses côtes sous sa peau quand il se pencha pour ôter ses bas.

Il se redressa et je posai une main sur son torse. Sa peau était chaude et moite. Sa toison rousse se hérissa au contact de mes doigts.

— Pas si vite, chuchotai-je.

Il fit un geste vers moi et j'enfonçai mes doigts dans son muscle pectoral.

— J'exige d'abord un baiser.

Il pressa ses lèvres contre mon oreille et ses mains agrippèrent résolument mes fesses.

— Tu crois vraiment être en position d'avoir des exigences ?

— Et comment ! répliquai-je.

Je glissai la main plus bas et le tins fermement. Lui, au moins, il n'attirerait pas les chauves-souris.

Collés l'un à l'autre, les yeux dans les yeux, nous inspirions chacun le souffle de l'autre. J'étais suffisamment proche de lui pour distinguer les moindres nuances de son expression, même dans la pénombre. Je lisais la gravité sous son air amusé, et le doute sous sa bravade.

— Je suis ta femme, murmurai-je contre ses lèvres.

— Je sais.

Il m'embrassa. Doucement. Puis il ferma les yeux et promena ses lèvres sur mon visage, suivant les contours de mes pommettes et de mon front, de ma mâchoire et de mon oreille, cherchant à me redécouvrir au-delà du souffle et de la peau, jusqu'au sang et aux os, jusqu'au cœur qui battait en dessous.

Ma bouche chercha la sienne. Je me pressai contre lui. Nos peaux nues et moites adhéraient l'une à l'autre ; nos cheveux s'entremêlaient et sa raideur délicieuse roulait entre nous. Il refusait de me laisser l'embrasser. Il glissa les doigts dans ma chevelure, me tenant la nuque, pendant que son autre main continuait à jouer à Colin-maillard sur mon corps.

En reculant, je heurtai un plan de travail en bois qui s'ébranla dans un cliquetis de petits pots de semis et un tremblement de petites feuilles odorantes de basilic. Jamie repoussa d'une main le plateau sur lequel ils étaient posés, me prit par les coudes et me hissa sur la table.

— Maintenant, haleta-t-il. Il faut que je te prenne.

Je cessai aussitôt de me préoccuper des échardes éventuelles sur la surface en bois.

J'enroulai mes jambes autour de ses hanches tandis qu'il m'allongeait et s'étendait sur moi avec un son entre l'extase et la douleur. Il glissa doucement en moi et je gémis de bonheur.

La pluie clapotait à présent sur le toit en zinc, couvrant tous mes bruits, ce qui était une bonne chose. L'air s'était rafraîchi, mais était chargé d'humidité. Nos peaux étaient glissantes et s'embrasaient partout où la chair rencontrait la chair. Il était lent et appliqué et je l'encourageai en cambrant les reins, l'invitant. En réaction, il me prit par les épaules et m'embrassa délicatement, remuant à peine.

— Je ne le ferai pas, murmura-t-il.

Il s'immobilisa et je me trémoussai sous lui, cherchant vainement à susciter la fougue que j'attendais et dont j'avais besoin.

— Tu ne feras pas quoi ? haletai-je.

— Je ne te punirai pas, répondit-il si doucement que je l'entendis à peine. Je ne le ferai pas, tu m'entends ?

— Mais je ne veux pas que tu me punisses, ordure ! Je veux que tu... Bon sang, tu sais très bien ce que je veux !

— Oui.

Sa main quitta mon épaule et vint se placer sous mes fesses, touchant l'union de nos chairs, étirée et humide. J'émis un petit bruit de capitulation et mes genoux se relâchèrent.

Il se retira, puis me pénétra à nouveau, suffisamment fort pour me faire crier de soulagement.

— Invite-moi dans ton lit et je viendrai, dit-il hors d'haleine en me retenant les bras. Je viendrai de toute manière, que tu me le demandes ou pas. Mais souviens-toi, *Sassenach*, je suis ton homme. Je te servirai comme je le veux.

— Alors vas-y, Jamie, je t'en prie. J'ai tellement envie de toi !

Il saisit mes fesses des deux mains, assez puissamment pour laisser des marques, et je me cambrai, m'accrochant à lui, mes mains glissant sur sa peau luisante de sueur.

— Mon Dieu, Claire, comme j'ai besoin de toi !

La pluie rugissait désormais sur le toit. Un éclair tomba non loin, d'un blanc bleuté et chargé d'ozone. Nous le chevauchâmes ensemble, aveuglés et pantelants. Le tonnerre gronda jusque dans nos os.

25

Donnez-moi la liberté...

Lorsque le soleil se coucha sur la troisième journée depuis qu'il avait quitté sa demeure, lord John William Bertram Armstrong Grey était à nouveau un homme libre. Il avait le ventre plein, des papillons dans la tête, un vieux mousquet mal réparé sur l'épaule et les poignets écorchés. Se tenant devant le révérend Peleg Woosdworth, la main droite levée, il récita :

— Moi, Bertram Armstrong, je jure d'être fidèle aux États-Unis d'Amérique, de les servir loyalement contre tous leurs ennemis et opposants, d'obéir aux ordres du Congrès continental, ainsi qu'aux généraux et officiers qu'il aura placés au-dessus de moi.

Il ne manquait plus que ça, songea-t-il. *Et maintenant ?*

26

Un pas dans le noir

30 octobre 1980, Craigh na Dun

Il y avait une grande tache de sueur sombre sur la chemise de William Buccleigh entre ses omoplates. Bien qu'il fasse frais, la pente était raide jusqu'à Craigh na Dun, sans compter que la seule idée de ce qui les attendait au sommet aurait suffi à faire transpirer n'importe qui.

— Tu n'as pas besoin de venir avec moi, lança Roger derrière lui.

— Va te faire voir, répondit son ancêtre.

Il avait parlé sur un ton absent, toute son attention, et celle de Roger, étant concentrée sur la crête de la colline au loin.

Roger entendait déjà les menhirs, un bourdonnement grave, comme une ruche d'abeilles guerrières. Il sentait le son se déplacer, se glisser sous sa peau. Il se gratta furieusement le coude comme s'il pouvait l'extirper de son corps.

— Tu as bien les pierres avec toi, hein ? demanda Buck.

Il s'était arrêté, se retenant au tronc d'un jeune bouleau, et regardait Roger par-dessus son épaule.

— Oui, répondit celui-ci. Tu veux la tienne ?

Buck fit non de la tête et écarta une mèche hirsute de devant son front du dos de sa main libre.

— Il n'y a pas le feu, répondit-il avant de reprendre sa grimpée.

Bien qu'il sache où étaient les diamants (Buck le savait aussi), Roger glissa une main dans sa poche. Les deux morceaux de métal cliquetèrent l'un contre l'autre, deux moitiés d'une broche que Brianna avait coupée avec une cisaille à volaille, chacun parsemé de minuscules diamants, à peine des éclats. Il espérait qu'ils suffiraient, autrement...

Un profond frisson le parcourut. Il avait déjà traversé les pierres deux fois, trois en comptant la première tentative qui l'avait presque tué. Chaque fois, c'était pire. La dernière, à Orcacoke, il avait cru y rester, son esprit et son corps se désagrégeant dans cet espace qui n'était ni un lieu ni un passage. Seule la présence de Jem dans ses bras lui avait permis de tenir. Seul le besoin de retrouver son fils le convainquait à présent de tenter à nouveau la traversée.

Un tunnel hydroélectrique, sous le barrage de loch Errochty

Le bout du tunnel devait être tout proche. Jem le sentait à la manière dont l'air refluait sur son visage. Il ne distinguait que le voyant rouge sur le tableau de bord du train. (Appelait-on ça un « tableau de bord » sur un train ?) Il n'avait pas envie de s'arrêter, car cela signifiait descendre du siège et s'aventurer dans le noir. Toutefois, il n'avait guère le choix : les rails se terminaient.

Il tira légèrement sur le levier qui faisait avancer la machine et celle-ci ralentit. Il tira encore ; puis encore un peu. Le levier s'enclencha dans une fente avec un déclic et le train s'immobilisa dans une brusque secousse qui le projeta en avant. Il se retint de justesse au bord de la cabine.

Dans un train électrique, on n'entendait pas de vrombissement de moteur, uniquement le cliquetis de roues sur les rails et le grincement de wagons. Lorsqu'il s'arrêta, ces bruits cessèrent également. Le silence était assourdissant.

Pour couvrir les battements de son propre cœur, il cria :

— Hé !

L'écho de sa voix était saisissant. Il leva la tête. Maman avait dit que le tunnel faisait près de dix mètres de haut. L'idée de tout ce vide au-dessus de lui était très dérangeante. Il déglutit et descendit de la petite cabine en se tenant à la carrosserie.

— Hé ! cria-t-il à nouveau au plafond invisible. Y a des chauves-souris, là-haut ?

Silence. Il aurait préféré qu'il y en eût. Les chauves-souris ne lui faisaient pas peur. Il y en avait dans le vieux *broch* au-dessus de la maison et, les soirs d'été, il aimait les observer sortir chasser. Hélas, il était seul dans le noir.

Il avait les mains moites. Il lâcha la cabine et s'essuya les paumes sur son jean. À présent, il s'entendait même respirer.

— Crotte, marmonna-t-il.

Cela lui fit du bien. Il répéta le gros mot. Peut-être aurait-il mieux fait de prier. Il n'en avait pas envie. Pas encore.

Maman avait dit qu'il y avait une porte au bout du tunnel. Elle donnait sur la salle de maintenance, là où les grosses turbines du barrage pouvaient être remontées quand elles avaient besoin d'être réparées. La porte était-elle verrouillée ?

Il se rendit compte qu'il s'était éloigné de la cabine et ne savait plus s'il regardait vers la fin du tunnel ou vers là d'où il était venu. Pris de panique, il tituba d'un côté puis de l'autre, les mains tendues devant lui, cherchant le train. Il trébucha contre un rail et s'étala de tout son long. Il resta un moment prostré à plat ventre, répétant : « Crotte, crotte, crotte, *crotte* ! » Il s'était écorché les genoux et la paume d'une main, ce qui n'était pas bien grave. Au moins, il avait retrouvé le rail. En le suivant, il ne pouvait pas se perdre.

Il se releva, s'essuya le nez et reprit son chemin, tapant le rail du pied tous les quelques pas pour s'assurer qu'il était toujours là. Il pensait se trouver quelque part devant l'endroit où le train s'était arrêté. Donc, quelle que soit la direction qu'il prenne, il tomberait soit sur la cabine, soit sur la fin du tunnel. Et sur la porte. Si elle était fermée à clef, peut-être que…

Une puissante décharge électrique le traversa soudain. Il tomba à la renverse avec un cri étouffé. C'était comme si quelqu'un l'avait frappé avec un sabre laser comme celui de Luke Skywalker et, l'espace d'un instant, il fut convaincu que sa tête avait été tranchée.

Il ne sentait plus son corps, mais il le voyait dans son esprit : il gisait dans le noir, baignant dans son sang. Sa tête avait roulé entre les rails et ne distinguait pas son corps. Elle ne savait même pas si elle était encore attachée. Il voulut crier, mais ne parvint qu'à émettre un faible gémissement. Son estomac se souleva. Cette fois, il était prêt à prier.

— *Deo… gratias !* pantela-t-il.

C'était ce que disait grand-père quand il évoquait un combat ou la mort. Ce n'était pas vraiment une prière, mais cela lui parut approprié.

À présent, il sentait à nouveau son corps. Il se redressa en position assise et se palpa le cou pour s'assurer que sa tête était toujours à sa place. Sa peau était secouée d'étranges sursauts, comme celle d'un cheval quand il était piqué par un taon. Il avala sa salive et sentit un goût métallique et sucré dans sa gorge. Il comprit enfin ce qui l'avait frappé. Plus ou moins.

Ce n'était pas exactement comme lorsqu'ils avaient traversé les pierres à Ocracoke. Un instant, il avait été dans les bras de son père ; l'instant suivant, il était pulvérisé en une pluie de petits fragments se tortillant dans tous les sens, comme quand grand-mère renversait du mercure dans son infirmerie. Puis il s'était reconstitué. Papa le tenait toujours dans ses bras, le serrant si fort qu'il pouvait à peine respirer. Papa pleurait, ce qui lui avait fait peur. Il avait un goût étrange dans la bouche. De petits morceaux de lui continuaient à gigoter comme s'ils cherchaient à s'échapper de son corps, mais ils étaient piégés sous sa peau…

Oui. Cela ressemblait à ce qu'il ressentait à présent. Maintenant qu'il avait identifié le problème, il respirait mieux. Il savait que cela ne durerait pas.

Les fourmillements sur sa peau commençaient déjà à s'atténuer. Les jambes flageolantes, il parvint à se lever. Prudemment, car il ignorait où se trouvait la source.

Ou non… Il le savait. Très précisément.

— C'est bizarre, dit-il à voix haute.

L'obscurité ne lui faisait plus peur. Elle n'était pas importante.

La source était invisible à l'œil nu. Il plissa les yeux, essayant de comprendre pourquoi il la voyait néanmoins. Il n'existait pas de mot pour décrire le phénomène. Il l'entendait, percevait son odeur, pouvait la toucher et, pourtant, ce n'était rien de tout ça.

Cependant, elle était là… comme un frisson dans l'air. Quand il se tournait vers elle, il imaginait de jolies petites lumières étincelantes, comme le reflet du soleil sur la mer ou la lueur d'une chandelle à travers un rubis. Pourtant, il ne voyait rien.

La source occupait tout le tunnel jusqu'au haut plafond. Elle n'était pas épaisse pour autant, mais aussi légère que l'air. Cela expliquait sans doute pourquoi il n'avait pas été aspiré par les pierres comme sur Ocracoke. Du moins, il ne pensait pas l'avoir été… L'espace d'un instant, il eut peur d'être arrivé dans un autre temps sans s'en rendre compte. Non. Le tunnel était exactement pareil, tout comme lui, maintenant que le fourmillement sur sa peau s'était arrêté.

Lorsqu'ils avaient traversé, sur Ocracoke, il avait tout de suite su que quelque chose avait changé.

Il resta immobile un moment, observant, réfléchissant, puis il secoua la tête et pivota. Il chercha le rail du bout du pied. Il ne retournerait pas vers « la chose », quoi qu'il arrive. Il ne lui restait plus qu'à espérer que la porte ne soit pas fermée à clef.

Bureau du laird, domaine de Lallybroch

La main de Brianna se referma sur le coupe-papier. Toutefois, en évaluant la distance entre elle et Rob Cameron, en tenant compte de l'obstacle du bureau entre eux ainsi que de la fragilité de la lame en bois, elle savait déjà qu'elle ne parviendrait pas à tuer cette ordure. Pas encore.

— Où est mon fils ?

— Il n'a rien.

Elle se redressa brusquement et il eut un mouvement de recul. Il avait le teint rouge et ses traits s'étaient durcis.

— J'espère bien qu'il n'a rien ! répliqua-t-elle. J'ai demandé où il était.

Il se balança légèrement sur ses talons en prenant un air nonchalant.

— Oh non, ma poule. On ne joue pas à ce petit jeu-là. Pas ce soir.

Pourquoi Roger ne gardait-il pas un marteau, un burin ou quelque chose d'utile dans le tiroir de son foutu bureau ? Était-elle censée attaquer ce crétin avec une agrafeuse ? Elle posa les mains à plat sur la table pour se retenir de lui sauter à la gorge.

— Je ne joue pas, répondit-elle sans desserrer les dents. Vous non plus. Où est Jemmy ?

Il agita l'index vers elle.

— Ce n'est plus toi la patronne, « madame » MacKenzie. C'est moi qui commande, désormais.

— Ah vous croyez ?

Elle sentait ses pensées défiler tels des grains de sable dans un sablier, une cascade de *si, comment, devrais-je, non, oui*…

Le teint de Cameron, déjà rouge, s'empourpra encore. Il se passa la langue sur les lèvres.

— Je ne crois pas, je sais. Je vais t'apprendre ce que c'est de se faire niquer.

Ses yeux brillaient. Ses cheveux étaient coupés si ras qu'elle apercevait des perles de sueur luisant au-dessus de ses oreilles. Était-il sous l'emprise d'une drogue quelconque ? Probablement pas. Il portait un pantalon de survêtement et ses doigts tirèrent inconsciemment sur la couture de l'entrejambe, où une bosse considérable commençait à apparaître.

Tu peux toujours rêver, pauvre type.

Elle doutait qu'il soit armé, même s'il y avait quelque chose dans les poches de son blouson. S'imaginait-il vraiment pouvoir la violer sans une paire de menottes ou une massue pour l'assommer ?

Il crocheta son doigt et lui indiqua le plancher devant lui.

— Viens donc ici, cocotte, susurra-t-il. Et baisse ton jean. Ça va te faire du bien de découvrir ce que ça fait de se la prendre dans le cul régulièrement.

C'est ce que tu me fais subir depuis des mois. Ce n'est que justice, pas vrai ?

Très lentement, elle contourna le bureau. Elle s'arrêta à une bonne distance, hors de sa portée. Elle déboutonna sa braguette avec des doigts gourds et glacés, n'osant pas le quitter des yeux. Son cœur battait si fort dans ses oreilles qu'elle entendait à peine la respiration rauque de Cameron.

Lorsqu'elle abaissa son jean sur ses hanches, il pointa un bout de langue sans s'en rendre compte.

— La petite culotte aussi, dit-il le souffle court. Enlève tout.

— Vous ne devez pas violer des gens souvent, n'est-ce pas ? le provoqua-t-elle en enjambant le pantalon en tas sur le sol. Vous êtes si pressé que ça ?

Elle se pencha, ramassa le jean, secoua les jambes et se tourna comme pour le déposer sur le bureau. Puis elle pivota brusquement en tenant le pantalon par les chevilles et lui cingla le visage.

Le lourd denim, avec sa fermeture éclair et ses boutons en cuivre, l'atteignit à la pommette. Il chancela en arrière avec un grognement de surprise et agrippa le jean. Elle le lâcha aussitôt, bondit sur le bureau et se jeta sur lui, une épaule en avant.

Ils tombèrent lourdement sur le parquet qui craqua sous l'impact. Elle atterrit sur Cameron, lui envoya un coup de genou dans le ventre, puis le saisit par les deux oreilles et lui frappa le crâne contre le sol de toutes ses forces. Il poussa un cri de douleur et tenta de lui retenir les poignets. Elle le lâcha, se pencha en arrière et lui attrapa les bourses.

Si elle avait eu une bonne prise, elle les lui aurait écrasées. Malheureusement, elle ne parvint qu'à les presser une seule fois, mais suffisamment fort pour le faire hurler et se convulser en manquant de la faire renverser de son perchoir.

Elle ne pouvait l'emporter dans un combat aux poings et devait coûte que coûte rester hors de sa portée. Elle se releva et chercha autour d'elle un objet suffisamment lourd. Elle saisit le coffret en bois contenant les lettres et le lui brisa sur le crâne au moment où il se relevait. Il ne retomba pas mais resta un moment étourdi sous la cascade de papiers. Elle lui décocha un coup de pied dans la mâchoire. Son talon glissa sur le visage en sueur, mais elle était parvenue à lui faire mal.

Elle s'était blessée, elle aussi. Une douleur vive lui transperça la plante du pied. Elle s'était déchiré ou cassé quelque chose, mais peu importait.

Cameron secoua énergiquement la tête pour tenter de se remettre les idées en place, puis avança à quatre pattes vers elle dans l'intention de lui attraper une jambe. Elle recula précipitamment vers le bureau, puis, avec un cri de furie, lui envoya un genou dans le nez et courut dans le couloir en boitant.

Des armes étaient accrochées aux murs de l'entrée, une collection de targes et de claymores en guise de décoration. Malencontreusement, elles étaient toutes en hauteur afin d'être hors de portée des enfants. Elle en trouva une plus facile d'accès derrière le portemanteau : la batte de cricket de Jem.

Il ne faut pas le tuer, se répéta-t-elle, surprise de parvenir encore à penser rationnellement. *Ne le tue pas. Pas encore. Pas avant qu'il t'ait dit où est Jemmy.*

— Sale… petite pute !

Il avançait vers elle, pantelant, à moitié aveuglé par le sang qui coulait de son front et hoquetant à cause de celui qui ruisselait de son nez.

— Je vais te fendre en deux, salope ! Je vais te…

— *Caisteal DOOON !*

Elle jaillit de derrière le portemanteau et le faucha d'un coup de batte dans les côtes. Il émit un gargouillis et se plia en deux, les mains sur le ventre. Elle prit une grande inspiration, leva haut la batte au-dessus de sa tête et l'abattit de toutes ses forces sur son crâne.

Le choc se répercuta le long de ses bras jusque dans ses épaules. Elle lâcha son arme et resta un instant immobile, haletante, tremblante, trempée de sueur.

— Maman ? dit une petite voix chevrotante au pied de l'escalier. Pourquoi t'as pas de pantalon ?

Sa première pensée cohérente fut de remercier son instinct. Elle avait traversé le vestibule en deux enjambées, pris Mandy dans ses bras et la réconfortait en lui tapotant le dos avant même d'avoir pris consciemment la décision de bouger.

— Un pantalon ? demanda-t-elle en surveillant la silhouette inerte de Rob Cameron.

Il ne remuait plus, mais elle ne pensait pas l'avoir tué. Elle devait trouver rapidement un moyen plus définitif de le neutraliser.

— Ah, un pantalon ! comprit-elle enfin. Je me préparais à aller me coucher quand ce vilain monsieur est arrivé.

Mandy se dressa dans ses bras et tordit le cou pour regarder Cameron.

— Ah, fit-elle. C'est M. Rob ? C'est un voleur ? Il est méssant ?

— Tout ça à la fois, répondit Brianna en s'efforçant de conserver un ton calme.

L'élocution de Mandy tendait à devenir sibilante quand elle était excitée ou troublée. Toutefois, elle se remit rapidement d'avoir vu sa mère en t-shirt et en petite culotte assommer un voleur dans l'entrée. Brianna fut prise d'une soudaine envie de piétiner les testicules de Cameron mais la repoussa. Elle n'en avait pas le temps.

Elle déposa Mandy sur la première marche de l'escalier.

— Tu vas rester sagement ici, *a ghraidh*. Je dois mettre M. Rob quelque part où il ne pourra pas nous faire du mal.

— Non ! cria Mandy en voyant sa mère se diriger vers le corps recroquevillé de Cameron.

Brianna agita la main vers elle dans un geste qu'elle espérait rassurant, ramassa la batte et poussa prudemment son prisonnier du bout du pied. Aucune réaction. Histoire d'en avoir le cœur net, elle le contourna et lui enfonça sans ménagement la batte entre les fesses, ce qui fit pouffer de rire sa fille. Constatant qu'il était toujours inconscient, elle inspira profondément, respirant pour la première fois depuis ce qui paraissait des heures.

Elle retourna au pied de l'escalier, confia la batte à Mandy et lui sourit.

— Nous allons mettre M. Rob dans le trou du curé. Tu veux bien aller m'ouvrir la porte ?

— Tu veux que je le frappe ? demanda la fillette avec une voix remplie d'espoir.

Elle serrait fermement la batte des deux mains.

— Non, ce ne sera pas nécessaire, ma chérie. Ouvre-moi simplement la porte.

Son fourre-tout de travail était accroché au portemanteau. Elle en sortit un grand rouleau de ruban adhésif avec lequel elle attacha les poignets et les chevilles de Cameron, faisant une douzaine de tours chaque fois. Elle lui prit les pieds et le traîna le long du couloir jusqu'à la porte battante tapissée de feutre vert qui séparait la cuisine du reste de la maison.

Il commença à remuer alors qu'elle contournait la grande table de la cuisine. Elle le lâcha, se tourna vers Mandy et s'efforça de prendre un ton le plus calme possible.

— Ma chérie, il faut que j'aie une conversation de grandes personnes avec M. Rob. Rends-moi la batte et va m'attendre dans le vestibule, d'accord ?

— Maman...

Mandy recula lentement vers l'évier sans quitter des yeux Cameron qui gémissait.

— Va, insista Brianna d'un ton ferme. Tout de suite ! Maman te rejoindra avant que tu aies fini de compter jusqu'à cent. Commence à compter. Un... deux... trois...

Elle se plaça entre sa fille et Cameron, lui montrant la porte.

Mandy obtempéra à contrecœur et disparut par la porte de service en murmurant :

— Quatre... cinq... six... sept...

La pièce était chauffée par la cuisinière Aga. Bien qu'étant en sous-vêtements, Brianna était trempée de sueur. Elle sentait son odeur, sauvage et âcre, et découvrit que cela la faisait se sentir plus forte. Si elle n'avait jamais vraiment saisi le sens de l'expression « assoiffée de sang », elle la comprenait désormais. En conservant une bonne distance entre elle et Cameron, au cas où il tenterait de rouler vers elle, elle répéta :

— Où est mon fils ? Répondez-moi, sale ordure, ou je vous roue de coups avant d'appeler la police.

Il se tortilla sur le flanc en geignant.

— Ah oui ? dit-il en tordant le cou. Et qu'est-ce que tu leur diras, aux flics ? Que j'ai enlevé ton gosse ? Tu as une preuve ?

Il avait du mal à articuler. Tout un côté de sa bouche avait doublé de volume là où elle l'avait frappé.

— Très bien, répliqua-t-elle. Dans ce cas, je me contenterai de vous rouer de coups.

— Quoi, tu battrais un homme sans défense ? Tu parles d'un exemple pour ta petite fille.

Il parvint à rouler sur le dos avec un grognement.

— Je dirai à la police que vous vous êtes introduit chez moi et m'avez agressée.

Elle pointa un pied vers lui, lui montrant les griffures sur sa jambe.

— Ils n'auront qu'à analyser ce que vous avez sous les ongles. Ils y trouveront des cellules de ma peau. Quant à Mandy, bien que je rechigne à la mêler à ça, elle se fera un plaisir de leur répéter ce que vous avez dit dans le couloir.

Sur ce point, on pouvait lui faire confiance. Mandy était un vrai magnétophone, surtout quand la conversation incluait des gros mots.

— Ngn… fit Cameron.

Il avait fermé les yeux, ébloui par l'ampoule au-dessus de l'évier. Quand il les rouvrit, il paraissait moins étourdi. Elle pouvait voir les calculs dans son regard. Comme la plupart des hommes, il raisonnait sans doute mieux quand il n'était pas sexuellement excité. Elle s'était déjà chargée de calmer ses ardeurs.

— Je leur dirai que nous avons joué à un petit jeu érotique qui a dégénéré. Quand tu tenteras de le démentir, ils te demanderont où est passé ton mari. Tu es un peu longue à la détente ce soir, ma poule. D'un autre côté, tu n'as jamais été une flèche.

Son allusion à Roger mit le feu aux poudres. Au lieu de lui répondre, elle le saisit par les chevilles et le traîna jusque dans l'arrière-cuisine. La grille qui cachait le trou du curé était cachée sous un banc, plusieurs casiers à bouteilles de lait, divers outils de jardin attendant d'être réparés et plusieurs autres objets qui n'avaient d'autres endroits où être entreposés. Elle les repoussa et souleva la grille. Une échelle descendait dans le trou noir. Elle la sortit et la glissa derrière le banc. Elle ne serait pas utile.

Rob écarquilla les yeux.

— Hé! protesta-t-il.

Soit il avait ignoré l'existence de cette cachette dans la maison, soit il ne s'était pas attendu à ce qu'elle s'en serve. Sans un mot, elle le souleva sous les aisselles, le traîna jusqu'à l'ouverture et le poussa dedans. Les pieds devant car, s'il se brisait le cou, il ne pourrait pas lui dire où était Jem.

Il y eut un cri, suivi d'un bruit sourd. Avant qu'elle n'ait pu craindre qu'il se soit fracassé le crâne malgré tout, un chapelet d'injures l'informa qu'il était toujours en état de répondre à des questions. Elle alla chercher une lampe torche dans un tiroir de la cuisine et la pointa dans l'orifice. Le visage de Cameron, congestionné et strié de sang, se tourna vers elle, les yeux brillant de haine. Il se trémoussa jusqu'à parvenir à se redresser en position assise.

— Tu m'as cassé une jambe, salope!

Elle en doutait fortement.

— Tant mieux, rétorqua-t-elle. Une fois que j'aurai Jem, je vous conduirai chez un médecin.

Il souffla bruyamment par les narines puis s'essuya le visage avec ses mains liées, laissant une grande traînée de sang sur sa joue.

— Tu veux retrouver ton gamin? Alors sors-moi d'ici et vite!

Après l'avoir ligoté, elle avait envisagé et écarté différents plans d'action, les passant en revue comme une main de poker. Le libérer n'en avait jamais fait partie. En revanche, elle avait songé à sortir la carabine 22 long rifle que la famille utilisait pour chasser les rats et lui tirer quelques balles dans ses endroits non vitaux. Toutefois, elle courait le risque de l'endommager trop grièvement, voire de le tuer accidentellement s'il remuait au mauvais moment.

— Réfléchis vite ! hurla-t-il. La petite va arriver à cent d'un instant à l'autre.

Brianna sourit en dépit de la situation. Mandy avait récemment découvert le concept des nombres infinis et ne s'en lassait pas. Elle pouvait compter jusqu'à ne plus avoir de souffle.

— Très bien, dit-elle en soulevant la grille. On verra si vous êtes toujours aussi bavard après vingt-quatre heures sans nourriture ni eau.

— Sale garce !

Il tenta de se lever et retomba lourdement sur le flanc.

— Réfléchis un peu ! Si je n'ai rien à manger ni à boire, ton gamin non plus !

Elle se figea, le bord de la grille s'enfonçant dans la chair de ses doigts.

— Décidément, vous n'êtes pas bien malin, Rob.

Elle s'étonnait elle-même du calme de sa voix. Intérieurement, elle passait de l'horreur au soulagement, puis à l'horreur à nouveau.

Il y eut un silence, en bas, pendant que Cameron se demandait quelle bévue il venait de commettre.

— Je sais désormais que vous n'avez pas envoyé Jem à travers les pierres, l'aida-t-elle.

Elle se retenait de hurler : *Mais vous avez envoyé Roger le chercher dans le passé... où il ne le trouvera jamais. Espèce de... de...*

— Il est toujours ici, à notre époque, ajouta-t-elle.

Un autre silence.

— Ouais, dit-il lentement. Tu sais ça, mais tu ignores où il est et tu ne le sauras jamais à moins de me relâcher. Penses-y, cocotte. Il doit avoir faim en ce moment. Et soif. Ce sera encore pire demain matin.

Les doigts de Brianna se crispèrent sur la grille.

— J'espère pour vous que vous mentez.

Elle referma la trappe et marcha dessus pour la faire glisser dans son cadre. Le trou du curé était littéralement un trou : un espace de deux mètres sur deux mètres cinquante, et de trois mètres cinquante de profondeur. Même sans les chevilles et les poignets liés, Cameron n'aurait pu sauter suffisamment haut pour s'accrocher à la grille et pousser le verrou qui la fermait.

Faisant la sourde oreille aux cris sous ses pieds, Brianna alla chercher son jean et sa fille.

En trouvant le vestibule vide, elle eut un moment de panique. Puis elle aperçut deux petits pieds pointant sous le banc, leurs longs orteils détendus comme ceux d'une grenouille. Son pouls ralentit. Un brin.

Mandy était recroquevillée sous le vieux mackintosh de Roger, un pouce dans la bouche, profondément endormie. Brianna fut tentée de la porter dans son lit et de la laisser dormir jusqu'au lever du jour. Elle posa une main sur les cheveux bouclés de sa fille, aussi noirs que ceux de son père, et sentit un poing presser son cœur comme un citron. Un autre enfant attendait son aide.

— Réveille-toi, ma chérie, dit-elle en la secouant doucement. Debout, ma puce. Nous devons retrouver Jem.

Il fallut une bonne dose de cajoleries et un verre de cola (une vraie surprise, du jamais vu à cette heure de la nuit !) pour ranimer Mandy. Une fois totalement réveillée, elle était toute prête à se lancer à la recherche de son frère.

Tout en boutonnant le manteau rose molletonné de sa fille, Brianna lui demanda sur un ton faussement détaché :

— Dis-moi, ma chérie, tu sens la présence de Jem ? En ce moment même ?

— Oui, répondit-elle nonchalamment.

Le cœur de Brianna fit un bond. Deux nuits plus tôt, Mandy s'était réveillée en poussant des cris, en pleurant et en braillant que Jem était parti. Elle avait été inconsolable, hurlant que son frère avait été « mangé par de gros rochers ». Ses parents avaient été atterrés, sachant trop bien ce que représentait l'horreur des rochers en question.

Puis, quelques minutes plus tard, Mandy s'était soudain calmée. Jem était toujours avec elle, avait-elle expliqué. Il était dans sa tête. Là-dessus, elle s'était rendormie comme si de rien n'était.

Dans la consternation qui avait suivi cet incident (ils avaient découvert que Jem avait été enlevé par Rob Cameron, l'un des collègues de Brianna à la centrale hydroélectrique, qui l'avait probablement envoyé dans le passé à travers les pierres), ses parents avaient oublié la crise de Mandy et ne l'avaient pas interrogée davantage. À présent, l'esprit de Brianna fusait à la vitesse de la lumière, bondissant d'un constat d'horreur à l'autre, établissant des liens qu'il lui aurait fallu des heures à établir dans un état plus calme.

Constat d'horreur numéro un : finalement, Jemmy n'était pas parti dans le passé. Si c'était indéniablement une bonne nouvelle, cela rendait le constat d'horreur numéro deux d'autant plus horrible : Roger et William Buccleigh, eux, étaient bien partis à travers les pierres à la recherche de Jemmy. Connaissant l'extrême danger du voyage, elle espérait qu'ils étaient arrivés sains et saufs de l'autre côté. Le cas échéant, cela la ramenait au constat d'horreur numéro un : Jemmy n'étant pas dans le passé, Roger ne l'y trouverait pas. Or, comme Roger ne cesserait jamais de le chercher…

Elle chassa fermement de son esprit le constat d'horreur numéro trois. Mandy l'observait d'un air intrigué.

— Pourquoi tu fais des grimaces, maman ?

— Je m'entraîne pour l'Halloween.

S'efforçant de sourire, elle se releva et enfila son duffle-coat.

— C'est quand, l'Halloween ?

Un frisson glacé parcourut Brianna. *Sont-ils bien arrivés de l'autre côté ?* Ils pensaient que les portes du temps étaient plus actives lors des fêtes solaires et du feu. Samhain était une importante fête du feu, mais ils n'avaient pu attendre un jour de plus, craignant que Jemmy n'ait été emmené trop loin de Craigh na Dun après avoir traversé les pierres.

— Demain, répondit-elle.

Ses doigts tremblants ne parvenaient pas à fermer les boutons de son manteau.

— Youpi ! Youpi ! Youpi ! s'écria Mandy en bondissant sur place comme une sauterelle. Je peux mettre mon masque pour chercher Jemmy ?

27

QUI CHERCHE TROUVE

IL AVAIT SENTI LES DIAMANTS EXPLOSER. Pendant un temps, ce fut sa seule pensée. Il les avait sentis. Cela n'avait duré qu'un instant, à peine plus de temps qu'un battement de cœur. Il y avait eu un éclair de lumière et de chaleur dans sa main, puis une vibration l'avait traversé, entouré… ensuite, quand…

Non, pas «quand». Il n'y avait plus de temps, plus de présent…

Il ouvrit les yeux et découvrit qu'il y avait un «maintenant». Il était couché sur des cailloux dans la bruyère. Une vache respirait non loin. Non, pas une vache. Il parvint à tourner la tête de quelques centimètres sur le côté. C'était un homme assis, recroquevillé sur lui-même, essayant laborieusement d'inspirer de grandes goulées d'air. *D'où sort-il?*

— Ah! fit-il. C'est t-t-toi.

Les mots sortaient difficilement de sa bouche et lui brûlaient la gorge. Il toussa. Cela aussi lui faisait mal.

— Ça… ça va?

— Non.

La réponse était venue dans un grognement douloureux qui alarma Roger. Il se redressa à quatre pattes. La tête lui tournait. Il pantelait lui aussi, mais parvint à ramper jusqu'à Buck.

William Buccleigh était penché en avant, les bras croisés, tenant le haut de son bras gauche avec sa main droite. Il était blême et en nage. Il pinçait tellement les lèvres qu'un cercle blanc s'était formé autour de sa bouche.

— Tu es blessé? demanda Roger.

Il tendit la main, sans savoir s'il devait le toucher ni où le palper. Il ne voyait de sang nulle part.

— Ma… poitrine, haleta Buck. Mon bras…

Une montée d'adrénaline dissipa aussitôt l'étourdissement de Roger.

— Oh Seigneur! marmonna-t-il. Tu n'es pas en train de nous faire une crise cardiaque, hein?

— Qu'est-ce que…

Buck n'acheva pas sa phrase et grimaça. Puis sa douleur sembla s'atténuer légèrement. Il inspira une grande bouffée d'air.

— Qu'est-ce que j'en sais? reprit-il.

— Ça ressemble à… peu importe. Allonge-toi.

Roger regarda à la ronde, tout en étant conscient que c'était inutile. Au XXᵉ siècle, la zone autour de Craigh na Dun était pratiquement inhabitée. Elle l'était encore plus au XVIIIᵉ siècle. La probabilité que quelqu'un passe par là était ténue, et que ce quelqu'un soit un médecin aurait tenu du prodige.

Il soutint Buck sous les aisselles et l'étendit doucement. Puis il se pencha sur lui et colla une oreille contre son torse, se sentant un peu idiot.

— Tu entends quelque chose ? demanda Buck.

— Pas quand tu parles. Ferme-la.

Il lui semblait percevoir un battement de cœur, mais il n'aurait su dire s'il était normal ou pas. Il resta penché encore quelques instants, cherchant surtout à se recomposer.

Il faut toujours avoir l'air de savoir ce qu'on fait, même si ce n'est pas le cas. C'était un conseil qu'il avait entendu maintes fois de la bouche de chanteurs avec lesquels il avait partagé une scène, de confrères universitaires et, beaucoup plus récemment, de ses deux beaux-parents.

Il posa une main sur la poitrine de Buck et le regarda dans les yeux. Il transpirait encore et paraissait effrayé, mais ses joues avaient retrouvé un peu de couleur. Ses lèvres n'étaient plus bleues, ce qui était forcément bon signe.

— Continue de respirer profondément, conseilla-t-il à son ancêtre. Et lentement.

Il en fit autant. Son propre cœur battait à tout rompre et la sueur dégoulinait le long de sa nuque en dépit du vent froid qui sifflait dans ses oreilles.

Le torse de Buck se soulevait lentement sous sa main.

— On a réussi, hein ? demanda-t-il en tournant la tête de droite à gauche. C'est... différent, non ?

— Oui.

En dépit de la situation et de sa profonde inquiétude pour Jem, Roger sentit une pointe de jubilation et de soulagement. C'était effectivement différent. Il distinguait la route en contrebas, à présent un simple chemin envahi par la végétation plutôt qu'un ruban d'asphalte gris. Les arbres et les buissons aussi étaient différents. Il y avait de grands pins calédoniens qui ressemblaient à des bouquets de brocolis géants. Ils avaient réussi.

— Oui, on a réussi. Et ce n'est pas le moment de me claquer dans les bras, mon vieux.

— Je fais ce que je peux, grommela Buck.

Il paraissait se sentir mieux.

— Que se passe-t-il si tu meurs en dehors de ton époque ? demanda-t-il. Tu disparais simplement ? Comme si tu n'avais jamais été là ?

— Peut-être que tu exploses en mille morceaux. Je n'en sais rien et je ne tiens pas à le savoir. En tout cas, pas pendant que je me tiens à côté de toi.

En se redressant, Roger sentit sa tête lui tourner. Son cœur battait toujours si fort qu'il résonnait à l'arrière de son crâne. Il inspira le plus profondément possible et se leva.

— Je vais... aller te chercher un peu d'eau. Ne bouge pas de là.

Il avait apporté une petite gourde vide, tout en s'inquiétant de ce qu'il adviendrait du métal pendant la traversée. Apparemment, ce qui pulvérisait les pierres précieuses ne s'intéressait pas au fer-blanc. Sa gourde était intacte, tout comme son canif et sa flasque de poche remplie de cognac.

Lorsqu'il revint du ruisseau le plus proche, Buck s'était redressé en position assise. Après s'être aspergé le visage avec l'eau et avoir sifflé la moitié de la flasque, il déclara être remis.

Roger n'en était pas convaincu, lui trouvant encore grise mine, mais il était trop inquiet pour Jem pour proposer d'attendre encore un peu. Ils en avaient discuté dans la voiture alors qu'ils roulaient vers Craigh na Dun, échafaudant un semblant de plan. Du moins pour le début.

Si Cameron et Jem avaient effectué la traversée sans encombre (Roger se souvenait encore du cahier de Geillis Duncan rempli de coupures de presse concernant des gens retrouvés près de cercles de pierre, généralement morts), ils devaient être à pied. Bien que vigoureux et capable de marcher sur de longues distances, Jem n'aurait pu parcourir plus d'une quinzaine de kilomètres en une journée sur un terrain accidenté.

La seule voie possible était le chemin qui passait au pied de la colline. L'un d'eux le suivrait donc vers l'est jusqu'à croiser l'une des routes du général Wade qui conduisait à Inverness ; l'autre partirait vers l'ouest et le col qui menait à Lallybroch et, plus loin, Cranesmuir.

— Il est plus probable qu'ils soient partis vers Inverness, répéta Roger pour la sixième fois. Si c'est l'or que Cameron veut, il sait qu'il se trouve en Amérique. Il ne peut pas avoir l'intention de marcher à travers les Highlands jusqu'à Édimbourg pour s'embarquer, surtout avec l'hiver qui approche.

— Il ne trouvera jamais un navire à cette époque, objecta Buck. Aucun capitaine ne traversera l'Atlantique en novembre !

— Il ne le sait peut-être pas. C'est un archéologue amateur, pas un historien. La plupart des gens du XXᵉ siècle ont du mal à imaginer que les choses étaient différentes dans le passé, hormis pour les vêtements étranges et l'absence d'eau courante. Ils ne pensent pas que le mauvais temps pourrait les empêcher de se rendre où bon leur semble. Cameron croit peut-être qu'il y a des navires à longueur d'année.

— Mmphm. Il compte peut-être se terrer avec le petit à Inverness jusqu'au printemps, et éventuellement trouver un travail en attendant. Tu veux aller à Inverness, alors ?

Il pointa le menton dans la direction de la ville invisible.

— Non, répondit Roger.

Il palpa ses poches et vérifia ses fournitures.

— Jem connaît cet endroit, expliqua-t-il. Je l'ai amené ici plusieurs fois afin d'être sûr qu'il ne tomberait pas dessus par hasard. Il sait donc comment retrouver son chemin jusqu'à Lallybroch. S'il est parvenu à échapper à Cameron, et je prie le ciel que ce soit le cas, il cherchera à rentrer à la maison.

En outre, si Jem n'était pas à Lallybroch, la famille de Brianna y serait, ses cousins et sa tante. Il ne les avait jamais rencontrés, mais ils savaient qui il était grâce aux lettres de Jamie. Ils l'aideraient à chercher son fils. Quant à ce qu'il leur raconterait... il avait encore le temps d'y penser.

Buck boutonna son manteau et resserra le cache-col en laine autour de son cou pour se protéger du vent.

— D'accord, il me faudra environ trois jours pour arriver à Inverness et faire des recherches dans la ville, deux ou trois pour revenir. On se retrouve ici dans six jours. Si je ne te vois pas, j'irai à Lallybroch.

Roger hocha la tête.

— Si je ne les ai pas trouvés mais que j'ai découvert une piste, je te laisserai un message à Lallybroch. Si…

Il hésita, mais la question devait être posée.

— Si tu rencontres ta femme et que ça se passe mal…

Les traits de Buck se tendirent.

— Ça s'est déjà mal passé. Mais oui, je reviendrai quand même te trouver.

— Bien.

Roger arrondit le dos, pressé de partir et mal à l'aise. Buck tourna les talons, puis se retourna et saisit la main de Roger.

— Nous le trouverons, assura-t-il.

Il le fixa avec ses yeux vert mousse si semblables aux siens.

— Bonne chance, ajouta-t-il.

Il exerça une dernière pression sur sa main puis s'éloigna, écartant les bras pour conserver son équilibre tandis qu'il descendait entre les pierres et les ajoncs. Il ne lança pas un regard derrière lui.

28

PLUS CHAUD, PLUS FROID

— QUAND JEM EST À L'ÉCOLE, tu le sens ?

— Oui, il monte dans un bus.

Mandy se tortilla sur son siège d'enfant, essayant de regarder par la fenêtre. Elle portait le masque de princesse souris que Brianna l'avait aidée à confectionner pour l'Halloween : un visage de souris dessiné sur une assiette en carton, avec deux trous pour les yeux ainsi que pour les fils roses qui la maintenaient autour de la tête, des cure-pipes roses en guise de moustaches, une petite couronne en équilibre précaire, le tout parsemé d'un flacon entier de paillettes dorées.

Les Écossais fêtaient le Samhain avec des bougies dans des navets évidés. Brianna avait préféré suivre une tradition légèrement plus festive avec ses enfants à moitié américains. Le siège tout entier scintillait de poudre d'or.

Elle sourit malgré son inquiétude.

— Je voulais dire, tu pourrais jouer à « c'est froid, c'est chaud » avec Jem même s'il ne te répondait pas à voix haute ? Tu saurais s'il est près ou loin ?

Songeuse, Mandy donna des coups de pied dans le dossier du siège.

— Peut-être.

— Tu veux bien essayer ?

Elles se dirigeaient vers Inverness. C'était là-bas que Jem était censé être, passant la nuit chez le neveu de Rob Cameron.

— D'accord, accepta enfin la fillette.

Elle n'avait pas demandé ce qu'était devenu Cameron. Brianna eut une pensée pour son prisonnier. Elle était parfaitement capable de lui tirer dans les chevilles, les coudes, les genoux ou n'importe où ailleurs, si cela lui faisait avouer où était son fils. Toutefois, s'il y avait un moyen moins radical de l'interroger, cela vaudrait mieux pour tout le monde. Il ne serait pas bon pour Jem et Mandy d'avoir une mère enfermée en prison à vie, surtout si Roger... Elle chassa aussitôt cette pensée et appuya sur l'accélérateur.

— Tu refroidis, annonça soudain Mandy.

Brianna manqua de freiner pile.

— Quoi ? Tu veux dire qu'on s'éloigne de Jem ?

— Oui.

Brianna prit une grande respiration et fit un demi-tour en épingle à cheveux, évitant de justesse une camionnette venant dans l'autre sens et se faisant copieusement klaxonner.

Serrant son volant de ses mains moites, elle déclara :

— Très bien, allons le chercher dans l'autre direction.

La porte n'était pas fermée à clef. Soulagé, Jem l'ouvrit. Son cœur se resserra aussitôt en découvrant qu'il n'y avait pas de lumière non plus dans la salle des turbines.

Il y avait toutefois une lueur provenant de petites fenêtres tout en haut de la pièce immense : elle venait du bureau des ingénieurs. C'était de là qu'ils surveillaient les monstres dans la grande salle.

— Ce ne sont que des machines, marmonna-t-il en collant le dos au mur. Rien que des machines, des machines, des machines.

Il connaissait leurs noms. Ceux des palans géants collés sous le plafond, avec leurs grands crochets qui pendaient, et ceux des turbines. Maman les lui avait dits, mais c'était quand ils se trouvaient tout là-haut, là où il y avait de la lumière. Et il faisait jour.

Le sol vibrait sous ses pieds. Le tremblement se répercutait dans ses vertèbres plaquées contre le mur. C'était dû au poids de l'eau qui se déversait à travers le barrage. Des tonnes d'eau, avait dit maman. Des tonnes et des tonnes et des tonnes d'eau noire, partout autour de lui, sous lui... si le mur ou le plancher craquaient...

— Tais-toi et arrête de faire le bébé, se sermonna-t-il.

Il se frotta le visage des deux mains et s'essuya sur son jean.

— Il faut bouger de là ! Remue-toi !

Il y avait forcément un escalier quelque part, caché derrière les immenses silhouettes noires des turbines. Elles étaient plus grosses que les pierres sur la colline où M. Cameron l'avait emmené. Cette idée le calma un peu. Les pierres étaient beaucoup plus effrayantes. Le grondement grave des turbines faisait trembler tout son squelette, mais les machines n'essayaient pas d'*entrer* dans ses os.

La seule chose qui le retenait de retourner dans le tunnel dans l'espoir que quelqu'un le découvrirait au matin était la... la chose qui s'y trouvait. Il refusait d'en approcher à nouveau.

Il n'entendait plus son cœur, noyé par le vacarme dans la salle. Il ne s'entendait plus penser non plus. L'escalier devait se trouver du côté des fenêtres. Il se dirigea dans cette direction d'un pas hésitant, restant le plus loin possible des énormes masses noires qui émergeaient du sol.

Ce ne fut que lorsqu'il trouva la porte, l'ouvrit et découvrit l'escalier illuminé, qu'il se demanda soudain si M. Cameron ne l'attendait pas dans le bureau en haut des marches.

29

Retour à Lallybroch

ROGER SE TRAÎNA LABORIEUSEMENT vers le sommet du col tout en marmonnant dans sa barbe – comme il le faisait depuis quelques kilomètres :

> *« Si vous aviez vu ces routes avant qu'elles fussent faites,*
> *Vous lèveriez les mains au ciel et béniriez le général Wade. »*

Le général anglo-irlandais George Wade avait passé douze ans à construire des casernes, des ponts et des routes à travers l'Écosse. Ce dithyrambe gravé sur une borne au bord de l'une de ses routes était amplement justifié. Roger en avait emprunté une près de Craigh na Dun et n'avait eu qu'à la suivre d'un pas leste jusqu'à quelques kilomètres avant Lallybroch.

En revanche, le reste du parcours n'avait pas bénéficié des soins du général. Ce n'était qu'une piste caillouteuse remplie d'ornières boueuses et envahie par la bruyère. Elle grimpait dur jusqu'au col qui dominait (et protégeait) Lallybroch. Au pied des montagnes, les versants étaient tapissés de hêtres, d'aulnes et d'épais pins calédoniens, mais en altitude il n'y avait plus ni ombre ni abri. Un vent violent et froid le cinglait, rendant encore plus pénible son ascension.

S'il était parvenu à s'échapper, Jem avait-il parcouru seul tout ce chemin ? Buck et Roger avaient fait le tour de Craigh na Dun à la recherche d'indices, dans l'espoir que Cameron ait fait une pause pour récupérer ses forces après les épreuves de la traversée. Ils n'avaient rien trouvé, pas la moindre empreinte de petite chaussure dans le sol boueux. Roger avait alors pris la route, marchant le plus rapidement possible, ne s'arrêtant que pour frapper aux portes des fermes sur son chemin (elles n'étaient pas nombreuses dans ce coin perdu).

Son cœur battait fort et ce n'était pas uniquement à cause de l'effort de la grimpée. Cameron avait deux jours d'avance, tout au plus. Si Jem ne lui avait pas échappé et n'avait pas tenté de se réfugier à la maison, Cameron n'avait aucune raison de retourner à Lallybroch. Où irait-il ? Il serait resté sur la bonne route, que Roger avait quittée une quinzaine de kilomètres plus tôt pour se diriger vers l'est et le territoire des MacKenzie… Mais pourquoi ?

— Jem !

Il l'appelait de temps en temps tout en marchant. La lande et la montagne étaient désertes. On n'entendait que les bruissements furtifs de lapins et d'hermines, le croassement d'un corbeau ou le cri d'une mouette, haute dans le ciel, égarée loin de la mer.

— Jem !

Il ne pouvait s'en empêcher, comme si ses appels imposaient une réponse. Il s'imaginait parfois en entendre une et se figeait, pour découvrir chaque fois que ce n'était que le vent gémissant dans ses oreilles, le narguant. Il savait également qu'il aurait pu passer à quelques mètres de Jem sans le voir.

En dépit de son anxiété, il ressentit une pointe de joie lorsque, parvenu au sommet du col, il aperçut Lallybroch en contrebas. Ses bâtiments blanchis avec la technique traditionnelle du *harling* luisaient dans la lumière pâle de la fin de journée. Tout paraissait paisible. Les derniers choux de la saison et les navets étaient soigneusement alignés dans le potager muré, protégés des moutons dont on apercevait un troupeau dans le pré du fond, se préparant déjà pour la nuit. On aurait dit des petits œufs laineux dans un nid d'herbe verte, comme un panier d'enfant à Pâques.

Cela lui rappela l'horrible herbe en cellophane verte dont les pâtisseries tapissaient leur devanture au moment des fêtes pascales. Il revit la frimousse de Mandy barbouillée de chocolat ; les traits concentrés de Jem tandis qu'il écrivait soigneusement *Papa* sur un œuf dur avec un crayon blanc, puis son front plissé alors qu'il contemplait les petits flacons de teinture devant lui en se demandant lequel, du violet ou du bleu, seyait le mieux à son père.

— Seigneur, faites qu'il soit là ! murmura-t-il.

Il descendit rapidement le petit sentier sinueux, dérapant sur les cailloux.

La cour devant la maison était en ordre. Le grand rosier jaune grimpant avait été taillé pour l'hiver et les marches du perron étaient balayées. Il eut l'impression qu'en ouvrant la porte, il se retrouverait chez lui, dans son entrée, avec les minuscules sabots rouges de Mandy jetés pêle-mêle sous le grand portemanteau ; la vieille canadienne miteuse de Brianna suspendue à ce dernier, tachée de boue séchée et portant l'odeur de sa propriétaire : du savon et du musc mêlés à de vagues effluves de maternité : du lait rance, du pain frais et du beurre d'arachides.

— On se calme, se sermonna-t-il. Si tu continues comme ça, tu vas fondre en larmes sur le perron.

Alors qu'il tambourinait contre la porte, un chien énorme surgit au coin de la maison, aboyant telle la bête des Baskerville. Il s'arrêta pile à quelques mètres de lui tout en continuant à aboyer, secouant sa tête massive et couchant les oreilles, n'attendant qu'un faux mouvement de sa part pour le dévorer en toute bonne conscience.

Roger ne prit aucun risque. Plaqué contre la porte, il cria :

— À l'aide ! Rappelez votre cerbère !

Il entendit des pas à l'intérieur. Un instant plus tard, la porte s'ouvrit et il manqua de tomber à la renverse.

— Tais-toi, le chien, déclara calmement un grand homme brun. Entrez, monsieur. Il ne vous mangera pas, il a déjà dîné.

— Merci. Vous m'en voyez rassuré.

Roger ôta son chapeau et suivit l'homme à l'intérieur. C'était bien son entrée, avec le même plancher, moins usé, et les mêmes boiseries sombres, fraîchement cirées. Il y avait un portemanteau dans un coin, différent du sien. Celui-ci était en fer forgé, ce qui était aussi bien, car il croulait sous une masse de manteaux, de vestes, de châles et de chapeaux qui auraient écrasé un meuble moins robuste.

Cela le fit sourire, jusqu'à ce qu'il se fige.

Les lambris derrière le portemanteau étaient intacts. Aucune trace des entailles laissées par les sabres des dragons anglais frustrés, après Culloden, quand ils étaient venus fouiller la maison à la recherche du laird hors-la-loi. Ces traces avaient été préservées soigneusement au fil des siècles. Elles étaient noircies par le temps mais toujours bien visibles quand il était devenu propriétaire (*deviendrait*, corrigea-t-il mentalement) des lieux.

Ian, l'oncle de Bree, avait expliqué à cette dernière : « Nous les laissons pour les enfants. Nous leur disons : "Voilà qui sont les Anglais." »

Il n'eut pas le temps d'analyser ce que cela signifiait. L'homme brun admonesta fermement son chien en gaélique, referma la porte, puis se tourna vers lui avec un sourire.

— Bienvenue, monsieur. Vous dînerez avec nous ? Ma fille est en train de préparer le repas.

— Je… euh… oui, volontiers. Je vous remercie.

Roger s'inclina légèrement, essayant de se remémorer les bonnes manières du XVIIIe siècle.

— Je… je m'appelle Roger MacKenzie. De Kyle of Lochalsh.

Aucun homme respectable n'omettrait de mentionner ses origines. Lochalsh était situé suffisamment loin. Il y avait peu de chances que cet homme connaisse tous ses habitants en détail. D'ailleurs, qui était-il ? Il n'avait pas l'allure d'un domestique.

Il avait espéré que sa réponse serait : « MacKenzie ? Vous devez être le père du petit Jem ! » Ce ne fut pas le cas. L'homme s'inclina à son tour et lui tendit la main.

— Brian Fraser, de Lallybroch. À votre service, monsieur.

L'espace d'un instant, Roger ne ressentit absolument rien. Il percevait un léger cliquetis qui lui rappelait le bruit d'un démarreur de voiture quand la batterie est à plat. Il pensa d'abord que son cerveau lui jouait des tours, puis il aperçut le chien qui, ayant été empêché de le dévorer tout cru, était rentré dans la maison et s'éloignait dans le couloir, ses griffes cliquetant sur le parquet.

Ah, voilà donc d'où viennent les griffures sur la porte de la cuisine, pensa-t-il. En effet, le chien s'était dressé sur ses pattes arrière et poussait de tout son poids sur les portes battantes au bout du couloir, puis il se faufila dans la cuisine quand elles s'entrebâillèrent.

— Vous vous sentez bien, monsieur ?

Brian Fraser l'observait en fronçant ses épais sourcils bruns. Il le prit par le coude.

— Suivez-moi dans mon bureau. Que diriez-vous d'un petit remontant ?

— Je… oui merci, balbutia Roger.

Il crut un instant que ses genoux allaient lâcher, mais il parvint néanmoins à suivre le maître des lieux dans « la pièce où l'on cause », le bureau du laird. Son propre bureau.

Les étagères étaient les mêmes. Derrière la tête de son hôte, il apercevait la même rangée de registres qu'il avait souvent feuilletés, cherchant par leurs écritures fanées à faire revivre la vie fantôme du Lallybroch d'autrefois. À présent, c'était lui le fantôme, et la sensation n'avait rien d'agréable.

Brian Fraser lui tendit une petite timbale en verre épais à moitié remplie. C'était du whisky, et du bon. Son arôme l'extirpa de son état de choc et la brûlure de l'alcool dénoua légèrement le nœud dans sa gorge.

Comment poser la question qu'il mourait d'envie de poser ? *Quelle année sommes-nous ?* Il lança un regard vers le bureau, mais ne vit aucune lettre en cours comportant une date, aucun calendrier des plantations. Les livres sur les étagères ne l'aidaient pas non plus. Le seul qu'il reconnut était *La Vie et les Aventures étranges et surprenantes de Robinson Crusoé, marin*, de Daniel Defoe. Il avait été publié en 1719. Ils étaient forcément plus tard que cela, la maison n'était pas encore construite à cette date.

Il refoula une montée de panique. Peu importait qu'il ne soit pas arrivé à l'époque qu'il avait voulu, du moment où Jem s'y trouvait. Il devait s'y trouver. Il le fallait.

Il reposa son verre et s'éclaircit la gorge.

— Je suis désolé de vous importuner, vous et votre famille. J'ai perdu mon fils et je suis à sa recherche.

— Perdu ! s'exclama Fraser. Que sainte Bride vous vienne en aide. Qu'est-il arrivé ?

Autant coller au plus près de la vérité. Après tout, que pouvait-il dire d'autre ?

— Il a été enlevé il y a deux jours. Il n'a que neuf ans. J'ai de bonnes raisons de croire que son ravisseur vient de cette région. Vous n'auriez pas vu un homme grand, mince et brun voyageant avec un petit garçon roux ? L'enfant fait plus ou moins cette taille.

Il posa le tranchant de sa main droite contre son bras gauche, environ huit centimètres au-dessus de son coude. Jem était grand pour son âge, et encore plus pour cette époque, quoique Brian Fraser soit grand lui-même, et son fils...

Il reçut un second choc : Jamie était-il présent ? Dans la maison ? Dans ce cas, quel âge avait-il ? Quel âge avait-il lorsque son père était mort... ?

Fraser hocha la tête, l'air confus.

— Je suis navré, je n'ai pas vu votre fils. Vous connaissez le nom de son ravisseur ?

— Rob... Robert Cameron. J'ignore d'où il vient.

— Cameron... murmura Fraser.

Il pianotait sur la table tout en fouillant dans sa mémoire. C'était l'un des tics de Jamie quand il réfléchissait, sauf que, avec son annulaire raide, il tapotait la surface les doigts à plat, alors que ceux de son père formaient une vague souple.

Roger reprit son verre et but une autre gorgée tout en observant Fraser le plus discrètement possible. Il cherchait une ressemblance. Elle était là, mais subtile, surtout dans le port de tête, la tombée des épaules et les yeux. La forme du visage était différente, avec une mâchoire plus carrée, un front plus large. En outre, les yeux de Brian Fraser étaient noisette et non bleus, mais leur forme en amande, tout comme la bouche large, c'était Jamie.

— Il n'y a pas beaucoup de Cameron entre ici et Lochaber, déclara Fraser. Et je n'ai pas entendu parler d'un vagabond dans les parages.

Il fixa Roger d'un regard plus perplexe qu'accusateur.

— Pourquoi pensez-vous qu'il serait passé par ici ?

— Je… balbutia Roger. Il a été vu près de Craigh na Dun.

Fraser tiqua.

— Craigh na Dun, répéta-t-il en se penchant légèrement en arrière, l'air soudain méfiant. Ah… Et puis-je vous demander d'où vous êtes venu vous-même, monsieur ?

— D'Inverness, répondit aussitôt Roger.

Il essayait très fort d'oublier que sa quête pour retrouver Cameron et Jem avait commencé dans le fauteuil même où il était assis à présent.

— Un parent m'accompagne, précisa-t-il. Je l'ai envoyé vers Cranesmuir poser des questions.

D'apprendre qu'il n'était pas un cinglé solitaire sembla rassurer Fraser. Il se leva et lança un regard vers la fenêtre. Derrière les feuilles noires d'un grand rosier grimpant, on apercevait le ciel sombre.

— Mmphm. Vous feriez mieux de rester ici. Il est tard et vous n'irez pas bien loin avant la tombée de la nuit. Soupez avec nous et nous vous donnerons un lit pour la nuit. Peut-être votre parent vous rejoindra-t-il avec de bonnes nouvelles, ou l'un de mes métayers aura vu quelque chose. J'irai les interroger demain matin.

Les jambes de Roger tremblaient de l'envie de bondir, de se précipiter au-dehors, d'agir. Pourtant, Fraser avait raison : il était inutile et dangereux d'errer dans les montagnes des Highlands dans le noir, risquant de se perdre et d'être surpris par un orage mortel. Il ne tarderait pas à pleuvoir. *Et si Jem est quelque part, là, dehors ?*

— Je… oui. Je vous remercie. C'est très aimable de votre part.

Fraser lui donna une tape sur l'épaule puis sortit dans le couloir et appela :

— Janet ? Janet, nous avons un invité pour le souper !

Janet ?

Il s'était levé machinalement et sortit dans le couloir au moment où s'ouvraient les portes de la cuisine. Une petite silhouette élancée se détacha à contre-jour, essuyant ses mains sur son tablier.

— Je vous présente ma fille Janet, déclara Fraser. Jenny, voici M. Roger MacKenzie. Il cherche son petit garçon.

La jeune fille interrompit sa révérence et écarquilla les yeux.

— Votre fils ? Que lui est-il arrivé ?

Roger lui résuma la situation tout en mourant d'envie de lui demander son âge. Quinze ans ? Dix-sept ? Vingt et un ? Elle était très belle, avec une peau blanche légèrement rosie par la chaleur des fourneaux, une taille fine et une chevelure brune et bouclée nouée en arrière. Il s'efforçait de ne pas la regarder trop fixement. Le plus troublant était qu'en dépit d'être très féminine, elle ressemblait beaucoup à Jamie Fraser. *Elle pourrait être sa fille.*

Cette pensée lui transperça le cœur comme un coup de couteau et manqua de le faire tomber à genoux.

Oh, mon Dieu, Bree ! Que le Seigneur me vienne en aide. Te reverrai-je jamais ?

Il se rendit compte qu'il se taisait et dévisageait Janet Fraser la bouche ouverte. Elle devait être habituée à ce genre de réaction de la part des hommes, car elle se contenta de lui adresser un petit sourire modeste et légèrement amusé, puis annonça que le souper serait servi dans quelques minutes. Son père pouvait peut-être lui montrer où se laver les mains ? Là-dessus, elle disparut à nouveau derrière les portes battantes et il put à nouveau respirer.

Le souper était simple mais abondant et bien cuit. La nourriture le revigora. Cela n'avait rien d'étonnant : il ne se souvenait plus quand il avait avalé quelque chose la dernière fois.

Ils mangèrent dans la cuisine avec deux servantes nommées Annie et Senga, ainsi qu'un homme à tout faire appelé Tom McTaggart. Tout le monde s'intéressait à Roger et, tout en lui exprimant leur plus grande compassion pour son fils disparu, ils voulaient surtout savoir d'où il venait et quelles nouvelles il apportait.

Il était embarrassé, ne sachant pas quelle année ils se trouvaient (*Brian est mort... ou plutôt mourra... quand Jamie avait dix-neuf ans. Si Jamie est né en mai 1721 – ou était-ce 1722 ? – et avait deux ans de moins que Jenny...*). Il était donc bien en mal de leur raconter ce qui se passait dans le monde et chercha à gagner du temps, leur parlant en détail de ses ancêtres – d'une part, c'était faire preuve de bonnes manières ; de l'autre, Kyle of Lochalsh, où il était né, était suffisamment loin de Lallybroch pour qu'il y ait peu de chances que les Fraser connaissent des membres de sa famille.

Il eut enfin un indice lorsque McTaggart leur parla de ses chaussures. Il en avait ôté une pour déloger un caillou pris dans la semelle quand il avait vu un des cochons se faufiler sous la barrière et se diriger au petit trot vers le potager. Il s'était élancé à ses trousses, naturellement, et était parvenu à le rattraper, mais en le traînant vers son enclos, il avait découvert que le second cochon en avait profité pour se faire la belle à son tour et était paisiblement en train de dévorer son soulier abandonné sur le sol.

— Regardez ! C'est tout ce qu'il en a laissé !

Il sortit une moitié de semelle en cuir en lambeaux et l'agita vers eux d'un air de reproche.

— Et je ne vous raconte pas la bagarre pour le lui arracher de la gueule !

Jenny fronça le nez devant l'objet douteux.

— Pourquoi t'être donné autant de mal, Taggie ? répliqua-t-elle. Les cochons seront tués la semaine prochaine. Tu récupéreras un morceau de cuir pour te faire une nouvelle paire de chaussures.

— Et je dois marcher nus pieds jusque-là ? Le matin, le sol est couvert de givre. Je pourrais attraper froid et mourir d'une pleurésie avant que ces gorets aient avalé leur dernier seau de pâtée, sans parler d'attendre que leurs peaux soient tannées.

Brian se mit à rire et pointa son menton vers Jenny.

— Ton frère n'a pas laissé une paire devenue trop petite avant de partir pour Paris ? Il me semble que si. Si tu ne l'as pas encore donnée aux pauvres, elle pourrait servir à Taggie en attendant mieux.

Paris. Roger fouilla furieusement sa mémoire tout en faisant des calculs. Jamie avait passé un peu moins de deux ans à Paris, étudiant à l'université, puis il était rentré... À quel âge ? À dix-huit ans, croyait-il se souvenir. Or, il avait fêté... fêterait... son dix-huitième anniversaire en mai 1739. On était donc en 1737, 1738 ou 1739.

D'avoir réduit les possibilités l'apaisa légèrement. Il tenta de se concentrer sur les événements historiques s'étant produits durant cette courte période. Bizarrement, la première chose qui lui vint à l'esprit fut l'invention du tire-bouchon, en 1738. La seconde fut le grand tremblement de terre de Bombay, en 1737.

Au début, son auditoire fut davantage intéressé par le tire-bouchon, qu'il dut décrire en détail bien que n'ayant aucune idée de ce à quoi ressemblait l'instrument original. Il y eut également quelques murmures d'apitoiement pour les habitants de Bombay et une brève prière pour les âmes de ceux qui avaient péri sous les décombres de leurs maisons.

— C'est où, Bombay ? demanda la servante la plus jeune en plissant le front et en lançant des regards aux uns et aux autres.

— Aux Indes, répondit Jenny en repoussant sa chaise. Senga, tu veux bien aller chercher le *cranachan*[10] ? Je vais vous montrer où se trouvent les Indes.

Elle disparut derrière les portes battantes et Roger put respirer un moment pendant qu'on débarrassait la table. Il commençait à se sentir plus à son aise, trouvant ses repères même s'il était toujours fou d'inquiétude pour Jem. Il songea un instant à William Buccleigh et se demanda comment il prenait la nouvelle de leur arrivée plus tôt que prévue.

Mille sept cent trente et quelques... Fichtre, Buck n'était même pas encore né ! Mais, au fond, quelle importance ? Lui non plus n'était pas né et il avait déjà vécu dans une période antérieure à sa naissance sans problème. Se pouvait-il que la proximité de la venue au monde de Buck ait un rapport avec leur décalage ?

Il savait, ou croyait savoir, qu'on ne pouvait revenir dans un passé où l'on existait déjà. Cohabiter avec un autre soi-même était impossible. Cela avait failli le tuer, une fois. Peut-être s'étaient-ils trop approchés de l'époque où Buck avait vécu, et ce dernier avait-il fait un écart, entraînant Roger avec lui ?

Avant qu'il ait pu explorer les implications de cette hypothèse troublante, Jenny revint avec un grand livre mince. C'était un atlas coloré à la main, avec

---

10. Dessert traditionnel écossais à base de flocons d'avoine, de crème, de framboises, de miel et de whisky pur malt. (N.d.T.)

de nombreuses cartes d'une précision surprenante et des descriptions des « nations du monde ».

— Mon frère me l'a envoyé de Paris, expliqua-t-elle fièrement.

Elle ouvrit le volume sur une double page représentant le continent indien. Un cercle étoilé indiquant Bombay était entouré de petits dessins de palmiers, d'éléphants et d'une étrange plante qui, à y regarder de plus près, était un arbuste de thé. Elle tourna les pages et annonça :

— Il est à l'*université*[11] ici.

— Vraiment ?

Roger n'eut pas besoin de se forcer pour prendre un air admiratif. Il l'était, conscient des efforts et des frais que supposait de quitter ce coin isolé dans les montagnes des Highlands pour aller étudier à Paris.

— Depuis combien de temps est-il là-bas ?

— Cela fera bientôt deux ans, répondit Brian en caressant doucement la page. Il nous manque cruellement. Heureusement, il nous écrit souvent et nous envoie des livres.

— Il sera bientôt de retour, assura Jenny avec un air convaincu qui paraissait légèrement forcé. Il l'a dit.

Brian esquissa un sourire qui n'était pas entièrement convaincant non plus.

— Je l'espère, *a nighean*. Mais il trouvera peut-être quelques bonnes occasions de rester au loin un peu plus longtemps.

— Des occasions ? répéta Jenny sur un ton tranchant. Tu fais allusion à cette de Marillac ? Je n'aime pas la manière dont il parle d'elle dans ses lettres. Pas du tout.

Brian haussa une épaule.

— Il pourrait trouver pire, comme épouse. Elle vient d'une très bonne famille.

Jenny émit un son très complexe du fond de sa gorge, indiquant qu'elle avait trop de respect pour son père pour exprimer ouvertement ce qu'elle pensait de la « de Marillac », sans rien cacher de son opinion pour autant. Brian se mit à rire.

— Ton frère n'est pas totalement idiot, l'assura-t-il. Il n'épouserait pas une simplette ou une... une...

Il n'alla pas jusqu'à prononcer le mot « traînée », même si ses lèvres avaient commencé à l'articuler.

— Oh que si ! répliqua Jenny. Il marcherait dans une toile d'araignée les yeux grands ouverts si l'araignée en question avait un joli minois et une croupe bien ronde.

— Janet !

Son père s'efforça vainement de paraître choqué. McTaggart s'esclaffa ouvertement pendant qu'Annie et Senga pouffaient de rire en se cachant derrière leurs mains. Jenny leur lança un regard noir puis, se redressant dans toute sa dignité, se tourna vers leur invité.

— Et vous, monsieur MacKenzie ? Votre épouse est toujours en vie, j'espère ? C'est la mère du petit ?

---

11. En français dans le texte. (N.d.T.)

— Pardon ?

La question le stupéfia, puis il se souvint où il était, ou plutôt quand. Dans de nombreuses régions, une femme risquait une fois sur deux de mourir en couches.

— Oui, répondit-il enfin. Oui, elle est… à Inverness, avec notre fille.

Mandy. Oh, mon petit cœur. Mandy, Bree, Jem. L'énormité de la situation l'atteignit soudain. Jusque-là, il avait évité d'y penser, se concentrant sur l'urgence de retrouver Jem. À présent, un vent glacé s'infiltrait dans les trous laissés dans son cœur par d'insoutenables probabilités. Les probabilités de ne jamais revoir aucun d'entre eux ; qu'ils ne sachent jamais ce qui lui était arrivé.

En voyant sa mine décomposée, Jenny se rendit compte qu'elle avait commis une gaffe. Elle se pencha vers lui et posa une main sur son bras.

— Je suis désolée, je ne voulais pas…

— Ce n'est rien, l'interrompit-il d'une voix éraillée.

Il agita une main pour s'excuser et se leva précipitamment de table. Il se dirigea droit vers le vestibule à l'arrière de la maison et sortit par la porte de service.

Il y avait une fine bande de lueur grise au sommet des montagnes, là où les nuages n'avaient pas totalement oblitéré la lune. La cour était sombre et le vent qui caressait son visage sentait la pluie froide. Les jambes tremblantes, il s'assit sur la grosse pierre, au bord du chemin, là où ils ôtaient les bottes de pluie des enfants quand le terrain était boueux.

Il posa ses coudes sur ses genoux et prit son visage entre ses mains, se sentant submergé. Ce n'était pas uniquement à cause de sa situation mais également pour les autres, à l'intérieur de la maison. Jamie Fraser serait bientôt de retour. Peu après, un après-midi, des soldats à l'uniforme rouge entreraient dans la cour de Lallybroch et trouveraient Janet et les servantes seules. À partir de là, les événements s'enchaîneraient inexorablement, faisant boule-de-neige et culminant avec la mort de Brian Fraser, succombant à une crise cardiaque en assistant au supplice de son fils unique.

Jamie… Roger voyait dans son esprit non pas son indomptable beau-père, mais le jeune homme insouciant qui, parmi toutes les distractions parisiennes, pensait encore à envoyer des livres à sa sœur. Qui…

La pluie commença brusquement et, en quelques secondes, son visage ruisselait. Au moins, personne ne saurait qu'il pleurait de désespoir. *Je ne peux pas l'empêcher. Je ne peux pas les prévenir de ce qui les attend.*

Une silhouette noire s'approcha dans l'obscurité, le faisant sursauter. C'était le grand chien. Il se frotta contre lui, manquant de le faire tomber de la pierre. Son museau velu lui souffla dans l'oreille, sa truffe humide le chatouillant.

— Tu m'as flanqué une de ces frousses, le chien !

Il se mit à rire malgré lui, puis glissa les bras autour de la grande créature puante et posa son front sur son cou massif, ressentant un début de réconfort.

Il ne pensa à rien pendant quelques instants, ce qui le soulagea considérablement. Puis, les unes après les autres, les pensées cohérentes revinrent. Peut-être se trompait-il en croyant qu'on ne pouvait changer le passé. Pas les grands événements, bien sûr, pas les rois ni les batailles. Mais peut-être de petites choses. S'il ne pouvait annoncer franchement aux Fraser de Lallybroch tout le mal qui allait leur arriver, il pouvait peut-être laisser entendre quelque chose, émettre une mise en garde qui empêcherait que...

Et s'il réussissait ? S'ils l'écoutaient ? Ce brave Brian Fraser mourrait-il quand même d'une apoplexie un jour qu'il rentrerait tranquillement de sa grange ? Au moins, son fils et sa fille seraient en sécurité.

Jamie resterait-il à Paris et épouserait-il sa galante Française ? Reviendrait-il à Lallybroch pour administrer son domaine et veiller sur sa sœur ?

Dans un cas comme dans l'autre, il ne passerait pas au pied de Craigh na Dun dans cinq ou six ans, poursuivi par des soldats anglais, blessé et nécessitant les soins d'une voyageuse du temps venant de franchir les pierres. Et s'il ne rencontrait pas Claire Randall... *Bree. Mon Dieu, Bree.*

Il y eut un bruit derrière lui, la porte de la maison qui s'ouvrait. La lueur d'une lanterne éclaira le chemin.

— Monsieur MacKenzie ? demanda Brian Fraser. Tout va bien ?

Il serra le chien contre lui et murmura :

— Seigneur, montre-moi ce que je dois faire.

30

LUMIÈRE, MOTEUR, SIRÈNES

LA PORTE EN HAUT DES MARCHES ÉTAIT FERMÉE. Jem la martela de coups de poing et de pied. Il sentait la chose plus bas derrière lui, dans le noir. Sa présence semblait grimper vers lui, comme pour l'engloutir. Cela le terrifia tellement qu'il hurla comme un fou et se jeta contre la porte, encore et encore.

Elle s'ouvrit soudain et il tomba à plat ventre sur le vieux linoléum de la salle. Il était couvert d'empreintes de pas et de mégots.

— Qu'est-ce que... Mais d'où sors-tu, mon garçon ? Que fais-tu ici ?

Une grande main le prit sous le bras et le hissa debout. Essoufflé d'avoir tant crié et submergé par le soulagement, il fallut une bonne minute à Jem pour se souvenir qui il était.

Aveuglé par la lumière, il cligna des yeux et essuya son visage sur sa manche.

— Jem... balbutia-t-il. Jem MacKenzie. Ma mère...

Il eut un trou de mémoire, incapable de se souvenir du patronyme de sa mère.

— Elle travaille ici parfois.

— Je sais qui est ta mère, mon petit. Avec des cheveux pareils, ce n'est pas difficile de le deviner !

L'homme qui l'avait relevé portait sur le bras un écusson indiquant « Sécurité ». Il inclina la tête d'un côté puis de l'autre, examinant Jem, la lumière se reflétant sur son crâne chauve et ses lunettes. Elle provenait de longs tubes fluorescents accrochés au plafond. Ils émettaient un bourdonnement qui rappela à Jem la chose dans le tunnel. Il pivota sur ses talons et referma la porte en la claquant.

— Qu'est-ce qu'il y a, mon petit ? s'alarma le gardien. Quelqu'un te poursuit ?

En le voyant tendre une main vers la poignée, Jem se plaqua contre la porte.

— Non !

Il sentait toujours la chose derrière la porte, l'attendant. Le gardien fronça les sourcils.

— C'est… c'est que… il fait très noir là-bas, en bas, expliqua Jem.

— Mais que faisais-tu dans le noir ? Comment es-tu arrivé là ? Où est ta mère ?

— Je ne sais pas.

Jem sentit à nouveau la peur l'envahir. M. Cameron l'avait enfermé dans le tunnel pour aller quelque part. Ce quelque part pouvait être Lallybroch.

— C'est M. Cameron qui m'a enfermé, lâcha-t-il. Il devait m'emmener passer la nuit avec Bobby mais, au lieu de ça, il m'a conduit à Craigh na Dun, puis chez lui, où il m'a enfermé à clef dans une chambre. Le lendemain matin, il m'a amené ici et m'a enfermé dans le tunnel.

— Cameron… Quoi, Rob Cameron ?

Le gardien s'accroupit devant Jem.

— Pourquoi ? demanda-t-il.

— Je… je ne sais pas.

Ne le dis jamais à personne, lui avait fait promettre son père. Jem déglutit péniblement. Quand bien même il aurait voulu tout lui raconter, il n'aurait su par où commencer. Il pouvait lui dire que M. Cameron l'avait conduit à Craigh na Dun et l'avait poussé contre l'une des pierres, mais pas ce qui s'était passé ensuite. Pas plus qu'il ne pouvait dire à M. MacLeod (c'était le nom indiqué sur son badge, JOCK MACLEOD) ce qu'était la chose brillante dans le tunnel.

M. MacLeod resta songeur un instant, puis remua la tête et se releva.

— Je crois que le mieux est d'appeler tes parents, annonça-t-il. Ils décideront s'ils veulent ou non prévenir la police.

— Oh oui, s'il vous plaît, murmura Jem.

À l'idée de retrouver son père et sa mère, il se sentait ramollir comme une guimauve.

— S'il vous plaît, répéta-t-il.

M. MacLeod l'entraîna dans le petit bureau où se trouvait le téléphone, lui donna une canette de soda tiède puis le fit asseoir et lui demanda le numéro de ses parents. Jem se sentit mieux dès la première gorgée. Il observa les gros doigts de M. MacLeod faisant tourner le cadran du téléphone. Il y eut un silence pendant lequel il entendit sonner à l'autre bout de la ligne. *Brip-brip…* *Brip-brip…*

Malgré la chaleur dans le bureau, il sentit un courant froid sur son visage et ses mains. Personne ne décrochait.

— Ils dorment peut-être, suggéra-t-il en refoulant un petit rot.

M. MacLeod lui lança un regard de biais, raccrocha, puis composa à nouveau le numéro en lui demandant de le répéter, chiffre après chiffre.

Brip-brip... Brip-brip...

Il était tellement concentré sur le téléphone qui sonnait dans le vide, priant pour que quelqu'un réponde enfin, qu'il ne remarqua rien jusqu'à ce que M. MacLeod tourne brusquement la tête vers la porte d'un air surpris.

— Qu'est-ce... ?

Une ombre traversa dans la pièce et il y eut un bruit sourd comme lorsque son cousin Ian avait tué une biche d'une flèche. M. MacLeod émit un son horrible et fut projeté hors de sa chaise. Celle-ci se renversa sur le côté dans un fracas métallique.

Jem s'était levé d'un bond sans s'en rendre compte. Un grand classeur l'empêchait de reculer. Il serrait si fort sa canette que la boisson débordait et moussait autour de ses doigts.

— Viens avec moi, ordonna l'homme qui avait frappé M. MacLeod.

Il tenait à la main ce qui semblait être un gourdin, même si Jem n'en avait jamais vu. Il était tétanisé et n'aurait pu bouger même s'il l'avait voulu.

L'homme lâcha un grognement impatient, enjamba M. MacLeod comme s'il n'était qu'un sac-poubelle et attrapa Jem par un bras. Terrorisé, Jem le mordit à pleines dents. L'homme poussa un cri. Jem lui lança la canette à la figure et profita de ce qu'il était occupé à l'esquiver pour lui filer entre les jambes. Il bondit hors du bureau et courut dans le long couloir.

Il se faisait tard. Elles croisaient de moins en moins de voitures. Mandy commençait à piquer du nez. Elle avait relevé son masque de princesse souris dont les moustaches en cure-pipes pointaient vers le ciel telles des antennes. En l'observant par le rétroviseur, Brianna eut une vision de sa fille en minuscule station radar sondant la campagne morne à la recherche du faible signal de Jem.

Le pouvait-elle ? Elle secoua la tête, non pas pour chasser cette notion mais dans un effort désespéré pour se raccrocher à la réalité. L'adrénaline de sa fureur et de sa terreur antérieures s'était dissipée. Ses mains tremblaient sur le volant, et les ténèbres autour d'elles paraissaient immenses, comme un grand vide qui menaçait de les engloutir dès qu'elle cesserait de conduire et que la lumière des phares s'éteindrait...

— Chaud, murmura Mandy à moitié endormie.

— Qu'est-ce que tu as dit, chérie ?

Brianna l'avait entendue, mais, hypnotisée par l'effort de regarder la route, sa conscience n'avait rien enregistré.

— C'est plus chaud.

Mandy se redressa sur son siège, de mauvaise humeur. Les fils élastiques de son masque s'étaient pris dans ses cheveux et elle poussa un cri aigu en tirant dessus.

Brianna s'arrêta prudemment sur le bord de la route, mit le frein à main, puis se retourna et lui retira délicatement le masque.

— Tu veux dire qu'on s'approche de Jem ? demanda-t-elle en s'efforçant de conserver une voix calme.

— Oui.

Enfin libérée, Mandy bâilla profondément puis tendit une main vers la fenêtre.

— Mmp, fit-elle.

Là-dessus, elle posa son front sur ses bras et se mit à geindre.

Brianna ferma les yeux, les rouvrit et fixa la direction indiquée par sa fille. Un frisson glacé lui parcourut l'échine. Il n'y avait pas de route, mais un petit panneau marron indiquait : VOIE DE SERVICE. INTERDIT AU PUBLIC. RÉGIE DE L'HYDROÉLECTRICITÉ DU NORD DE L'ÉCOSSE. Le barrage du loch Errochty. Le tunnel.

— Merde ! lança-t-elle.

Elle écrasa la pédale de l'accélérateur, oubliant le frein à main. La voiture fit un bond en avant et cala. Mandy se redressa brusquement et ouvrit grand ses yeux fatigués telle une chouette aveuglée par le soleil.

— On est à la maison ? demanda-t-elle.

Jem courut jusqu'au bout du couloir et se jeta contre les portes battantes, les percutant si fort qu'il glissa sur le palier de l'autre côté et tomba dans les escaliers, rebondissant, se cognant et atterrissant étourdi en bas des marches.

Il entendit des pas approcher rapidement de la porte, en haut, et, lâchant un petit cri étranglé, il se précipita à quatre pattes sur le palier puis se lança la tête la première dans la seconde volée de marches, glissant sur le ventre sur quelques mètres puis basculant et roulant en boule jusqu'en bas.

Il pleurait de terreur, pouvait à peine respirer. Il se redressa en s'efforçant de ne faire aucun bruit. Tout son corps lui faisait mal. Il devait sortir. Il traversa en titubant le hall plongé dans la pénombre, la seule lumière provenant de la cage en verre où se tenait le réceptionniste durant la journée. L'homme arrivait ; il l'entendait jurer dans l'escalier.

La porte principale était fermée avec une chaîne. Essuyant ses larmes sur sa manche, il retourna en courant vers la réception, cherchant autour de lui. Puis il le vit : SORTIE DE SECOURS, un panneau lumineux rouge au-dessus d'une porte au fond d'un autre petit couloir. L'homme fit irruption dans le hall et le vit.

— Reviens ici, petit morveux !

Cherchant frénétiquement autour de lui, Jem aperçut une chaise sur roulettes et la poussa de toutes ses forces vers lui. L'homme bondit sur le côté pour l'éviter. Jem courut vers la porte et se jeta contre elle. Elle s'ouvrit d'un coup et il surgit dans la nuit… pour être accueilli par le hurlement des sirènes et l'éclat aveuglant des gyrophares.

— Qu'est-ce que c'est, maman ? J'ai peur, maman, J'AI PEUR !

— Et moi donc ! marmonna Brianna.

Le cœur au bord des lèvres, elle ralentit et déclara d'une voix plus assurée :

— Tout va bien, ma puce. On va simplement chercher Jem.

La voiture s'arrêta sur le gravier et elle bondit hors de son siège, puis s'arrêta. Elle ressentait un besoin urgent de se précipiter vers le bâtiment, où des phares illuminaient une petite porte latérale sous un bruit de sirènes, mais elle ne pouvait pas laisser Mandy seule dans la voiture. Elle dégrafa hâtivement la ceinture de sécurité du petit siège et prit l'enfant dans ses bras.

— Viens avec moi, ma chérie. Je vais te porter...

Tout en parlant, elle lançait des regards autour d'elle, vers l'obscurité, vers les lumières, toutes les fibres de son corps lui criant que son fils était ici. Il le fallait...

Le fracas de l'eau remplit son esprit d'horreur. Elle imaginait Jem tombant dans le déversoir... piégé dans le tunnel... C'était le premier endroit où elle aurait dû le chercher. Il était logique que Rob Cameron l'ait amené ici. Il avait les clefs, ils... Mais ces lumières, ces sirènes...

Courant à perdre haleine, son enfant dans les bras, elle aperçut soudain un homme sur le bord de l'allée, un grand type fouettant les buissons avec un bâton tout en jurant.

— Que faites-vous ? cria-t-elle.

Alarmée, Mandy se mit à pousser des cris d'orfraie. L'homme sursauta et se tourna vers elle en brandissant son bâton.

— Qu'est-ce que vous foutez là ? demanda-t-il d'un air stupéfait. Vous étiez censée...

Brianna avait déposé Mandy sur le sol derrière elle et se tenait prête à affronter l'inconnu à mains nues s'il le fallait. Sa détermination devait être flagrante, car il lâcha son arme et disparut brusquement dans l'obscurité.

En voyant les faisceaux de lampes torches balayer le chemin, elle comprit que ce n'était pas son air belliqueux qui l'avait effrayé. Mandy était accrochée à sa jambe, trop effrayée pour continuer à brailler. Brianna la reprit dans ses bras et lui caressa le dos doucement, puis se retourna face aux deux policiers qui avançaient prudemment vers elle, la main sur leur matraque. Elle se sentait comme dans un mauvais rêve, les jambes molles, sa vision troublée par la lumière pulsante des gyrophares. Le rugissement des tonnes d'eau qui se déversaient non loin remplissait ses oreilles.

Sa voix à demi étouffée par le vacarme des sirènes, elle demanda dans les cheveux chauds et bouclés de sa fille :

— Mandy, tu sens Jem ? Je t'en prie, dis-moi que tu le sens.

— Je suis là, maman, répondit une petite voix derrière elle.

Croyant halluciner, elle tendit une main pour arrêter les policiers et pivota lentement. Jem se tenait au milieu de l'allée, à deux mètres d'elle, dégoulinant, couvert de feuilles mortes et oscillant comme un ivrogne.

L'instant suivant, elle était assise sur le sol, serrant un enfant dans chaque bras, essayant de ne pas trembler pour qu'ils ne se rendent compte de rien. Elle ne s'effondra en larmes que lorsque Jem releva la tête vers elle et, entre deux sanglots, demanda :

— Où est papa ?

31

L'ÉCLAT DANS LES YEUX
D'UN CHEVAL À BASCULE

FRASER NE LUI POSA PAS DE QUESTIONS et se contenta de leur servir à chacun un verre de whisky à l'arôme chaud et fumé. Boire du whisky en compagnie était toujours agréable, quelle que soit la qualité du whisky… ou de la compagnie, d'ailleurs. En l'occurrence, il s'agissait d'une cuvée spéciale et Roger était profondément reconnaissant, tant à la bouteille qu'à son hôte, du réconfort qui se dégageait du liquide ambré, s'enroulant autour de lui tel un génie sortant d'une lampe.

— *Slàinte !* dit-il en levant son verre.

Fraser le regarda d'un air surpris. Fichtre, qu'avait-il dit ? « *Slàinte* » était un de ces mots qui se prononçaient différemment selon d'où vous veniez. Ceux de Harris et de Lewis disait « *Slàn-ya* », tandis que quelqu'un venant de plus au nord aurait dit « *Slànj* ». Il avait utilisé la forme avec laquelle il avait grandi à Inverness. Cela ne cadrait-il pas avec le lieu dont il avait affirmé venir ? Il ne voulait pas que Fraser le prenne pour un menteur.

Ce dernier but une gorgée, ferma les yeux un instant en hommage au whisky, puis les rouvrit et dévisagea Roger avec une curiosité bienveillante, peut-être teintée d'une légère méfiance.

— Que faites-vous dans la vie, *a chompanaich* ? D'habitude, je devine tout de suite le métier d'un homme à sa tenue et à ses manières. Il faut dire qu'il y a peu de gens qui sortent de l'ordinaire, par ici. Quant aux conducteurs de bestiaux, aux rétameurs et aux bohémiens, les identifier n'est pas sorcier. De toute évidence, vous n'êtes rien de tout cela.

— Je possède quelques terres, répondit Roger.

C'était une question à laquelle il s'était préparé et il avait une réponse toute faite. Il aurait aimé en dire plus, dire la vérité, pour autant qu'il la connaissait.

— Ma femme s'occupe du domaine pendant que je cherche notre garçon, reprit-il. Sinon… (il haussa une épaule) j'ai reçu une formation de pasteur.

— Vraiment ? dit Fraser d'un air intéressé. Je savais que vous étiez un homme cultivé. Je pensais à un maître d'école ou à un clerc… peut-être un avocat.

— J'ai été maître d'école et clerc, confirma Roger avec un sourire. Je n'ai pas été assez loin, ou assez bas, pour étudier la pratique du droit.

Ce fut au tour de Fraser de sourire.

— Ce n'est pas plus mal.

— La loi est un pouvoir corrompu, accepté par les hommes parce qu'elle est née des hommes. C'est un moyen de régler nos affaires et de pouvoir avancer ; c'est tout ce que je trouve à dire de mieux sur elle.

— Ce n'est pas la dénigrer, convint Fraser. La loi est un moindre mal, on ne peut s'en passer, mais ne trouvez-vous pas que c'est un pauvre substitut pour la conscience ? Je veux dire, en tant que pasteur.

— Eh bien… oui, je suis assez d'accord, répondit Roger légèrement surpris. Il vaudrait mieux que les hommes se traitent décemment les uns les autres, conformément aux… aux principes de Dieu, si vous me permettez de m'exprimer ainsi. Mais comment faire ? Non seulement il y a ceux pour qui Dieu ne compte pas, mais, en outre, vous aurez toujours des hommes pour considérer qu'il n'existe pas de pouvoir plus grand que le leur.

Fraser hocha la tête.

— Oui, c'est vrai que la meilleure conscience ne sert à rien à celui qui refuse de l'écouter. Mais que faites-vous quand la conscience parle différemment à des hommes de bonne volonté ?

— Vous voulez dire, comme dans le cas d'un désaccord politique ? Les partisans des Stuart contre ceux de… de la maison de Hanovre ?

C'était risqué, mais cela lui permettrait peut-être de savoir la date. En outre, il ne dirait rien qui laissât entendre qu'il se situait dans un camp ou dans l'autre.

Une succession d'émotions défila sur les traits de Fraser, d'abord la surprise, suivie d'une légère contrariété, puis enfin un mélange d'amusement et de regret.

— Oui, ce genre de désaccord, convint-il. Dans ma jeunesse, j'ai combattu pour la maison des Stuart, mais je ne peux pas dire que ma conscience m'ait accompagné bien loin sur le champ de bataille.

Un coin de ses lèvres se retroussa et Roger entendit à nouveau le petit *ploc !* d'un caillou jeté dans les profondeurs de sa mémoire, des remous de reconnaissance agitant sa surface. Jamie avait exactement la même expression. Brianna, non. Jem, oui. Il s'efforça vainement de chasser cette pensée.

La conversation dérivait dangereusement vers une invitation à dévoiler ses inclinations politiques, un précipice dans lequel il ne voulait pas tomber.

— Vous étiez à Sheriffmuir ? demanda-t-il soudain.

— En effet, confirma Fraser sans cacher sa surprise. Vous ne pouvez pas y avoir été vous-même. C'est votre père, qui vous en a parlé, peut-être ?

— Non, répondit Roger avec un petit pincement au cœur, comme chaque fois qu'il pensait à son père.

En réalité, Brian Fraser n'avait que quelques années de plus que lui, mais il devait sûrement le croire une bonne dizaine d'années plus jeune.

— Je… j'ai entendu une chanson sur ce sujet. Deux bergers qui se rencontrent au sommet d'une colline discutent de la grande bataille et n'arrivent pas à se mettre d'accord sur qui a gagné.

— À juste titre ! s'exclama Fraser en riant. Nous en débattions avant même d'avoir fini de ramasser les blessés.

Il prit une gorgée de whisky et la fit tourner un moment dans sa bouche, perdu dans ses souvenirs.

— Vous vous souvenez de la chanson ? demanda-t-il.

Roger inspira profondément en se préparant à chanter, puis se souvint. Fraser avait remarqué la marque de la corde autour de son cou et s'était délicatement abstenu de lui poser des questions, mais ce n'était pas une raison pour attirer l'attention dessus. Il préféra donc déclamer le texte, tapant les doigts sur le bureau pour imiter le son du grand *bodhrán*, qui constituait le seul accompagnement de la chanson.

> « Oh ! Êtes-vous venu ici pour éviter le combat,
> Ou pour garder les troupeaux avec moi ?
> Ou étiez-vous à Sherra-Miur
> Et avez-vous vu la bataille ? »
> J'ai vu la bataille rude et acharnée
> Et le sang jaillir et fumer par bien des ouvertures ;
> Mon cœur, d'effroi, poussait soupir sur soupir
> D'entendre les coups et de voir les nuées
> De clans, sortis des bois en tartans,
> Qui disputaient trois royaumes.

Cela sonnait mieux qu'il ne l'aurait cru. De fait, la chanson était faite davantage pour être récitée, et il y parvint sans s'étrangler ni tousser. Fraser était captivé, son verre oublié dans sa main.

— Formidable ! s'exclama-t-il. D'où vient celui qui l'a composée ?

— Euh... du Ayrshire, je crois.

Fraser hocha la tête d'un air admiratif et s'enfonça dans son fauteuil.

— Vous pourriez me l'écrire ? demanda-t-il presque timidement. Je ne vais pas vous demander de me la chanter à nouveau, mais j'aimerais l'apprendre dans sa totalité.

— Euh... oui, bien sûr.

Roger hésita mais, après tout, quel mal pouvait-il y avoir à laisser circuler le poème de Robert Burns quelques années avant la venue au monde du poète lui-même ?

— Vous connaissez quelqu'un qui sait jouer du *bodhrán* ? C'est beaucoup mieux avec un bruit de tambour en fond sonore.

Il lui fit une démonstration en tapant sur le bord de la table avec ses doigts.

— Oh oui.

Fraser fouilla dans le tiroir de son bureau et en sortit une liasse de feuilles de papier de qualité, la plupart avec des écritures dessus. Il les parcourut, en choisit une et la retourna du côté vierge devant Roger.

Il y avait des plumes, assez usées mais bien taillées, dans un pot sur le bureau, ainsi qu'un encrier en cuivre.

— Un ami de mon fils en joue très bien, déclara Fraser. Malheureusement, il s'est enrôlé comme soldat.

En voyant une ombre traverser son visage, Roger fit claquer sa langue pour exprimer sa compassion tout en essayant de lire l'écriture à travers la feuille de papier.

— Il a rejoint un régiment de Highlanders ? demanda-t-il.

Fraser parut surpris. *Christ ! Les régiments de Highlanders existent-ils déjà ?*

— Non. Il s'est engagé comme mercenaire en France. Il a dit à son père que la solde était meilleure et qu'on y donnait moins de coups de fouet que dans l'armée.

Le cœur de Roger fit un bond. Oui ! Le recto du papier était une lettre, ou peut-être une page de journal intime. Il y avait une date : 17... était-ce un 3 ? Ce devait forcément l'être, ce ne pouvait être un 8. 173... ce pouvait être un 9 ou un 0. Non, ce devait être un 9, donc 1739. Il poussa un soupir de soulagement. Un jour d'octobre 1739.

— C'est aussi probablement plus sûr, opina-t-il tout en commençant à écrire.

Cela faisait longtemps qu'il n'avait pas écrit avec une plume et ses doigts étaient maladroits.

— Plus sûr ? répéta Fraser.

— Surtout pour ce qui est de la santé, expliqua Roger. La plupart des hommes qui meurent à l'armée succombent à des maladies. C'est à cause de la promiscuité, des casernes insalubres et des rations de l'armée. Je suppose que les mercenaires ont plus de liberté.

— La liberté de crever de faim, oui, marmonna Fraser.

Il pianotait sur la table, essayant de trouver le bon rythme pendant que Roger écrivait. Il s'en sortait plutôt bien. Le temps que Roger eut fini de retranscrire les paroles, Fraser les chantait d'une voix de ténor dramatique et les accompagnait d'un roulement de tambour assez efficace.

L'esprit de Roger était divisé entre sa tâche et la sensation du papier sous ses doigts. Elle lui rappelait le coffret en bois rempli des lettres de Jamie et de Claire. Il se retint de lancer un regard vers l'endroit sur l'étagère où il serait rangé lorsque ce bureau serait le sien.

Ils avaient rationné les lettres, les lisant lentement afin de faire durer le plaisir. Puis, après l'enlèvement de Jem, ils les avaient parcourues fébrilement de la première à la dernière, cherchant une allusion à leur fils, un détail indiquant qu'il était parvenu à échapper à Cameron et à les rejoindre. Pas un mot sur Jem. Pas un seul.

Dans leur affolement, ils n'avaient pas prêté attention à grand-chose d'autre dans les lettres, mais des phrases et des images aléatoires lui revenaient à présent à l'esprit, certaines troublantes, comme l'annonce que l'oncle de Brianna, Ian Murray, était mort.

Ce n'était pas le moment de penser à ce genre de choses.

Il saisit le verre que Brian venait à nouveau de remplir et demanda :

— Votre fils compte-t-il étudier le droit à Paris ?

— Il ferait probablement un bon avocat, admit Fraser. Quand il tient un bon argument, il n'en démord plus. Toutefois, je doute qu'il ait la patience nécessaire pour le droit ou la politique. Quand il considère qu'une action doit être entreprise, il ne comprend pas qu'on puisse penser autrement. Et au besoin, il préférera assommer quelqu'un plutôt que de tenter de le convaincre.

Roger se mit à rire.

— Cela m'arrive aussi quelquefois, déclara-t-il.

— C'est parfois plus simple, c'est vrai. Surtout ici, dans les Highlands.

Fraser fit une petite grimace comique, puis demanda soudain :

— Pourquoi ce Cameron a-t-il enlevé votre fils ?

Roger n'était pas surpris. Même si l'atmosphère entre eux était cordiale, Fraser se demandait sans doute s'il disait toute la vérité et s'il était fiable. Il se tenait prêt et sa réponse, au moins, était en grande partie vraie.

— Nous avons vécu quelques années en Amérique, commença-t-il.

L'espace d'un instant, il se retrouva dans leur cabine, sur Fraser's Ridge, Brianna endormie à ses côtés, ses cheveux étalés sur l'oreiller, le souffle de leurs enfants résonnant doucement dans la pièce.

— En Amérique! s'exclama Fraser. Où donc?

— Dans la colonie de Caroline du Nord. Un bel endroit, mais non sans dangers.

— Citez-m'en un qui ne le soit pas. Ce sont ces dangers qui vous ont fait rentrer au pays?

— Non, c'est notre petite fille, Mandy. En réalité, elle s'appelle Amanda. Elle est née avec un problème au cœur et aucun médecin là-bas ne pouvait la soigner. Nous sommes donc revenus et, pendant que nous étions en Écosse, ma femme a hérité de terres et nous sommes restés. Mais…

Il hésita, ne sachant trop comment présenter la suite. Cependant, avec ce qu'il savait des ancêtres de Fraser et de son histoire avec les MacKenzie de Leoch, il ne serait probablement pas perturbé outre mesure par son récit.

— Le père de mon épouse est un homme bon, très bon, mais il… comment dirais-je… il ne passe pas inaperçu. C'est un meneur d'hommes et il en impose, ce qui a ses désavantages… Il m'a dit un jour que son propre père l'avait mis en garde: en raison de sa grande taille et de sa carrure, d'autres hommes chercheraient à se mesurer à lui. Et c'est le cas.

Il observa attentivement l'expression de Fraser, mais, hormis pour un léger haussement de sourcil, il ne remarqua rien.

— Je ne vais pas vous ennuyer avec l'histoire en détail (*surtout qu'elle ne s'est pas encore produite*), mais mon beau-père s'est trouvé en possession d'une forte somme en or. Il considère qu'elle lui a été confiée et ne lui appartient pas, mais il se sent dans l'obligation de la protéger. Il a fait son possible pour que cela reste secret, mais…

— Ce Cameron a appris l'existence du trésor, c'est cela? l'interrompit Fraser avec un air compatissant. Il compte utiliser le petit comme monnaie d'échange pour l'extorquer à votre beau-père?

— Peut-être. Mais mon fils sait où l'or est caché. Il était avec son grand-père quand ce dernier l'a mis à l'abri. Ils sont les deux seules personnes à savoir où il se trouve. Cameron a découvert que mon fils connaissait la cachette.

— Ah.

Fraser resta silencieux un moment, fixant son verre de whisky. Puis il s'éclaircit la gorge et regarda Roger en face.

— Je ne devrais peut-être pas le dire, mais je suis sûr que l'idée vous a déjà traversé l'esprit. S'il a enlevé l'enfant parce qu'il sait où se trouve le trésor… eh bien, si j'étais un homme sans scrupule, je forcerais le petit à me dire son secret dès que je serais seul avec lui.

Roger sentit les implications lui glacer le sang. Effectivement, cette perspective avait été dans le fond de son esprit sans qu'il ait voulu se l'admettre.

— Vous voulez dire qu'il le fera parler puis se débarrassera de lui ?

Fraser fit une grimace.

— Cette éventualité me révulse, mais sans l'enfant plus rien ne le distingue. Il n'est plus qu'un individu quelconque, voyageant à sa guise sans attirer l'attention.

— Oui, dit Roger dans un souffle. Oui, en effet, mais... il ne ferait pas ça. Je connais un peu cet homme. Je ne crois pas qu'il irait jusqu'à... (il toussa bruyamment)... jusqu'à assassiner un enfant. Non, il ne pourrait pas.

Ils lui offrirent la chambre au fond du couloir du premier étage. Deux siècles et des poussières plus tard, ce serait la salle de jeux des enfants. Il se déshabilla, ne gardant que sa chemise, moucha la chandelle et se glissa dans le lit en s'efforçant d'ignorer les ombres, dans les coins, qui cachaient les fantômes de grands cubes, de maisons de poupées, de carabines en plastique et de tableaux noirs. Les franges du costume de Calamity Jane de Mandy frémissaient dans un coin de son champ de vision.

Il avait mal du cuir chevelu jusqu'à la pointe des orteils, mais la peur panique qui l'avait tenaillé à son arrivée était passée. Ce qu'il ressentait n'avait pas d'importance ; la seule question était : que faire à présent ? Buck et lui n'étaient pas arrivés à la date prévue, mais il devait présumer qu'ils avaient abouti là où ils devaient être. Là où se trouvait Jem.

Autrement, pourquoi auraient-ils atterri ici ? Rob Cameron connaissait-il mieux qu'eux les mécanismes du voyage dans le temps, savait-il les contrôler et avait-il délibérément emmené Jem ici afin d'échapper aux poursuites ?

Il était trop épuisé pour suivre ses propres pensées et réfléchir d'une manière cohérente. Il s'efforça de faire le vide dans son esprit et resta immobile, fixant l'obscurité et remarquant un éclat dans les yeux d'un cheval à bascule.

Il descendit du lit, s'agenouilla sur le plancher froid et pria.

32

« CAR SOUVENT QUI TRÉBUCHE SUR LE SEUIL EST PRÉVENU DES DANGERS QUI L'ATTENDENT À L'INTÉRIEUR »

Lallybroch, 31 octobre 1980

BRIANNA NE PARVENAIT PAS À OUVRIR LA PORTE d'entrée. Elle avait beau essayer, la grande clef en fonte glissait sur la têtière. La femme agent de police qui l'accompagnait la prit de ses mains tremblantes et l'inséra dans l'ouverture.

— C'est une très vieille serrure, observa-t-elle. Elle est d'origine ?

Elle leva la tête, observa la façade blanche de la bâtisse et fronça les lèvres en lisant la date gravée sur le linteau.

— Je n'en sais rien, répondit Brianna. D'ordinaire, nous ne fermons jamais la porte à clef. Nous n'avons jamais eu d'intrus.

Elle s'efforça de sourire, en dépit de ses lèvres gourdes. Heureusement, Mandy ne put contredire ce mensonge éhonté. Elle venait d'apercevoir un crapaud dans l'allée et le suivait en l'incitant à sauter du bout de son soulier. Jemmy, collé à sa mère, émit un son grave du fond de la gorge. On aurait cru entendre Roger. Elle le rappela à l'ordre du regard. Il refit le même bruit et détourna les yeux.

Il y eut un cliquetis, un déclic, puis la porte s'ouvrit enfin. La femme agent se redressa d'un air satisfait.

— Nous y voilà ! Vous êtes sûre que tout ira bien, madame MacKenzie ? Vous tenez vraiment à rester ici toute seule pendant que votre mari est absent ?

— Il ne tardera plus à rentrer, l'assura Brianna.

Elle s'efforçait d'en paraître convaincue, même si ses paroles sonnaient creux à ses propres oreilles.

La femme agent la dévisagea un moment, puis acquiesça à contrecœur et poussa la porte.

— Comme vous voudrez, madame. Je vais juste vérifier que votre téléphone fonctionne et que toutes les portes et fenêtres sont bien fermées. Pendant ce temps, assurez-vous que tout est en ordre.

La boule de glace qui s'était formée dans son ventre durant les longues heures de l'interrogatoire, au commissariat, lui remonta dans la gorge.

— Je… je suis sûre que… que tout va bien.

La femme agent était déjà entrée dans le hall et l'attendait d'un air impatient. Brianna se retourna vers son fils.

— Jem, va chercher Mandy et emmène-la dans la salle de jeux.

Elle ne supportait pas de laisser les enfants seuls à l'extérieur, vulnérables. D'un autre côté, elle n'avait pas besoin que Mandy les suive et raconte à l'agent Laughlin qu'un M. Rob était enfermé dans le trou du curé. Laissant la porte ouverte derrière elle, elle hâta le pas pour rattraper la femme policière.

Elle la rejoignit dans le couloir.

— Le téléphone est dans cette pièce, indiqua-t-elle en montrant le bureau. Il y a une extension dans la cuisine. Je vais la vérifier et m'assurer que la porte de service est bien fermée.

Sans attendre de réponse, elle fila dans le couloir et se jeta presque contre les portes battantes qui donnaient sur la cuisine.

Elle se dirigea droit vers un tiroir et en sortit une torche électrique enveloppée d'une gaine en caoutchouc. Elle servait aux fermiers pour assister les mises bas durant la nuit ou pour retrouver des bêtes égarées. Elle faisait une trentaine de centimètres de long et pesait plus d'un kilo.

La carabine 22 long rifle se trouvait dans le vestibule de service. L'espace d'un instant, elle envisagea de tuer Cameron avec une froideur et un détachement qui lui auraient fait peur si elle avait eu le temps d'y penser. Après tout, elle avait retrouvé Jem. Non, l'agent Laughlin aurait sûrement reconnu le son d'un coup de feu, même si les portes de la cuisine, tapissées de feutre, amortissaient le bruit. En outre, Rob Cameron avait encore des choses à lui apprendre. Elle l'assommerait puis le bâillonnerait avec du ruban adhésif.

Elle entra dans le vestibule et referma doucement la porte derrière elle. Celle-ci était équipée d'un pêne dormant, mais Brianna ne pouvait la verrouiller sans la clef, qui se trouvait sur la table de l'entrée, là où l'agent Laughlin avait laissé le trousseau. Elle tira le lourd banc en bois et le poussa en diagonale entre le mur et la porte tout en réfléchissant à la meilleure manière de procéder : quelle partie de la tête fallait-il frapper pour rendre quelqu'un inconscient sans lui fracturer le crâne ? Elle se souvenait vaguement d'avoir entendu sa mère aborder ce sujet... L'occiput ?

Elle s'était attendue à ce que Cameron crie en l'entendant entrer, mais il ne broncha pas. Elle percevait des bruits au-dessus d'elle, les pas assurés d'un adulte dans le couloir. L'agent Laughlin poursuivait sa ronde d'inspection, vérifiant sans doute les fenêtres du premier étage au cas où des cambrioleurs seraient venus avec une échelle. Elle ferma les yeux, imaginant la femme policière passant la tête dans la salle de jeux au moment où Mandy racontait à son frère ses aventures palpitantes de la nuit précédente.

Elle ne pouvait rien y faire. Elle prit une profonde inspiration, souleva la grille en fonte et pointa sa torche dans le trou noir. Noir et vide.

Pendant quelques secondes, elle continua de chercher, balayant le faisceau de lumière d'un côté et de l'autre, puis encore... son esprit refusant de croire ses yeux.

Elle aperçut deux ou trois morceaux de ruban adhésif froissés dans un coin. Un courant d'air glacé caressa sa nuque et elle fit volte-face en brandissant sa torche. Ce n'était que de l'appréhension. Il n'y avait personne d'autre dans la pièce. La porte de service était verrouillée, la fenêtre du vestibule fermée.

Verrouillée. Elle plaqua une main sur sa bouche pour étouffer son cri. Si quelqu'un était sorti par là et avait verrouillé la porte derrière lui, cela signifiait qu'il avait les clefs de la maison. Pire encore, la carabine avait disparu.

Ils sont trop petits, se répéta-t-elle. *Ils ne devraient pas être exposés à ce genre de choses ; ils ne devraient pas découvrir que cela existe.* Ses mains tremblaient tant qu'elle ne parvenait pas à ouvrir le tiroir de la commode de Mandy. Au bout de la troisième tentative, elle perdit patience.

— Tu vas t'ouvrir, oui, saloperie de tiroir ! marmonna-t-elle entre ses dents. Ce n'est pas le moment de rester coincé !

Elle donna un grand coup de poing sur le dessus du meuble, suivi d'un coup avec la pointe de son pied sur le dessous, puis elle attrapa fermement les poignées du tiroir et tira d'un coup sec. Le tiroir terrorisé jaillit de son trou et vola dans la pièce avant de percuter le mur d'en face dans une pluie multicolore de petites culottes et de minuscules t-shirts.

Elle s'approcha du compartiment en bois gisant sur le côté.

— Je t'avais prévenu. Ça t'apprendra à me faire perdre mon temps quand j'ai d'autres choses plus importantes à faire.

— Comme quoi, maman ?

Jemmy se tenait sur le seuil de la chambre, son regard allant du tiroir malmené à sa mère.

— Oh.

Elle s'apprêtait à justifier son geste d'humeur, puis changea d'avis et s'éclaircit la gorge.

— Viens ici, *a bhalaich*, dit-elle en s'asseyant sur le bord du lit.

Il haussa ses sourcils roux en l'entendant utiliser ce terme d'affection en gaélique, puis vint se blottir dans ses bras. Il la serra fort contre lui, enfouissant sa tête dans le creux de son épaule. Elle l'étreignit tendrement et se balança doucement d'avant en arrière en émettant ces petits bruits qu'elle faisait quand il était tout petit.

— Tout ira bien, mon chéri, chuchota-t-elle. Tout va s'arranger.

— Oui, mais qu'est-ce qui va s'arranger, maman ? demanda-t-il d'une voix tremblante. Qu'est-ce qui se passe ?

Il s'écarta légèrement pour relever la tête vers elle. Ses yeux recelaient plus de questions et de sagesse que n'aurait dû en avoir un enfant de neuf ans.

— Mandy m'a dit que tu avais mis M. Cameron dans le trou du curé. Mais il n'y est plus ; je suis allée voir.

— C'est vrai.

— Mais ce n'est pas toi qui l'as fait sortir, hein ?

— Non, je ne l'ai pas libéré. Il…

— C'est donc quelqu'un d'autre. Qui, à ton avis ?

Elle sourit malgré elle.

— Tu as décidément l'esprit très logique. Tu le tiens de ton grand-père.

— Lui, il dit que je le tiens de grand-mère Claire, répondit-il machinalement.

Toutefois, il n'était pas disposé à se laisser détourner du sujet et poursuivit :

— J'ai pensé que c'était peut-être l'homme qui voulait m'attraper, au barrage, mais il n'aurait pas pu me pourchasser et libérer M. Cameron en même temps. N'est-ce pas ?

En voyant la peur dans les yeux de son fils, elle refoula l'envie de traquer le salaud en question et de l'abattre comme un putois enragé.

L'homme aperçu au barrage s'était enfui en voyant les policiers approcher, mais un jour, elle le retrouverait et puis… Mais ce n'était pas pour aujourd'hui. Pour le moment, le principal problème était d'empêcher Rob Cameron de s'approcher de nouveau de ses enfants.

Elle comprit soudain ce que Jem était en train de lui expliquer.

— Il y a donc un troisième homme, dit-elle d'une voix calme qui la surprit elle-même. M. Cameron, l'homme du barrage et celui qui a fait sortir M. Cameron du trou du curé.

— Ça pourrait aussi être une dame, observa Jem.

Le simple fait d'en parler semblait atténuer sa peur, ce qui était aussi bien, car elle était terrorisée.

Elle tendit son bras, lui montrant le duvet roux de son bras se hérisser.

— Tu sais comment grand-mère appelle la chair de poule ? demanda-t-elle. De l'horripilation.

— De l'horripilation, répéta Jem avec un petit rire nerveux. J'aime bien ce mot.

— Moi aussi, déclara-t-elle en se relevant. Va chercher des vêtements de rechange et ton pyjama, mon chéri. Je dois passer quelques coups de fil, puis nous irons rendre visite à tante Fiona.

33

Mieux vaut dormir sur ses deux oreilles

ROGER SE RÉVEILLA SOUDAINEMENT, mais pas en sursaut. Il n'avait pas été arraché à des rêves décousus, ni extirpé du sommeil par des bruits étranges. Il ouvrit simplement les yeux et découvrit qu'il était totalement éveillé. Il restait environ une heure avant le lever du jour. Il faisait froid dans la chambre. Il avait laissé les volets ouverts et le ciel nuageux était couleur de perle noire.

Il resta immobile, écoutant son cœur, et se rendit compte que, pour la première fois depuis plusieurs jours, il battait normalement. Il n'avait plus peur. L'angoisse et la terreur avaient disparu. Son corps était complètement détendu, comme son esprit.

Une mélodie flottait dans sa tête. C'était absurde, un fragment d'un vieux chant folklorique écossais, *Johnny Cope*. « *Mieux vaut dormir sur tes deux oreilles ; la matinée sera sanglante.* » Le plus étrange, c'était qu'il s'entendait chanter avec sa voix d'avant, pleine de force et d'enthousiasme.

— Non pas que je ne sois pas reconnaissant, mais qu'est-ce que ça signifie ?

Il fixait les poutres blanchies du plafond, ne sachant pas s'il s'adressait à Dieu ou à sa propre conscience. Dans un cas comme dans l'autre, la probabilité d'obtenir une réponse était la même. Il entendit une porte se fermer quelque part au rez-de-chaussée, puis quelqu'un siffloter un air. Ce devait être Annie ou Senga partant traire les vaches.

On toqua à la porte de sa chambre. Jenny Fraser apparut, dans un tablier blanc immaculé, ses cheveux noirs attachés mais pas encore recouverts d'un bonnet pour la journée. Elle portait une cruche d'eau, un pot de savon et un rasoir.

— Père dit que vous savez monter à cheval ? demanda-t-elle sans préambule.

Elle le regardait de haut en bas comme si elle pouvait juger de ses capacités de cavalier à vue d'œil.

— Oui, répondit-il en lui prenant la cruche enveloppée dans un linge.

Il avait besoin de cracher pour se débarrasser du flegme dans sa gorge, mais ne pouvait se résoudre à le faire devant elle. Il se contenta donc de la remercier d'un signe de tête en marmonnant « *Taing* » et lui prit le rasoir.

— Le petit-déjeuner vous attend dans la cuisine quand vous serez prêt, dit-elle d'un ton détaché. N'oubliez pas de redescendre la cruche.

Une heure plus tard, la panse remplie de porridge, de petits pains au miel, de boudin noir et de thé chaud, il se retrouva perché sur un cheval bai à long poil, suivant Brian Fraser dans la brume matinale.

Un peu plus tôt, tout en tartinant un petit pain de confiture de fraises, ce dernier lui avait expliqué :

— Nous allons faire le tour des fermes voisines. Même si personne n'a vu votre garçon – et, sincèrement, je crois que je le saurais déjà si un étranger avait été aperçu dans les parages –, ils feront passer le message.

Roger lui en était profondément reconnaissant. Même au XXᵉ siècle, les commérages étaient le moyen le plus rapide de propager des nouvelles, dans les Highlands. Aussi rapide Rob Cameron soit-il, il ne surpasserait jamais la vitesse de la parole. Cette idée le fit sourire. Jenny le vit et lui sourit en retour d'un air compréhensif, lui donnant une fois de plus l'occasion de constater qu'elle était décidément très jolie.

Le ciel était chargé et menaçant. Cependant, la pluie imminente n'avait jamais empêché un Écossais de faire ce qu'il avait à faire. Le thé chaud avait détendu sa gorge et il était encore habité par cet étrange calme intérieur avec lequel il s'était réveillé.

Quelque chose avait changé au cours de la nuit. Peut-être le fait d'avoir dormi à Lallybroch, parmi les fantômes de son futur, avait-il apaisé son esprit.

Peut-être était-ce une réponse à sa prière et un moment de grâce. Ou peut-être n'était-ce qu'une foutue crise existentielle à la Samuel Beckett : « *Il faut continuer, je ne peux pas continuer, je vais continuer.* » S'il avait le choix (et il l'avait, quoi qu'en pense Beckett), il opterait pour la grâce.

Quelle qu'en soit la raison, il n'était plus désorienté ni déstabilisé par ce qu'il savait sur l'avenir des gens autour de lui. Il était toujours préoccupé pour eux et rempli du besoin de retrouver Jem, mais sa détermination était devenue un objectif, une arme, un soutien.

Il se redressa sur sa selle et regarda le dos droit et large de Brian devant lui, ses épaules fièrement dessinées sous son tartan sombre. Elles étaient l'écho de celles de Jamie… et la promesse de Jem.

La vie continue. Sa mission, avant toute chose, était de récupérer Jem, autant pour Brian Fraser que pour lui-même.

Il savait à présent ce qui l'avait changé et remercia le ciel pour ce qui était effectivement une grâce. Il avait dormi sur ses deux oreilles. Aussi sanglante que puisse être la matinée, il savait désormais où il allait. Il était calme et rempli d'espoir, car l'homme bon qui chevauchait devant lui était de son côté.

Ils visitèrent plus d'une douzaine de fermes au cours de la journée et inter-rogèrent un rétameur itinérant qu'ils croisèrent sur leur chemin. Personne n'avait vu un étranger récemment, avec ou sans garçonnet roux. Néanmoins, tous promirent de faire passer le mot et tous, sans exception, offrirent leurs prières à Roger en lui souhaitant bonne chance.

Ils s'arrêtèrent pour dîner et passer la nuit chez une famille du nom de Murray. Ils possédaient une grande ferme, même si elle ne pouvait rivaliser avec Lallybroch. Roger apprit au cours de la conversation que le maître des lieux, John Murray, était le régisseur d'une grande partie du domaine de Brian Fraser.

Âgé, avec un visage long et mélancolique, un corps sec noué de muscles, il écouta le récit de Roger d'un air grave, puis réfléchit un moment avant de hocher la tête.

— J'enverrai un de mes hommes se renseigner demain matin, déclara-t-il. Cependant, si vous n'avez trouvé aucune trace de cet individu le long des cols, vous feriez bien de descendre jusqu'à la garnison et d'y raconter votre histoire, monsieur MacKenzie.

Brian Fraser plissa le front un instant, puis acquiesça.

— Ma foi, ce n'est pas une mauvaise idée, John.

Se tournant vers Roger, il ajouta :

— Il y a une garnison à fort William, qui se trouve au pied des montagnes, à Duncansburgh. Ce n'est pas la porte à côté, mais nous pourrons interroger les gens le long du chemin. Les soldats envoient régulièrement des messagers d'une garnison à l'autre, à Inverness et à Édimbourg. S'ils apprennent quelque chose, ils pourront nous en informer rapidement.

— Qui sait, ils pourront peut-être arrêter votre gars, renchérit Murray, que cette idée semblait égayer.

— *Moran taing*, répondit Roger avec un signe de tête vers les deux hommes. Je partirai demain, mais il ne sera pas nécessaire que vous m'accompagniez, monsieur Fraser. Vous avez vos obligations et je ne voudrais pas…

— Je viendrai avec plaisir, l'interrompit fermement Fraser. Il y a déjà un bail que le foin est rentré et je n'ai rien de particulier à faire dont John ne pourra se charger à ma place.

Il adressa un sourire à Murray, qui émit un petit bruit, entre un soupir et un toussotement, avant d'acquiescer.

— Fort William se trouve au milieu des terres des Cameron, observa-t-il en fixant les champs sombres.

Après le souper en famille, ils étaient sortis dans la cour pour partager une pipe. Celle-ci fumait à présent dans la main de Murray. Roger se demanda ce qu'il voulait dire par là. Était-ce une mise en garde, car Rob Cameron avait peut-être des parents ou des alliés prêts à le cacher ? Y avait-il des tensions entre les Cameron et les Fraser de Lovat, ou entre les Cameron et les MacKenzie ?

Voilà qui n'arrangerait pas son affaire. S'il y avait une querelle sérieuse en cours, autant qu'il soit prévenu. Il se résolut à approcher tout Cameron avec prudence. D'un autre côté, si Rob Cameron avait l'intention de se réfugier auprès de ses ancêtres ou de leur demander leur aide ? Était-il déjà venu dans le passé et s'était-il préparé une planque au sein de son clan ?

Non, c'était impossible. Si Cameron n'avait découvert les voyages dans le temps qu'à travers le guide que Roger avait rédigé pour ses enfants, il n'aurait pas eu le temps de se rendre dans le passé, de trouver des Cameron et de… Non, c'était absurde.

Il secoua l'enchevêtrement de pensées à moitié formées comme un filet de pêche qui lui serait tombé sur la tête. Il n'avait rien de mieux à faire que de se rendre à la garnison le lendemain.

Pendant ce temps, Murray et Fraser s'étaient accoudés à la clôture et se passaient la pipe en papotant en gaélique.

— Ma fille demande des nouvelles de ton fils, déclara Fraser nonchalamment. Tu as du nouveau ?

Murray souffla de la fumée par ses narines et grommela quelque chose qui semblait peu flatteur pour son fils. Fraser sourit tristement.

— Bah, au moins tu sais qu'il est en vie, dit-il. Il rentrera quand il sera fatigué de se battre. Comme nous quand nous étions jeunes.

Il donna un coup de coude amical dans les côtes de Murray, qui bougonna à nouveau, mais moins férocement.

— Ce n'est pas la lassitude qui nous a fait revenir au pays, *a dhuine dhubb*, répondit-il. En tout cas, pas toi.

Fraser se mit à rire, même si Roger discernait une pointe de tristesse dans sa voix.

Il se souvenait de son histoire : Brian Fraser, un bâtard du vieux lord Lovat, avait enlevé Ellen MacKenzie au nez et à la barbe de ses deux frères, Colum et Dougal, les MacKenzie de Castle Leoch. Ils avaient vécu à Lallybroch, plus ou moins reniés par leurs clans respectifs, mais au moins leurs familles les avaient laissés tranquilles. Il avait vu le portrait d'Ellen, grande, rousse et indéniablement une femme qui en avait valu la peine.

Elle ressemblait beaucoup à sa petite-fille Brianna. Roger ferma les yeux, inspira profondément l'air froid du soir et aurait presque pu la sentir à ses côtés. S'il rouvrait les paupières, la verrait-il se tenant dans la fumée ?

Je reviendrai, lui dit-il en pensée. *Quoi qu'il arrive*, a nighean ruaidh, *je reviendrai. Avec Jem.*

34

LE REFUGE

IL FALLAIT COMPTER ENVIRON UNE HEURE de trajet en voiture sur les routes étroites et sinueuses des Highlands, entre Lallybroch et la nouvelle maison de Fiona Buchan, à Inverness. Cela laissa amplement le temps à Brianna de se demander si elle avait fait le bon choix et si elle avait le droit d'entraîner Fiona et sa famille dans une histoire qui paraissait plus dangereuse d'heure en heure. Tout le temps également d'attraper un torticolis à force de lancer des regards par-dessus son épaule. Mais s'ils étaient suivis, comment le saurait-elle ?

Elle avait dû expliquer aux enfants où était Roger, le plus délicatement et succinctement possible. Mandy l'avait regardée d'un air grave en suçant son pouce. Jem... Jem n'avait rien dit, mais il avait pâli sous ses taches de rousseur et avait paru sur le point de rendre ses tripes. Elle lui lança un regard dans le rétroviseur. Il était recroquevillé dans un coin sur la banquette arrière, le visage tourné vers la fenêtre.

— Il va revenir, mon chéri, lui dit-elle doucement.

— C'est ma faute, répondit-il d'une petite voix mécanique. Si je m'étais échappé plus tôt, papa ne serait pas...

— Ce n'est pas ta faute, l'interrompit-elle fermement. C'est celle de M. Cameron et de personne d'autre. Tu as été très courageux. Papa rentrera très vite.

Jem hocha la tête et ne répondit rien.

— Papa va rentrer pour le dîner ! déclara Mandy sur un ton encourageant.

— Peut-être pas si tôt que ça, dit Brianna en souriant malgré sa peur.

Elle poussa un soupir de soulagement lorsque la route s'élargit à quatre voies près de l'aéroport et qu'elle put enfin faire plus que du 50 kilomètres à l'heure. Elle appuya sur l'accélérateur en lançant un nouveau regard dans le rétroviseur. La route derrière elle était déserte.

Fiona était l'une des deux seules personnes à savoir. L'autre se trouvait à Boston : le plus vieil ami de sa mère, Joe Abernathy. Pour le moment, elle avait besoin de mettre Jem et Mandy à l'abri. Ils ne pouvaient rester à Lallybroch. Même si la ferme manoir avait des murs de soixante centimètres d'épaisseur, ce n'était pas une tour fortifiée et elle n'avait pas été construite pour résister à un assaut ni à un siège.

L'idée d'être en ville la rassurait. Il y aurait des gens autour, des témoins. Ils pouvaient se fondre dans la foule, demander de l'aide. Elle tourna dans la rue de Fiona et se gara devant le Craigh na Dun Bed-and-Breakfast (trois étoiles dans le guide des maisons d'hôte) avec la sensation d'un nageur épuisé atteignant le rivage.

Elle arrivait au bon moment. C'était le début de l'après-midi ; Fiona devait avoir terminé son ménage et il n'était pas encore l'heure d'accueillir les nouveaux clients ou de préparer le dîner.

Une petite clochette en forme de campanule tinta quand elle poussa la porte. L'une des filles de Fiona passa aussitôt une tête curieuse par la porte du salon.

— Tante Bree !

En un instant, le foyer fut rempli d'enfants, les trois filles de Fiona se bousculant pour embrasser Brianna, soulever Mandy et chatouiller Jem, qui se réfugia rapidement sous le banc sur lequel les clients déposaient leurs plaids.

— Que se... Ah, c'est toi, ma cocotte ! s'exclama Fiona.

Elle venait de sortir de la cuisine avec un tablier en toile sur lequel était écrit « La reine des tartes ». Le visage rayonnant, elle serra Brianna dans ses bras, la couvrant de farine.

Elle profita de son étreinte pour lui glisser à l'oreille :

— Qu'est-ce qui ne va pas ?

Elle s'écarta légèrement pour la regarder et ajouta :

— Ton mari s'est fait la malle ?

— Euh... on peut dire ça, en effet.

Brianna parvint à sourire, sans vraiment convaincre Fiona, qui tapa aussitôt dans ses mains, remettant de l'ordre dans le chaos du foyer. Elle envoya tous les enfants dans le salon du premier étage pour regarder la télévision. Il fallut convaincre Jem de sortir de sous le banc. L'air hagard, il suivit les filles à contrecœur, grimpant l'escalier sans quitter sa mère des yeux. Celle-ci lui fit signe de ne pas s'inquiéter, puis suivit Fiona dans la cuisine, ne pouvant se retenir de lancer un dernier regard derrière elle.

Le sifflement strident de la bouilloire interrompit Brianna, mais pas avant qu'elle soit arrivée au point culminant de son récit. Fiona réchauffa puis remplit la théière, fronçant les lèvres d'un air concentré.

— Tu dis qu'il a pris la carabine, mais il te reste le fusil de chasse, non ?

— Oui, il est sous le siège avant de la voiture.

Fiona en lâcha sa théière. Brianna la rattrapa de justesse par l'anse et la posa sur la table. La porcelaine chaude fit du bien à ses doigts gelés.

— Je n'allais tout de même pas le laisser dans une maison dont ces salauds ont la clef, non ?

Fiona s'assit et se signa.

— *Die eadarainn's an t-olc*. Que Dieu nous protège du mal. Tu es bien sûre qu'il s'agit de salauds au pluriel ?

— Sûre et certaine. Même s'il avait poussé des ailes à Rob Cameron pour qu'il s'envole hors de mon trou du curé, je ne t'ai pas encore dit ce qui est arrivé à Jem.

Ce qu'elle fit en quelques phrases après lesquelles ce fut au tour de Fiona de lancer des regards par-dessus son épaule vers la porte fermée de la cuisine. Âgée d'une petite trentaine, c'était une jolie femme potelée à la mine placide d'une mère entièrement sous la coupe de ses enfants, mais qui à présent affichait une expression que Claire aurait qualifiée de « vengeresse ». Elle lâcha une épithète très crue pour désigner l'homme qui avait pourchassé Jem, puis saisit un couteau sur le plan de travail et en examina la tranche d'un œil critique.

— Alors, que faisons-nous ? demanda-t-elle.

Brianna but une petite gorgée de thé laiteux brûlant. C'était doux, soyeux et très réconfortant, mais pas autant que cet emploi du « nous ».

— Tout d'abord, ça ne t'ennuie pas que je laisse Jem et Mandy avec toi pendant que je règle quelques détails ? Je risque d'en avoir pour toute la nuit. J'ai apporté leurs pyjamas, au cas où.

Elle indiqua du menton un sac en papier qu'elle avait déposé au pied de l'escalier.

— Non, bien sûr, répondit Fiona. Mais quel genre de « détails » ?

— Il vaut mieux… commença Brianna.

Elle allait dire « Il vaut mieux que tu l'ignores », mais en réalité il était nettement préférable que quelqu'un sache où elle allait et ce qu'elle allait y faire. Au cas où elle ne reviendrait pas.

— Je vais rendre visite à Jock MacLeod à l'hôpital. C'est le gardien de nuit qui a trouvé Jem au barrage. Il a peut-être vu l'homme qui l'a frappé. Et puis, il connaît Rob Cameron et saura sans doute me dire qui il fréquente en dehors du travail ou dans sa loge maçonnique.

Elle se passa une main sur le visage, réfléchissant.

— Ensuite, j'irai voir la sœur de Rob et son neveu. Si elle n'a rien à voir dans ses machinations, elle doit être inquiète. Si elle est dans le coup, j'ai besoin de le savoir.

— Et comment le sauras-tu ?

— Oh, je le saurai, répondit Brianna, sûre d'elle. D'abord, une personne impliquée fera tout pour m'empêcher de poser des questions.

Fiona paraissait de plus en plus inquiète. Brianna but le reste de sa tasse et la reposa avec un soupir explosif.

— Puis je retournerai à Lallybroch avec un serrurier pour qu'il change toutes les serrures et installe des alarmes à toutes les fenêtres du rez-de-chaussée. Je ne sais pas combien de temps ça me prendra.

Elle interrogea Fiona du regard.

— Ne te fais aucun souci, ma cocotte, l'assura cette dernière. Les enfants dormiront ici.

Brianna savait qu'une question taraudait son amie, qui se demandait si elle devait la poser ou non. Elle abrégea son dilemme.

— Je ne sais pas ce que je vais faire à propos de Roger, lui déclara-t-elle.

— Il va sûrement revenir.

Brianna secoua la tête. L'éventualité du constat d'horreur numéro trois ne pouvait plus être niée. Même ainsi, elle se mordit la lèvre comme pour empêcher les paroles de sortir.

— Je ne crois pas. Il… il pense que Jem se trouve là-bas et il ne l'abandonnera jamais.

Fiona prit ses deux mains dans les siennes.

— Bien sûr que non, mais si lui et l'autre homme remuent ciel et terre sans rien trouver, il finira par penser que…

Elle n'acheva pas sa phrase, essayant d'imaginer ce que pourrait penser Roger.

— Oh pour ça, on peut lui faire confiance. Il va cogiter dur ! soupira Brianna avec un petit rire nerveux.

Elle connaissait la détermination de Roger et devinait la peur et le désespoir croissants qui le rongeraient. Il ne capitulerait pas et ne reviendrait pas lui dire que Jem était perdu à jamais. Car s'il ne le trouvait pas, que penserait-il ? Que Cameron l'avait tué et avait caché son corps avant de partir pour l'Amérique à la recherche du trésor ? Qu'ils s'étaient tous les deux perdus dans cet espace terrifiant entre deux époques pour ne plus jamais réapparaître ?

Fiona exerça une légère pression sur les doigts de Brianna.

— La prière l'aidera. Moi aussi, je prierai pour vous.

Brianna sentit les larmes lui piquer les yeux et elle s'essuya sur une serviette en papier.

— Je ne peux pas pleurer, dit-elle d'une voix étranglée. Pas pour le moment, je n'en ai pas le temps.

Elle libéra sa main et se leva. Elle renifla, se moucha dans la serviette et renifla à nouveau.

— Fiona… Je… sais que tu n'as rien dit à personne… à propos de nous, commença-t-elle.

— Certainement pas ! Ils m'enfermeraient avec les malades, et comment s'en sortirait Ernie, avec les filles ? Pourquoi ?

Elle dévisagea Brianna d'un regard pénétrant.

— À quoi penses-tu ? demanda-t-elle.

— Les femmes qui dansent à Craigh na Dun... tu crois qu'elles savent ce que c'est réellement ?

Fiona réfléchit en se mordant l'intérieur de la joue.

— Une ou deux, parmi les plus anciennes, ont sûrement une petite idée, répondit-elle lentement. Nous invoquons le soleil à la Beltane depuis la nuit des temps et certains savoirs se transmettent. Il serait étonnant que personne ne se soit jamais posé de questions. Néanmoins, si quelqu'un sait ce qui se passe vraiment entre les pierres, il ne parlera pas... Pas plus que moi.

— Oui, je comprends, mais je me demandais... Tu ne pourrais pas découvrir discrètement si certaines des femmes ont des liens avec Rob Cameron ? Ou avec les Orcades ?

— Avec les Orcades ? s'étonna Fiona. Quel rapport ?

— Rob Cameron a participé à des fouilles archéologiques sur les îles. Je crois que c'est là qu'il a commencé à s'intéresser aux cercles de pierres. Je connais un certain Callahan, un ami de Roger, qui y était avec lui. J'irai lui parler, peut-être demain, car je doute d'avoir le temps aujourd'hui. Mais si quelqu'un d'autre a des renseignements à fournir...

Cela avait peu de chances d'aboutir, mais, pour le moment, elle était prête à suivre toutes les pistes.

— Je vais passer quelques coups de fil, promit Fiona. En parlant de téléphone, préviens-moi si tu ne rentres pas ce soir, d'accord ? Juste pour m'assurer que tu vas bien.

Brianna acquiesça, la gorge nouée, puis serra son amie dans ses bras, puisant un peu de sa force.

Fiona l'accompagna jusqu'à la porte, marquant une pause au pied de l'escalier et lançant un regard vers le plafond. On entendait les enfants piailler à l'étage supérieur. Brianna ne voulait-elle pas dire au revoir à Jem et Mandy ? Brianna fit non de la tête. Ses émotions étaient à fleur de peau. Elle ne parvenait pas à les cacher et risquait de faire peur aux enfants. Au lieu de cela, elle pressa ses doigts sur ses lèvres et leur envoya un baiser par la cage d'escalier avant de se diriger vers la porte.

Au moment où elle allait sortir, Fiona l'arrêta :

— Ton fusil de chasse... La balistique ne permet pas d'identifier une arme à partir de cartouches de chevrotine, n'est-ce pas ?

35

An Gearasdan

Ils arrivèrent à fort William en début d'après-midi, le deuxième jour de leur voyage.

— C'est une grande garnison ? demanda Roger.

Le fort paraissait modeste, comparé à d'autres, avec quelques bâtiments et une cour d'entraînement ceints d'une muraille.

Brian Fraser se tourna de biais pour laisser passer deux gardes en redingote rouge armés de mousquets sur l'étroit pont qui menait à la porte.

— Elle compte une quarantaine d'hommes, répondit-il. La seule autre garnison plus au nord est fort Augustus, qui abrite une centaine de soldats.

C'était surprenant... ou pas. Si Roger ne se trompait pas sur la date, les Jacobites ne feraient pas parler d'eux dans les Highlands avant trois ans. La couronne anglaise n'avait donc pas encore de raison d'envoyer des troupes en masse pour maîtriser la situation.

Le fort était ouvert et de nombreux civils semblaient commercer avec l'armée, à en juger par l'attroupement devant l'un des bâtiments. Fraser l'entraîna vers un autre, plus petit.

— Nous allons voir le commandant, annonça-t-il.

— Vous le connaissez ?

— Je l'ai rencontré une fois. Il s'appelle Buncombe. Il m'a eu l'air d'un type honnête, pour un *sassenach*.

Fraser donna son nom à un clerc, dans l'antichambre, et quelques minutes plus tard, ils furent conduits dans le bureau du commandant.

Un petit homme d'âge moyen, en uniforme, aux yeux las derrière des bésicles en demi-lune, se souleva péniblement de son siège, fit un semblant de courbette et se laissa retomber comme si l'effort l'avait épuisé.

— Broch Tuarach. À votre service, monsieur.

Il avait le teint hâve, les traits tirés et la respiration légèrement sifflante. Claire aurait tout de suite su dire quel était le mal exact dont souffrait le capitaine Buncombe, mais Roger n'avait pas besoin d'être médecin pour savoir qu'il était sérieusement mal en point.

Buncombe écouta poliment son histoire, appela le clerc pour qu'il note soigneusement la description de Cameron et de Jem, puis promit que ces renseignements seraient diffusés à travers la garnison et que les patrouilles et les messagers recevraient l'instruction de s'enquérir au sujet des fugitifs.

Brian avait eu la bonne idée d'apporter deux bouteilles dans ses sacoches. Il en sortit une et la déposa sur le bureau dans un glouglou séduisant.

— Nous vous remercions pour votre aide, monsieur. Acceptez ce présent en signe de notre reconnaissance...

Un sourire, faible mais sincère, apparut sur le visage du capitaine.

— Je l'accepte, mais uniquement si nous le buvons ensemble, messieurs. Qu'en dites-vous ?

Il sortit deux gobelets en étain usés et, après quelques recherches, une coupe en cristal ébréchée, puis le silence béni de la cérémonie du whisky imprégna la pièce.

Après quelques minutes de recueillement, Buncombe rouvrit les yeux.

— Excellent, absolument excellent ! Votre propre production, monsieur ?

— Nous n'en fabriquons que quelques bouteilles à Hogmanay, rien que pour la famille.

Roger avait accompagné Fraser dans la cave quand ce dernier avait choisi les bouteilles. Elle était tapissée du sol au plafond de petits fûts et l'atmosphère y était tellement alcoolisée qu'un buffle serait tombé inconscient s'il y était resté un moment de trop. Toutefois, il était sans doute sage de ne pas faire savoir à toute une garnison qu'on possédait chez soi de grandes quantités d'alcool, quel qu'il soit… et quelles que soient vos relations avec le commandant.

Roger croisa le regard de Fraser, qui émit un « mmphm » avant de détourner les yeux tout en affichant un sourire tranquille.

— Excellent ! répéta Buncombe.

Il en versa encore un doigt dans son verre et tendit la bouteille à la ronde. Suivant l'exemple de Fraser, Roger déclina son offre. Il se contenta de boire à petites gorgées tandis que les deux hommes s'engageaient dans une conversation d'un genre qu'il connaissait bien. Courtoise sans être franchement amicale, c'était un échange de renseignements pouvant servir aux deux parties, chacun veillant à ne rien dévoiler qui pût donner trop d'avantages à l'autre.

Dans les colonies, Roger avait vu Jamie à l'œuvre de nombreuses fois. C'était un dialogue de chefs qui répondait à certaines règles. Naturellement, Jamie l'avait appris de son père. Il avait cela dans le sang.

Roger pensait que Jem l'avait lui aussi. En tout cas, il avait quelque chose qui faisait se retourner les gens sur lui, et ce n'était pas qu'en raison de la couleur de ses cheveux.

Laissant les deux hommes converser, Roger se détendit progressivement. La pluie avait cessé et un rayon de soleil filtrait par la fenêtre, lui réchauffant les épaules autant que le whisky lui réchauffait les entrailles. Pour la première fois, il avait l'impression d'avoir avancé dans ses recherches au lieu de battre du vent vainement dans les Highlands.

« Ils pourront peut-être arrêter votre gars », avait dit John Murray. Voilà une idée qui avait de quoi le réconforter.

En revanche, pour ce qui était de l'allusion aux clans… Il ne pensait pas que Cameron eût des complices à cette époque, mais… Lui-même en avait bien un, non ? Buck possédait le gène et, s'il était moins fréquent de voyager dans le futur (du moins, c'était ce qu'il croyait ; ses propres méconnaissances en la matière étaient frustrantes), Buck y était parvenu. Si Cameron était un voyageur, il avait hérité du gène d'un ancêtre qui avait pu lui aussi visiter l'avenir.

Un courant glacé se répandit dans ses veines, tuant l'effet du whisky. Un enchevêtrement sinistre de vers froids se tortillait dans son esprit. Y avait-il une conspiration ? Peut-être entre Buck et Rob Cameron ? Ou entre Buck et un ancien Cameron appartenant à son propre temps ?

Il avait toujours pensé que Buck ne lui avait pas dit toute la vérité sur lui-même et son voyage à travers les pierres. Et si tout cela n'avait été qu'un leurre pour l'éloigner de Lallybroch… de Brianna ?

Cette fois, les vers lui rongeaient carrément la cervelle. Il reprit son gobelet et siffla le reste du whisky d'un trait. Buncombe et Fraser lui lancèrent un regard surpris, puis reprirent leur conversation.

Dans la lumière froide de son nouvel état d'esprit, une autre ombre s'avança. Brian Fraser. Roger avait pris son offre de l'accompagner à la garnison comme un simple geste amical, mais il pouvait avoir une autre raison, n'est-ce pas ? Fraser présentait Roger au capitaine Buncombe dans un contexte où il était clair qu'il n'y avait entre eux aucune obligation clanique ou amitié personnelle, au cas où Roger s'avérait ne pas être celui qu'il prétendait être. En outre, cela permettait à Fraser de vérifier si Buncombe le reconnaissait.

En inspirant profondément, Roger posa les deux mains à plat sur la table et se concentra sur la texture du bois sous ses paumes. Il devait se calmer et être raisonnable. Combien de fois avait-il vu Jamie faire ce genre de choses ? Pour ces hommes, le bien-être de leurs gens primait tout le reste. Ils protégeraient Lallybroch, ou Fraser's Ridge, avant tout, mais cela ne signifiait pas qu'ils refuseraient leur aide à un inconnu quand il était en leur pouvoir de la donner.

Fraser lui lança à nouveau un regard et son expression apaisa son esprit troublé. Brian saisit la bouteille et versa un autre doigt de whisky dans le gobelet de Roger.

— Nous le retrouverons, dit-il doucement en gaélique.

Puis il se tourna vers le capitaine Buncombe pour le servir à son tour.

Roger but et fit le vide dans son esprit, se concentrant sur les banalités de la conversation. Tout allait bien. Tout finirait bien.

Il se répétait encore ce mantra quand il entendit des cris et des sifflets à l'extérieur. Il lança un regard vers la fenêtre, mais ne vit que la muraille du fort. Le capitaine Buncombe parut surpris, tandis que Fraser avait déjà bondi sur ses pieds.

Roger le suivit et, faisant irruption dans la cour, vit une jeune femme élancée sur un grand cheval qui ne l'était pas moins. Elle toisait d'un regard noir un groupe de soldats qui s'étaient rassemblés autour d'elle, se bousculant, tirant sur ses rênes et lui lançant des quolibets. Le cheval ne semblait guère apprécier, mais elle parvenait à le maîtriser. Elle tenait une cravache à la main et semblait se demander lequel de ces importuns allait s'en prendre un coup le premier.

— Jenny ! rugit Fraser.

Elle sursauta et releva les yeux vers son père. Les soldats se retournèrent et, en apercevant le capitaine Buncombe derrière le grand Écossais, se dispersèrent aussitôt, profil bas, chacun retournant à ses occupations.

Roger se trouvait juste derrière Fraser quand celui-ci saisit la bride de sa fille.

— Par tous les saints, Jenny ! Qu'est-ce que tu fiches ici…

Au lieu de lui répondre, elle se tourna vers Roger.

— Votre cousin, William Buccleigh, a fait parvenir un message à Lally-broch. Il est au plus mal et vous réclame à son chevet. Il semblerait qu'il n'en ait plus pour longtemps.

Même par beau temps, le voyage représentait une bonne journée et demie. Dans la mesure où il pleuvait, où la route ne cessait de grimper et où la dernière portion du trajet se fit dans le noir, à chercher un chemin pratiquement invisible, ils effectuèrent le trajet en un temps record.

En descendant de sa monture dans la cour, Brian Fraser annonça :

— J'entre avec vous. Ce ne sont pas mes métayers, mais ils me connaissent.

La maison, un modeste cottage de fermier qui luisait d'un blanc terne comme un galet dans le clair de lune, était barricadée pour la nuit, les volets fermés et la porte solidement verrouillée. Fraser tambourina contre cette der-nière et cria en gaélique, indiquant son nom et déclarant qu'il avait amené le parent du malade. La porte s'ouvrit brusquement, encadrant un homme trapu et barbu, vêtu d'une chemise et d'un bonnet de nuit. Il les scruta un long moment avant de s'écarter en déclarant sur un ton bourru :

— C'est bon, entrez.

La première impression de Roger fut que la maison était pleine à craquer d'une humanité odorante. Il y avait des petits amas de corps recroquevillés près du feu et sur des paillasses le long du mur du fond. Ici et là, de petites têtes hirsutes pointaient telles des marmottes hors de leur terrier, clignant des yeux dans la faible lumière des braises de la cheminée, intriguées par les nouveaux venus.

Leur hôte, que Fraser lui présenta comme Angus MacLaren, salua Roger d'un bref signe de tête et lui indiqua un lit tiré au centre de la pièce. Deux ou trois enfants en bas âge y dormaient et, parmi eux, Roger aperçut le visage pâle de Buck sur un oreiller. Il fallait espérer qu'il n'ait rien de contagieux !

Il s'approcha et murmura « Buck ? » afin de ne pas réveiller ceux qui ne l'étaient pas déjà. Dans la pénombre, il ne distinguait pas grand-chose des traits de son ancêtre, si ce n'était qu'il était barbu et avait les yeux fermés. Il ne réagit pas au son de sa voix, ni quand Roger posa une main sur son bras. Celui-ci était chaud, mais, compte tenu de l'atmosphère suffocante dans la pièce, il l'aurait sans doute été même si Buck avait été mort depuis des heures.

Il exerça une pression sur son bras, d'abord légère, puis plus forte. Enfin, Buck toussa et ouvrit les yeux. Il battit des paupières, ne sembla pas reconnaître Roger, puis les ferma à nouveau. Sa poitrine se souleva et il exhala en émettant un râle audible.

MacLaren était penché par-dessus l'épaule de Roger, observant attentive-ment le malade.

— Il dit que c'est son cœur qui vasouille, expliqua-t-il. Il se met à palpiter et, quand ça lui arrive, il devient tout bleu et ne peut plus respirer ni se lever. Mon second fils l'a trouvé dans la bruyère, hier après-midi, étalé de tout son long comme un gros crapaud. Nous l'avons descendu ici, lui avons donné à boire et il a demandé qu'on envoie quelqu'un à Lallybroch chercher son parent.

— *Moran taing*, lui dit Roger. Je vous suis infiniment reconnaissant, monsieur.

Il se tourna vers Fraser, qui étirait le cou derrière MacLaren, observant Buck en fronçant les sourcils.

— Et à vous aussi. Pour toute votre aide. Je ne saurai jamais assez vous remercier.

Fraser haussa les épaules.

— Je suppose que vous allez rester avec lui ? demanda-t-il. S'il est en état de voyager, demain matin, emmenez-le à Lallybroch. Ou si nous pouvons faire quelque chose, envoyez-nous chercher.

Il salua MacLaren, puis s'arrêta et plissa des yeux vers Buck. Il lança ensuite un regard à Roger comme s'il comparait leurs traits.

— Votre parent est de Lochalsh, lui aussi ? demanda-t-il intrigué. Il ressemble beaucoup aux gens de mon épouse décédée, les MacKenzie de Leoch.

Il remarqua soudain une petite silhouette trapue qui devait être Mme MacLaren, celle-ci le fixant d'un regard noir sous son bonnet de nuit. Il toussota dans son poing, s'inclina et prit congé sans attendre sa réponse.

Pendant que M. MacLaren verrouillait à nouveau la porte, la maîtresse de maison se tourna vers Roger, bâilla comme un hippopotame, puis lui indiqua le lit tout en se grattant une fesse.

— Vous n'avez qu'à dormir avec lui. Mais s'il claque pendant la nuit, poussez-le du lit, hein ? Je ne voudrais pas qu'il conchie mes édredons.

Après avoir ôté ses bottes, Roger s'allongea délicatement sur le lit auprès de Buck, réajustant la position des enfants qui étaient aussi mous et souples que des chatons au soleil. Puis il passa le reste de la nuit à écouter les ronflements irréguliers de son ancêtre, lui donnant un coup de coude chaque fois que ceux-ci s'arrêtaient. Peu avant l'aube, il s'assoupit, pour être réveillé quelque temps plus tard par l'odeur épaisse et chaude du porridge.

Alarmé de s'être endormi, il se redressa sur un coude pour examiner Buck. Celui-ci était pâle et respirait bruyamment par la bouche. Il lui prit l'épaule et le secoua. Buck se redressa brusquement et lança des regards affolés autour de lui, puis il vit Roger et lui envoya son poing dans le ventre.

— T'as pas bientôt fini, oui ? grogna-t-il.

— Je voulais juste m'assurer que tu étais toujours vivant, idiot !

Buck passa une main dans ses cheveux hirsutes, l'air renfrogné et désorienté.

— D'abord, qu'est-ce que tu fais ici ? demanda-t-il.

Roger était de mauvaise humeur, lui aussi. Il avait l'impression d'avoir mâché de la paille toute la nuit.

— C'est toi qui m'as envoyé chercher, crétin ! Et d'ailleurs, comment te sens-tu ?

— Je... Pas très bien.

L'expression de Buck passa brusquement de la colère à l'appréhension. Il posa une main à plat sur sa poitrine, appuyant fort.

— Il y a... il y a quelque chose qui cloche là-dedans.

— Rallonge-toi, bon sang ! Je vais te chercher un peu d'eau.

Roger descendit du lit, manquant de piétiner une petite fille assise sur le sol, en train de jouer avec les boucles de ses bottes.

Une rangée d'enfants observait leur saynète avec un grand intérêt. Mme MacLaren était occupée à touiller une énorme marmite de porridge tandis que deux de ses filles plus âgées répartissaient rapidement des écuelles et des cuillères en bois sur la table comme si elles distribuaient les cartes pour une partie de pouilleux.

L'une d'elles s'interrompit un instant pour s'adresser à lui :

— Si vous avez besoin des latrines, vous feriez bien d'y aller maintenant. Robbie et Sandy sont partis à la traite et Stuart n'a pas encore trouvé sa chaussure.

Elle indiqua du menton un adolescent d'une douzaine d'années qui avançait lentement à quatre pattes, un soulier élimé dans une main, et regardait sous les quelques meubles à la recherche de son compagnon.

— Oh, et comme votre cousin a passé la nuit, père est parti chercher le guérisseur.

36

L'odeur d'un salaud

Outre du raisin, présent traditionnel que l'on offrait aux Écossais hospitalisés, Brianna avait apporté à Jock MacLeod une bouteille de Bunnahabhain de dix-huit ans d'âge qui illumina son visage, ou du moins ce que l'on en apercevait sous les bandages et les ecchymoses qui réduisaient ses yeux à deux fentes injectées de sang.

Il enveloppa la bouteille dans sa robe de chambre et demanda à Brianna de la lui ranger dans sa table de nuit.

— Je sais que je fais peur à voir, déclara-t-il. Mais ce n'est pas aussi grave que ça en a l'air. Juste un petit coup sur le crâne. Je suis soulagé que le petit ait pu s'échapper. Vous savez ce qu'il faisait dans le tunnel ?

Elle lui donna la version officielle et écouta patiemment ses hypothèses avant de lui demander s'il avait reconnu l'homme qui l'avait attaqué.

— Oh oui, répondit-il en s'enfonçant dans ses oreillers. Je ne connais pas son nom, mais je l'avais déjà vu, souvent même. Il commande un bateau sur le canal.

— Quoi ? Quel genre de bateau ? Un de ces navires de plaisance qu'on affrète ou un bateau de croisière de la compagnie Jacobite ?

Le pouls de Brianna s'était accéléré. Il faisait allusion au canal calédonien qui reliait Inverness à fort William. La circulation fluviale y était très dense et pouvait se voir depuis la route.

— Un joli voilier à moteur, répondit-il. Du genre que des particuliers louent avec son skipper. Je l'ai remarqué parce que le mari de ma cousine en a un pareil. Il nous a emmenés en balade une fois. Il fait une dizaine de mètres de long.

— Vous l'avez dit à la police, je suppose.

— Bien sûr. Je leur ai décrit le type de mon mieux, mais il n'avait rien de particulier. Je saurais le reconnaître, votre fils aussi, sans doute, mais je ne sais pas si la police pourra le repérer facilement.

Elle avait sorti son couteau suisse de sa poche et le tripotait inconsciemment pendant qu'ils discutaient, ouvrant et repliant les lames. Elle déplia le tire-bouchon et testa sa pointe sur le bout de son pouce.

— Vous pourriez me le décrire à moi aussi ? Je sais un peu dessiner. Je pourrais essayer de faire un portrait.

Il lui sourit, ses yeux disparaissant entre deux plis de chair violacée.

— Servez-moi donc un petit verre, ma grande, et on s'y met.

Brianna arriva à Lallybroch à seize heures, juste à temps pour son rendez-vous avec le serrurier. Un bout de papier blanc était punaisé sur la porte, agité par le vent d'automne. Elle l'arracha et le déplia avec des doigts gourds.

Suis appelé d'urgence à Elgin. Rentrerai tard. Vous appelle demain matin. Désolé, Will Transfer.

Elle froissa le message en boule en marmonnant. Des fous furieux violeurs et kidnappeurs d'enfants entraient dans sa maison comme dans un moulin et ce n'était pas une urgence ?

Elle hésita, sa main se refermant sur la grosse clef dans sa poche. Elle contempla la façade blanche. Le soleil couchant se reflétait dans les vitres du premier étage, les teintant de rouge et cachant ce qui se trouvait peut-être derrière. *Ils avaient une clef.* Tenait-elle vraiment à entrer seule dans la maison ?

Elle lança des regards à la ronde sans rien remarquer d'inhabituel. Les champs étaient paisibles ; le petit troupeau de moutons se préparait déjà pour la nuit. Elle inspira profondément, pointant le nez d'un côté puis de l'autre comme elle le faisait quand elle accompagnait son père à la chasse, dans les forêts de la Caroline du Nord, essayant de capter le fumet d'un cerf dans la brise.

Que cherchait-elle à présent ? *Des gaz d'échappement ; du caoutchouc ; du métal chaud ; de la poussière en suspens dans l'air ; les signes du passage d'une voiture. Ou autre chose,* pensa-t-elle en se souvenant de la transpiration âcre de Rob Cameron. L'odeur d'un salaud.

Toutefois, l'air froid ne lui apportait que des senteurs de feuilles mortes et de crottin, auxquelles se mêlaient les effluves de térébenthine provenant de la plantation de pins de la Commission forestière à l'ouest.

Pourtant... Son père avait plusieurs fois fait allusion à un picotement dans sa nuque quand quelque chose n'allait pas. C'était exactement ce qu'elle ressentait à présent. Elle tourna les talons, remonta en voiture et repartit, lançant machinalement des regards derrière elle toutes les quelques minutes. Il y avait une station-service à quelques kilomètres. Elle s'y arrêta, téléphona à Fiona pour lui dire qu'elle passerait prendre les enfants le lendemain matin, s'acheta de quoi grignoter, puis reprit la route de Lallybroch, s'engageant cette fois sur le sentier agricole qui faisait le tour du domaine et menait à la plantation de pins.

À cette époque de l'année, il faisait nuit dès seize heures trente. En haut de la colline, la route n'était plus qu'une piste boueuse criblée d'ornières. Elle roula doucement en cahotant jusqu'à l'une des clairières où les bûcherons empilaient les déchets de bois pour les brûler. L'air était encore chargé d'odeurs de charbon et de fines volutes de fumée s'élevaient de grands cercles noirs sur le sol, mais les feux étaient éteints. Elle se gara derrière une haute pile de branches fraîchement coupées, prêtes pour le lendemain, et coupa le moteur.

Alors qu'elle descendait le versant à pied, le fusil de chasse à la main, un gros objet fusa près de sa tête dans un silence total. Elle étouffa un cri et tituba. Une chouette. Elle s'éloigna, une tache pâle se fondant dans le ciel sombre. En dépit du choc, elle n'était pas fâchée de l'avoir vue. Dans le folklore celte, les animaux blancs étaient de bons présages.

« Les chouettes sont les gardiennes des morts, mais pas uniquement. Ce sont des messagères entre les mondes. » L'espace d'un instant, Roger se tint à ses côtés, solide et chaud dans la nuit froide. Elle tendit une main par réflexe, comme pour le toucher.

Puis il disparut et elle se retrouva seule sous les pins, regardant vers Lallybroch, son fusil à la main. Elle serra son poing gauche, sentant l'alliance en cuivre qu'il lui avait offerte.

— Je te ramènerai, Roger, murmura-t-elle. Tu verras.

Mais d'abord, elle devait s'assurer que les enfants étaient à l'abri du danger.

La nuit s'élevait autour de Lallybroch, la demeure s'estompant peu à peu jusqu'à ne plus former qu'une masse un peu plus claire dans l'obscurité. Elle vérifia le cran de sûreté de son arme et avança sans un bruit.

Elle s'approcha du vieux *broch* le plus silencieusement possible. Le vent s'étant levé, il était peu probable que quiconque puisse entendre ses pas pardessus les bruissements des ajoncs et des genêts desséchés.

S'ils l'attendaient pour lui faire du mal, ils étaient sûrement tapis dans la maison. S'ils voulaient simplement savoir où elle était, ils surveillaient les lieux, et il n'y avait pas de meilleur endroit pour cela que la vieille tour. Elle s'arrêta près du mur du *broch* et posa une main sur les pierres, tendant l'oreille. On n'entendait que de vagues battements d'ailes ponctués de roucoulements. Les chauves-souris étaient sorties chasser, mais les colombes nichaient pour la nuit.

Elle contourna la tour, s'arrêta à nouveau près de la porte et chercha le loquet à tâtons. Le cadenas était en place, froid et intact. Respirant plus librement, elle sortit son trousseau de sa poche et trouva la bonne clef au toucher.

Le vent s'engouffra par la porte ouverte et remonta par le toit ouvert, provoquant une irruption de colombes affolées. Brianna se plaqua rapidement contre le mur pour éviter un bombardement de fientes larguées sous l'effet de la panique. Au bout d'un moment, les volatiles se calmèrent et se reposèrent sur leurs poutres dans un brouhaha indigné.

Les planchers des deux étages avaient disparu depuis longtemps. Le *broch* était une carcasse vide, mais solide, ses pierres sèches ayant été remplacées au fil des siècles. La tour était constituée d'une double enceinte, avec un escalier en pierre grimpant entre les deux murs. Brianna glissa son fusil en bandoulière et commença à monter lentement, cherchant les marches à tâtons. Elle avait une torche dans sa poche, mais il était inutile de risquer d'être repérée.

Parvenue au deuxième étage, elle prit son poste près d'une meurtrière depuis laquelle on voyait la maison en contrebas. La pierre était froide, mais la veste de Brianna était garnie de duvet. Elle ne gèlerait pas. Elle sortit une barre de chocolat de sa poche et commença son guet.

Elle avait appelé la centrale hydroélectrique et demandé une semaine de congé pour une urgence familiale. La nouvelle de ce qui s'était passé au barrage la veille s'était déjà propagée, si bien qu'on la lui avait accordée sans discuter. Elle avait simplement dû affronter le flot d'exclamations compatissantes et de questions intriguées. Elle avait affirmé ne pouvoir répondre à aucune en raison de l'enquête policière.

La police... Pourrait-elle l'aider ? Jock avait décrit aux inspecteurs l'homme du barrage. Ils suivaient cette piste. Elle avait été contrainte de leur parler de Rob Cameron. Sachant que Mandy cracherait le morceau tôt ou tard, elle avait raconté, non sans réticence, comment il s'était introduit dans la maison et l'avait menacée. Elle avait expliqué qu'il était dépité d'être supervisé par une femme et qu'il l'avait harcelée sur leur lieu de travail. Omettant le trou du curé et l'évasion assistée de Cameron, elle avait simplement dit l'avoir frappé, d'abord avec un coffret en bois puis avec une batte de cricket, et qu'il s'était enfui. Elle était ensuite partie avec Mandy à la recherche de Jem, ce qui lui avait semblé plus urgent que de prévenir immédiatement la police. Les policiers n'étaient pas du même avis mais, comme ils étaient britanniques, ils lui exprimèrent leur désaccord avec une grande courtoisie.

Elle avait déclaré que Cameron lui avait indiqué où se trouvait Jem. Si la police le retrouvait, il ne serait pas en position de la contredire. Elle espérait qu'il serait arrêté. Cela pouvait engendrer des complications, mais elle se sentirait plus en sécurité que s'il errait librement dans la nature. Avec sa carabine. Peut-être caché dans sa maison.

Elle glissa une main dans la poche de sa veste et se rassura en glissant entre ses doigts les cartouches de chevrotine.

37

Cognosco te

Le guérisseur arriva au milieu de l'après-midi. Il était petit, mais loin d'être menu. On aurait dit un lutteur, avec une carrure presque aussi large que celle de Roger. Il ne se présenta pas, se contentant de saluer de la tête Mme MacLaren. Puis son regard balaya la pièce, prenant en compte toutes les personnes présentes, et s'arrêta sur Buck, qui avait sombré dans un sommeil agité et ne s'était même pas réveillé quand le nouveau venu était entré.

— Il dit que c'est son cœur… commença Roger maladroitement.

Le guérisseur le fit taire d'un geste, puis s'approcha du lit et observa Buck un long moment. Tous les MacLaren retinrent leur souffle, attendant manifestement quelque chose de spectaculaire.

L'homme hocha la tête, ôta sa veste et retroussa ses manches, révélant des avant-bras hâlés et noués de muscles.

Il approcha une chaise du lit, s'y assit et posa une main sur la poitrine de Buck.

— Bien, voyons voir ce…

Il se raidit et retira précipitamment sa main comme s'il avait reçu une décharge électrique. Il secoua vivement la tête, ouvrit grand la chemise de Buck et posa les deux paumes à plat sur son torse.

— *Jesu*, murmura-t-il. *Cognosco te !*

Roger sentit tous les poils de son corps se hérisser et un picotement le parcourir comme si un orage approchait. L'homme venait de parler en latin et de dire : « Je te connais ! »

Tous les MacLaren regardaient le guérisseur travailler avec un profond respect mêlé de crainte. Roger, qui en avait appris long avec Claire sur la psychologie de la guérison, était aussi impressionné et, sincèrement, il n'en menait pas large.

Le guérisseur resta immobile un long moment, les mains sur le torse de Buck, la tête renversée en arrière, les traits tordus dans une expression de profonde concentration comme s'il écoutait un bruit lointain, très lointain. Il murmura ce que Roger reconnut être un *Pater Noster* (à voir la tête des MacLaren, il aurait tout autant pu dire « Abracadabra »). Puis, sans déplacer ses mains, il leva un épais index et commença à taper délicatement la peau en marquant un rythme lent et régulier, son doigt rebondissant chaque fois comme s'il frappait une touche de piano.

Tap… tap… tap… Cela dura un long moment, si long que tout le monde dans la pièce se remit à respirer, même Buck, dont le souffle laborieux devint plus régulier, ses poumons se remplissant à nouveau naturellement. Puis ce fut deux doigts. *Tap-tap… tap-tap… tap-tap…* Lentement. Aussi réguliers qu'un métronome. Encore et encore… C'était apaisant, hypnotique. Roger se rendit compte que c'était le rythme d'un cœur qui bat. Son propre cœur. En regardant autour de lui les yeux écarquillés et les bouches entrouvertes des MacLaren, il eut la sensation étrange que tous leurs cœurs battaient exactement au même rythme que le sien.

Une chose était sûre : ils respiraient tous en même temps. Il entendait le susurrement de leurs inspirations et la ruée écumeuse de leurs exhalations. Il le savait et, pourtant, il était incapable de modifier son propre rythme, de résister à cette unité qui s'était formée imperceptiblement entre toutes les personnes dans la pièce, d'Angus MacLaren à la petite Joséphine, aussi fascinée que les autres, dans les bras de sa mère.

Tout le monde respirait à l'unisson, tous les cœurs battaient comme un seul... Ensemble, ils soutenaient le malade, l'englobaient dans une entité plus grande, l'étreignaient, le fortifiaient. Roger tenait le cœur malade de Buck dans sa paume. Il s'en rendit soudain compte, tout comme il comprit brusquement qu'il s'y trouvait depuis un certain temps déjà, niché comme un galet dans le creux de sa main, lisse, lourd et... battant en rythme avec le cœur dans sa propre poitrine. Le plus étrange, c'était que tout cela paraissait parfaitement naturel.

Aussi bizarre cela soit-il, Roger pouvait l'expliquer. La suggestion collective, l'hypnose, la volonté et la soumission. Il en avait fait autant de nombreuses fois en chantant : lorsque la musique captait le public et qu'il sentait que celui-ci le suivrait n'importe où. Il y était également parvenu une ou deux fois en prêchant : quand l'assistance se fondait en lui, l'élevant autant qu'il l'élevait. C'était impressionnant de voir le guérisseur y parvenir aussi rapidement et complètement sans le moindre échauffement... et encore plus troublant d'en ressentir les effets dans sa propre chair. En revanche, ce qu'il ne pouvait expliquer et qui lui faisait peur, c'était que les mains du guérisseur étaient devenues bleues.

Il n'y avait aucun doute. Ce n'était pas un effet de lumière (il n'y en avait pratiquement pas, hormis pour le faible rougeoiement des braises dans la cheminée). Ce n'était pas spectaculaire, pas une scintillation flamboyante ni une fluorescence, mais une douce teinte bleutée qui avait grimpé entre les doigts du guérisseur, s'était répandue jusqu'à ses poignets et formait à présent un léger halo autour de ses mains, semblant pénétrer la poitrine de Buck.

Sans bouger la tête, Roger lança des regards dans la pièce. Les MacLaren observaient l'opération d'un air captivé, mais ne semblaient rien remarquer de particulier. *Ils ne le voient pas.* Il sentit la chair de poule hérisser ses bras. *Pourquoi suis-je le seul à le voir ?*

Tap-tap... tap-tap... tap-tap... Inexorable, régulier. Pourtant, Roger perçut un changement subtil. Le rythme du guérisseur était toujours exactement le même, mais l'énergie semblait s'être déplacée. Il baissa les yeux vers sa main, dans laquelle il imaginait toujours tenir le cœur de Buck, un objet rond et spectral, transparent mais palpitant régulièrement. Seul.

Tap-tap... ... Tap-tap... ... Tap-tap... Désormais, le guérisseur ne guidait plus, il suivait. Il n'avait pas ralenti le tempo, mais il espaçait les battements, laissant le cœur de Buck battre seul entre deux.

Enfin, le son s'arrêta et il y eut un silence dans la pièce durant l'espace de trois battements. Puis le silence éclata comme une bulle de savon, laissant l'assistance clignant des yeux et secouant la tête, comme si chacun se réveillait d'un rêve. Roger referma sa main vide.

— Il ira bien, déclara le guérisseur sur un ton détaché à Mme MacLaren. Laissez-le dormir autant qu'il le voudra et donnez-lui à manger quand il se réveillera.

— Mille mercis, monsieur, murmura Mme MacLaren.

Elle tapota le dos de Joséphine, qui s'était endormie la bouche ouverte, un filet de bave reliant un coin de sa bouche à l'épaule de sa mère.

— Voulez-vous que je vous prépare une paillasse près du feu ? demanda-t-elle.

Il avait déjà remis sa veste, enfilé sa cape et saisissait son chapeau.

— Non merci. Je ne vais pas loin.

Il sortit. Roger attendit un peu, le temps que les conversations reprennent dans la pièce, puis l'imita, refermant la porte discrètement derrière lui.

Le guérisseur était un peu plus loin sur le sentier. Roger aperçut sa silhouette sombre agenouillée devant un petit autel en pierre, les pans de sa cape volant au vent. Roger s'approcha lentement, ne voulant pas déranger sa prière, et inclina la tête devant la petite statue dont le visage rongé par les éléments n'avait plus de traits. *Veille sur eux,* pria-t-il. *S'il te plaît, aide-moi à retourner auprès d'eux... auprès de Brianna.* Il s'interrompit en voyant le guérisseur se relever. De toute manière, il n'avait rien d'autre à demander.

Le guérisseur ne l'avait pas entendu. Il se retourna brusquement en sentant sa présence et, reconnaissant Roger, il esquissa un sourire résigné, s'attendant probablement à une question médicale d'une nature intime.

Le cœur battant, Roger lui prit la main, le faisant sursauter.

— *Cognosco te,* dit-il doucement.

Le Dr Hector McEwan plissa les yeux pour se protéger du vent, sur ses gardes mais également intéressé.

— Qui êtes-vous ? demanda-t-il. Tous les deux, qui êtes-vous ?

— Vous le savez peut-être mieux que moi, répondit Roger. Cette... cette lumière dans vos mains...

— Vous pouviez la voir.

Ce n'était pas une question. Son intérêt s'était mu en une véritable curiosité, faisant briller ses yeux même dans la faible lumière.

— Oui, dit Roger. D'où venez...

Il s'interrompit, cherchant la meilleure manière de formuler sa question, mais il n'y en avait qu'une.

— De quand venez-vous ?

McEwan lança un regard vers le cottage, mais la porte était fermée, une colonne de fumée s'élevant de son toit. Il commençait à pleuvioter, un clapotis prémonitoire agitant les bruyères au bord du sentier. Il prit soudain Roger par le coude.

— Venez. Ne restons pas dehors par ce temps horrible. Nous allons attraper la mort.

Effectivement, il se mit à pleuvoir pour de bon et Roger, qui était sorti sans cape ni chapeau, se retrouva trempé en quelques minutes. McEwan l'entraîna rapidement sur un sentier qui sinuait entre d'épais fourrés de genêts avant de déboucher sur un morceau de lande où se dressaient les ruines d'une ferme qui pouvaient les abriter. La bâtisse avait brûlé depuis peu de temps. L'odeur des cendres froides imprégnait encore les lieux. La charpente s'était effondrée, mais il restait un pan du toit de chaume sous lequel ils se réfugièrent, serrés l'un contre l'autre dans le petit espace.

— *Anno Domini* mille huit cent quarante et un, annonça McEwan en secouant sa cape mouillée.

Il interrogea Roger du regard.

— Mille neuf cent quatre-vingt, répondit-il.

Il s'éclaircit la gorge et répéta la date. Le froid avait affecté ses cordes vocales, et les paroles sortaient dans un croassement étranglé. McEwan s'approcha et le regarda sous le nez.

— Votre voix… Elle est cassée.

— Ce n'est r… commença Roger.

Les mains du guérisseur s'affairaient déjà autour de son cou, dénouant sa cravate. Roger ferma les yeux et se laissa faire.

Les doigts épais de McEwan étaient froids sur sa peau ; il les sentit suivre délicatement la cicatrice de la corde, puis appuyer plus fermement autour de son larynx abîmé. Cela lui donna une sensation d'étouffement et il toussa.

— Refaites ça, demanda McEwan.

— Quoi, tousser ? croassa Roger.

— Oui.

Il plaqua sa main contre son cou, juste sous le menton, hocha la tête.

— Toussez une fois, attendez, puis toussez à nouveau.

Roger s'exécuta, ressentant une légère douleur à chaque expulsion, là où la main du guérisseur le comprimait. Ce dernier paraissait très intéressé. Il ôta sa main.

— Vous savez ce qu'est l'os hyoïde ?

Roger se racla la gorge et se massa, sentant sa cicatrice rugueuse sous sa paume. Il ne savait pas trop s'il devait être offensé par cette intrusion ou pas. Sa peau picotait là où McEwan l'avait touché.

— Non, mais je devine que ça se trouve dans le cou. Pourquoi ?

— C'est juste là, répondit le guérisseur en appuyant son pouce sous le menton de Roger. S'il s'était trouvé ici (il descendit son pouce de deux centimètres et quelques), vous seriez mort. C'est un petit os fragile. On peut facilement étrangler quelqu'un en le cassant, soit avec ses pouces, soit avec une corde.

Il s'écarta légèrement en fixant Roger, toujours aussi intrigué, même s'il paraissait à nouveau méfiant.

— Que fuyez-vous, vous et votre ami ? Ou qui ?

— Personne.

Se sentant soudain très las, Roger chercha un endroit autour de lui où s'asseoir. Il n'y avait que quelques pierres calcinées tombées de l'un des murs. Il en poussa deux côte à côte et s'assit sur l'une d'elles, les genoux autour des oreilles.

— Ça, dit-il en montrant sa cicatrice, c'était il y a longtemps. Cela n'a rien à voir avec… avec… ce que nous faisons ici. Nous cherchons mon fils. Il n'a que neuf ans.

— Juste ciel ! s'exclama McEwan, navré. Comment…

Roger l'arrêta d'un geste.

— Vous d'abord. Je vous dirai tout ce que je sais, mais… racontez-moi d'abord votre histoire, je vous en prie.

McEwan fronça les lèvres. Il réfléchit quelques instants, puis haussa les épaules et s'assit à son tour dans un grognement d'effort.

— J'étais médecin à Édimbourg. Je suis venu dans les Highlands pour chasser la grouse avec un ami. On chassera encore la grouse, dans deux cents ans ?

— Oui, sa chair est toujours appréciée. Vous êtes donc passé par Craigh na Dun ?

— En effet, je… Quoi, vous voulez dire qu'il y a d'autres endroits où cela… arrive ?

— Oui. Personnellement, j'en connais quatre, mais il y en a probablement d'autres. Combien y a-t-il de cercles de pierres dans les îles britanniques ?

— Je n'en ai aucune idée.

McEwan était ébranlé. Il se leva et s'approcha de la porte. Les jambages avaient brûlé et le linteau ne tenait plus que par miracle. Roger espérait que les pierres au-dessus n'allaient pas s'effondrer sur la tête du docteur, du moins pas avant qu'il n'en ait appris plus.

McEwan resta immobile un long moment, regardant la pluie qui avait la couleur de la fourrure d'un chartreux. Enfin, il se secoua et revint vers Roger d'un air décidé.

— Le secret ne nous mènera à rien, et j'espère ne pas regretter mon honnêteté.

Ce n'était pas une question. Roger acquiesça et prit son air le plus sincère.

— Bon, reprit McEwan. Je disais donc que nous chassions la grouse, juste au pied de cette colline où se trouvent les pierres. Soudain, un renard a jailli de sous les fougères et a filé entre mes jambes. Un des chiens a perdu la tête et s'est lancé à ses trousses. Brewer – c'est le nom de mon ami, Joseph Brewer – a voulu le rattraper, mais il a, ou plutôt il *avait* un pied-bot (son expression légèrement irritée fit sourire Roger, qui ne connaissait que trop bien ce que l'on ressentait en s'emmêlant dans les temps). Il parvenait à marcher plus ou moins normalement avec une botte spéciale, mais pour ce qui était de courir ou de pourchasser…

— C'est donc vous qui avez couru derrière le chien et…

Roger frissonna malgré lui, tout comme McEwan.

— En effet.

— Le chien… il est parti lui aussi ? demanda Roger.

McEwan parut surpris et légèrement offensé.

— Comment le saurais-je ? Tout ce que je peux vous dire, c'est qu'il n'est pas arrivé au même endroit que moi.

— Pardonnez-moi, je suis juste curieux. Mon épouse et moi essayons d'en apprendre le plus possible afin de protéger nos enfants.

Sa voix se brisa sur le mot « enfants », qui n'était plus qu'un murmure. L'expression de McEwan se radoucit.

— Oui, bien sûr. Votre fils, avez-vous dit ?

Roger acquiesça et lui raconta ce qu'il pouvait au sujet de Cameron, des lettres et, après un moment d'hésitation, de l'or de l'Espagnol. Il fallait bien expliquer pourquoi Cameron avait enlevé Jem et il sentait en McEwan un homme foncièrement bon.

— Doux Jésus, soupira celui-ci en agitant la tête d'un air consterné. J'interrogerai mes patients. Peut-être que quelqu'un…

Il n'acheva pas sa phrase. Il était troublé et Roger eut la nette impression que ce trouble n'était pas entièrement dû à Jem ni à l'incroyable découverte qu'il y en avait d'autres comme lui...

Il revit en pensée le doux halo bleu autour de ses mains et son expression surprise quand il lui avait dit *cognosco te*. Il n'avait pas paru choqué, mais ravi. Buck et lui n'étaient pas les premiers voyageurs du temps qu'il rencontrait. Pourtant, le docteur n'avait rien dit. Pourquoi ?

— Depuis combien de temps êtes-vous ici ? demanda-t-il intrigué.

McEwan poussa un soupir.

— Depuis trop longtemps, probablement. Cela fait environ deux ans. En parlant de temps...

Il se redressa et resserra sa cape autour de son cou.

— Il fera noir dans moins d'une heure. Je dois y aller si je veux arriver à Cranesmuir avant la nuit. Je reviendrai demain voir votre ami. Nous pourrons alors parler plus longuement.

Il tourna les talons, puis fit volte-face aussi brusquement et posa la main sur la gorge de Roger.

— Peut-être, dit-il comme s'il se parlait à lui-même. Peut-être.

Il hocha la tête, abaissa sa main et s'éloigna à grands pas, les pans de sa cape volant derrière lui telles des ailes de chauve-souris.

38

LE CHIFFRE DE LA BÊTE

APRÈS LA FIN DE L'ÉMISSION pour enfants *Fraggle Rock*, ce fut au tour du journal télévisé. Ginger allait éteindre le poste quand la photo d'école de Jem s'afficha sur l'écran. Elle se tourna vers Jem, l'air ahuri.

— Mais c'est toi !

— Je sais, grommela-t-il. Éteins ça.

— Non, je veux voir.

Elle l'arrêta alors qu'il se précipitait vers le poste. Elle avait onze ans et était plus grande que lui.

— Éteins ! cria-t-il.

Puis, soudain inspiré, il ajouta :

— Ça va faire peur à Mandy et elle va se mettre à brailler.

Ginger lança un bref regard vers la fillette. Il fallait reconnaître qu'elle avait des poumons d'enfer. À contrecœur, elle éteignit la télévision.

— Maman nous a dit ce qui t'était arrivé, dit-elle à voix basse. Elle a dit qu'on ne devait pas t'embêter.

— Tant mieux. Alors obéis.

Il sentait son cœur palpiter et transpirait alors que ses mains étaient glacées, puis moites, puis glacées à nouveau.

Il l'avait échappé belle, se sauvant de justesse et plongeant sous les buissons plantés au sommet du déversoir, puis en rampant sur le rebord en béton jusqu'à ce qu'il trouve une échelle. Il était descendu le plus bas possible, jusqu'à ce que l'eau noire gronde à quelques centimètres sous ses pieds, l'aspergeant de gouttes glacées. Il s'était accroché de toutes ses forces aux échelons jusqu'à ce qu'il ne sente plus ses mains. Rien que d'y penser, il en tremblait encore.

Il crut qu'il allait vomir s'il ne chassait pas ces images de sa tête. Il ouvrit le coffre à jouets. Naturellement, il était rempli de jouets de filles, mais s'il y avait une balle... Certes, elle était rose, mais c'était une de ces balles rebondissantes en caoutchouc.

— On pourrait aller dans le jardin et jouer au ballon chasseur, proposa-t-il.

— Il fait sombre et il tombe des cordes, répondit Tisha. Je ne veux pas me mouiller.

— Peuh! Ce n'est qu'une bruine. Tu es faite en quoi, en sucre?

— Oui, justement, minauda Sheena. Nous les filles, on est faites de sucre, d'épices et de tous les délices. Alors que vous, les garçons, vous êtes faits de grenouilles, d'escargots et de queues de chiots...

— Viens jouer à la poupée avec nous, proposa Tisha en agitant une poupée nue vers lui. Tu peux avoir GI Joe, si tu veux. Ou tu préfères Ken?

— Je ne joue pas à la poupée, répondit fermement Jem. Ça me barbe de les habiller et de les déshabiller.

— Moi je veux la poupée!

Mandy s'était frayé un chemin entre Tisha et Sheena et tendait une main avide vers une Barbie portant une robe de bal rose à volants. Sheena l'écarta hors de sa portée de justesse.

— D'accord, d'accord, dit-elle en voyant Mandy se préparer à crier. Tu peux jouer avec nous, bien sûr, mais doucement. Tu ne dois pas abîmer sa belle robe. Tiens, assieds-toi et je te donnerai celle-là. Tu vois son petit peigne et sa petite brosse? Tu peux la coiffer.

Jem prit la balle et sortit. L'étage était tapissé de moquette, mais le palier était en parquet. Il lança la balle et elle bondit jusqu'au plafond, manquant de peu le lustre. Elle rebondit sur le sol et il la rattrapa avant qu'elle ne lui échappe.

Il attendit un instant pour s'assurer que Mme Buchan n'avait rien entendu. Elle était dans la cuisine, chantonnant avec la radio.

Il descendait vers le rez-de-chaussée lorsque la clochette de la porte d'entrée tinta. Il se pencha par-dessus la rampe pour voir qui c'était et manqua de se mordre la langue. Rob Cameron venait d'entrer et se tenait sur le seuil.

Jem se plaqua contre le mur, le cœur battant si fort qu'il entendit à peine Mme Buchan sortir de sa cuisine pour accueillir le visiteur.

Devait-il aller chercher Mandy? Ils ne pouvaient sortir de la maison sans passer par le rez-de-chaussée. Il ne pouvait pas non plus laisser tomber sa sœur par la fenêtre du salon. Il n'y avait ni buissons ni plate-bande pour amortir sa chute.

Mme Buchan salua le nouveau venu et se déclara navrée s'il cherchait une chambre, car elle affichait complet pour toute la semaine. M. Cameron se montra très aimable, répondant qu'il la remerciait mais n'était pas venu pour ça. Il désirait seulement s'entretenir un instant avec elle.

— Si vous cherchez à me vendre quelque chose… commença-t-elle.

— Non, pas du tout, madame. J'aimerais juste vous poser quelques questions au sujet des pierres de Craigh na Dun.

Jem était pétrifié. Il avait du mal à respirer et plaquait une main sur sa bouche pour que Cameron ne l'entende pas. Mme Buchan parut prise de court.

— Les pierres ? dit-elle avec un étonnement feint qui ne pouvait tromper personne. Je ne vois pas de quoi vous parlez.

Cameron émit un petit rire poli.

— Pardonnez-moi, j'aurais dû d'abord me présenter. Je m'appelle Rob Cameron et… Quelque chose ne va pas, madame ?

Non seulement Mme Buchan avait poussé un petit cri, mais elle avait dû reculer et heurter la console dans l'entrée. Il y eut un bruit sourd et un cliquetis de cadres qui se renversaient.

Elle se ressaisit rapidement.

— Non, ce n'est rien. Juste un étourdissement. Je fais de l'hypertension, ça m'arrive tout le temps. Cameron, vous dites ?

— Oui, Rob Cameron. Je suis un cousin par alliance de Becky Wemyss. C'est elle qui m'a parlé des danses, là-haut autour des pierres.

— Oh.

Ce « Oh » signifiait que Becky Wemyss allait passer un mauvais quart d'heure.

— Je fais des recherches sur les coutumes des anciens, poursuivit Cameron. J'écris un livre sur le sujet, voyez-vous. Je me demandais si vous pouviez me consacrer quelques minutes. Becky m'a dit que personne n'en savait plus que vous sur les pierres et les danses rituelles.

Quand il comprit que Cameron n'était pas venu parce qu'il savait que Mandy et lui se trouvaient chez Mme Buchan, Jem respira plus calmement. À moins qu'il ne se soit servi d'un prétexte, puis demande à aller aux toilettes, en profitant pour les chercher dans la maison ? Il lança un regard angoissé vers la porte fermée du salon. Mandy gloussait de l'autre côté, mais Cameron, au rez-de-chaussée, ne pouvait probablement pas l'entendre.

Mme Buchan l'entraîna vers la cuisine, lui disant « Venez, je vous dirai ce que je peux » sur un ton qui ne paraissait pas très amical. Jem se demanda si elle n'allait pas mettre de la mort-aux-rats dans son thé.

Peut-être n'en avait-elle pas dans ses placards ? Il descendit une marche, puis la remonta. Il aurait voulu courir jusqu'à la porte et prendre ses jambes à son cou, mais il ne pouvait pas abandonner Mandy.

Ses hésitations prirent fin quand il entendit la porte de la cuisine s'ouvrir à nouveau, puis les pas de Mme Buchan, seule, approchant rapidement.

Elle grimpa quelques marches puis, l'apercevant, sursauta en posant une main sur son cœur. Elle le rejoignit précipitamment, le serra contre elle et lui chuchota dans l'oreille :

— Tu m'as flanqué une de ces frousses ! Je venais justement te chercher. Tu l'as vu ?

Jem acquiesça, incapable de parler.

— Je vais te faire sortir par la porte d'entrée. Tourne à gauche après la grille. Deux portes plus loin, il y a la maison de Mme Kelleher. Demande-lui si tu peux utiliser son téléphone. Appelle la police et dis que l'homme qui t'a kidnappé est ici. Tu connais l'adresse ?

Il hocha la tête. Il se souvenait du numéro, 669, parce que la dernière fois qu'ils étaient venus avec ses parents, son père avait déclaré que les Buchan auraient dû habiter au 666, car c'était le chiffre de la Bête. Jem leur avait demandé qui était la Bête – M. ou Mme Buchan ? –, et ils avaient ri comme deux bossus.

— Bien, dit Mme Buchan en le lâchant. Viens.

— Mandy… commença-t-il.

— Chut ! Je m'occupe d'elle. Viens.

Il courut dans l'escalier derrière elle, essayant de ne pas faire de bruit. Une fois devant la porte, elle se hissa sur la pointe des pieds pour retenir la clochette afin qu'elle ne tinte pas.

— Cours ! chuchota-t-elle.

Il courut.

Mme Kelleher était une vieille dame un peu sourde. Jem était essoufflé et si apeuré qu'il avait du mal à articuler une phrase cohérente, si bien qu'il fallut un certain temps avant qu'elle le conduise à son téléphone. Puis la dame du commissariat lui raccrocha au nez deux fois de suite, croyant à une mauvaise blague de gamin désœuvré. Lorsqu'elle décrocha la troisième fois, Jem hurla :

— Je suis Jeremiah MacKenzie. J'ai été kidnappé !

— Comment ça ? s'exclama Mme Kelleher, stupéfaite.

Elle lui prit le téléphone des mains et demanda dans le combiné :

— Allô ? Qui est au bout du fil ?

Jem entendit une voix grésillante lui répondre. Au moins, la dame de la police n'avait pas à nouveau raccroché. Mme Kelleher baissa les yeux vers lui.

— Qui veux-tu appeler, mon garçon ? Tu t'es trompé et tu as composé le numéro de la police.

À ce stade, Jem avait très envie de frapper quelque chose, mais il pouvait difficilement taper sur Mme Kelleher. Il lâcha une expression très crue en gaélique. La vieille dame en resta bouche bée et écarta le combiné de son oreille. Il en profita pour le lui reprendre.

— L'homme qui m'a kidnappé est *ici*, déclara-t-il en articulant le plus lentement possible dans le combiné. Vous devez venir ! Vite, avant qu'il fasse du mal à ma petite sœur ! C'est au 669, Glenurquhart Road. Venez tout de suite !

Il raccrocha avant que la dame de la police puisse lui poser des questions.

Des questions, Mme Kelleher en avait plein. Ne voulant pas être impoli, Jem lui demanda s'il pouvait utiliser les toilettes qui se trouvaient au premier étage. Il s'y enferma à clef, puis se pencha à la fenêtre, guettant l'arrivée de la police.

Pendant un moment qui parut interminable, il ne se passa rien. La pluie ruisselait sur ses cheveux et ses cils, mais il craignait trop de rater quelque chose pour rentrer la tête. Il était en train de s'essuyer les yeux quand la porte du 669 s'ouvrit brusquement. Rob Cameron en sortit en courant, sauta dans sa voiture et démarra sur les chapeaux de roues.

Dans sa stupeur, Jem faillit basculer dans le vide. Il se précipita hors de la salle de bain, manquant de percuter Mme Kelleher, et dévala l'escalier quatre à quatre en lançant derrière lui :

— Merci, madame !

La maison des Buchan n'était plus que cris et pleurs. Il sentit sa poitrine se serrer si fort qu'il pouvait à peine respirer. Il voulut appeler Mandy mais ne parvint qu'à émettre un petit filet de voix.

La porte d'entrée était grande ouverte. À l'intérieur, il y avait des filles partout. Il grimpa droit dans le salon et trouva Mandy au milieu de la mêlée. Il se précipita vers elle. Elle ne pleurait pas, mais elle s'accrocha à lui comme une sangsue, pressant sa petite tête couverte de boucles noires contre son ventre.

Mme Buchan était assise sur le canapé, tenant une serviette remplie de glaçons contre son visage. Plusieurs d'entre eux s'étaient échappés et fondaient sur le tapis à ses pieds. Tisha et Sheena étaient collées contre leur mère et pleuraient. Ginger tentait de caresser les cheveux de sa mère et de réconforter ses deux sœurs en même temps. Elle était livide et des larmes coulaient en silence sur ses joues.

— Madame Buchan… ça va ? demanda-t-il timidement.

Il se sentait très mal. Tout cela était encore sa faute.

Mme Buchan se tourna vers lui. Tout un côté de son visage était enflé et son œil était presque fermé. L'autre moitié était normale et l'œil de ce côté brillait de mille feux, ce qui le rassura.

— Mais oui, ça va très bien, Jem. Ça suffit, les filles. N'en faites pas toute une histoire, ce n'est qu'un œil au beurre noir. Arrêtez vos jérémiades, je ne m'entends plus penser !

Elle se secoua doucement pour détacher ses filles accrochées à elle, les poussant et les tapotant de sa main libre. Puis on frappa contre le chambranle de la porte et une voix masculine retentit dans l'entrée.

— Police ! Il y a quelqu'un ?

Jem aurait pu prévenir Mme Buchan de ce qui se passait quand on appelait la police. Des questions et des questions et encore des questions. Puis, quand il y avait des choses qu'on ne pouvait pas dire aux agents… Heureusement, Mme Buchan refusa qu'ils emmènent Jem et elle-même au commissariat, arguant qu'elle ne pouvait laisser les filles seules. Le temps que la police en convienne enfin et capitule, Mandy et Sheena étaient endormies sur le canapé, lovées l'une contre l'autre comme deux chatons. Ginger et Tisha, qui avaient préparé du thé pour tout le monde, se tenaient dans un coin, bâillant et somnolant.

Quelques minutes après le départ de la police, M. Buchan rentra de son travail et il fallut tout expliquer à nouveau. En vérité, il n'y avait pas grand-chose à dire : Mme Buchan avait fait asseoir M. Cameron dans la cuisine et lui avait parlé de la danse – ce n'était pas un secret, quiconque avait vécu un certain temps à Inverness le savait. Elle avait laissé la radio allumée et, pendant qu'ils discutaient, un bulletin d'information mentionna le nom «Robert Cameron» et déclara qu'il était recherché pour répondre de l'enlèvement d'un enfant de la région.

— Cette petite ordure a bondi de sa chaise, et moi aussi. Il a dû croire que je voulais l'arrêter. Je me trouvais entre la porte et lui. Il m'a envoyé son poing dans la figure, m'a poussée contre le mur et a filé.

De temps à autre, M. Buchan lançait des regards noirs vers Jem. Il semblait avoir lui aussi quelques questions à poser. Au lieu de cela, il décida que, compte tenu de l'heure tardive, ils iraient tous dîner en ville dans un resto de *fish and chips*. Tout le monde se sentit aussitôt mieux. En voyant les regards que s'échangeaient les Buchan, Jem se demanda si M. Buchan n'avait pas l'intention de les déposer au commissariat, Mandy et lui, sur le chemin du retour ; ou simplement de les abandonner sur le bord d'une route.

39

LE FANTÔME D'UN PENDU

LA PLUIE SE TRANSMUA BIENTÔT en déluge et, lorsqu'il rentra dans le cottage des MacLaren, Roger était trempé jusqu'aux os. Sous les cris de désolation de Mme MacLaren et de sa vieille mère, il fut promptement déshabillé, enveloppé dans une vieille couverture et planté à sécher devant la cheminée, où sa présence gênait considérablement les préparatifs du dîner. Buck, calé contre des oreillers, deux petits MacLaren endormis contre lui, l'interrogea du regard.

Roger lui fit discrètement signe qu'il lui raconterait plus tard. Buck paraissait en meilleure forme. Son teint avait retrouvé quelques couleurs et il était assis. L'espace d'un bref instant, il se demanda ce qui se passerait s'il posait une main sur son torse. Y aurait-il une lueur bleue ?

Allie, l'une des filles MacLaren, poussa un petit cri et se précipita pour écarter de la cheminée un pan de sa couverture qui traînait.

— Prenez garde, monsieur !

Grannie Wallace, la mère de Mme MacLaren, souleva la poêle en fonte qui grésillait de graisse sur le feu et l'éloigna des jambes nues de Roger. Elle n'avait plus qu'un œil, mais il était vif.

— Une seule étincelle et vous flamberez comme du petit bois, observat-elle. Grand comme vous l'êtes, vous allez mettre le feu à la charpente et, après ça, je me demande bien ce qu'il adviendra de nous !

Tout le monde se mit à rire, quoique d'une manière un peu forcée qui étonna Roger.

Il s'écarta du foyer et s'approcha du banc sur lequel M. MacLaren était en train de nettoyer sa pipe.

— En parlant de charpente… déclara-t-il. Il y a une petite ferme brûlée, un peu plus haut sur la colline. Un accident de cuisine ?

Tout le monde se figea et un silence de plomb s'abattit sur la pièce. Roger toussota.

— Euh... apparemment pas. Je suis désolé d'avoir été aussi léger. Il y a eu des victimes ?

M. MacLaren lui lança un regard sombre qui contrastait avec son attitude cordiale, un peu plus tôt. Il posa sa pipe sur un genou.

— Pas à cause du feu, répondit-il. Qu'êtes-vous allé faire là-haut ?

Roger le regarda dans les yeux.

— Je cherchais mon fils. Je ne sais pas où le trouver, alors je le cherche partout. Je me suis dit que, s'il était parvenu à s'enfuir et errait seul dans la nature, il chercherait un abri.

MacLaren hocha la tête.

— Si j'étais vous, je ne m'approcherais pas de cette ferme.

— Pourquoi, elle est hantée ?

Toutes les têtes se tournèrent vers lui, puis vers MacLaren, chacun attendant sa réponse.

— C'est possible, répondit-il après une longue pause.

— Elle est maudite, chuchota Allie dans l'oreille de Roger.

— Vous n'y êtes pas entré, monsieur, hein ? demanda Mme MacLaren.

Les plis soucieux sur son front s'étaient encore accentués.

— Non non, mentit-il. Que s'est-il passé ?

McEwan n'avait pas hésité un instant à entrer dans la ferme. Ignorait-il ce qui semblait les inquiéter tous ?

Mme MacLaren émit un petit « Mmph ! » et, secouant la tête, commença à piocher des rutabagas bouillis avec une cuillère en bois dans le chaudron suspendu sur le feu. À ses lèvres pincées, il était clair qu'elle considérait que ce n'était pas sa place d'en parler.

M. MacLaren se leva péniblement.

— Je vais aller voir les bêtes avant le dîner, déclara-t-il en fixant Roger. Vous ne voulez pas m'accompagner ? Ça vous évitera d'être dans les pattes des femmes pendant qu'elles préparent le repas.

Roger salua Mme MacLaren d'un signe de tête, remonta sa couverture sur ses épaules et suivit son hôte dans l'étable contiguë à la salle principale. En passant, il croisa le regard de Buck et haussa discrètement les épaules.

La pièce réservée aux animaux n'était séparée de celle des humains que par un mur de pierre ne montant pas jusqu'au plafond, permettant ainsi à la chaleur considérable (ainsi qu'aux fragments de paille et à la forte odeur d'urine et de fumier) générée par les vaches de se diffuser dans toute la maison. L'étable de MacLaren était douillette et bien entretenue, avec une grande pile de foin propre d'un côté, trois vaches rousses à poil long bien grasses et un petit taureau noir qui souffla férocement en direction de Roger, son anneau en cuivre luisant dans son mufle rouge-noir.

Il faisait bon dans la pièce d'à côté, avec neuf personnes entassées et un bon feu de tourbe, mais cela n'avait rien à voir avec la chaleur enveloppante et l'atmosphère paisible de l'étable. Roger poussa un soupir et sentit ses épaules s'affaisser, se rendant soudain compte qu'elles avaient été crispées depuis des heures.

MacLaren ne fit qu'une inspection de pure forme de ses bêtes, grattant son taureau entre les oreilles et donnant une tape amicale sur le flanc d'une de ses vaches. Puis, d'un signe de tête, il invita Roger à le suivre à l'autre bout de la pièce.

Depuis sa conversation avec Hector McEwan, Roger ressentait un certain malaise, ayant la sensation d'avoir entendu quelque chose d'important qu'il n'avait pas compris. Lorsque MacLaren se tourna vers lui pour lui parler, cela lui vint soudain : *Cranesmuir*.

— Ce sont des étrangers qui ont construit la ferme là-haut, commença MacLaren. Ils sont apparus un beau jour, comme sortis de nulle part. Un homme et une femme. J'aurais du mal à vous dire si c'était un couple, ou un père et sa fille, car il était bien plus âgé qu'elle. Ils ont dit qu'ils venaient des îles. Pour ce qui est de lui, c'était peut-être vrai, mais elle... elle ne parlait pas comme quelqu'un des îles.

— Elle n'était pas écossaise ?

— Oh si. Elle parlait le *gàidhlig*. Pour ma part, j'aurais dit qu'elle venait de quelque part au nord-ouest d'Inverness... peut-être de Thurso... Mais je ne sais pas, quelque chose ne sonnait pas juste.

Comme quelqu'un qui n'est pas à sa place, qui fait semblant.

— À quoi ressemblait-elle ?

La voix de Roger était enrouée. Il dut s'éclaircir la gorge et répéter sa question.

MacLaren fronça les lèvres. Ce n'était pas une grimace de condamnation, plutôt une sorte d'expression admirative devant une vision remarquable.

— C'était une sacrée belle fille. Grande, mince... mais avec des courbes partout là où il fallait, si vous voyez ce que je veux dire.

Il baissa la tête et Roger se demanda si sa réticence à parler devant les femmes n'était pas due à autre chose qu'au caractère scandaleux de son histoire.

— Ils se tenaient à l'écart ? demanda-t-il.

— Oui, bien que lui soit plutôt amical. Je le croisais parfois sur la lande et on bavardait un peu. Il me paraissait être un brave type. Pourtant, chaque fois qu'en rentrant j'en parlais à Maggie, j'étais incapable de me souvenir du moindre mot qu'il m'avait dit.

Le bruit avait couru que la femme était un peu étrange, mais qu'elle savait soigner par les plantes. En outre, si vous la trouviez seule à la maison, elle pouvait vous donner un peu plus qu'un remède à base d'herbes...

Malgré la pénombre, Roger pouvait voir que MacLaren était gêné. Lui-même se sentait mal à l'aise, mais pas pour les mêmes raisons.

Cranesmuir. C'était un nom qu'il connaissait, même avant que McEwan ne le prononce. Les MacLaren avaient dit que le guérisseur venait de Draighhearnach. Cranesmuir se trouvait dans la direction opposée et cinq kilomètres plus loin. Qu'était-il allé y faire cette nuit ?

— Des bruits circulaient, poursuivit MacLaren. Comme toujours avec ce genre de femme. Mais ses remèdes étaient efficaces... ces sorts aussi. Du moins, c'était ce qu'on disait.

Puis, un jour, l'homme est parti. Personne ne savait où. On ne l'a plus jamais revu. La femme avait continué comme auparavant, mais il y avait de plus en plus d'hommes parmi ses visiteurs. Les femmes qui montaient la voir n'emmenaient plus leurs enfants. Elles s'y rendaient parfois seules, en cachette.

La veille de Samhain, alors que le soleil se couchait et que les grands feux étaient allumés, une paysanne des environs était montée à la fermette isolée. Elle était redescendue en courant et en hurlant.

— Elle avait trouvé la porte grande ouverte. La femme avait disparu avec toutes ses affaires et un homme pendait au bout d'une corde attachée à la grande poutre.

MacLaren soupira, tête baissée. Une des vaches s'était approchée derrière lui et le poussait doucement du mufle sans cesser de mastiquer. Il posa une main sur elle comme si sa présence le réconfortait.

— C'est le prêtre qui nous a dit qu'il fallait purifier la maison par le feu, expliqua-t-il. Il a dit qu'elle était habitée par le mal. Personne ne connaissait le pendu. On ne pouvait dire s'il s'agissait d'un pauvre gars qui s'était donné la mort par désespoir… ou d'un meurtre.

Roger dut forcer les mots à travers sa gorge nouée.

— Je… je comprends.

MacLaren se redressa brusquement et se tourna vers lui, la bouche grande ouverte et les yeux exorbités. Roger se rendit compte qu'avec la chaleur il avait laissé retomber la couverture de ses épaules. MacLaren fixait sa gorge, où la cicatrice blême de la corde était nettement visible.

MacLaren eut un mouvement de recul et heurta le flanc poilu de la vache en émettant un gargouillis grave. La bête n'apprécia pas et lui enfonça un sabot dans le pied. La douleur et la colère qui s'ensuivirent eurent raison de l'effroi du malheureux et, lorsqu'il fut parvenu à repousser la bête à grand renfort de jurons, il se tourna bravement vers Roger, le menton en avant et les poings serrés.

— Pourquoi êtes-vous ici, *a thaibse*? Quels que soient mes péchés, je ne vous ai rien fait. Je ne suis pas responsable de votre mort. J'ai simplement dit aux autres qu'il fallait vous enterrer sous l'âtre avant de brûler les lieux. Que voulez-vous? Le prêtre ne voulait pas de vous dans le cimetière!

Il croyait manifestement que le fantôme du pendu était revenu se plaindre, outré qu'on se soit débarrassé de sa dépouille mortelle dans une terre non consacrée.

Roger passa une main lasse sur son visage et sentit le chaume de sa barbe râper sa paume. Il apercevait plusieurs visages intrigués se détachant dans la pénombre, de l'autre côté de l'étable, attirés par les cris de MacLaren.

— Vous n'auriez pas un rosaire dans la maison? demanda-t-il.

Ce fut une longue et pénible nuit. Grannie Wallace avait pris les deux petits enfants dans son lit, craignant sans doute que Buck ne les dévore dès qu'elle aurait le dos tourné. Les autres enfants dormaient avec leurs parents ou enroulés dans des couvertures devant le foyer. Roger partageait le lit des parias avec Buck. Seul le fait qu'il ait été capable de tenir un chapelet dans une main, d'embrasser le crucifix et de faire réciter le rosaire à toute la famille avait retenu MacLaren de le jeter dehors et de pisser sur le porche pour l'empêcher de revenir.

Buck n'avait probablement guère mieux dormi que lui. Son ancêtre sauta hors du lit aux premières lueurs du jour, annonçant qu'il avait un besoin pressant. Roger l'avait suivi en déclarant « Je vais t'aider » avant d'enfiler sa chemise et ses culottes encore humides.

À son soulagement, Buck n'avait pas besoin d'aide. Il était un peu raide et boitait légèrement, mais ses épaules étaient droites, il ne pantelait pas et ne devenait pas tout bleu.

— S'ils te prennent pour un spectre vengeur, que doivent-ils penser que je suis ? marmonna-t-il dès qu'ils se furent éloignés du cottage. Et tu aurais pu te contenter d'un *Notre Père* au lieu de nous faire réciter cinq dizaines du rosaire et gâcher le dîner.

— Mmphm.

Buck n'avait pas complètement tort, mais il avait été trop perturbé sur le moment pour y penser. Et puis, il avait voulu leur donner le temps de se remettre de leur choc.

— Le dîner n'était pas gâché, protesta-t-il. Les rutabagas étaient juste un peu trop cuits.

— Tu parles ! Toute la pièce empestait le brûlé. Et les femmes te détestent. Ne t'étonne pas si elles versent trop de sel dans ton porridge. Hé ! Où tu vas ? C'est par là.

Il pointa un doigt vers un sentier sur la gauche qui menait effectivement aux latrines, celles-ci étant exposées à la vue de tous.

Roger grommela dans sa barbe, mais le suivit néanmoins. Il était mal luné et distrait ce matin, ce qui n'avait rien d'étonnant.

Maintenant ? se demanda-t-il en regardant la porte des latrines se refermer sur Buck. Il y avait deux chaises percées côte à côte à l'intérieur, mais même si le sujet qui le tenaillait les concernait personnellement tous les deux, il ne se sentait pas prêt à l'aborder dans de telles conditions d'intimité.

Il lança à travers la porte :

— Le guérisseur a dit qu'il reviendrait te voir aujourd'hui.

— Ce n'est pas la peine, grogna Buck. Je vais très bien.

Roger le connaissait suffisamment pour percevoir sa peur sous la bravade.

— Soit. Qu'as-tu ressenti quand il a posé ses mains sur toi ?

Silence dans les latrines.

— Tu n'as rien senti du tout ? insista Roger.

— Peut-être, répondit enfin Buck à contrecœur. Ou peut-être pas. Je me suis endormi pendant qu'il me tapait sur le torse comme un pic cherchant des vers. Pourquoi ?

— As-tu compris ce qu'il t'a dit ? Quand il t'a touché.

Ayant été juriste dans son ancienne vie, il devait connaître le latin.

Il y eut un craquement de bois et un bruissement de linge.

— Et toi ? demanda Buck.

— Oui, et je lui ai dit la même chose, juste avant qu'il ne s'en aille.

— Je dormais, répéta Buck.

Il n'avait clairement pas envie de parler du guérisseur. Il s'imaginait que Roger abandonnerait le sujet. Mais il se trompait.

— Tu te dépêches de sortir de là, oui ? gronda Roger. Les MacLaren sont tous en train de piétiner d'impatience dans la cour.

En lançant un regard derrière lui, il constata que les MacLaren se trouvaient effectivement dans la cour.

Pas tous. Il y avait Angus et un grand garçon, un MacLaren lui aussi, à en juger par sa silhouette. Il lui paraissait familier. S'était-il trouvé dans la maison la veille au soir ? Ils étaient penchés l'un vers l'autre, parlant avec animation, et le garçon pointait un doigt vers la route au loin.

— Dépêche-toi ! répéta Roger. Quelqu'un arrive. J'entends des chevaux.

Buck bondit hors des latrines tel un diable à ressort tout en enfonçant les pans de sa chemise dans ses culottes. Ses cheveux étaient emmêlés et sales, mais son regard était alerte et il paraissait maître de ses moyens. Voilà qui était rassurant.

Les chevaux venaient d'apparaître sur la crête de la colline. Ils étaient six : quatre poneys des Highlands, un grand bai et un magnifique alezan à la crinière noire. Buck agrippa le bras de Roger et le serra si fort qu'il lui fit mal.

— *A Dhia*, murmura-t-il. Qui c'est celui-là ?

40

DES ANGES QUI S'IGNORENT

ROGER IGNORAIT QUI ÉTAIT LE GRAND CAVALIER sur le beau cheval, mais il ne pouvait avoir de doute sur son statut, tant en raison de la déférence que lui témoignaient les MacLaren que par la manière dont ses compagnons marchaient naturellement un pas derrière lui. C'était l'homme aux commandes.

Un *tacksman*[12] des MacKenzie ? La plupart des hommes portaient des tartans de chasse aux carreaux verts, bruns et blancs, mais Roger ne s'était pas encore suffisamment familiarisé avec les motifs locaux pour savoir s'ils venaient d'un lieu rapproché ou non.

Le grand homme lança un regard vers MacLaren, qui hocha la tête, puis se tourna vers Roger et Buck avec un air vaguement intrigué. Bien qu'il n'y eût rien de menaçant dans son attitude, Roger redressa le dos et regretta un instant d'être pieds nus, mal rasé, avec des culottes qui pendaient mollement aux genoux car il n'avait pas pris le temps de les lacer.

Au moins, il n'était pas seul. Buck se tenait juste derrière, le soutenant.

L'homme mesurait quelques centimètres de moins que lui et avait à peu près son âge. Brun, séduisant, avec des traits qui lui rappelaient vaguement quelqu'un…

— Bonjour messieurs, dit-il en s'inclinant courtoisement. Je suis Dougal MacKenzie, de Castle Leoch. Et vous êtes… ?

---

12. Rang juste sous celui du laird. Généralement proche parent de ce dernier, auquel il paye une rente pour les terres qui lui sont allouées et qu'il sous-loue souvent à des fermiers. (N.d.T.)

Nom d'un chien… En espérant que sa stupeur ne se lisait pas sur son visage, Roger lui serra fermement la main.

— Roger Jeremiah MacKenzie, de Kyle of Lochalsh, déclara-t-il.

Il s'efforça de paraître sûr de lui afin de compenser un peu son allure débraillée. Fort heureusement, sa voix était normale, ce matin. S'il ne la forçait pas, avec un peu de chance, elle ne craquerait ni n'émettrait de gargouillis.

— À votre service, monsieur, répondit MacKenzie avec une légère courbette.

Ses manières élégantes surprirent Roger. Ses yeux noisette profondément enchâssés dans leurs orbites l'observèrent avec un intérêt non dissimulé et ce qui semblait être une pointe d'amusement avant de se tourner vers Buck.

— Un parent, expliqua Roger précipitamment. William Bu… William MacKenzie.

Quand sommes-nous ? pensa-t-il frénétiquement. *Buck était-il déjà né ? Dougal reconnaîtrait-il le nom William Buccleigh MacKenzie ? Mais non, il ne peut pas être né ; on ne peut pas exister deux fois dans le même temps… Ou peut-être que oui ?*

Une question de Dougal MacKenzie interrompit ce flot de pensées confuses. Comme Roger ne l'avait pas entendu, Buck se chargea de répondre à sa place.

— Son fils a été enlevé, voilà environ une semaine, par un certain Cameron, Robert Cameron. Peut-être le connaissez-vous ?

C'était troublant : Buck dévisageait Dougal avec exactement la même assurance nonchalante que son interlocuteur.

Naturellement, Dougal ne connaissait pas Cameron, ce qui n'avait rien d'étonnant puisque ce dernier n'existait dans ce monde que depuis une semaine. Il discuta avec ses hommes, leur posa des questions pertinentes, puis exprima toute sa compassion et sa préoccupation à Roger, qui en fut réconforté tout en ressentant une forte envie de vomir.

Jusque-là, Dougal MacKenzie n'avait été qu'un nom sur une page d'histoire, certes illustrée par les bribes de souvenirs de Claire. À présent, il se tenait en chair et en os dans le soleil matinal, assis sur un banc aux côtés de Roger devant le cottage des MacLaren, son plaid sentant vaguement l'urine et la bruyère, grattant d'un air songeur le chaume de sa barbe de deux jours.

Que Dieu me vienne en aide, il m'est sympathique. Et, que Dieu me vienne en aide, je sais ce qui va lui arriver…

Son regard fixait avec fascination le creux à la base du cou de Dougal, un cou puissant et hâlé, encadré par le col de sa chemise froissée. Il détourna les yeux pour les poser sur les poils roux de son avant-bras qui brillaient au soleil tandis qu'il pointait un doigt vers l'est, parlant de son frère, le chef du clan MacKenzie.

— Colum se déplace rarement, mais il sera heureux de vous accueillir si vos recherches vous amènent près de Leoch.

Il sourit à Roger, qui, touché, lui sourit en retour.

— Où comptez-vous aller à présent ?

C'était une excellente question. Où ?

— Vers le sud, je crois. William n'ayant trouvé aucune trace de Cameron à Inverness, ce dernier est peut-être parti à Édimbourg afin de s'embarquer sur un navire.

Dougal réfléchit un instant, puis se tourna vers ses hommes, assis sur les pierres qui bordaient le sentier.

— Geordie, Thomas… Nous allons prêter vos montures à ces hommes. Allez récupérer vos sacoches.

S'adressant à nouveau à Roger, il déclara :

— Vous avez peu de chances de rattraper ce scélérat à pied. Il doit avoir un cheval et se déplacer vite, autrement vous auriez déjà eu de ses nouvelles.

— Je… merci, balbutia Roger. Vous devez… je veux dire… C'est vraiment très aimable à vous. Nous vous les ramènerons le plus tôt possible, ou nous vous les ferons parvenir si nous sommes retenus quelque part.

— *Moran taing*, murmura Buck avec un signe de tête vers Geordie et Thomas.

Ces derniers répondirent à son salut, l'air sombre mais résignés à l'idée de rentrer à pied là d'où ils étaient venus.

D'où étaient-ils venus ? Vraisemblablement, la veille au soir avant le dîner, Angus MacLaren avait envoyé son fils demander à Dougal de venir examiner ses deux inquiétants invités. Donc, Dougal et ses hommes avaient dû se trouver dans les parages.

Un cliquetis métallique, lorsque Geordie laissa tomber une lourde sacoche près de Dougal, lui donna un indice. *Le jour du terme.* Dougal collectait les fermages pour son frère et devait être sur le chemin du retour vers Castle Leoch. Les loyers étaient souvent payés en nature : jambons, poulets, laine, poissons salés. Ils étaient probablement venus avec une ou deux carrioles, qu'ils avaient laissées là où ils avaient dormi la nuit précédente.

MacLaren et son fils aîné se tenaient légèrement à l'écart, fixant Roger d'un œil suspicieux comme s'il allait lui pousser des ailes d'un instant à l'autre et qu'il allait s'envoler. Dougal se tourna vers Angus avec un sourire et lui déclara en gaélique :

— Ne t'inquiète pas, mon ami, ce ne sont pas plus des fantômes que mes hommes et moi.

Buck enchaîna dans la même langue, citant la Bible :

— *N'oubliez pas l'hospitalité, car quelques-uns, sans le savoir, ont logé des anges.*

Il y eut un silence stupéfait et toutes les têtes se tournèrent vers lui. Puis Dougal éclata de rire, bientôt imité par ses hommes. Angus émit un petit son poli, puis bascula son poids sur l'autre jambe et se détendit. Comme s'il s'agissait d'un signal, la porte s'ouvrit. Mme MacLaren et Allie sortirent avec une pile d'écuelles en bois et une marmite de porridge fumant. Une petite fille les suivait, portant cérémonieusement une salière dans ses deux mains en coupe.

Profitant du tohu-bohu du service et du repas (les femmes avaient effectivement trop salé son porridge), Roger demanda discrètement à Dougal :

— MacLaren vous a vraiment envoyé chercher pour voir si j'étais un fantôme ?

Dougal parut surpris, puis un coin de ses lèvres s'incurva. Roger sentit son cœur se serrer. Brianna souriait de la même manière quand on lui racontait une blague qu'elle ne trouvait pas drôle, ou quand elle voyait quelque chose d'amusant qu'elle n'avait pas l'intention de partager avec les autres. Roger baissa les yeux un instant et s'éclaircit la gorge afin de pouvoir maîtriser sa voix.

— Non, répondit Dougal en essuyant son écuelle avec un morceau de pain de maïs sorti de sa sacoche. Il a pensé que je pouvais vous aider dans vos recherches.

Il releva le nez et fixa le cou de Roger.

— Cela dit, quand un homme à moitié pendu se présente à votre porte, on est en droit de se poser des questions, non ?

— Au moins, un demi-pendu peut répondre à ces questions, intervint Buck. Ce qui n'est pas le cas de celui de la ferme là-haut.

Surpris, Dougal reposa sa cuillère et dévisagea Buck. Qui le dévisagea en retour, un sourcil blond arqué.

Seigneur… s'en rendent-ils compte ? L'un comme l'autre ? En dépit du soleil, il ne faisait pas chaud, mais Roger sentit un filet de sueur lui couler dans le dos. C'était surtout la similitude de leur posture et de leurs expressions qui était troublante. Néanmoins, la ressemblance se voyait comme… comme le long nez droit au milieu de la figure de l'un comme de l'autre.

Roger pouvait voir les pensées défiler dans le regard de Dougal : la surprise, la curiosité, la suspicion.

— Et quel est votre rapport avec l'homme de là-haut ? demanda-t-il avec un geste de la tête vers la ferme brûlée.

— Aucun, pour autant que je sache, répondit Buck avec un bref haussement d'épaules. Je voulais juste dire que, si vous voulez savoir ce qui est arrivé à mon parent, il vous suffit de le lui demander. Nous n'avons rien à cacher.

Merci ! pensa Roger en lançant un regard noir à son ancêtre, qui lui adressa un petit sourire et se replongea dans son porridge trop salé. *Qu'est-ce qui t'a pris de dire ça ?*

— J'ai été pendu par erreur, car on m'avait pris pour un autre, expliqua-t-il le plus nonchalamment possible. C'était en Amérique.

— En Amérique ? répéta Dougal stupéfait.

À présent, tous les regards étaient fixés sur lui, ceux des hommes d'armes de Dougal comme ceux des MacLaren.

— Qu'êtes-vous allé faire en Amérique… et qu'est-ce qui vous a ramené chez nous ?

— Ma femme a de la famille là-bas, répondit Roger en se demandant ce que Buck mijotait. En Caroline du Nord, près du fleuve Cape Fear.

Il faillit mentionner Hector et Jocasta Cameron, avant de se souvenir que Jocasta était la sœur de Dougal. En outre, c'était la débâcle de Culloden qui les avait entraînés dans les colonies. Or, la bataille de Culloden n'avait pas encore eu lieu.

Et il ne vivra pas assez longtemps pour y participer, se souvint-il avec un mélange d'effroi et d'ébahissement. Dougal mourrait quelques heures avant la bataille, dans le grenier de Culloden House près d'Inverness, le coutelas de Jamie planté dans la gorge.

Il raconta brièvement l'histoire de sa pendaison et de son sauvetage, la sortant du contexte de la guerre de Régulation… et omettant le rôle joué par Buck dans sa condamnation. Il sentait ce dernier à ses côtés, penché en avant, l'écoutant attentivement. Il évita de le regarder, sachant qu'il aurait du mal à se retenir de l'étrangler. Il avait envie de l'étrangler de toute manière.

Lorsqu'il termina, il ne pouvait pratiquement plus parler et sa fureur contenue faisait battre son cœur à tout rompre. Tous les visages étaient tournés vers lui, exprimant toute une gamme d'émotions allant du respect à la compassion. Allie MacLaren reniflait, serrant un bout de son tablier sous son nez. Même sa mère semblait regretter le mauvais coup du sel. Angus toussota, puis lui tendit une cruche en grès. Elle contenait de la bière et tombait à pic. Roger le remercia et bu en fuyant les regards.

Dougal hocha la tête d'un air grave, puis demanda à Angus :

— Parle-moi de l'homme, là-haut. Quand est-ce arrivé et que sais-tu ?

Le teint naturellement rougeaud de MacLaren pâlit légèrement.

— Cela fait six jours, *a ghoistidh*.

Il résuma ce qu'il avait raconté à Roger la veille, en omettant les détails les plus évocateurs.

Dougal parut songeur, ses doigts tapotant son ģenou.

— Cette femme, tu sais où elle est partie ? demanda-t-il.

Cette fois, MacLaren retrouva toutes ses couleurs, et plus encore. Il évitait soigneusement le regard noir de sa femme.

— Je… euh… j'ai cru entendre qu'elle était partie à Cranesmuir.

— Cranesmuir…, répéta Dougal. J'essaierai peut-être de la retrouver et de lui poser quelques questions. Comment s'appelle-t-elle ?

— Isbister, répondit MacLaren. Geillis Isbister.

Roger ne sentit pas la terre trembler sous ses pieds, mais il en fut étonné.

— Isbister ? s'étonna Dougal. Tu dis qu'elle vient des îles du Nord ?

MacLaren haussa les épaules dans une pantomime qui voulait exprimer son ignorance et son indifférence mais qui ne parvint qu'à trahir son profond malaise. Dougal semblait se retenir de sourire.

— Je vois, dit-il. Bah ! Une femme des Orcades ne devrait pas être bien difficile à trouver dans un village de la taille de Cranesmuir.

Il fit un signe à ses hommes et ils se levèrent tous dans un même mouvement en même temps que lui. Roger et Buck également.

— Bonne chance, messieurs, leur souhaita-t-il avec un salut de la tête. Je ferai passer le message concernant votre fils. Si j'apprends quelque chose, où dois-je vous prévenir ?

Roger et Buck échangèrent un regard. Connaissant les relations tendues entre Brian Fraser et ses beaux-frères, il pouvait difficilement lui demander d'envoyer un message à Lallybroch.

Il chercha rapidement un autre lieu dont il était sûr qu'il existait déjà à cette époque.

— Connaissez-vous un endroit appelé Sheriffmuir ? demanda-t-il. Il s'y trouve une bonne auberge relais.

Dougal parut surpris.

— En effet. J'ai combattu à Sheriffmuir aux côtés du comte de Mar et nous y avons soupé un soir, mon père, mon frère et moi-même. D'accord, si j'apprends du nouveau, je vous y enverrai un message.

— Merci.

La voix de Roger était étranglée mais néanmoins audible. Dougal lui sourit et se tourna pour prendre congé des MacLaren, puis il lui vint une pensée et il se tourna à nouveau vers lui.

— Vous n'êtes pas vraiment un ange, n'est-ce pas ? demanda-t-il le plus sérieusement du monde.

— Non, répondit Roger.

Il s'efforça de sourire en dépit de la boule de glace dans son ventre. *Et ce n'est pas vous qui êtes en train de parler à un fantôme.*

Se tenant à côté de Buck, il regarda les MacKenzie s'éloigner, Geordie et Thomas suivant sans peine, car les chevaux grimpaient lentement le sentier escarpé et rocailleux.

La phrase « Heureux ceux qui n'ont pas vu et qui ont cru » flottait dans sa tête. Finalement, ce n'était peut-être pas le fait de croire qui était une bénédiction, mais celui de n'avoir pas vu. Voir, parfois, était terrible.

Il retarda leur départ aussi longtemps que la politesse le permettait, en espérant que le Dr McEwan reviendrait. Toutefois, à mesure que le soleil grimpait dans le ciel, il était clair que les MacLaren avaient hâte de se débarrasser d'eux. En outre, Buck voulait partir.

— Je vais bien, répéta-t-il en se frappant le torse du point. Solide comme un roc.

Roger émit un son sceptique du fond de sa gorge et constata avec surprise que cela ne lui avait pas fait mal. Il se retint de porter une main à sa gorge. Il était inutile d'attirer l'attention sur elle, même s'ils s'en allaient.

Il se tourna vers Angus et Stuart, qui était allé remplir leurs gourdes dans l'espoir d'accélérer leur départ et les leur tendait, les mains dégoulinantes.

— Merci pour votre hospitalité, monsieur, et pour votre bonté envers mon cousin.

Comprenant que son supplice touchait à sa fin, MacLaren parut nettement soulagé.

— Oh, je vous en prie. Ce n'est rien.

— Si… si le guérisseur repasse par chez vous, voulez-vous bien le remercier pour nous ? J'essaierai de venir le voir sur le chemin du retour.

— Le chemin du retour ? répéta MacLaren avec beaucoup moins d'enthousiasme.

— Oui. Nous partons pour Lochaber, sur les terres des Cameron. Si nous ne trouvons aucune trace de mon fils là-bas, nous repasserons probablement par ici… Peut-être irons-nous voir à Castle Leoch s'ils ont des nouvelles.

Le visage de MacLaren s'illumina de nouveau.

— Ah oui, dit-il avec entrain. C'est une bonne idée. Bonne chance !

41

Où tout converge

— Ce n'est pas que je ne veux pas aider ta mère, répéta M. Buchan pour la troisième fois. Mais je ne peux pas permettre qu'il y ait du grabuge dans ma maison, avec des criminels qui vont et viennent. Je dois d'abord penser à mes filles, tu comprends ?

Jem hocha docilement la tête, même si M. Buchan ne pouvait le voir. Il scrutait le rétroviseur et lançait des regards derrière lui de temps à autre comme s'il craignait d'être suivi. Jem se posait la question lui aussi, mais il ne pouvait pas regarder par la vitre arrière sans se redresser sur les genoux et se retourner ; or, Mandy dormait à moitié affalée sur lui.

Il était tard. Il bâilla en oubliant de mettre sa main devant sa bouche. Il songea à dire « Excusez-moi », mais M. Buchan n'avait sans doute rien vu. Il sentit monter un reflux de vinaigre et rota, pensant cette fois à se cacher derrière sa main. C'était à cause du *fish and chips*. M. Buchan avait acheté une portion supplémentaire pour maman. Elle était posée dans un sac en papier brun aux pieds de Jem afin de ne pas mettre de graisse sur la banquette.

— Tu sais quand ton père doit rentrer ? demanda soudain M. Buchan.

Jem fit non de la tête, se sentant nauséeux. M. Buchan pinça les lèvres comme s'il se retenait de dire quelque chose.

— Papa… murmura Mandy.

Elle enfonça la tête dans les côtes de son frère, renifla, puis se rendormit. La pauvre, elle ignorait où était leur père. Elle croyait sûrement qu'il était à l'une de ses réunions maçonniques ou quelque chose du genre.

Maman avait dit qu'il reviendrait dès qu'il aurait découvert que Jem ne se trouvait pas avec grand-père. *Mais comment ?* Il se mordit la lèvre pour ne pas se mettre à pleurer. *Comment le saurait-il ?* Il faisait nuit, mais le tableau de bord diffusait une lueur bleutée. M. Buchan aurait pu voir ses larmes.

Des phares se reflétèrent dans le rétroviseur. Il s'essuya le nez furtivement sur sa manche et se redressa. Il apercevait une fourgonnette blanche derrière eux. M. Buchan marmonna quelque chose dans sa barbe et appuya sur la pédale de l'accélérateur.

Brianna avait sombré dans la transe du chasseur : un état de détachement physique et de suspension mentale, le corps et l'esprit s'occupant chacun de leurs affaires mais capables de bondir dans une action conjointe dès qu'une créature comestible se présentait. Son esprit se trouvait à Fraser's Ridge, revivant une chasse à l'opossum avec son cousin Ian. La fumée âcre et poisseuse des torches en pin qui piquait les yeux, des yeux luisants dans un arbre, un marsupial se hérissant sur une branche telle une vision de cauchemar, montrant des dents pointues, crachant et grondant comme un hors-bord flatulent…

Le téléphone sonna. Aussitôt, elle fut debout, le fusil à la main, tous ses sens concentrés sur la maison. Le son revint, un double *brrr*... étouffé par la distance, mais caractéristique. C'était le téléphone du bureau de Roger. Au moment même où elle le reconnaissait, il y eut une brève lueur dans la pièce tandis que la porte s'ouvrait. Puis la sonnerie cessa.

Elle sentit sa peau se contracter et, l'espace d'un instant, elle ressentit des affinités avec l'opossum piégé sur son arbre. Sauf que l'opossum n'était pas armé.

Son premier réflexe fut de se précipiter et de chasser l'intrus dans sa maison, puis d'exiger des explications. Elle était prête à parier que c'était Rob Cameron. L'idée de tenir cette ordure en joue et de le faire sortir de chez elle sous la menace d'un fusil n'était pas pour lui déplaire. Elle avait récupéré Jem. Cameron saurait qu'elle n'avait plus besoin de lui vivant.

Oui mais. Elle hésita sur le seuil du *broch*, observant la maison.

Celui ou celle qui se trouvait à l'intérieur avait décroché. *Si j'étais un cambrioleur, je ne répondrais pas au téléphone. Pas à moins de vouloir réveiller toute la maisonnée.*

Donc, l'intrus savait qu'il était seul.

« *Quod erat demonstrandum* », dit la voix de son père dans sa tête. La personne dans la maison attendait un appel.

Elle sortit de la tour, le parfum frais des genêts remplaçant l'odeur de moisi du *broch*. Son cœur battait vite et son esprit tournait plus rapidement encore. *Qui appellerait ? Pour dire quoi ?*

Quelqu'un qui avait observé la maison plus tôt, l'avait vue arriver par la route dans la forêt et voulait prévenir Rob qu'elle se trouvait à l'extérieur, dans le *broch* ? Non, cela ne tenait pas debout. Quiconque se trouvait dans la maison y était déjà avant son arrivée. Si quelqu'un l'avait vue venir, il aurait appelé plus tôt.

— *Ita sequitur...* murmura-t-elle.

Par conséquent, si l'appel ne la concernait pas, ce devait être soit pour prévenir que quelqu'un approchait de Lallybroch (la police, et pourquoi ?), soit pour annoncer que le ou les complices se trouvant à l'extérieur avaient trouvé les enfants.

Le canon du fusil de chasse glissait dans ses mains moites et elle devait faire un effort pour le tenir fermement. Ne pas se mettre à courir vers la maison lui demandait encore plus d'effort.

Aussi frustrant cela fût-il, elle devait attendre. Si quelqu'un avait trouvé les enfants, elle ne pouvait rejoindre la maison de son amie à temps pour les protéger. Elle n'avait d'autre choix que de se fier à Fiona, à Ernie et à la police d'Inverness. D'un autre côté, si c'était le cas, quiconque se trouvait dans la maison ne tarderait plus à sortir. *À moins que ce salaud de Rob ait l'intention de rester pour me surprendre et...*

En dépit de l'arme entre ses mains, cette pensée lui donna un haut-le-cœur, souvenir spectral du pénis de Stephen Bonnet.

— Je t'ai tué, Stephen, marmonna-t-elle, et je suis heureuse que tu sois mort. Tu auras peut-être de la compagnie en enfer très bientôt. Prépare un feu pour lui, O.K. ?

Cela lui redonna courage. S'accroupissant, elle marcha en canard à travers les ajoncs, descendant la colline de manière à approcher par le potager et non par le sentier, trop visible depuis la maison. Même dans l'obscurité, elle ne prenait aucun risque. Une demi-lune se levait, mais elle était sporadiquement cachée par les nuages.

Elle entendit une voiture et releva la tête au-dessus d'un buisson de genêts desséchés. Elle glissa une main dans sa poche et compta ses cartouches. Quatorze. Cela devrait suffire.

La remarque de Fiona sur la balistique et la chevrotine flotta dans son esprit, ainsi qu'un vague rappel du risque de se retrouver en prison pour homicide volontaire. Elle aurait pu courir ce risque, ne serait-ce que pour le plaisir de tuer Rob Cameron, mais si elle n'avait plus besoin de lui pour retrouver Jem, elle avait encore besoin de lui pour comprendre ce que signifiait ce cirque. La police retrouverait peut-être l'homme du barrage, mais s'ils étaient tout un *gang*, Rob était probablement le seul moyen de découvrir l'identité des autres et ce qu'ils voulaient.

Les phares rebondirent sur l'allée et entrèrent dans la cour. Elle se redressa d'un bond. Le spot détecteur de mouvements s'alluma, illuminant la camionnette blanche d'Ernie, reconnaissable entre toutes, avec sur le flanc BUCHAN ÉLECTRICITÉ / POUR TOUS VOS BESOINS, APPELEZ LE 01463 775 4432, accompagné du dessin d'un câble tranché crachant des étincelles.

— Oh merde ! gémit-elle. Saloperie de merde !

La portière de la fourgonnette s'ouvrit, Jem descendit et se retourna pour aider Mandy, qui ne formait qu'une tache sombre dans les profondeurs du véhicule.

— REMONTE DANS LA VOITURE ! hurla Brianna.

Elle dévala la pente, glissant sur les cailloux et se tordant les chevilles dans les bruyères spongieuses.

— JEMMY ! REMONTE !

Jem se retourna, le visage blême dans la lumière des phares, mais il était trop tard. La porte d'entrée s'ouvrit grand et deux silhouettes sombres en surgirent, courant vers la fourgonnette.

Un fusil de chasse ne servait à rien de loin... ou bien oui. Elle s'arrêta en dérapant, mit en joue et tira. Les petites balles de chevrotine fusèrent à travers les ajoncs en sifflant telles de minuscules flèches, mais la détonation avait arrêté net les deux intrus.

— REMONTE DANS LA VOITURE ! rugit-elle.

Elle tira à nouveau. Les deux hommes repartirent à fond de train vers la maison. Jem (le petit ange !) sauta dans la cabine telle une grenouille apeurée et referma la portière en la claquant. Ernie, qui venait de descendre, regarda un moment vers la colline d'un air hébété, puis, comprenant enfin ce qui se passait, plongea vers sa portière à son tour.

Elle rechargea son arme dans la lueur de la cour. Combien de temps le spot resterait-il allumé si personne ne passait entre ses capteurs ? Une autre paire de phares attira son attention vers l'allée. Par tous les saints, qui était-ce encore ! *Mon Dieu, faites que ce soit la police.*

Le spot s'éteignit puis se ralluma presque aussitôt quand le second véhicule entra dans la cour à fond de train. Les hommes dans la maison se tenaient devant la fenêtre à croisillons du salon, criant quelque chose aux nouveaux venus. C'était une autre fourgonnette blanche, très semblable à celle d'Ernie, sauf que sur celle-ci était marqué POULTNEY'S, FOURNISSEUR DE BEAU GIBIER, avec l'image d'un sanglier.

— *Sainte Marie, mère de Dieu, priez pour nous pauvres pécheurs, maintenant et à l'heure de notre mort…*

Elle devait rejoindre la voiture d'Ernie avant que… Trop tard. Le « fournisseur de beau gibier » accéléra et percuta le flanc de la fourgonnette d'Ernie, la projetant quelques mètres plus loin. Le cri strident de Mandy qui s'éleva au-dessus du vacarme lui transperça le cœur comme un harpon.

— Putain de bordel de merde !

Elle n'avait plus le temps de contourner la cour et, la traversant en courant, visa, tira et déchiqueta un pneu avant de la fourgonnette Poultney's.

— RESTEZ DANS LA VOITURE ! hurla-t-elle.

Elle chargea une nouvelle cartouche et visa le pare-brise dans un même geste. Il y eut un mouvement de panique tandis que les deux personnes assises à l'avant du véhicule se baissaient sous le tableau de bord.

Les deux hommes à l'intérieur de la maison hurlaient entre eux, puis à ceux qui se trouvaient dans la fourgonnette et à elle. C'étaient en grande partie des imprécations et des insultes inutiles, jusqu'à ce que l'un d'eux crie que l'arme qu'elle tenait était un fusil de chasse à courte portée et qu'il ne pouvait accueillir que deux cartouches à la fois.

— Tu ne pourras pas nous avoir tous, ma poule !

C'était Rob Cameron, criant depuis la fourgonnette Poultney's. Elle ne daigna pas répondre et courut pour se rapprocher de la maison. La fenêtre du salon explosa dans une pluie de verre.

En nage, elle glissa deux nouvelles cartouches en place. Elle avait l'impression de se déplacer au ralenti, mais le reste du monde était plus lent encore. Elle marcha jusqu'à la fourgonnette d'Ernie et plaqua le dos contre la portière derrière laquelle Jem et Mandy se terraient. Une forte odeur de poisson et de vinaigre lui chatouilla les narines lorsque la vitre se baissa de quelques centimètres.

— Maman…

— Maman ! Maman !

— Nom de Dieu, Brianna ! Qu'est-ce qui se passe ?

— À ton avis, Ernie ? C'est une bande de cinglés qui essaient de me tuer et de me pendre mes enfants, répondit-elle en haussant la voix par-dessus les braillements de Mandy. Et si tu démarrais ton engin, hein ?

L'autre fourgonnette était hors de la portée de son fusil pour le moment et elle n'en voyait qu'une partie. Elle entendit sa portière s'ouvrir et perçut un mouvement derrière la fenêtre brisée du salon.

— Alors Ernie, ça vient ?

Elle n'oubliait pas que l'une de ces ordures avait sa carabine. Il fallait espérer qu'il ne savait pas s'en servir.

Ernie tournait frénétiquement la clef dans le contact tout en appuyant sur la pédale d'accélérateur. Elle l'entendait jurer dans sa barbe, mais il avait noyé le moteur. Le démarreur vrombissait dans le vide. Se mordant la lèvre, elle contourna le capot juste à temps pour voir s'avancer l'un des occupants de la fourgonnette Poultney's. À sa surprise, c'était une femme, petite et boulotte, portant une cagoule et un vieux parka. Elle la mit en joue. La femme recula précipitamment, trébucha et tomba sur les fesses avec un « Houmph! » audible.

Brianna en aurait ri si l'envie ne lui en avait pas passé en voyant Cameron descendre du véhicule à son tour, sa carabine à la main.

Elle avança vers lui en braquant son fusil vers sa poitrine.

— Lâche ça! ordonna-t-elle.

Dieu soit loué, il ne savait pas s'en servir. Il baissa les yeux vers la carabine comme s'il espérait qu'elle allait viser toute seule, puis il la laissa tomber.

Brianna entendit la porte d'entrée s'ouvrir et des pas précipités. Elle pivota sur ses talons et courut elle aussi, rejoignant le véhicule d'Ernie juste à temps pour mettre en joue les deux hommes qui venaient de la maison. L'un d'eux changea aussitôt de direction avec l'intention manifeste de contourner l'autre fourgonnette et de récupérer ses crétins de camarades. Pendant ce temps, Rob Cameron avançait lentement vers elle, les mains en l'air pour montrer ses intentions pseudo-pacifiques.

— Écoute, Brianna, nous ne te voulons aucun mal.

Elle chargea une nouvelle cartouche en guise de réponse.

— Je suis sincère, insista-t-il nerveusement. Nous voulons juste parler, c'est tout.

— C'est ça, prends-moi pour une idiote.

— Maman…

— Ne t'avise pas d'ouvrir cette portière, Jemmy!

— Maman!

— Couche-toi sur le plancher et prends Mandy avec toi! Tout de suite!

L'un des hommes de la maison et la femme se déplaçaient à nouveau, elle pouvait les entendre. L'autre homme avait disparu dans l'obscurité en dehors du cercle de lumière.

— ERNIE! Dépêche-toi!

— Mais maman, quelqu'un arrive!

Tout le monde se figea un instant. Un bruit de moteur sur la voie agricole s'éleva clairement dans la nuit. Elle se retourna, saisit la poignée et ouvrit la portière juste au moment où le moteur d'Ernie démarrait enfin dans un rugissement. Elle se jeta sur le siège, manquant de percuter Jem qui redressait la tête en ouvrant des yeux immenses dans la pénombre.

— Allons-y, Ernie, dit-elle très calmement, compte tenu des circonstances. Les enfants, restez baissés.

La crosse d'une carabine heurta la vitre d'Ernie, l'ébréchant. Il poussa un cri, mais, Dieu merci, ne noya pas son moteur à nouveau. Au second coup de crosse, la fenêtre se désagrégea dans une cascade de fragments étincelants. Brianna lâcha son arme et plongea devant Ernie pour attraper la carabine. Elle parvint à la toucher, mais celui qui la tenait l'écarta d'un geste sec.

Elle plongea à nouveau et agrippa un morceau de sa cagoule. Le couvre-chef en laine lui resta dans les mains, laissant son propriétaire ahuri, la bouche grand ouverte.

Le spot s'éteignit, plongeant la cour dans l'obscurité, et Brianna vit des points lumineux danser devant ses yeux. Il se ralluma quelques secondes plus tard lorsque le nouveau véhicule fit irruption dans la cour en klaxonnant. Brianna se redressa de sur les genoux d'Ernie, essayant de voir à travers le pare-brise, puis se précipita vers sa propre vitre.

C'était une voiture ordinaire, une Fiat bleu marine. On aurait dit un jouet tournant dans la cour en klaxonnant comme une truie en chaleur.

— À ton avis, ami ou ennemi ? demanda Ernie d'une voix tendue mais sans panique.

— Ami, répondit Brianna.

La Fiat fonça sur trois des intrus qui se tenaient ensemble : le type décagoulé qui tenait la carabine, la femme en parka et le troisième qui n'était pas Rob Cameron. Ils détalèrent comme des cafards et Ernie tapa du poing sur le tableau de bord.

— Ouais ! Ça leur apprendra, ces ordures ! exulta-t-il.

Bree aurait aimé rester pour voir le spectacle mais où que soit passé Rob Cameron, il était encore trop près.

— Démarre, Ernie !

La fourgonnette fit un bond en avant dans un horrible grincement de métal. Elle penchait bizarrement. L'essieu arrière avait dû être endommagé. Il fallait espérer que la roue ne tomberait pas.

La Fiat continuait de tourner dans la cour. Elle klaxonna, lança un appel de phares à Ernie et une main salua par la vitre du conducteur.

Brianna se pencha prudemment par sa fenêtre et retourna le salut avant de se laisser retomber sur son siège. Des points noirs dansaient devant ses yeux et ses cheveux moites de sueur lui collaient au visage.

Ils roulèrent en première dans l'allée en cahotant dans un vacarme épouvantable. À en juger par le son, le passage de la roue arrière avait été enfoncé.

Jem pointa la tête.

— Maman, je peux sortir maintenant ?

— Oui, mon chou.

Elle prit une profonde inspiration et aida Mandy à grimper derrière lui. La fillette se plaqua aussitôt contre elle en gémissant.

— Tout va bien, ma chérie, murmura-t-elle dans les cheveux de sa fille. C'est fini.

Elle lança un regard à Jem, qui s'était installé sur la banquette entre Ernie et elle. Il était recroquevillé et tremblait sous sa veste à carreaux en laine. Elle glissa une main dans sa nuque.

— Ça va aller, mon chou ?

Il acquiesça. Elle posa sa main sur la sienne, qui était crispée sur son genou, et la tint fermement, tant pour le rassurer que pour s'empêcher de trembler.

Ernie s'éclaircit la gorge.

— Je suis désolé, Brianna, grommela-t-il. Je ne savais pas… Enfin, je pensais que je pouvais te ramener les enfants. Après que ce Cameron est venu chez nous et a frappé Fiona, je…

— Il a fait quoi ?

Après les événements récents, la nouvelle ne provoqua qu'un léger sursaut sur son sismographe personnel, étouffé par les ondes de choc plus grandes qui commençaient tout juste à s'estomper. Elle posa des questions et Jem commença à sortir lui aussi de son hébétude. Il lui donna sa version des faits, s'échauffant peu à peu tandis qu'il racontait, indigné, la réaction de Mme Kelleher et de la répartitrice de la police. Brianna sentit un tremblement dans le creux de son ventre qui n'était pas tout à fait un rire mais s'en approchait.

Elle interrompit Ernie, qui se confondait à nouveau en excuses.

— Ne t'inquiète pas, Ernie, dit-elle d'une voix éraillée d'avoir trop crié. J'aurais fait la même chose. Et nous n'aurions pas pu nous en sortir sans toi.

Sans lui, ils n'auraient jamais été dans un tel pétrin non plus, mais il le savait aussi bien qu'elle et il ne servait à rien de retourner le couteau dans la plaie.

Il conduisit en silence un moment puis, lançant un regard dans le rétroviseur, observa sur un ton détaché :

— La petite voiture bleue nous suit.

Brianna se passa une main sur le visage, puis regarda à son tour. Effectivement, la Fiat roulait à une certaine distance derrière eux.

— Euh… Où veux-tu aller, Brianna ? demanda Ernie. Je ne suis pas certain d'arriver jusqu'en ville. Il y a une station-service avec un garagiste sur la grand-route. Ils auront un téléphone. Tu pourras appeler la police pendant que je ferai réparer la fourgonnette.

— N'appelle pas la police, maman, déclara Jemmy d'un air dégoûté. Ils ne servent à rien.

— Mmphm…

Elle n'était pas chaude non plus à l'idée d'appeler la police, mais pas pour les mêmes raisons que son fils. Elle craignait que, dans leur volonté d'aider, les agents ne se montrent un peu *trop* curieux. Jusque-là, elle était parvenue à détourner la question de savoir où se trouvait son mari la nuit précédente, expliquant qu'il était à Londres, faisant des recherches à la bibliothèque du British Museum, et qu'elle le préviendrait dès qu'ils seraient rentrés chez eux. Si la police apprenait que Lallybroch s'était transformé en *règlement de comptes à O.K. Corral,* elle deviendrait nettement plus inquisitive, se mêlant de leur vie privée.

Les inspecteurs ne tarderaient pas à se demander si Brianna n'était pas liée à la disparition de son mari, puisqu'elle ne pouvait ni le faire apparaître ni leur dire où il était. *Je ne le pourrai peut-être jamais.*

Son seul recours serait de prétendre qu'ils s'étaient disputés et qu'il avait claqué la porte. Au vu des derniers événements, c'était un peu tiré par les cheveux. Et puis, elle ne pouvait pas le dire devant les enfants.

Néanmoins, s'arrêter à la station-service lui paraissait la seule chose à faire pour le moment. Si la Fiat bleue les y suivait, elle se découvrirait peut-être un allié. Et s'il s'agissait de policiers dans une voiture banalisée… elle aviserait. L'adrénaline et le stress s'étaient dissipés et elle se sentait détachée, ailleurs et très, très lasse. La main de Jem dans la sienne s'était détendue, même si ses petits doigts étaient toujours enroulés autour de son pouce.

Elle se cala dans le siège, ferma les yeux et caressa doucement le dos de Mandy de sa main libre. La fillette s'était endormie contre sa poitrine. Jem avait posé sa tête sur son épaule. La confiance de ses enfants pesait lourd dans son cœur.

La station-service jouxtait un casse-croûte Little Chef. Elle laissa Ernie discuter avec le garagiste et extirpa les enfants de la cabine. Elle ne lança même pas un regard derrière elle. La Fiat bleue avait gardé une distance respectueuse, ne se rapprochant pas alors qu'ils avaient roulé à 30 kilomètres à l'heure sur la grand-route. Si le conducteur n'avait pas l'intention de lui parler, il poursuivrait sa route et disparaîtrait. Dans le cas contraire, elle avait peut-être le temps d'avaler une tasse de thé avant qu'il ne débarque.

— Tu peux m'ouvrir la porte, Jem ?

Mandy était aussi inerte qu'un sac de ciment, dans ses bras, mais elle commença à s'agiter en sentant les odeurs de cuisine. L'endroit puait le graillon, les frites brûlées et le sirop de maïs artificiel. Brianna commanda de la glace pour les enfants et un thé pour elle. Même une gargote pareille ne pouvait rater un thé, non ?

Elle eut vite la preuve du contraire quand on lui apporta une tasse d'eau tiède et un sachet de PG Tips. Peu importait, elle avait la gorge tellement nouée qu'elle ne pourrait probablement rien avaler.

Elle commençait à sortir de l'engourdissement provoqué par le stress et le regrettait presque, car il avait formé un tampon entre elle et la réalité. La lumière de la cafétéria était trop crue, son plancher blanc, trop sale. Elle se sentait vulnérable comme un insecte surpris sur le sol d'une cuisine crasseuse. L'appréhension picotait sa peau et elle ne cessait de regarder vers la porte, regrettant d'avoir dû laisser son fusil dans la fourgonnette.

Elle ne se rendit compte que Jem observait lui aussi la porte que lorsqu'il se tendit à ses côtés.

— Maman ! C'est M. Menzies.

L'espace d'un instant, ni les mots ni l'homme qui venait d'entrer n'eurent de sens. Elle cligna des yeux, mais il était toujours là, marchant vers eux avec un air anxieux. Le directeur de l'école de Jem.

— Madame MacKenzie, dit-il en lui prenant la main. Dieu merci, vous n'avez rien !

— Euh… merci, répondit-elle d'une voix faible. Vous… C'était *vous* ? Dans la Fiat bleue ?

C'était comme de s'être préparé à affronter Darth Vader et de se retrouver face à Mickey Mouse.

Il rougit derrière ses lunettes.

— Hum… oui. Je… euh…

Il croisa le regard de Jem et lui sourit d'un air emprunté.

— Tu prends bien soin de ta mère, Jem ?

— Oui, monsieur.

Jem semblait bouillonner de questions, mais Brianna le refroidit d'un regard noir avant de faire signe à Lionel Menzies de s'asseoir. Une fois installé, il prit une grande inspiration et parut sur le point de dire quelque chose quand il fut interrompu par la serveuse, une femme robuste d'âge mûr, portant un cardigan et des bas de contention, avec un air indiquant qu'elle se fichait bien qu'ils soient des envahisseurs extraterrestres ou des cloportes, tant qu'ils ne lui compliquaient pas la vie.

— Ne commandez pas de thé, lui souffla Brianna.

— Ah, merci. Je prendrai… un sandwich au bacon et un Irn-Bru ? déclarat-il à la serveuse sur un ton hésitant. Et un peu de sauce tomate ?

Elle referma son carnet sans répondre et s'éloigna en traînant les pieds.

Menzies se redressa et bomba le torse comme s'il faisait face à un peloton d'exécution.

— Bon. Avant tout, dites-moi une chose : c'était bien Rob Cameron devant votre maison ?

Brianna se souvint soudain que Cameron était apparenté à Menzies. Son cousin, ou quelque chose du genre.

— Oui. Pourquoi ?

Il parut accablé. Pâle, avec des lunettes, des cheveux châtains bouclés et un front légèrement dégarni, il n'était pas particulièrement séduisant, mais sa présence, sa gentillesse et son autorité tranquille attiraient le regard et faisaient qu'on se sentait rassuré en sa compagnie. Ce n'était pas le cas ce soir.

— C'est bien ce que je craignais, dit-il. J'ai appris aux infos du soir que Rob était recherché par la police pour… (Il baissa la voix, même s'il n'y avait personne aux alentours pour l'entendre)… pour avoir enlevé Jem.

— C'est vrai ! s'exclama Jem en se redressant sur son siège. C'est ce qu'il a fait, monsieur Menzies. Il a dit qu'il m'emmenait passer la nuit avec Bobby, sauf qu'il m'a conduit aux pierres et puis…

— Jem…, le coupa Brianna sur un ton calme mais ferme.

Il se tut aussitôt, non sans avoir poussé un soupir de frustration.

— En effet, confirma-t-elle à Menzies. Que savez-vous à ce sujet ?

Il sursauta.

— Mais… rien. Je ne comprends vraiment pas…

Il toussa, ôta ses lunettes, sortit un mouchoir de sa poche et les nettoya. Le temps de les rechausser, il s'était ressaisi.

— Vous vous souvenez peut-être que Rob Cameron est mon cousin. En outre, nous appartenons à la même loge. Je suis tombé des nues en apprenant la nouvelle. Je suis venu à Lallybroch pour parler avec votre mari et vous et m'assurer que Jem n'avait rien. Tu n'as rien, n'est-ce pas, Jem ?

— Non, répondit Jem d'un air faussement désinvolte.

Il ajouta « monsieur » avec un temps de retard et lécha une tache de glace au chocolat sur sa lèvre supérieure.

— Tant mieux.

Menzies sourit et Brianna retrouva un peu de sa chaleur derrière ses lunettes. Il se tourna à nouveau vers elle.

— Je venais vous demander s'il s'agissait d'une erreur, mais, après ce que j'ai vu ce soir, j'en doute.

— Il y a bien eu une erreur, déclara Brianna en déplaçant Mandy sur son autre cuisse. C'est Rob Cameron qui l'a commise.

— J'aimerais pouvoir vous aider, dit-il simplement.

— Vous l'avez déjà fait.

Elle se demandait quoi faire de lui à présent.

— Pouah, Mandy! Tu as bavé partout! Tu ne peux pas utiliser une serviette, non?

Elle essuya le visage de sa fille, ne prêtant pas attention à ses plaintes grincheuses. Pouvait-il les aider? Elle voulait le croire. Elle était encore ébranlée et un peu trop prête à accepter toute offre d'assistance.

Il était le cousin de Cameron. Peut-être était-il vraiment venu à la maison pour discuter, ou pour autre chose. Après tout, peut-être était-il intervenu pour l'empêcher de mettre son cousin et ses acolytes masqués en pièces plutôt que pour les secourir, elle et les enfants.

— J'ai parlé à Ernie Buchan, déclara-t-il avec un signe vers la fenêtre. Il m'a laissé entendre que vous ne teniez pas à faire appel à la police?

— Non.

Brianna avait la bouche sèche. Elle but un peu de thé tiède, essayant de réfléchir. C'était de plus en plus difficile, ses pensées s'éparpillant dans toutes les directions telles des gouttes de mercure.

— Non, pas tout de suite, reprit-elle. Nous avons passé la moitié de la nuit dernière au commissariat. Je n'ai pas le courage d'affronter un nouvel interrogatoire ce soir.

Elle inspira profondément et le regarda droit dans les yeux.

— Je ne sais pas ce qui se passe. J'ignore pourquoi Rob Cameron voulait kidnapper Jem...

— Mais si, tu le..., commença Jem.

Elle lui lança un regard torve. Il le lui retourna, les yeux rouges et les poings serrés. Avec une pointe d'angoisse, elle reconnut les signes d'un Fraser sur le point d'exploser.

— Tu le sais très bien! répéta-t-il assez fort pour que deux routiers accoudés au comptoir tournent la tête vers eux. Je te l'ai dit! Il voulait que je...

— Je veux papaaaaa! cria Mandy.

Les traits de Jem passèrent du rouge vif au livide.

— Tais-toi, tais-toi, tais-toi! cria-t-il à sa sœur.

Cette dernière se mit à hurler de terreur et tenta d'escalader le torse de Brianna.

— PAPAAAA!

— Jem!

Lionel Menzies avait bondi et tendit une main vers le garçon, mais celui-ci était hors de lui, sautant littéralement sur place de rage. Tout le monde dans le restaurant les regardait d'un air ébahi.

— Allez-vous-en ! hurla Jem à Menzies. Ne me touchez pas ! Ne touchez pas ma mère !

Dans un élan de passion, il envoya un coup de pied dans le tibia de Menzies.

— Aïe !

— Jem !

Brianna parvint à maîtriser Mandy qui se débattait et hurlait de plus belle, mais elle ne put attraper Jem avant qu'il ne prenne sa coupe de glace, la projette contre le mur et s'enfuie de la cafétéria, poussant la porte si fort qu'un couple sur le point d'entrer dut faire un bond en arrière pour l'éviter.

Brianna se laissa retomber sur son siège. *Sainte Marie, mère de Dieu, priez pour nous…*

Le silence était retombé dans la salle, hormis pour les sanglots de Mandy, qui se calmaient eux aussi, maintenant que la panique était passée. Elle enfouit son visage dans le manteau molletonné de sa mère.

— Calme-toi, chérie. Là, tout va bien, murmura Brianna.

Il y eut dans les plis du vêtement un son étouffé se terminant par un larmoyant : « Papa ? »

— Oui, répondit fermement Brianna. Nous verrons papa bientôt.

Lionel Menzies, qui s'était rassis pour se masser le tibia, fit un signe vers la porte.

— Je devrais peut-être aller chercher Jem ?

— Non, ça ira. Je le vois. Il est avec Ernie.

Ils se trouvaient dans le stationnement, bien visibles dans le halo de l'enseigne au néon. Jem s'était précipité vers Ernie alors que celui-ci se dirigeait vers le restaurant et s'accrochait à lui comme une sangsue. Père expérimenté, Ernie s'accroupit et le prit dans ses bras, lui tapotant le dos, lui lissant les cheveux et lui parlant.

— Mmphm…

C'était la serveuse, de retour avec le sandwich de Menzies. Son expression impassible s'était adoucie.

— La petite a l'air fatiguée.

— Je suis navrée, dit Brianna avec un regard vers la coupe au sol et la tache de chocolat sur le mur. Je… je paierai pour les dégâts.

— Ne vous en faites pas. J'ai eu des enfants, moi aussi. Vous avez l'air d'en avoir suffisamment sur les bras. Je vais vous chercher une autre tasse de thé.

Lorsqu'elle fut repartie, Menzies ouvrit sa canette d'Irn-Bru et la tendit sans un mot à Brianna. Elle la prit et but goulûment. La publicité laissait entendre que l'étrange breuvage était fabriqué avec des poutres rouillées récupérées sur les chantiers navals de Glascow. Il n'y avait qu'en Écosse qu'un tel slogan serait considéré comme un bon argument de vente. Néanmoins, la boisson était pleine de sucre et le glucose se répandit dans son organisme comme un élixir de vie.

Menzies l'observait tandis qu'elle reprenait des forces.

— Où est Roger ? demanda-t-il doucement.

— Je ne sais pas, répondit-elle sur le même ton.

Après un dernier hoquet, Mandy s'était endormie, le visage toujours enfoui dans la veste de sa mère. Celle-ci écarta un pan du vêtement afin que l'enfant ne s'étouffe pas.

— Et je ne sais pas quand il reviendra, ajouta-t-elle.

Il fit une grimace, l'air gêné. Il avait du mal à la regarder en face.

— Je vois. Mmphm… Est-il parti à cause de… de ce que Rob a fait à Jem ?

Elle le dévisagea sans comprendre, puis, ses pensées éparses se rejoignant enfin, le déclic se fit et elle sentit le sang lui monter aux joues.

Il croyait que Rob avait enlevé Jem afin de le… Quand Jemmy avait crié « Tu sais très bien ce qu'il a fait ! », elle l'avait fait taire aussitôt, puis elle avait avoué ne pas vouloir l'intervention de la police… Seigneur ! Elle hésita, se demandant s'il valait mieux le laisser croire que Cameron avait agressé sexuellement Jem et tentait à présent d'assassiner sa mère pour se couvrir, ou lui raconter une version partielle de la vérité plus ou moins crédible.

Elle baissa la voix afin de ne pas être entendue des deux routiers au comptoir, qui ne cessaient de lancer des regards vers eux.

— Rob est venu chez moi hier soir pour me violer. Roger était parti à la recherche de Jem. Nous pensions que Cameron l'avait emmené… dans les Orcades (cela paraissait suffisamment loin). Je lui ai laissé des messages. Je suppose qu'il rentrera d'un moment à l'autre, dès qu'il apprendra que Jem a été retrouvé.

Elle croisa les doigts sous la table.

Les traits de Menzies se vidèrent de toute expression, ses hypothèses précédentes se heurtant à de nouvelles.

— Il… il… Oh.

Il prit machinalement la tasse de Brianna, avala une gorgée de thé froid et fit la grimace.

— Vous pensez que Rob a enlevé Jem pour éloigner votre mari afin de pouvoir… ?

— Oui.

— Mais… les autres ? Ceux qui avaient une… (Il fit un geste autour de sa tête, indiquant les cagoules.)

— Je n'en ai aucune idée.

Elle ne mentionnerait pas l'or de l'Espagnol à moins d'y être contrainte. Moins de gens étaient au courant, mieux cela vaudrait.

L'allusion aux « autres » lui rappela quelque chose. Elle fouilla dans sa grande poche et en extirpa la cagoule arrachée à celui qui avait brisé la vitre d'Ernie avec la carabine. Elle avait à peine entraperçu son visage dans la lumière changeante et n'avait pas eu le temps d'y repenser. Avec un peu de recul, elle sentit une nouvelle vague d'appréhension lui nouer le ventre.

— Vous connaissez un certain Michael Callahan ? demanda-t-elle en s'efforçant de conserver un ton calme.

Il regarda la cagoule puis écarquilla les yeux.

— Oui, bien sûr. C'est un archéologue. Je crois qu'il travaille pour l'ORCA, le centre de recherche des Orcades. Ne me dites pas qu'il fait partie des…

— J'en suis pratiquement sûre. J'ai vu son visage un instant quand je lui arraché ça et... (Elle grimaça de dégoût en cueillant une touffe de cheveux blonds prise dans la laine.) Apparemment, ce n'est pas tout ce que je lui ai arraché. Rob Cameron le connaît. Il était venu à Lallybroch pour nous donner son opinion sur des ruines derrière la maison et était resté pour le souper.

— Seigneur Jésus ! soupira Menzies.

Il sembla fondre sur son siège. Il ôta ses lunettes et se massa le front. Brianna l'observa réfléchir, se sentant de plus en plus désincarnée.

La serveuse revint avec une tasse de thé chaud et laiteux, déjà sucré et touillé. Brianna la remercia et but lentement en observant la nuit à l'extérieur. Ernie avait emmené Jem au garage, sans doute pour suivre les réparations de sa fourgonnette.

— Je comprends pourquoi vous ne souhaitez pas d'ennuis supplémentaires, déclara-t-il enfin. Mais, sincèrement, madame Mac... Je peux vous appeler Brianna ?

— Bree.

— Bree, répéta-t-il en esquissant un sourire.

— Oui, je sais ce que ça veut dire en écossais, dit-elle en devinant ses pensées.

Un *bree* était un orage ou un grand tapage.

— Je me demandais, Bree... Et si Rob s'en était pris à Roger ? Ne vaudrait-il pas mieux que la police le recherche ?

Elle était épuisée et n'aspirait plus qu'à rentrer chez elle.

— Il ne lui a rien fait, répondit-elle catégorique. Croyez-moi. Roger est parti avec son... son cousin. Et si Rob était parvenu à leur faire du mal d'une manière ou d'une autre, il s'en serait vanté devant moi l'autre nuit.

Elle prit une profonde inspiration qui descendit jusqu'au bout de ses orteils, puis changea de position sur son siège, serrant Mandy contre elle.

— Écoutez, Lionel. Vous voulez bien nous ramener à la maison ? Si cette bande rôde encore dans les parages, nous irons droit au commissariat. Sinon... cela peut attendre demain.

Il n'était pas d'accord, mais il subissait lui aussi les contrecoups du stress et de la fatigue. Il tenta d'argumenter, puis capitula devant l'inébranlable entêtement de Brianna.

Après s'être assuré que Lionel les raccompagnerait, Ernie avait appelé pour que quelqu'un vienne le chercher. Sur le chemin de Lallybroch, Menzies était tendu, ses mains crispées autour du volant. Toutefois, les phares de la Fiat montrèrent une cour vide, hormis pour un pneu gisant sur le gravier, des fragments de caoutchouc éparpillés tout autour telles les ailes d'un vautour géant.

Les deux enfants étaient profondément endormis. Lionel porta Jem à l'intérieur, puis insista pour inspecter la maison avec Brianna. Il cloua des planches sur la fenêtre du salon pendant qu'elle passait de pièce en pièce avec une impression de déjà-vu.

Sur le pas de la porte, il hésita.

— Vous ne préférez pas que je reste ? Je peux monter la garde. Je vous assure que cela ne m'ennuie pas.

— Votre femme doit déjà se demander où vous êtes, répondit-elle avec un sourire. Vous en avez fait assez pour nous. Ne vous inquiétez pas, je ferai le nécessaire dès demain matin. Je veux juste que les enfants aient une bonne nuit de sommeil dans leurs propres lits.

Il acquiesça, le front soucieux, puis lança un regard dans l'entrée. Ses boiseries brillaient sereinement dans la lumière diffuse. Même les coups de sabres anglais paraissaient charmants et paisibles, patinés par le temps.

— Vous avez de la famille ou des amis aux États-Unis ? demanda-t-il soudain. Ce ne serait peut-être pas une mauvaise idée de vous éloigner un moment.

— Oui, j'y pensais justement, répondit-elle. Merci, Lionel. Et bonne nuit.

42

Tout mon amour

ELLE NE POUVAIT PLUS S'ARRÊTER de trembler. Cela n'avait pas cessé depuis le départ de Lionel Menzies. Elle tendit une main, doigts écartés, et la regarda vibrer comme un diapason. Puis, agacée, elle ferma le poing et frappa la paume de son autre main. Encore, puis encore, serrant les dents jusqu'à ce qu'elle soit contrainte d'arrêter, essoufflée, et des fourmillements dans la paume.

Elle s'efforça de se calmer jusqu'à ce que le voile rouge de fureur se lève, laissant derrière lui un petit tas de pensées glaçantes.

Nous devons partir.

Où ?

Quand ?

Puis, la plus froide de toutes :

Et Roger ?

Elle était assise dans le bureau, les boiseries luisant doucement à la lueur de la bougie. Il y avait une excellente lampe de lecture, ainsi qu'un plafonnier. Elle avait préféré allumer la grande chandelle. C'était ce que faisait Roger quand il travaillait tard la nuit, écrivant les poèmes et les chansons qu'il avait mémorisés, parfois avec une plume d'oie. Il affirmait que de se plonger dans l'ambiance de l'époque où il les avait entendus l'aidait à retrouver les mots.

Cette fois, l'odeur de cire chaude aidait Brianna à le retrouver, *lui*. En fermant les yeux, elle pouvait l'entendre fredonner, s'arrêtant de temps en temps pour se racler la gorge. Elle caressa doucement la table en bois, invoquant le contact de la cicatrice dans son cou, glissant ses doigts autour de sa nuque, puis dans la masse épaisse et chaude de ses cheveux, pressant sa joue contre son torse…

Elle se remit à trembler, cette fois secouée de sanglots silencieux. Elle serra à nouveau les poings, mais se contenta de respirer profondément jusqu'à ce que cela passe.

Puis, sa décision prise, elle renifla, alluma la lampe, souffla la bougie et saisit une feuille de papier et un feutre.

Essuyant ses larmes du dos de la main, elle plia soigneusement sa lettre. Une enveloppe ? Non. Si quelqu'un tombait dessus, ce n'était pas une enveloppe qui l'arrêterait. Elle retourna la lettre et écrivit dessus *Roger* de sa meilleure écriture d'écolière appliquée.

Elle tira un Kleenex de sa poche et se moucha. Il lui semblait qu'elle aurait dû faire un geste plus… cérémoniel ? Toutefois, hormis de la brûler dans la cheminée pour que le vent du nord l'emporte, comme le faisaient ses parents avec ses lettres au père Noël, il ne lui venait rien à l'esprit.

Cela dit, le père Noël avait toujours été au rendez-vous…

Elle ouvrit le grand tiroir et cherchait à tâtons la clenche qui ouvrait la cachette quand une autre idée lui vint. Elle referma le tiroir en le claquant et ouvrit le compartiment du centre, peu profond, où se trouvaient les stylos, les trombones, les élastiques… et un rouge à lèvres oublié un jour dans les toilettes par une invitée.

Il était rose sombre. Peu importait qu'il n'aille pas avec la couleur de ses cheveux. Elle se l'appliqua rapidement, puis pressa ses lèvres sur le mot *Roger*.

— Je t'aime, murmura-t-elle.

Elle rouvrit le grand tiroir et poussa la clenche. Celle-ci n'ouvrait pas un tiroir secret mais libérait un panneau coulissant donnant sur un espace vide d'environ quinze centimètres sur vingt dans la partie inférieure du bureau.

Lorsque Roger l'avait découvert, il contenait trois timbres à l'effigie de la reine Victoria (malheureusement sans véritable valeur, n'étant pas le très précieux One Penny Black), une boucle de cheveux d'enfant décolorée par le temps et un brin de bruyère. Ils avaient laissé les timbres à leur place (peut-être prendraient-ils de la valeur dans quelques générations), mais elle avait placé la boucle entre les pages de sa bible et récitait une prière pour l'enfant et ses parents chaque fois qu'elle tombait dessus.

La lettre tenait aisément dans la cachette. Brianna eut un moment de panique : devait-elle y inclure également des boucles de cheveux des enfants ? *Non ! Ne sois pas morbide. Sentimentale, oui, mais pas morbide.*

— Seigneur, faites que nous soyons à nouveau tous réunis, murmura-t-elle.

Elle ferma les yeux et repoussa le panneau coulissant qui s'enclencha en émettant un petit *clic*.

Si elle n'avait pas rouvert les yeux au moment où elle retirait sa main, elle ne l'aurait pas vue. Quelque chose pendait sous le grand tiroir, à peine visible. Elle passa la main et sentit une enveloppe, tout au fond, attachée sous le compartiment à l'aide de ruban adhésif. La colle avait séché avec le temps et, lorsqu'elle avait fermé le tiroir brutalement, un côté s'était détaché.

Elle tourna l'enveloppe entre ses doigts avec la sensation d'être dans un rêve et ne fut pas surprise de lire les initiales *B. E. R.* sur le papier jauni. Elle l'ouvrit très lentement.

Ma très chère tireuse d'élite, lut-elle en sentant tous les poils de son corps se hérisser lentement l'un après l'autre.

Ma très chère tireuse d'élite,

Tu viens juste de me quitter après notre merveilleux après-midi parmi les pigeons d'argile. Mes oreilles en bourdonnent encore. Chaque fois que nous tirons ensemble, je suis partagé entre une immense fierté devant tes capacités, la jalousie… et la peur que tu aies un jour besoin de t'en servir.

Quel étrange sentiment m'envahit en t'écrivant ceci ! Je sais que tu finiras par apprendre qui tu es, ou ce que tu es. Mais j'ignore comment. Suis-je en train de te révéler à toi-même ou est-ce que je ne t'apprends rien que tu ne sauras déjà quand tu liras ceci ? Si nous avons tous les deux de la chance, je pourrai te le dire en personne quand tu seras plus grande. Et si nous avons beaucoup de chance, cela n'aura aucune importance. Mais je n'ose miser ta vie sur cet espoir et tu es encore trop jeune pour que je t'en parle.

Pardonne ce ton si mélodramatique, ma chérie. Pour rien au monde je ne voudrais t'effrayer. J'ai une foi inébranlable en toi, mais je suis ton père et donc sujet à toutes les angoisses qui affligent les parents, cette peur qu'une chose affreuse et inexorable advienne à son enfant et d'être impuissant à la protéger.

— Où veux-tu en venir, père ? marmonna-t-elle.

Elle se passa une main sur la nuque pour chasser un picotement.

Les hommes qui ont fait la guerre n'en parlent généralement pas, hormis à d'autres soldats. Ceux qui, comme moi, travaillaient dans les Renseignements n'en parlent à personne, et pas uniquement en raison de la Loi sur les secrets officiels. Toutefois, le silence te ronge. J'avais besoin de me livrer et mon vieil ami Reggie Wakefield est devenu mon confesseur.

(Je parle du révérend Reginald Wakefield, ministre de l'Église d'Écosse, qui vit à Inverness. Si tu lis cette lettre, je suis probablement mort. Si Reggie est encore de ce monde et que tu es en âge de le faire, va le voir. Il a ma permission de te raconter tout ce qu'il sait.)

« En âge de le faire » ? Elle essaya d'évaluer quand cette lettre avait été rédigée. Les pigeons d'argile… Sherman's, le stand de tir où il lui avait appris à utiliser un fusil de chasse. Il lui en avait offert un pour ses quinze ans. Il était mort peu après son dix-septième anniversaire.

Les services secrets n'ont aucun rapport avec tout cela ; inutile de chercher dans cette direction. J'en parle uniquement parce que c'est là que j'ai appris à quoi ressemblait une conspiration. J'ai rencontré beaucoup de gens pendant la guerre, et parmi eux, bon nombre de hauts placés et de personnes bizarres ; les deux se rejoignent plus souvent qu'on ne le souhaiterait.

Pourquoi est-ce si dur à dire ? Si je suis mort, ta mère t'a probablement raconté l'histoire de ta naissance. Elle m'a juré de ne jamais t'en parler tant que je serais en vie et je suis sûr qu'elle a tenu sa promesse. Mais si je suis mort…

Pardonne-moi, ma chérie. Si j'ai tant de mal à le dire, c'est parce que je vous aime, ta mère et toi. Tu es ma fille à jamais, mais tu as été engendrée par un autre homme.

Voilà, c'est dit. En le voyant écrit noir sur blanc, j'ai envie de déchirer cette lettre en petits morceaux et de les brûler, mais je ne le ferai pas. Tu dois savoir.

Peu après la fin de la guerre, ta mère et moi sommes allés en Écosse. C'était une seconde lune de miel, en quelque sorte. Un après-midi, elle est partie cueillir des fleurs... et n'est jamais revenue. Je l'ai cherchée, tout le monde l'a cherchée, pendant des mois. Elle avait disparu sans laisser la moindre trace. Finalement, la police a clos l'enquête (à vrai dire, elle n'a jamais cessé de me soupçonner de l'avoir assassinée, mais elle s'est lassée de me harceler). J'avais décidé de tourner la page, puis commencé à me reconstruire. J'envisageai de quitter l'Angleterre quand Claire est revenue. Trois ans après sa disparition, elle est réapparue dans les Highlands, crasseuse, famélique, esquintée et... enceinte.

Elle m'a dit qu'elle portait l'enfant d'un Highlander jacobite de 1743 nommé James Fraser. Je t'épargne tout ce que nous avons pu nous dire. C'était il y a longtemps et cela n'a plus d'importance, si ce n'est pour un détail : si ta mère disait vrai et a réellement voyagé dans le temps, alors tu as peut-être ce don toi aussi. Je ne l'espère pas, mais si tu devais... Seigneur, j'ai du mal à croire que j'écris cela sérieusement. Que veux-tu, ma chérie, quand je te regarde, avec le soleil dans tes cheveux de feu, je le vois lui aussi. Je ne peux pas le nier.

Il m'a fallu du temps. Beaucoup de temps. Toutefois, ta mère n'a jamais changé son histoire et, bien que nous ayons cessé d'en parler au bout d'un moment, il était clair qu'elle ne souffrait pas de troubles mentaux (ce que, naturellement, j'avais d'abord pensé). Alors je me suis mis à le chercher.

Permets-moi de digresser un moment. Tu n'as probablement jamais entendu parler du Brahan Seer. Personnage pittoresque (s'il a réellement existé), il est peu connu en dehors des cercles qui ont un penchant pour les aspects les plus extravagants de l'histoire écossaise. Reggie, dont la curiosité est insatiable et le savoir immense, est fasciné par cet homme. Il s'agirait d'un Kenneth MacKenzie qui aurait vécu au XVIIᵉ siècle (peut-être) et aurait fait toutes sortes de prophéties, parfois à la demande du comte de Seaforth.

Naturellement, les seules prophéties dont on se souvienne sont celles qui se sont avérées : par exemple, il avait prédit que lorsqu'il y aurait cinq ponts enjambant le Ness, le monde sombrerait dans le chaos. En août 1939, le cinquième pont sur le fleuve a été inauguré. En septembre de la même année, Hitler envahissait la Pologne. Pour ce qui est du chaos, tout le monde a été servi.

Le Seer a connu une fin douloureuse, comme c'est souvent le cas des prophètes (je t'en prie, souviens-t'en, ma chérie). Il a été plongé dans un tonneau de goudron bouillant à l'instigation de lady Seaforth, à qui il avait eu la mauvaise idée de prédire que son mari la tromperait avec plusieurs dames lors de son séjour à Paris (ce qui était probablement vrai).

Parmi ses prophéties moins connues, on trouve la « prophétie des Fraser ». On ne sait pas grand-chose sur cette dernière et les sources dont on dispose sont vagues et absconses (comme c'est souvent le cas avec les prophéties, l'Ancien Testament inclus). À mon avis, le seul détail pertinent est le suivant : « Le dernier de la lignée des Lovat régnera sur l'Écosse. »

Si tu veux, tu peux à présent interrompre ta lecture pour regarder le document que je joins à cette lettre.

Dans sa stupeur et son émotion, Brianna lâcha tous les papiers et dut les ramasser sur le sol. Le document en question était facile à reconnaître. Le papier était de moins bonne qualité ; c'était la photocopie d'une sorte d'arbre généalogique rédigé à la main, mais pas par celle de son père.

Cette information troublante m'a été transmise par Reggie, qui la tenait de l'épouse d'un certain Stuart Lachlan. Lachlan étant mort subitement, sa veuve rangeait son bureau lorsqu'elle est tombée sur ce document. Elle a décidé de le donner à Reggie, sachant que son mari et lui partageaient le même intérêt pour l'histoire et la famille Lovat, cette dernière étant de la région d'Inverness. Le siège du clan se trouve à Beauly. Naturellement, Reggie a reconnu les noms.

Tu ne connais sans doute pas grand-chose de l'aristocratie écossaise, mais j'ai connu Simon Lovat, à savoir lord Lovat, pendant la guerre. Il était dans les Commandos, ou Forces spéciales. Nous n'étions pas proches, mais nous nous croisions parfois, pour « affaires » si l'on peut dire.

— Quelles affaires ? demanda-t-elle à voix haute. Les siennes ou les tiennes ?

Elle imaginait la tête de son père, avec son petit sourire en coin, cachant quelque chose et vous le faisant savoir.

La généalogie des Fraser de Lovat est assez directe jusqu'à ce qu'on arrive au Vieux Simon (en fait, ils s'appellent tous Simon), celui qu'on surnommait le Vieux Renard. Il fut exécuté pour trahison après la rébellion jacobite de 1745. (Il y a de longs passages sur lui dans mon livre sur les jacobites. J'ignore si tu le liras un jour, mais il est là, quelque part, à ta disposition.)

— Si l'envie m'en prenait, marmonna-t-elle. Peuh !

Elle sentait une note de reproche entre les lignes de son père et pinça les lèvres, agacée autant de ne pas avoir lu ses livres que par le fait qu'il le mentionne.

Simon fut l'un des Fraser les plus hauts en couleur, à plus d'un titre. Il eut trois femmes et n'était pas connu pour sa fidélité. Il eut plusieurs enfants légitimes et Dieu sait combien de rejetons naturels (bien qu'il ait reconnu deux bâtards). Son héritier était le Jeune Simon, également connu comme le Jeune Renard. Il a survécu au soulèvement, mais s'est vu confisquer ses terres. Il est parvenu à en récupérer la plupart à force de procès, un combat qui a pris le plus clair de sa longue vie. Il s'est marié à un âge avancé et n'a pas eu d'enfants. Son frère cadet, Archibald, a hérité de lui, mais il est lui aussi mort sans descendance.

Archibald serait donc « le dernier de la lignée des Lovat ». La filiation directe entre lui et les Fraser de Lovat correspondrait à l'époque où vivait le Brahan Seer. Toutefois, il n'a jamais régné sur l'Écosse.

Tu as vu l'arbre généalogique. Celui qui l'a réalisé y a inscrit, aux côtés du Jeune Simon et de son frère, les deux fils illégitimes, Alexander et Brian, nés de mères différentes. Alexander est entré dans les ordres et est devenu abbé dans un monastère en France. Aucun enfant connu. Quant à Brian...

Elle sentit la bile lui remonter dans la gorge et crut qu'elle allait vomir. *Quant à Brian…* Elle ferma les yeux, mais c'était peine perdue. L'arbre était imprimé sur l'intérieur de ses paupières.

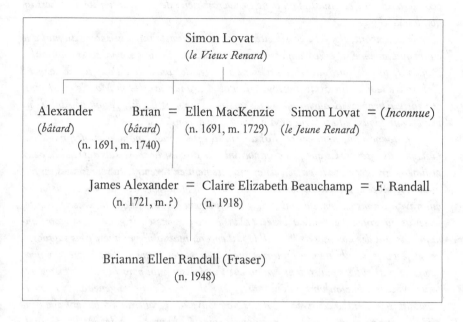

Elle se leva brusquement en faisant crisser les pieds de sa chaise et fila dans le couloir, le cœur battant. Une fois dans l'entrée, elle sortit le fusil de sa place derrière le portemanteau. Elle se sentait légèrement mieux en le tenant.

— Ce n'est pas juste.

Elle ne s'était pas rendu compte d'avoir parlé à voix haute et sa propre voix la fit sursauter.

— Ce n'est pas juste ! répéta-t-elle. Ils ont oublié des gens. Et tante Jenny ? Elle a eu six enfants ! Pourquoi n'y figurent-ils pas ?

Elle arpenta le couloir en passant le fusil d'une main à l'autre comme si elle s'attendait à ce que Rob Cameron ou « quelqu'un » (cette pensée la fit frissonner) bondisse hors du salon, ou de la cuisine, ou descende du premier étage en glissant sur la rampe. Elle leva la tête vers la cage d'escalier. Elle avait laissé toutes les lumières allumées lorsqu'elle était descendue après avoir bordé les enfants. Le palier était désert. Tout paraissait calme.

Légèrement apaisée, elle refit le tour du rez-de-chaussée, vérifiant toutes les portes, toutes les fenêtres, ainsi que le trou du curé, dont le vide noir semblait la narguer.

Jem et Mandy étaient en sécurité. Elle remonta néanmoins à l'étage sur la pointe des pieds et se tint un long moment devant leurs lits, observant la lueur pâle de la veilleuse Blanche Neige sur leur visage.

La grande horloge dans le couloir sonna l'heure. Elle soupira et redescendit finir la lettre de son père.

La lignée actuelle des Fraser de Lovat descend d'une branche annexe. La prophétie ne s'adresse sans doute pas à elle, même si elle compte de nombreux héritiers.

J'ignore qui a réalisé cet arbre et j'ai la ferme intention de le découvrir. J'écris cette lettre dans l'éventualité où je ne trouverais rien ; dans l'éventualité d'un certain nombre de choses.

Tout d'abord, il y a la possibilité que ta mère ait dit vrai. J'ai encore du mal à le croire quand je me réveille chaque matin à ses côtés et que tout me paraît si «normal». Pourtant, tard le soir, quand je suis seul avec les documents… Pourquoi le cacher ? J'ai trouvé leur certificat de mariage : James Alexander Malcolm MacKenzie Fraser et Claire Elizabeth Beauchamp. Je ne sais pas si je dois lui être reconnaissant de ne pas l'avoir épousée en utilisant mon nom ou si je dois m'en scandaliser.

Pardonne-moi, je m'égare. J'ai du mal à laisser mes émotions en dehors de ça, mais je vais essayer. Ce que j'ai d'important à te dire est la chose suivante : si tu peux vraiment voyager dans le passé (et, éventuellement en revenir), tu représentes un très grand intérêt pour un certain nombre de personnes, pour différentes raisons. Si quelqu'un qui travaille dans les zones d'ombre du gouvernement découvrait que tu as cette faculté, tu serais surveillée. Peut-être abordée. (Dans les siècles passés, le gouvernement britannique enrôlait des hommes de force. Il le fait encore, mais d'une manière plus subtile.)

C'est une possibilité très lointaine mais bien réelle. Je me dois de la mentionner.

Des particuliers pourraient également s'intéresser à toi pour la même raison. De toute évidence, quelqu'un t'a déjà repérée et t'observe. Cet arbre généalogique mentionnant ton ascendance, avec des dates, le prouve. Il se pourrait également que l'intérêt de cette personne (ou de ces personnes) soit lié à la prophétie des Fraser. Quoi de plus intriguant pour ce genre de gens qu'une femme qui soit «la dernière de la lignée des Lovat» et qui puisse également voyager dans le temps ? Ces gens (je les connais bien) croient invariablement à toutes sortes de pouvoirs mystiques. Rien ne saurait les attirer plus inexorablement que la conviction que tu détiens ce type de pouvoir.

De telles personnes sont généralement inoffensives, mais elles peuvent également être très dangereuses.

Si je trouve celui qui a réalisé cet arbre, je l'interrogerai et ferai mon possible pour neutraliser toute menace te visant. Mais, comme je l'ai dit, je sais reconnaître une conspiration. Les cinglés de ce type s'épanouissent en groupe. L'un d'eux pourrait m'échapper.

— Les neutraliser, murmura-t-elle.

Le froid dans ses doigts se propagea à ses bras et à sa poitrine, se cristallisant autour de son cœur. Elle n'avait aucun doute sur ce qu'il entendait par là, en dépit de son ton neutre. Avait-il trouvé l'auteur de l'arbre… les auteurs ?

J'insiste, surtout ne t'adresse pas aux services secrets ni à personne qui ait un lien avec eux. Au mieux, ils te prendront pour une folle. Si tu es vraiment ce que tu sembles être, il ne faut en aucun cas que l'apprennent les «drôles de larrons», comme on nous appelait pendant la guerre.

Dans le pire des cas, et si tu peux le faire, le passé pourrait être ta meilleure voie de secours. J'ignore comment cela fonctionne, tout comme ta mère, du moins c'est ce qu'elle me dit. J'espère t'avoir fourni quelques armes, dans l'éventualité où tu en aurais besoin.

Et puis… il y a lui. Ta mère m'a dit que Fraser l'avait renvoyée vers moi en sachant que je vous protégerais toutes les deux. Elle croyait qu'il était mort immédiatement après. C'est faux. Je l'ai cherché et je l'ai trouvé. Comme lui, je te renvoie peut-être d'où tu es venue en sachant, comme il le savait de moi, qu'il te protégera au risque de sa vie.

Je t'aimerai toujours, Brianna. Et je sais de qui tu es vraiment la fille.

Avec tout mon amour

Ton père

43

APPARITION

D'APRÈS LA RÉGIE HYDROÉLECTRIQUE de l'Écosse du Nord, le district de Lochaber était un « haut paysage glaciaire ».

— Ça veut dire que ça grimpe et que ça descend beaucoup, expliqua Roger.

Buck et lui se frayaient laborieusement un chemin dans ce qu'il pensait être une partie de la forêt de Locheil, cherchant à rejoindre le loch Lochy.

— Pas possible ! grommela Buck. Je n'avais pas remarqué.

Il lança un regard morne vers la bosse lointaine du Ben Nevis.

— Ne fais pas cette tête, lui dit Roger. À partir de maintenant, ce n'est pratiquement que de la descente. Et puis, avec ce froid, tous les moucherons sont morts. Tu ne mesures pas ta chance !

Roger se sentait étrangement enjoué ce matin ; peut-être parce que leur chemin descendait effectivement. Ils venaient de passer une semaine épuisante à écumer les terres du clan Cameron à travers un réseau déroutant de cirques, de petits lacs, de moraines et de munros[13], ces montagnes trompeuses avec leurs sommets doucement arrondis mais leurs versants traîtreusement escarpés.

Certes, ils n'avaient encore trouvé aucune trace de Jem, mais au moins ils progressaient… d'une certaine manière. Après leur surprise initiale, les Cameron s'étaient montrés plutôt hospitaliers. Ils avaient eu la chance de rencontrer un des *tacksmans* de Lochiel, le chef du clan, qui avait envoyé un message pour eux au château de Tor. La réponse était arrivée le lendemain : aucun signe d'un étranger correspondant à la description de Rob Cameron (même s'il ressemblait à la moitié des gens que Roger avait croisé au cours des derniers jours), ni de Jem, qui était plus facilement repérable.

---

13. Un munro désigne un sommet d'Écosse dépassant une altitude de 914 mètres, le plus haut étant le Ben Nevis, à 1344 mètres. (N.d.T.)

Ils étaient revenus sur les rives du loch Arkaig, le chemin le plus court pour quelqu'un qui voulait rejoindre l'océan à partir du Great Glen. Aucun bateau n'avait été volé ni loué. Roger commençait à penser que Cameron n'était pas venu demander de l'aide à son clan, ce qui, au fond, était un soulagement.

— Ma chance ? Vraiment ?

Buck se passa le dos de la main sur le front. Ni l'un ni l'autre ne s'était rasé depuis une semaine. Il paraissait aussi las et crasseux que Roger se sentait. Il se gratta le menton d'un air songeur.

— C'est vrai que, quand je me suis réveillé ce matin, il y avait une crotte de renard juste à côté de moi et je n'ai même pas marché dedans. Je suppose que c'est une chance.

La journée et la nuit qui suivirent tempérèrent l'enthousiasme de Roger. Il ne cessa de pleuvoir et ils durent dormir enfouis sous plusieurs couches de fougères humides, se réveillant à l'aube transis et empestant le moisi, sous les cris des gravelots à collier et des pluviers kildir.

Lorsqu'ils arrivèrent à un carrefour dont une route menait vers Cranesmuir, Roger hésita. Il avait très envie de parler à nouveau avec le Dr McEwan. Il se toucha la gorge et caressa sa cicatrice du pouce. « Peut-être », avait dit le guérisseur. Toutefois, McEwan ne pouvait les aider à retrouver Jem et cette visite allait devoir attendre.

Lorsqu'ils parvinrent au sommet du col qui surplombait Lallybroch, il reprit du poil de la bête. Il était étrange de rentrer chez soi qui n'était plus chez soi et ne le serait peut-être plus jamais. Néanmoins, c'était la promesse d'un refuge et d'une aide, ne serait-ce que temporairement. C'était également une promesse d'espoir... du moins durant les quelques minutes avant qu'ils n'arrivent devant la porte.

Ce fut Jenny Fraser qui leur ouvrit. Son air méfiant s'adoucit aussitôt.

— Ah, c'est vous ! s'exclama-t-elle avec un sourire.

Derrière lui, Roger entendit Buck émettre un son d'approbation en apercevant la jolie jeune femme. En dépit de sa détermination à ne pas se faire trop d'illusions, il se sentit ragaillardi.

Jenny inclina la tête vers Buck.

— Ce doit être votre fameux cousin ? Bienvenue, monsieur. Entrez donc. Je vais appeler Taggie pour qu'il s'occupe de vos chevaux.

Elle se retourna dans un tournoiement de tablier blanc et de jupons en leur faisant signe de la suivre.

— Père est dans son bureau. Il a quelque chose pour vous.

Brian Fraser sortit au même moment dans le couloir.

— Monsieur MacKenzie et... vous devez être monsieur MacKenzie vous aussi ?

Il tendit la main à Buck en souriant. Il le dévisagea attentivement, un léger pli entre les sourcils. Ce n'était pas de la désapprobation, mais de la perplexité, comme s'il pensait le reconnaître sans parvenir à le replacer.

Roger lui, le savait, et il sentit à nouveau le léger frisson qu'il avait ressenti en rencontrant Dougal MacKenzie. La ressemblance entre le père et le fils ne sautait pas aux yeux. L'un était brun, l'autre blond, et Buck semblait tenir la plupart de ses traits de sa mère. Néanmoins, il y avait une similitude, surtout dans leur attitude. Deux hommes sûrs de leur charme et que leur aplomb ne rendait pas moins charmants.

Buck souriait, échangeait d'aimables banalités, complimentait le maître de maison sur le domaine et la demeure. La perplexité disparut peu à peu du regard de Fraser. Il les invita à s'asseoir et appela dans le couloir qu'on leur apporte de quoi manger et boire.

Il approcha la chaise de son bureau pour s'asseoir près d'eux.

— Le garçon n'étant pas avec vous, j'en déduis que vous ne l'avez pas retrouvé, déclara-t-il. Avez-vous quand même du nouveau ?

Son regard inquiet allait de Roger à Buck.

— Non, rien, répondit Roger. Mais votre fille nous a dit que vous aviez… appris quelque chose ?

Le visage de Fraser s'illumina légèrement.

— Pas exactement, mais…

Il se leva et alla fouiller dans son bureau sans cesser de parler.

— Un capitaine de la garnison est venu il y a quelques jours avec un petit groupe de soldats. C'est lui qui remplace Buncombe. Comment s'appelle-t-il déjà, Jenny ?

Celle-ci venait d'entrer avec un plateau chargé d'une théière, de tasses, d'une petite bouteille de whisky et d'un cake. Roger entendit son ventre gronder.

— Qui ? demanda-t-elle. Ah, le nouveau capitaine des dragons ? Randall, a-t-il dit. Jonathan Randall.

Ses joues rosirent légèrement en prononçant son nom, ce qui parut plaire à son père. Quant à Roger, son sourire s'était figé sur son visage.

— Je crois bien que tu lui as plu, ma fille. Je ne serais pas étonné si nous le revoyions avant longtemps.

— Pour le grand bien que ça lui fera ! répliqua-t-elle, piquée. Tu as égaré ta surprise, *an athair* ?

— Non, non. Je suis sûr de l'avoir mise… C'est que… hum…

Fraser toussota tout en fouillant vainement dans son tiroir. Roger comprit quel était le problème. Il avait dû placer la « surprise » dans le compartiment caché du bureau et se demandait à présent comment la récupérer sans trahir son secret devant les visiteurs.

Roger se leva.

— Si vous voulez bien m'excuser un instant, j'ai oublié quelque chose dans ma sacoche. Je n'en ai que pour une minute. Buck, tu m'accompagnes ? Ça pourrait être dans tes affaires.

Surprise, Jenny hocha la tête. Buck se leva d'un bond et le suivit en émettant de petits grognements agacés.

— Qu'est-ce qui te prend ? demanda-t-il dès qu'ils furent sortis dans la cour. Tu es devenu blanc comme un linge dans le bureau et tu fais une tête de poisson frit.

— C'est exactement ce que je ressens, répondit sèchement Roger. Je connais ce capitaine Randall, ou plutôt, j'en connais un rayon sur lui. En un mot, c'est une ordure, la dernière personne qui devrait s'approcher de Jem.

— Ah, fit Buck. Dans ce cas, allons voir ce qu'il a apporté puis, si tu crois que c'est lui qui a le garçon, nous irons lui toucher deux mots.

Ce qu'il a apporté. Roger repoussa toutes les images horribles que cette phrase évoquait, l'oreille de Jem, un doigt, une boucle de ses cheveux. Si c'était le cas, les Fraser ne seraient pas aussi calmes. À moins que Randall n'ait placé son petit cadeau dans une boîte ?

Buck l'observait attentivement, essayant de déchiffrer son expression qui, à en juger par la sienne, devait être épouvantable.

— Mais pourquoi ? demanda-t-il. Pourquoi cet homme vous voudrait du mal, à toi et à ton petit gars ? Il ne t'a jamais rencontré, n'est-ce pas ?

— C'est une excellente question. Cet homme est... comment dire ? Tu sais ce qu'est un sadique ?

— Non, mais c'est manifestement quelque chose que tu ne veux pas voir rôder autour de tes enfants. Ah, par ici ! Merci, monsieur.

Ils venaient de tomber sur McTaggart qui revenait de l'écurie avec leurs sacoches. Après avoir récupéré leurs affaires, Buck attendit que le domestique se soit éloigné puis reprit :

— Je sais que tu nous as fait sortir pour laisser à notre hôte le temps d'ouvrir son tiroir secret, et il le sait aussi. Cela dit, tu as vraiment besoin de quelque chose dans nos sacoches ?

— Comment sais-tu que...

Buck lui adressa un sourire malicieux et Roger interrompit sa question avec un geste irrité.

— Oui. Nous allons offrir à Mlle Fraser le fromage que j'ai acheté hier.

— Ah, Mlle Jenny ! Je comprends ce capitaine Randall. Quel teint ! Et cette paire de melons...

— Veux-tu te taire ?

— Ben quoi ? Qu'est-ce que j'ai dit ?

Roger dut faire un effort pour desserrer les poings.

— C'est une longue histoire. Je n'ai pas le temps de te la raconter pour le moment, mais... Disons que dans un an environ, Randall reviendra ici et il fera quelque chose de terrible. Or, que Dieu me vienne en aide, je ne crois pas pouvoir l'empêcher.

— Quelque chose de terrible, répéta lentement Buck en sondant le visage de Roger. À ce beau brin de fille ? Et tu ne crois pas pouvoir l'empêcher ? Mais enfin, comment peux-tu... ?

— Ferme-la ! s'énerva Roger. Nous en reparlerons plus tard, d'accord ?

Sans le quitter des yeux, Buck poussa un gros soupir d'écœurement, puis il saisit sa sacoche et le suivit sans discuter.

Le fromage, de la taille de la paume de Roger et emballé dans des feuilles jaunies, fut reçu avec plaisir et emporté aux cuisines. Roger et Buck se retrouvèrent à nouveau seuls avec Brian Fraser. Ce dernier prit un minuscule paquet en toile sur son bureau et le déposa délicatement dans la main de Roger.

Trop léger pour être un doigt...

— Le capitaine Randall m'a expliqué que Buncombe avait fait passer le mot à toutes ses patrouilles. L'une d'elles est tombée sur cette petite babiole et l'a rapportée à fort William. Personne n'avait jamais rien vu de la sorte, mais, en raison du nom, ils ont pensé qu'elle avait peut-être un rapport avec votre fils.

— Du nom ?

Roger dénoua le petit lacet et le sac en toile s'ouvrit. Pendant un instant, il ne comprit pas ce qu'il voyait. Il saisit l'objet léger comme une plume, le laissant pendre au bout de deux doigts.

Deux petites plaques qui semblaient être en carton pressé étaient attachées à un lien tressé. L'une était ronde et rouge, la seconde verte et octogonale.

— Oh, mon Dieu, murmura-t-il. Mon Dieu.

J. W. MacKenzie était imprimé sur les deux plaquettes, accompagné d'un numéro et de deux lettres. Il retourna doucement la rouge et lut ce qu'il savait déjà qu'il y trouverait.

RAF

Il tenait les plaques d'identification d'un pilote de la Royal Air Force. Elles dataient de la Seconde Guerre mondiale.

44

La peste et le choléra

— Tu ne peux pas être sûr qu'elles appartiennent à ton père, déclara Buck en montrant les plaques toujours suspendues au doigt de Roger. Tu sais combien il y a de MacKenzie ?

— Des tonnes.

Roger s'assit sur un rocher couvert de lichen. Ils se trouvaient au sommet de la colline, derrière Lallybroch. Le *broch* se dressait juste en dessous d'eux, son toit conique formant un tourbillon d'ardoises noires.

— … Mais il n'y en a pas tant que ça qui ont volé pour la Royal Air Force pendant la guerre et qui ont disparu sans laisser de traces. Sans parler de ceux qui avaient la possibilité de voyager dans le temps.

Roger ne se souvenait pas de ce qu'il avait dit en voyant les plaques ni de la réaction de Fraser. Lorsqu'il avait repris conscience du monde autour de lui, il était assis dans le grand fauteuil de Brian, une tasse de thé chaud entre les mains et toute la maisonnée agglutinée sur le seuil de la pièce, l'observant avec un mélange de curiosité et de pitié. Buck était accroupi devant lui, fronçant les sourcils.

— Désolé, avait dit Roger en reposant la tasse sur le bureau. Je… cela m'a fait un choc. Merci.

— Cela a donc un rapport avec votre garçon ? avait demandé Jenny, l'air préoccupé.

— Je crois, oui.

Ayant eu le temps de se ressaisir, il s'était levé le dos raide et s'était incliné devant Brian.

— Je ne saurai jamais assez vous remercier pour tout ce que vous avez fait pour moi, monsieur. Pour nous. Je... j'ai besoin de réfléchir. Si vous voulez bien m'excuser, mademoiselle Fraser ?

Jenny avait acquiescé sans le quitter des yeux, puis avait chassé les servantes et la cuisinière devant la porte pour le laisser passer. Après avoir murmuré des paroles rassurantes à l'assistance, Buck l'avait suivi en silence jusqu'à ce qu'ils se soient isolés au sommet de la colline. Là, Roger lui avait expliqué ce qu'étaient les plaquettes et à qui elles avaient appartenu.

— Pourquoi deux ? demanda Buck en les touchant du bout du doigt. Et pourquoi de couleurs différentes ?

— Au cas où l'une serait détruite par ce qui te tue. Les couleurs, c'est pour les différencier. Elles sont faites de carton pressé traité avec différents produits chimiques. L'une résiste à l'eau, l'autre au feu. Je ne saurais te dire laquelle est laquelle.

Parler de ces détails techniques lui permettait de retrouver sa voix. Avec une délicatesse inhabituelle, Buck attendait qu'il aborde l'indicible.

Comment ces plaques avaient-elles atterri ici ? Quand ? Dans quelles circonstances avaient-elles quitté le cou de J(eremiah) W(alter) MacKenzie, catholique romain, numéro de série 448397651, RAF ?

— Claire, ma belle-mère... Je t'ai déjà parlé d'elle, n'est-ce pas ?

— Un peu, oui. Elle était voyante, c'est ça ?

Roger émit un petit rire.

— Oui, comme toi et moi. C'est facile de voir l'avenir quand ce qu'on voit s'est déjà passé.

Ce qui s'est déjà passé...

— Mon Dieu...

Il se recroquevilla soudain, pressant son poing qui refermait les plaques contre son front.

Buck attendit un moment, puis demanda :

— Ça va aller ?

Roger se redressa avec un soupir.

— Tu connais l'expression « choisir entre la peste et le choléra » ? Dans un cas comme dans l'autre, je suis damné.

— Ce ne sont pas des paroles que j'aurais attendues de la bouche d'un pasteur, répondit Buck avec un demi-sourire. N'as-tu pas consacré ta vie à l'idée qu'on peut toujours échapper à la damnation ?

— Un pasteur, tu parles !

Il inspira profondément. Il y avait beaucoup d'oxygène, sur les sommets écossais, mais cela ne semblait pas lui suffire.

— Je ne crois pas que la religion ait été construite en tenant compte des voyageurs du temps.

— « Construite » ? s'offusqua Buck. Qui construit Dieu ?

Roger se mit à rire malgré lui.

— Nous tous, répondit-il. Si Dieu a fait l'homme à son image, l'homme le lui a bien rendu.

— Mmphm, fit Buck.

Il réfléchit un moment, puis hocha la tête.

— Tu n'as peut-être pas tout à fait tort, mais Dieu existe néanmoins, qu'on sache ce qu'Il est ou pas.

Roger acquiesça et passa une main sous son nez, que le vent froid faisait couler.

— Tu as déjà entendu parler de sainte Thérèse d'Avila ? demanda-t-il.

— Non, comme je n'ai jamais entendu parler d'un pasteur protestant qui invoquait des saints.

— Je prends conseil là où je le trouve. Sainte Thérèse a un jour fait observer à Dieu : « Si c'est ainsi que vous traitez vos amis, je comprends que vous en ayez si peu ! » Les voies du Seigneur sont impénétrables.

Buck sourit. C'était l'un de ses rares sourires sincères et spontanés. Il donna à Roger le courage d'affronter la situation.

— Je te disais donc que ma belle-mère, Claire, nous a raconté, à Brianna et à moi, ce qui lui était arrivé lorsqu'elle a traversé les pierres en 1743 et ce qui s'était passé avant ça. Elle a bien connu le capitaine Randall.

Par des phrases brèves aussi impersonnelles qu'il le pouvait, il lui raconta l'histoire : le raid de Randall sur Lallybroch ; son agression de Jenny ; comment Jamie Fraser, de retour de Paris et se demandant ce qu'il allait faire de sa vie, avait lutté pour l'honneur de sa sœur et pour son domaine, avait été arrêté, conduit à fort William et fouetté presque à mort.

— Deux fois, précisa-t-il. La seconde fois, Brian était présent. En croyant son fils mort, il a fait une crise d'apoplexie et n'a pas survécu.

Il déglutit et rectifia :

— Ne survivra pas.

— Jésus, Marie, Joseph ! souffla Buck en se signant. Ce brave homme qui nous a si bien reçus ? Il sera mort dans un an ou deux ?

Roger acquiesça en contemplant Lallybroch, aussi paisible que les moutons qui broutaient dans ses prés.

— Ce n'est pas tout. Il y a ce qui s'est passé plus tard, juste avant le soulèvement...

Buck l'arrêta d'un geste.

— Personnellement, ça me suffit amplement. On devrait descendre à fort William et régler son compte à ce fils de catin. On appellera ça une « mesure préventive ».

Il précisa avec un air légèrement condescendant :

— C'est un terme juridique.

— C'est très tentant, mais, dans ce cas, que se passera-t-il dans quatre ans ?

Buck fronça les sourcils, ne comprenant pas.

— Lorsqu'elle a traversé les pierres et est arrivée en 1743, Claire a rencontré – rencontrera – James Fraser, un hors-la-loi activement recherché par les Anglais. Mais s'il ne s'est rien passé avec le capitaine Randall, Jamie ne sera pas là. Et s'il n'est pas là...

— Oh, fit Buck. Oui, je vois. Pas de Jamie, pas de Brianna...

— Pas de Jem ni de Mandy, acheva Roger.

— Oh Seigneur...

Buck pencha la tête en avant et se massa les tempes du bout des doigts.

— « Choisir entre la peste et le choléra », disais-tu ? Il y a de quoi te donner des migraines.

— En effet, mais je dois néanmoins faire quelque chose, déclara Roger.

Il caressa doucement la surface des plaques avant de reprendre :

— Je vais aller à fort William discuter avec le capitaine Randall. Je dois savoir comment elles sont arrivées là.

Buck loucha vers les plaques en fronçant les lèvres, puis releva les yeux vers Roger.

— Tu crois que ton fiston est avec ton père ?

— Non.

Cette idée ne lui avait pas traversé l'esprit. Il s'y arrêta un instant, puis la chassa.

— Non, mais je commence à me demander si… si Jem est vraiment ici.

Sa phrase resta en suspens un moment, tournant lentement sur elle-même.

— Pourquoi ? demanda enfin Buck.

— Parce que, A, nous n'avons trouvé aucune trace de lui. Et B, à cause de ça.

Il souleva les plaques, les petits morceaux de carton s'agitant dans la brise.

— On croirait entendre ta femme, observa Buck. Elle aussi, elle décompose tout en A, B, C, etc.

— C'est la manière dont son esprit fonctionne, expliqua Roger avec un élan d'affection. Elle est très logique.

Si j'ai raison et que Jem n'est pas ici… où est-il ? Dans un autre temps ? Et s'il n'était jamais parti ? Le mot « logique » semblait avoir déclenché une avalanche de nouvelles possibilités terrifiantes.

— Quand nous avons traversé les pierres, nous nous sommes tous les deux concentrés sur le prénom « Jeremiah », n'est-ce pas ? demanda-t-il.

— Oui.

— Si nous nous étions trompés de Jeremiah ? C'était aussi le prénom de mon père. Et si Rob Cameron n'avait jamais emmené Jem à travers les pierres ?

— Pourquoi ne l'aurait-il pas fait ? Sa camionnette était à Craigh na Dun, et il n'était pas dedans.

— Parce qu'il voulait nous faire croire qu'ils étaient passés de l'autre côté. Quant à pourquoi…

La pensée l'étrangla. Avant qu'il ait pu s'éclaircir la gorge, Buck l'acheva pour lui.

— Pour nous éloigner, pardi ! Et avoir ta belle pour lui tout seul. Je t'avais bien dit qu'il la reluquait étrangement !

Une colère soudaine avait assombri ses traits. Ses paroles avaient fait naître dans l'esprit de Roger des images qui faisaient fuser le sang dans son cerveau. Il dut faire un effort considérable pour conserver son sang-froid.

— Quelles qu'aient été ses intentions, il voulait sans doute également vérifier si la légende des pierres était vraie ; si nous, ou n'importe qui d'autre, pouvions vraiment les traverser. Voir, c'est croire, après tout.

— Tu penses qu'il était tapi dans le coin ? À nous observer pour voir si nous disparaissions ?

Buck serra les poings. Il regarda la maison, puis les montagnes derrière. Roger savait exactement ce qu'il pensait. Il se racla la gorge dans un grognement douloureux.

— Nous sommes partis depuis deux semaines, dit-il. S'il avait l'intention de s'en prendre à Brianna, il aura déjà essayé. (*Mon Dieu, si… Non.*) Brianna sait se défendre et ne le laissera pas s'approcher des enfants. S'il a tenté quelque chose, il est soit derrière les barreaux soit enterré sous le *broch*.

Buck émit un petit ricanement malgré lui.

— Moi aussi, je crève d'envie de me précipiter à Craigh na Dun, poursuivit Roger. Mais réfléchis. Nous savons que Cameron est allé jusqu'au cercle de pierres après avoir enlevé Jem. Ne forcerait-il pas le gamin à les toucher, rien que pour voir ? Et si Cameron ne peut pas traverser mais que Jem est passé de l'autre côté pour lui échapper ?

— Mmphm.

Buck réfléchit puis acquiesça à contrecœur.

— Tu crois que, si l'enfant a traversé les pierres parce qu'il était effrayé par Cameron, il ne serait pas revenu aussitôt ?

— Peut-être ne le pouvait-il pas. Il n'avait pas de pierre précieuse. Et même avec une… Tu sais ce qui t'est arrivé. Chaque fois, c'est pire. Jemmy était peut-être trop effrayé pour essayer.

Ou peut-être a-t-il essayé, n'a pas réussi et est à présent perdu à jamais… NON !

Buck hocha la tête.

— Donc, tu penses qu'il pourrait être avec ton père, après tout ?

Il ne paraissait guère convaincu.

Ne supportant plus de rester assis, Roger se leva brusquement et glissa les plaques dans la poche sur sa poitrine.

— Je n'en sais rien, mais c'est le seul indice tangible que nous ayons. Je dois le vérifier.

45

LA GUÉRISON DES ÂMES

— MAIS QU'EST-CE QUI CLOCHE donc dans ta petite tête de linotte ?

Surpris, Roger se tourna vers Buck.

— D'où sors-tu cette expression ?

— Je la tiens de ta tendre moitié, répondit Buck. Qui est une fort belle femme qui sait parler. Et si tu tiens à retrouver son lit un jour, tu ferais mieux d'y réfléchir à deux fois avant de commettre cette bêtise.

— J'y ai réfléchi et je le ferai, répliqua Roger.

L'entrée de fort William n'avait guère changé depuis qu'il était venu avec Brian Fraser, deux semaines plus tôt. Cette fois, il n'y avait que quelques personnes se pressant sur le pont, un châle sur la tête ou un chapeau rabattu jusqu'aux oreilles. Le fort lui-même paraissait plus sinistre, avec sa muraille grise et austère striée de coulées noires par la pluie battante.

Buck tira sur ses rênes et fit la grimace lorsque sa monture s'ébroua en l'éclaboussant.

— D'accord, je ne t'accompagne pas. Si nous devons le tuer, autant qu'il ne me connaisse pas afin que je puisse m'approcher par-derrière. Je t'attendrai dans cette taverne.

Il indiqua du menton un établissement appelé le Peartree, sur le bord de la route à quelques centaines de mètres du fort, puis éperonna son cheval. Au bout de quelques mètres, il se retourna et lança par-dessus son épaule :

— Une heure ! Si tu ne m'as pas rejoint d'ici là, je viens te chercher !

Roger sourit puis, après lui avoir fait un signe de la main, se mit en route.

Bénissez-moi Seigneur. Aidez-moi à prendre la bonne décision... pour tout le monde, y compris Buck. Et lui...

Il n'avait cessé de prier depuis le jour où Jem avait disparu, quoique, la plupart du temps, il s'agissait du frénétique et réflexif « *Seigneur, faites que tout s'arrange* » de toute personne qui fait face à une crise. Au fil du temps, soit la crise passe soit le priant se lasse. Les prières cessent... ou le priant commence à écouter.

Roger le savait et était donc tout ouïe. Cela ne l'avait pas empêché d'être pris de court en recevant une réponse.

Il avait suffisamment d'expérience en la matière pour reconnaître une réponse quand elle se présentait, aussi désagréable fût-elle. Or, elle lui était apparue sous la forme d'une pensée subite alors qu'ils cheminaient dans la boue et sous la pluie : l'âme de Jack Randall était en danger tout autant que celle de Brian Fraser. Ce n'était décidément pas ce qu'il avait attendu.

Lorsqu'il avait fait part de son trouble à Buck, le visage de celui-ci s'était illuminé.

— Raison de plus pour le trucider ! s'était-il exclamé. On fera d'une pierre deux coups ! On sauve ces gentils Fraser et on évite à ce petit fumier d'aller droit en enfer, à moins qu'il n'ait déjà commis d'autres atrocités qui l'y enverront de toute manière.

Roger avait continué d'avancer un moment avant de demander :

— Dis-moi, par simple curiosité : quand tu étudiais le droit, tu te destinais à la carrière de notaire ou d'avocat ?

— De notaire, pourquoi ?

— Pas étonnant que tu aies échoué. Tout ton talent réside dans l'autre branche. Tu ne peux pas avoir une conversation sans contredire l'autre ?

— Pas avec *toi*, avait répliqué Buck avant de s'élancer au trot en catapultant des paquets de boue derrière lui.

Roger donna son nom au clerc, demanda s'il pouvait s'entretenir avec le capitaine Randall, puis attendit devant un feu de tourbe en secouant ses vêtements jusqu'à ce qu'on vienne le chercher.

À sa surprise, on le conduisit dans la même pièce où Brian Fraser et lui avaient été reçus par le capitaine Buncombe, deux semaines plus tôt. Randall était assis derrière le bureau, une plume à la main. Il releva les yeux avec un air aimable puis se leva à moitié et inclina du chef.

— À votre service, monsieur... MacKenzie, c'est bien ça ? Vous venez de Lallybroch, m'a-t-on informé.

— Votre serviteur, capitaine, répondit Roger en retrouvant naturellement son accent d'Oxbridge teinté d'écossais. M. Brian Fraser a eu la bonté de me donner l'objet que vous aviez apporté. Je voulais vous remercier pour votre aide et vous demander si vous pouviez me dire où il a été trouvé.

Il connaissait la banalité du mal ; les monstres humains se présentaient dans des enveloppes humaines. Même ainsi, il était surpris. Randall était un homme séduisant, assez élégant, avec une expression animée et alerte, un sourire facile et des yeux noirs chaleureux.

Après tout, il est humain, et ce n'est peut-être pas encore un monstre.

Randall essuya sa plume et la laissa tomber dans un pot en grès rempli d'autres plumes tout en répondant :

— C'est un de mes messagers qui l'a apporté. Mon prédécesseur, le capitaine Buncombe, avait envoyé des dépêches à fort George et fort Augustus concernant votre fils. À propos, je suis sincèrement navré de ce qui vous arrive. L'objet se trouvait à Ruthven Barracks, rapporté par une patrouille. J'ignore où elle l'a découvert, mais peut-être mon messager en saura-t-il davantage. Je vais l'envoyer chercher.

Il se dirigea vers la porte et parla au garde de faction. En revenant vers Roger, il s'arrêta devant un cabinet et l'ouvrit. Il contenait un porte-perruque, un poudroir, une paire de brosses, un miroir et un petit plateau sur lequel étaient posés une carafe en cristal taillé et deux verres.

— Permettez-moi de vous offrir un verre, monsieur MacKenzie.

Il versa précautionneusement quelques centimètres de liquide ambré dans chaque verre, en tendit un à Roger et passa le sien sous son nez, ses narines se dilatant légèrement.

— C'est le nectar du pays, apparemment, déclara-t-il avec un sourire ironique. On m'a fait comprendre que j'avais tout intérêt à cultiver un goût pour cet étonnant élixir.

Il but une petite gorgée prudente comme s'il s'attendait à mourir sur-le-champ.

— Si je peux me permettre... observa Roger en veillant à conserver son sérieux. Il est d'usage d'y ajouter un peu d'eau. Certains affirment que cela ouvre le bouquet et rend le whisky plus lisse.

— Vraiment ?

Randall reposa son verre d'un air soulagé.

— Cela me paraît tout à fait raisonnable. Au goût, ce liquide paraît inflammable.

Il cria vers la porte :

— Sanders ! Apportez-nous de l'eau !

Il y eut un silence, ni l'un ni l'autre ne sachant quoi dire.

— La... hum... chose, déclara enfin Randall. Pourrais-je la voir à nouveau ? Elle est assez remarquable. Est-ce un bijou ? Une décoration ?

— Non, c'est une sorte de... charme, répondit Roger.

Il sortit les plaques de sa poche. Il eut un subtil pincement au cœur en songeant aux petits rituels des pilotes, chacun le sien : un caillou porte-bonheur dans la poche, une écharpe particulière, le nom d'une femme peint sur la carlingue de l'appareil. Des charmes, de petits fragments de magie, une protection contre un vaste ciel rempli de feu et de sang. « Pour préserver l'âme. » *En souvenir, du moins.*

Randall les examina en fronçant les sourcils, dévisagea Roger, puis regarda à nouveau les plaques. Il pensait sans doute comme Roger : *Si le charme ne se trouve plus sur la personne qu'il était censé protéger...* Il se garda de tout commentaire, se contentant de caresser délicatement la plaque verte.

— *J. W.,* lut-il. Votre fils s'appelle Jeremiah, n'est-ce pas ?

— Oui. Jeremiah est un vieux prénom dans la famille. C'était également celui de mon père. Je...

Il fut interrompu par l'arrivée du première classe MacDonald, un très jeune soldat dégoulinant de pluie et le teint légèrement bleuté par le froid. Il salua rapidement le capitaine Randall avant d'être pris d'une quinte de toux qui ébranla sa carcasse chétive.

Randall attendit qu'il se soit remis, puis lui demanda de raconter à Roger tout ce qu'il savait sur les plaques, c'est-à-dire pas grand-chose. Un soldat basé à Ruthven Barracks les avait gagnées aux dés dans une taverne locale. MacDonald se souvenait du nom de la taverne : The Fatted Grouse. Il y était allé lui-même. Le soldat avait dit avoir remporté la babiole à un fermier qui rentrait du marché de Perth.

— Vous vous souvenez du nom de ce soldat ? demanda Roger.

— Oh oui, monsieur. C'est le sergent McLehose. Et... laissez-moi réfléchir...

Un large sourire illumina le visage du jeune homme, révélant une dentition tordue.

— Je me souviens même du nom du fermier : M. Anthony Cumberpatch. C'est un nom étrange qui faisait rire le sergent McLehose.

Il pouffa de rire à son tour et Roger ne put s'empêcher de sourire. Randall toussota dans son poing et le jeune soldat cessa aussitôt, se redressant raide comme un piquet.

— Merci, monsieur MacDonald, vous pouvez vous retirer, annonça froidement Randall.

Confus, le jeune homme salua et sortit. Il y eut un silence, durant lequel Roger se rendit compte que la pluie avait redoublé et crépitait comme du gravier sur la grande fenêtre à croisillons. Un courant d'air frais lui caressa le visage. En lançant un regard à l'extérieur, il aperçut la cour en contrebas, ainsi que le poteau de flagellation, sinistre crucifix solitaire, noir sous la pluie.

Seigneur.

Il enroula soigneusement le cordon autour des plaques et les rangea dans sa poche. Puis il releva les yeux vers Randall.

— Le capitaine Buncombe vous a-t-il dit que j'étais pasteur ?

— Non, répondit Randall, légèrement surpris.

Il devait se demander pourquoi Roger lui faisait cette révélation, mais il était poli.

— Mon jeune frère est dans les ordres. Ah… mais dans l'Église anglicane, naturellement.

Roger répondit à sa question implicite avec un sourire.

— Pour ma part, j'appartiens à l'Église d'Écosse, mais, puis-je me permettre de réciter une bénédiction ? Pour demander à Dieu de nous aider, mon cousin et moi, à retrouver mon fils, et pour vous remercier de votre aide si aimable.

Randall cligna des yeux, pris de court.

— Je… euh… oui, pourquoi pas ?

Méfiant, il recula légèrement, prenant appui sur son sous-main. Il fut totalement désarçonné lorsque Roger lui prit les mains et les tint fermement. Il tenta de résister, mais Roger tint bon, le regardant dans les yeux.

— Seigneur, nous demandons ta bénédiction. Guide-nous dans notre quête et accompagne cet homme dans sa nouvelle charge. Que ta lumière et ta présence soient sur nous et sur lui ; que ton jugement et ta compassion nous éclairent. Je te recommande son âme. Amen.

Sa voix se brisa sur le dernier mot. Il lâcha les mains de Randall et toussa, détournant les yeux pendant qu'il se raclait la gorge.

Randall s'éclaircit la gorge lui aussi, gêné.

— Je vous remercie pour… euh… vos bons vœux, monsieur MacKenzie. Je vous souhaite bonne chance dans vos recherches. Ainsi qu'une excellente journée.

— Moi de même, capitaine, répondit Roger en se relevant. Que Dieu vous accompagne.

46

Dis-moi, petit Jésus…

Boston, 15 novembre 1980

LE DR JOSEPH ABERNATHY SE GARA dans son allée, savourant à l'avance sa bière fraîche et son souper chaud. La boîte aux lettres était pleine. Il sortit la liasse de prospectus et d'enveloppes, et la tria tout en marchant vers la maison.

— Facture, facture, loyer, pub, pub, encore de la pub, appel de dons, facture, un imbécile, facture, invitation… Bonsoir, ma chérie.

Il s'arrêta pour recevoir un baiser parfumé de sa femme, puis huma ses cheveux.

— Mmm… Nous avons des saucisses et de la choucroute pour le souper ?

— Toi, répondit-elle en décrochant sa veste du portemanteau d'une main et en lui pinçant une fesse de l'autre. Je sors souper avec Marilyn. Je serai de retour vers neuf heures, si la pluie ne ralentit pas trop la circulation. Quelque chose d'intéressant dans le courrier ?

— Non. Amuse-toi bien !

Elle leva les yeux au ciel et fila avant qu'il ait pu lui demander si elle avait acheté de la bière. Il lança la liasse de courrier à moitié triée sur le comptoir de la cuisine et ouvrit le frigo. Un packet de six canettes de Budweiser l'attendait. L'air, dans la cuisine, était rempli d'une délicieuse odeur de saucisses grillées et de vinaigre qui le faisait saliver. Il détacha une bière de son anneau en plastique en inhalant avec délectation.

— Une bonne épouse vaut tous les rubis du monde, soupira-t-il.

Il avait déjà avalé la moitié de sa première assiettée et en était à sa deuxième bière quand il reposa la page des sports du *Globe* et aperçut l'enveloppe au sommet de la pile de courrier oublié. Il reconnut sur-le-champ l'écriture de Bree. Elle était grande, ronde, avec une inclinaison déterminée vers la droite. Pourtant, quelque chose clochait.

Il la saisit en fronçant les sourcils, se demandant ce qui lui paraissait si étrange… Puis il comprit : le timbre. Elle lui écrivait au moins une fois par mois, lui envoyant des photos des enfants, lui parlant de son travail, de la ferme… Toutes ses lettres portaient des timbres britanniques, à l'effigie violette et bleue de la reine Elizabeth. Celle-ci avait un timbre américain.

Il reposa lentement la lettre comme si elle risquait de lui exploser à la figure et finit sa bière d'une traite. Revigoré, il lécha la moutarde sur son couteau, reprit l'enveloppe et l'ouvrit.

— Dis-moi que Roger et toi avez emmené les enfants à Disneyland, murmura-t-il. Petit Jésus, dis-moi que je vais trouver une photo de Jem serrant la main de Mickey.

À son grand soulagement, il y avait effectivement une photo des deux enfants à Disneyland, souriant à l'objectif dans les bras de Mickey. Il éclata de rire. Puis il aperçut la petite clef qui était tombée de l'enveloppe, la clef d'un coffre bancaire. Il reposa la photo, alla se chercher une autre bière et se rassit pour lire le bref message accompagnant le cliché.

Cher oncle Joe,
J'emmène les enfants voir grand-mère et grand-père. J'ignore quand nous reviendrons. Tu veux bien t'occuper des affaires en notre absence ? (Les instructions sont dans le coffre.)
Merci pour tout, comme toujours. Tu vas me manquer. Je t'aime.
Bree

Il resta un long moment près de son assiette refroidie, contemplant la photo lumineuse et joyeuse.

— Bon sang, ma fille, dit-il doucement. Que s'est-il passé ? Et que veux-tu dire par « J'emmène les enfants » ? Qu'as-tu fait de Roger ?

TROISIÈME PARTIE
Une lame fraîchement sortie de la forge

47

QUELLE TENUE POUR ALLER À LA GUERRE ?

19 juin 1778, Philadelphie

JE ME RÉVEILLAI TOTALEMENT DÉSORIENTÉE. De l'eau gouttait dans un seau en bois. Je fus d'abord prise à la gorge par une forte odeur de pulpe de bois et d'encre, puis perçus le parfum plus subtil et musqué de Jamie ainsi qu'un fumet de bacon frit. J'entendis un cliquetis d'assiettes en étain et le braiment sonore d'une mule. Ce fut ce dernier bruit qui rafraîchit d'un coup ma mémoire. Je me redressai en serrant le drap contre ma poitrine.

J'étais nue, dans le grenier au-dessus de l'imprimerie de Fergus. Lorsque nous avions quitté Kingsessing, la veille, profitant d'une brève accalmie de la pluie, nous avions trouvé Fergus patientant tranquillement dans une cabane à outils près du portail, la mule Clarence et deux chevaux attachés sous son avant-toit.

« Tu ne nous as pas attendus tout ce temps-là ? » avais-je lâché, stupéfaite.

Il avait arqué un sourcil brun et lancé à Jamie un de ces regards entendus qui semblaient innés chez les Français.

« Pourquoi, ça vous a pris autant de temps ?

— Mmphm », avait répondu Jamie d'une manière ambiguë.

Il m'avait expliqué en me prenant le bras :

« Je suis venu avec Clarence, *Sassenach*, mais j'avais demandé à Fergus de me rejoindre un peu plus tard avec un cheval pour toi. Cette mule ne peut pas nous porter tous les deux, et mon dos ne supportera pas de faire tout le chemin à pied.

— Qu'est-ce qu'il a, ton dos ? avais-je demandé.

— Rien qu'une bonne nuit de sommeil dans un vrai lit ne saura guérir. »

Il avait croisé ses mains en étrier pour que j'y pose le pied et m'avait propulsée en selle.

Il faisait déjà nuit quand nous arrivâmes à l'imprimerie. J'envoyai aussitôt Germain sur Chestnut Street pour informer Jenny de l'endroit où je me trouvais, mais j'étais déjà couchée auprès de Jamie à son retour. Je me demandai vaguement qui d'autre se trouvait dans la maison de lord John et ce qui s'y passait. Hal était-il toujours retenu prisonnier ou Ian avait-il décidé de le libérer ?

Dans le cas contraire, Hal avait-il trucidé Denny Hunter ? À moins que Mme Figg ne l'ait abattu d'un coup de fusil...

Jamie avait laissé Ian gérer la situation... ou plutôt les situations, car il s'était passé bien des choses la veille. Elles me paraissaient toutes irréelles, tant celles auxquelles j'avais participé, que celles que Jamie m'avait racontées sur le chemin du retour. Le seul souvenir clair qu'il me restait était celui de notre conversation dans le jardin... et de ce qui avait suivi dans l'abri de jardin. Ma chair en portait encore les échos.

En bas, un petit-déjeuner se préparait. Outre la délicieuse odeur de bacon frit, je sentais du pain fraîchement grillé et du miel. Mon ventre gronda et, au même moment, l'échelle qui menait au grenier se mit à trembler. Quelqu'un montait lentement et, au cas où ce ne serait pas Jamie, j'attrapai ma chemise et l'enfilai rapidement.

Ce n'était pas lui. Un plateau en étain apparut, chargé d'une assiette de nourriture, d'un bol de gruau et d'une grande tasse en grès remplie d'un liquide fumant. Ce n'était pas du thé et cela ne sentait pas le café. Le plateau continua à s'élever et le visage rayonnant d'Henri-Christian apparut dessous. Il le portait en équilibre sur la tête.

Je retins mon souffle jusqu'à ce qu'il soit sain et sauf sur le plancher. Il descendit le plateau de sur son crâne et me le présenta cérémonieusement avec une petite révérence.

— *Merveilleux !* m'exclamai-je en applaudissant.

Il se fendit d'un sourire jusqu'aux oreilles.

— Félicité voulait essayer, m'expliqua-t-il fièrement. Mais elle n'y arrive pas encore avec un plateau chargé. Elle renverse tout.

— Ce serait dommage. Merci, mon chou.

Je me penchai pour l'embrasser. Ses cheveux noirs et bouclés sentaient la fumée de bois et l'encre.

— Qu'est-ce que c'est ? demandai-je en prenant la tasse.

Il lança un regard dubitatif au liquide, puis haussa les épaules.

— C'est chaud, conclut-il.

— C'est un fait, convins-je en serrant la tasse entre mes mains.

Il avait fait chaud dans le grenier, la veille au soir, la chaleur de la journée s'étant accumulée sous la charpente. Malheureusement, il avait plu pratiquement toute la nuit et une humidité froide s'était infiltrée par les trous dans le toit. Quatre ou cinq récipients placés sous les fuites émettaient une symphonie de clapotis.

— Où est *grand-père* ? demandai-je.

Henri-Christian devint rouge vif et pinça les lèvres.

— Quoi ? m'étonnai-je. C'est un secret ?

— Ne t'avise pas de le lui dire ! cria la voix de Joanie depuis l'atelier plus bas. *Grand-père* a dit de se taire !

— Ah, c'est une surprise, dis-je en souriant. Dans ce cas, tu ferais mieux de descendre aider ta maman avant de faire une gaffe.

Il pouffa de rire en pressant ses mains sur sa bouche puis tendit ses bras en l'air, prit son élan et bondit en arrière, atterrissant adroitement sur ses mains. Il marcha ainsi vers l'échelle, ses petites jambes trapues écartées pour conserver son équilibre. Mon cœur fit un bond en le voyant approcher du bord du plancher et je crus un instant qu'il allait tenter de descendre l'échelle la tête en bas. Il se propulsa de nouveau en l'air et retomba sur ses pieds sur le premier échelon avant de disparaître comme un écureuil, gloussant de rire jusqu'en bas.

Sans cesser de sourire, je remis un peu d'ordre dans ma couche de fortune. Nous avions dormi sur une vieille paillasse trouvée dans l'écurie et qui sentait fortement Clarence, ainsi que sur nos capes encore humides recouvertes d'un drap et d'une couverture élimée. Joanie et Félicité nous avaient donné un de leurs oreillers de plumes, se partageant l'autre. Je m'adossai au mur, le plateau perché sur un petit tonneau d'encre en poudre. J'étais entourée de piles de papiers recouvertes de toile cirée pour les protéger des fuites d'eau. Il y avait des rames de papier vierge prêtes à passer sous presse, ainsi que des pamphlets, des prospectus, des affiches et des livres brochés attendant d'être livrés à des clients ou d'être envoyés chez le relieur.

J'entendais la voix de Marsali sous moi, dans l'appartement se trouvant derrière l'atelier, donnant des ordres à ses enfants. La seule voix masculine qui me parvenait était celle d'Henri-Christian. Fergus et Germain devaient être sortis avec Clarence pour distribuer *L'Oignon*, le journal satirique que Marsali et Fergus avaient lancé en Caroline du Nord.

En temps normal, *L'Oignon* était un hebdomadaire. Toutefois, il y avait sur mon plateau un exemplaire de l'édition spéciale du jour, avec un grand dessin humoristique en première page. L'armée anglaise y était dépeinte comme une horde de cafards fuyant Philadelphie en traînant derrière elle des drapeaux déchiquetés et des banderoles proférant des menaces futiles. Une grosse chaussure à boucle sur laquelle était écrit *Général Washington* écrasait quelques traînards.

Une grosse cuillerée de miel jaune opaque fondait lentement au milieu de mon bol de gruau. Je le touillai et y ajoutai un peu de crème, puis m'installai confortablement pour déguster mon petit-déjeuner au lit tout en lisant un article sur l'entrée imminente du général Arnold dans Philadelphie, où il devait prendre sa charge de gouverneur militaire de la ville. Le texte louait son passé militaire et ses exploits héroïques à Saratoga.

Dans combien de temps ? pensai-je avec un léger malaise. *Quand ?* Il me semblait me souvenir que son revirement avait eu lieu… aurait lieu… beaucoup plus tard dans la guerre, lorsque les circonstances auraient transformé Benedict Arnold de patriote en traître. Mais je n'en étais pas sûre.

Peu importait, me répétai-je fermement. Je n'y pouvais rien. En outre, bien avant cela, nous serions de retour à Fraser's Ridge, en sécurité, reconstruisant notre maison et nos vies. Jamie était en vie. Tout irait bien.

La cloche au-dessus de la porte de l'imprimerie tinta et j'entendis les enfants se ruer hors de la cuisine. La voix grave de Jamie flotta au-dessus du brouhaha des salutations enthousiastes et aiguës. Puis Marsali s'écria :

— Père ! Qu'as-tu fait ?

Alarmée, je m'extirpai de mon nid et avançai à quatre pattes vers le bord du grenier pour regarder en bas. Jamie se tenait au milieu de la boutique, ses cheveux dénoués parsemés de gouttes de pluie et entouré d'enfants le regardant avec des yeux admirateurs. Il portait sa cape pliée sur un bras et avait revêtu l'uniforme bleu et beige des officiers de l'armée continentale.

— Putain de bordel de merde! m'exclamai-je.

Il leva la tête et me regarda avec un air de chiot pris en flagrant délit.

— Je suis désolé, *Sassenach*. Je n'ai pas eu le choix.

Il avait grimpé dans le grenier et retiré l'échelle afin que les enfants ne le suivent pas. Je m'habillai rapidement, ou du moins j'essayai, pendant qu'il me parlait de Dan Morgan, de Washington, des autres généraux continentaux et de la bataille à venir.

— *Sassenach*, je n'ai pas pu faire autrement, s'excusa-t-il à nouveau à voix basse. Je suis vraiment navré.

— Je sais, dis-je, les lèvres raides. Je… tu… Moi aussi, je suis désolée.

J'essayai de fermer la douzaine de minuscules boutons du corsage de ma robe, mais mes doigts tremblaient tellement que je n'arrivais même pas à les attraper. Je capitulai et sortis ma brosse à cheveux du sac qu'il m'avait rapporté de Chestnut Street.

Il me la prit doucement des mains et la lança sur notre canapé improvisé, puis m'enlaça la taille et me serra contre lui. J'enfouis mon visage contre son torse. L'étoffe de son nouvel uniforme sentait l'indigo, la coque de noix et la terre savonneuse. Elle était rêche contre ma joue. Je ne pouvais m'arrêter de trembler.

— Parle-moi, *a nighean*, murmura-t-il dans mes cheveux. J'ai peur et je n'ai pas envie de me sentir seul en ce moment. Dis-moi quelque chose.

— Pourquoi fallait-il que ça tombe sur *toi*?

Il émit un petit rire saccadé et je me rendis compte que je n'étais pas la seule à trembler.

— Il n'y a pas que moi, répondit-il en me caressant la tête. En ce moment même, un millier d'autres hommes se préparent, sans doute plus, et ils n'ont pas plus envie que moi d'y aller.

— Je sais, répétai-je. Je sais.

Je tournai mon visage sur le côté pour pouvoir respirer et, soudain, me mis à pleurer.

— Je suis désolée, sanglotai-je. Je ne veux pas… Je ne veux pas te rendre la tâche plus difficile. Je… je… Oh, Jamie, quand j'ai su que tu étais vivant, je me suis revue rentrer chez nous. Avec toi.

Ses bras se resserrèrent autour de moi. Il ne répondit pas et je compris qu'il ne pouvait pas parler.

— Moi aussi, murmura-t-il enfin. Et nous rentrerons, *a nighean*. Je te le promets.

Les bruits du rez-de-chaussée montaient vers nous. Les enfants couraient entre la cuisine et la boutique. Marsali fredonnait en gaélique tout en préparant de l'encre fraîche avec du vernis et du noir de fumée. La porte s'ouvrit, laissant entrer un courant d'air froid et humide, ainsi que les voix de Fergus et de Germain, ajoutant à la joyeuse confusion.

Nous restâmes enlacés, puisant un réconfort dans la présence de notre famille sous nos pieds, regrettant l'absence de ceux que nous ne reverrions peut-être plus jamais. Nous étions à la fois chez nous et sans domicile fixe, en équilibre sur une lame de rasoir, entre le danger et l'incertitude. Mais ensemble.

Je me redressai en reniflant.

— Ne t'imagine pas que tu vas aller à la guerre sans moi, le prévins-je.

— L'idée ne m'a même pas traversé l'esprit, m'assura-t-il gravement.

Il fut sur le point de s'essuyer le nez sur la manche de son uniforme neuf, puis se ravisa et me regarda d'un air impuissant. J'émis un petit rire et sortis le mouchoir que j'avais machinalement glissé sous mon corsage en attachant mon corset. Comme Jenny, j'en avais *toujours* un sur moi.

— Assieds-toi, ordonnai-je en reprenant ma brosse. Je vais te tresser les cheveux.

Il s'était lavé. Ses mèches rousses étaient douces et fraîches entre mes doigts. Elles sentaient le savon français parfumé à la bergamote, un changement radical, après les odeurs de sueur et de choux qui m'avaient enveloppée toute la nuit et que je préférais presque.

— Où as-tu pris un bain ? demandai-je.

— À Chestnut Street, répondit-il d'une voix légèrement tendue. Ma sœur m'y a obligé. Elle m'a dit que je ne pouvais pas me présenter en général en puant comme un dîner pas frais. D'ailleurs, il y avait une baignoire déjà remplie d'eau chaude.

— Mmm... murmurai-je. En parlant de Chestnut Street, comment se porte monsieur le duc de Pardloe ?

Jamie pencha la tête en avant pour faciliter le tressage. Sa nuque était chaude sous mes doigts.

— Il est parti avant l'aube, m'a dit Jenny. Selon Ian, Denny Hunter l'a déclaré suffisamment rétabli, à condition qu'il emporte avec lui une flasque de ta potion magique. Mme Figg lui a donc rendu ses culottes, non sans quelque réticence, ai-je cru comprendre, et il s'en est allé.

— Où ? demandai-je.

La vue de nombreux nouveaux brins argentés dans sa chevelure me pinça le cœur, non pas parce qu'il vieillissait, mais parce que je n'avais pas été à ses côtés pour assister au changement, jour après jour.

— Ian ne le lui a pas demandé, répondit-il. Toutefois, Mme Figg lui a donné les noms de plusieurs amis de lord John, des loyalistes qui seraient peut-être restés en ville. En outre, son fils habite ici, non ? Ne t'inquiète pas pour lui, *Sassenach*. Le duc a la peau dure.

— Tu en sais quelque chose, plaisantai-je.

Je ne lui demandai pas ce qu'il était allé faire à Chestnut Street de si bon matin. Au-delà de Jenny, de Hal et de toutes ses autres préoccupations, il avait voulu savoir si John était réapparu. Apparemment pas, ce qui acheva de m'inquiéter.

Je cherchai un ruban dans ma poche pour attacher la tresse quand un nouveau courant d'air balaya le grenier, soulevant les toiles cirées et faisant frémir les papiers. En me retournant, j'aperçus Germain, se balançant sur la corde du palan au-dessus des portes du grenier, celles par lesquelles les paquets et les tonneaux étaient descendus dans les carrioles garées en dessous.

— *Bonjour grand-père*, lança-t-il en ôtant une toile d'araignée de sur son visage.

Il atterrit sur le plancher et se plia en une grande révérence. Il se tourna vers moi et fit de même.

— *Comment ça va, grand-mère ?*

— Très b…, commençai-je.

Jamie ne me laissa pas finir.

— Non ! déclara-t-il fermement. Tu ne viendras pas avec moi.

Le formalisme de Germain disparut aussitôt. Il essaya l'imploration.

— S'il te plaît, *grand-père* ! Je pourrais t'aider.

— Tes parents ne me le pardonneraient jamais. Je ne veux même pas savoir ce que tu entends par m'aider, mais…

— Je porterai des messages ! Je sais monter à cheval ! Tu le sais puisque c'est toi qui me l'as appris. Et j'ai presque douze ans !

— Tu as conscience du danger ? Si un tireur d'élite anglais ne t'abat pas en selle, un milicien t'assommera pour te voler ta monture. Et je sais compter ! Tu n'as même pas onze ans.

De toute évidence, le danger n'entrait pas en ligne de compte pour Germain. Il poussa un soupir impatient.

— Dans ce cas, je pourrais être ton ordonnance. Je peux trouver de la nourriture n'importe où.

Effectivement, c'était un chapardeur hors pair. Je l'observai d'un air songeur. Jamie surprit mon regard et me fit les gros yeux.

— N'y pense même pas, *Sassenach*. S'il se fait prendre pour vol, il sera pendu ou fouetté et je ne pourrais rien y faire.

— Je ne me suis jamais fait prendre ! déclara fièrement Germain. Pas une seule fois !

— Et on veillera à ce que ça continue, rétorqua son grand-père. On en reparlera éventuellement quand tu auras seize ans…

— Ah oui ? Grannie Janet dit que tu en avais *huit* quand tu as participé à un raid pour la première fois avec ton père !

— Voler du bétail n'a rien à voir avec la guerre et on me tenait à l'écart en cas de bagarre. Et ta Grannie Janet ferait mieux de se taire.

— Je le lui dirai ! rétorqua Germain d'un air renfrogné. Elle a dit que tu avais pris un coup d'épée sur la tête.

— C'est vrai. Et, avec un peu de chance, tu vivras longtemps sans avoir la cervelle brouillée comme ton grand-père. Maintenant, laisse-nous mon garçon. Ta grand-mère doit enfiler ses bas.

Il se leva, remit l'échelle en place et poussa fermement Germain vers elle.

Il croisa les bras et attendit jusqu'à ce que l'enfant descende jusqu'en bas, marquant son mécontentement en sautant les derniers échelons et en atterrissant bruyamment sur le parquet.

Jamie soupira, s'étira délicatement avec un petit gémissement, puis se rassit pour que je finisse sa tresse.

— Dieu sait où nous dormirons ce soir, *Sassenach*, déclara-t-il avec un regard vers notre paillasse. Mais j'espère pour mon dos que ce sera sur une couche un peu plus molle que celle-ci. As-tu bien dormi ?

— Comme un loir, mentis-je en nouant le ruban.

En réalité, j'avais mal partout, sauf peut-être sur le sommet de mon crâne. J'avais à peine fermé l'œil, tout comme lui. Nous avions passé la nuit dans une lente et silencieuse exploration, redécouvrant chacun le corps de l'autre… jusqu'à ce que nos âmes se rejoignent à nouveau, peu avant l'aube. Je me sentais à la fois merveilleusement bien et misérable, les deux sentiments rivalisant en moi sans que je puisse dire, d'un moment à l'autre, lequel des deux l'emportait sur l'autre.

— Quand partons-nous ? demandai-je.

— Dès que tu auras enfilé tes bas, *Sassenach*, et mis de l'ordre dans tes cheveux.

Il baissa les yeux vers mon décolleté plongeant et ajouta :

— … et boutonné ton corsage. Attends, je vais t'aider.

Je louchais en tentant de regarder ses doigts manipuler les petits boutons.

— J'aurais besoin de mon coffre de médecine, déclarai-je.

— Je te l'ai apporté.

Il fronça les sourcils, concentré sur un bouton récalcitrant.

— C'est un bel objet, observa-t-il. Je suppose que c'est un cadeau de sa seigneurie ?

— En effet.

J'hésitai un instant. J'aurais préféré qu'il dise « John » plutôt que « sa seigneurie ». J'aurais également aimé savoir où était John et s'il allait bien. Toutefois, le moment semblait mal venu pour en parler.

Jamie se pencha en avant et déposa un baiser sur le haut de mon sein, son souffle chaud sur ma peau.

— Je ne sais pas si je trouverai un vrai matelas ce soir, déclara-t-il en se redressant. Mais, qu'il soit en plumes ou en paille, tu me promets de le partager avec moi ?

— Toujours, répondis-je en saisissant ma cape.

Je la secouai, la passai sur mes épaules, puis, en m'efforçant de sourire, je déclarai :

— Alors, on y va ?

Outre mon coffre de médecine, Jenny m'avait envoyé de Chestnut Street le grand paquet de plantes de Kingsessing, qui avait été livré chez John la veille au soir. Avec la prévoyance d'une bonne ménagère écossaise, elle y avait inclus une livre de flocons d'avoine, un peu de sel, du bacon, quatre pommes et six mouchoirs propres. Il y avait également un rouleau de tissu sur lequel était épinglé un billet.

Chère sœur Claire,

Apparemment, tu ne possèdes rien de convenable pour aller à la guerre. Je te suggère d'emprunter le tablier d'imprimerie de Marsali en attendant mieux. Je t'envoie deux de mes jupons en flanelle ainsi que ce que Mme Figg a trouvé de plus simple dans ta garde-robe.

Prends soin de mon frère et rappelle-lui que ses bas ont besoin d'être reprisés, car il ne s'en rendra pas compte jusqu'à ce qu'ils soient complètement troués au talon et qu'il ait des ampoules.

Ta belle-sœur,
Janet Murray

Je lançai un regard vers Jamie dans sa splendeur indigo.

— Et comment se fait-il que tu possèdes quelque chose de convenable à te mettre pour aller à la guerre, toi ? demandai-je.

Il rentra le menton et baissa les yeux vers son torse. Son uniforme paraissait complet, depuis la veste équipée d'épaulettes et de l'insigne de brigadier général jusqu'à son gilet en daim et ses bas en soie crème. Grand et le dos droit, avec ses cheveux auburn soigneusement tressés et retenus par un ruban noir, il en imposait.

— La chemise et la culotte m'appartenaient déjà. Je les avais, en rentrant d'Écosse. Quand je suis arrivé à Philadelphie, hier, j'ai raconté à Jenny ma rencontre avec le général Washington et lui ai demandé de faire le nécessaire. Elle a pris mes mesures puis est allée trouver un tailleur et son fils, qu'elle a harcelés, les faisant travailler toute la nuit pour confectionner la veste et le gilet, les malheureux !

Il tira délicatement sur un fil qui dépassait de sa manche. Joanie et Félicité étaient agenouillées à ses pieds et se chamaillaient tout en lustrant les boucles en cuivre de ses souliers.

— Et toi, *Sassenach* ? Comment se fait-il que tu n'aies rien à te mettre ? Sa seigneurie aurait-elle estimé que tu n'avais plus besoin de soigner les gens et t'a fait brûler tes vêtements de travail ?

Cela avait été dit sur le ton de la plaisanterie, avec un air faussement innocent qui laissait clairement entendre que la pique était destinée à faire mal. *« Je ne peux pas affirmer non plus que je n'en ferai pas tout un plat plus tard. »* Je regardai sciemment le coffre que John m'avait offert, puis lui, plissant légèrement les yeux.

— Non, répondis-je. J'ai renversé du vitriol dessus en préparant de l'éther.

Le seul souvenir de cet incident me fit trembler les mains et je reposai la tasse d'infusion d'orties que j'étais en train de boire.

— Bon sang, *Sassenach* ! souffla Jamie, horrifié. Dis-moi au moins que tu ne manipulais pas cette horreur ivre ?

Je pris une profonde inspiration, revivant ce moment tout en m'efforçant de l'oublier. Je me tenais dans la chaleur et la pénombre de la remise sombre derrière la maison, le flacon rond en verre glissant entre mes doigts, le jet de liquide caustique passant à quelques pouces de mon visage, l'odeur suffocante, les trous s'élargissant comme par magie sur mon épais tablier en toile puis sur ma jupe en dessous. Cela s'était passé durant les jours où je me fichais bien de vivre ou de mourir... jusqu'à ce que je passe à un cheveu d'être brûlée vive. Mon point de vue avait radicalement changé. Cela ne m'avait pas convaincue de vivre, mais m'avait fait réfléchir à la meilleure manière de mourir. Se trancher les veines du poignet était une chose ; mourir dans une lente agonie rongée par l'acide en était une autre.

— Non, j'étais sobre, répondis-je. Il faisait très chaud. Mes mains transpiraient et le flacon en verre m'a échappé.

Il ferma les yeux, imaginant la scène, puis il tendit une main par-dessus la tête brune de Félicité et la posa sur ma joue.

— Je t'en prie, dit-il doucement. N'en prépare plus.

Sincèrement, l'idée de fabriquer à nouveau de l'éther ne m'enchantait guère. Sur le plan chimique, ce n'était pas difficile, mais c'était terriblement dangereux. Un faux mouvement, un peu trop de vitriol, un feu un peu trop chaud... Jamie savait aussi bien que moi à quel point la substance était explosive. Je voyais dans ses yeux le souvenir de la Grande Maison en flammes autour de nous.

— Je n'y tiens pas plus que toi, répondis-je sincèrement. Mais... sans éther, il y a beaucoup de choses que je ne peux pas faire. Sans lui, Aidan serait mort, tout comme le neveu de John, Henry.

Il pinça les lèvres en semblant penser qu'Henry Grey n'était pas indispensable. D'un autre côté, il aimait le petit Aidan McCallum Higgins, dont j'avais extrait l'appendice à Fraser's Ridge avec l'aide de ma première production d'éther.

— Grannie *doit* aider les gens à se sentir mieux, *grand-père*, déclara Joanie sur un ton de reproche. C'est sa vocation, a dit maman. Elle ne peut pas faire autrement.

— Je sais, l'assura-t-il. Mais elle n'a pas besoin pour autant de se faire exploser. Après tout, comment prendra-t-elle soin des malades quand elle sera en mille morceaux ?

Félicité et Joanie trouvèrent l'image hilarante. Moi, un peu moins, mais je m'abstins de tout commentaire jusqu'à ce qu'elles soient reparties vers la cuisine avec leur vinaigre et leurs chiffons. Nous nous trouvions dans la chambre de l'appartement, derrière l'imprimerie, préparant nos affaires avant le départ, et momentanément seuls.

Tout en rangeant des bobines de fil, des cordonnets de soie et des aiguilles à suture dans mon coffre, je lui déclarai doucement :

— Tu m'as dit que tu avais peur, mais ça ne t'empêchera pas de faire ce que tu penses devoir faire, n'est-ce pas ? Moi aussi, j'ai peur pour toi, et ça ne t'arrêtera pas non plus.

Bien que j'aie pris soin de parler sans amertume, il était aussi sensible que moi aux tons de voix ce matin.

Il resta silencieux un long moment, contemplant les boucles étincelantes de ses chaussures, puis il releva la tête et me regarda dans les yeux.

— Tu penses que le fait de savoir que les rebelles gagneront parce que tu me l'as dit m'autorise à leur tourner le dos et à partir ?

— Je... Non.

Je refermai le couvercle du coffre. Je ne pouvais détacher mes yeux de son visage. Il me fixait, le regard intense.

— Je sais que tu n'as pas le choix, repris-je. Cela fait partie de qui tu es. Tu ne pourrais pas rester toi-même si tu ne t'en mêlais pas. C'était plus ou moins ce que j'essayais de dire par...

Il m'interrompit en me saisissant le poignet.

— Et qui crois-tu que je suis, *Sassenach*?

— Un foutu bonhomme, voilà ce que tu es!

Je libérai mon bras et voulus me tourner, mais il me retint par l'épaule et me força à le regarder en face.

— Oui, je suis un foutu bonhomme, dit-il avec une légère trace de regret dans les yeux. Je crois que tu en as pris ton parti, mais peut-être ne sais-tu pas vraiment ce que cela veut dire. Être moi-même ne signifie pas uniquement que je verserai mon propre sang s'il le faut, mais également que je devrai sacrifier d'autres hommes pour défendre ma cause. Je ne te parle pas seulement de mes ennemis, mais de gens qui sont mes amis... ou mon propre sang.

Il retira sa main et je vis ses épaules s'affaisser. Il se tourna vers la porte et ajouta:

— Rejoins-moi quand tu seras prête, *Sassenach*.

Je restai plantée là un moment, clignant des yeux, puis courus derrière lui, laissant mon sac à moitié préparé.

— Jamie!

Il se tenait dans l'imprimerie, portant Henri-Christian dans ses bras et faisant ses adieux aux filles ainsi qu'à Marsali. Germain avait disparu et boudait sans doute dans un coin. Jamie se tourna vers moi, surpris, et me sourit.

— Je n'allais pas te laisser, *Sassenach*. Et je ne voulais pas non plus te presser. Tu...

— Je sais. Je veux... j'ai quelque chose à te dire.

Toutes les petites têtes se tournèrent vers moi comme des oisillons attendant la becquée. Il me vint à l'esprit que j'aurais sans doute mieux fait d'attendre que nous soyons sur la route, mais il m'avait paru urgent de le lui dire tout de suite, non seulement pour soulager son angoisse, mais également pour lui faire savoir que je comprenais.

— Il s'agit de William, lâchai-je malgré moi.

Je vis ses traits se brouiller un instant, comme un miroir sur lequel on aurait soufflé. Oui, j'avais bien compris.

— Viens avec moi, *a bhalaich*, dit Marsali en prenant Henri-Christian des bras de Jamie et en le déposant sur le sol. «Ouf!» Tu pèses plus lourd que moi, petit bonhomme! Venez, les filles. Grand-père ne s'en va pas encore. Aidez-moi à porter les affaires de Grannie.

Les enfants la suivirent docilement, tout en lançant des regards intrigués vers nous, leur curiosité frustrée. Les enfants n'aiment pas les secrets, quand ce ne sont pas les leurs. Une fois qu'ils furent sortis, je me tournai à nouveau vers Jamie.

— J'ignorais s'ils étaient au courant au sujet de William. Je suppose que c'est le cas de Fergus et de Marsali, puisque...

— Puisque Jenny le leur a dit, acheva-t-il en levant les yeux au ciel. Qu'y a-t-il, *Sassenach*?

— Il ne peut pas se battre. Peu importe ce que fera l'armée britannique, William a été mis en liberté conditionnelle après Saratoga. Il appartient à l'armée de la Convention. Tu en as entendu parler ?

Il prit ma main et la serra.

— Oui. Tu veux dire qu'il ne peut pas prendre les armes à moins d'avoir été échangé contre un prisonnier continental ?

— Exactement. Personne ne peut être échangé tant que le roi et le Congrès ne parviennent pas à un accord.

Ses traits se détendirent soudain, pour mon plus grand soulagement.

— John essaie de le faire échanger depuis des mois, mais il n'y a aucun moyen. Tu n'auras pas à l'affronter sur le champ de bataille.

— *Taing do Dhia*, soupira-t-il en fermant les yeux un instant. Il y a plusieurs jours que cela me hantait, quand je ne me faisais pas un sang d'encre pour toi, *Sassenach*. On dit «jamais deux sans trois». La troisième fois pourrait être la bonne.

— La troisième fois ? répétai-je. Tu veux bien lâcher mes doigts ? Je ne les sens plus.

— Oh, pardon !

Il les embrassa doucement avant de les libérer.

— J'ai déjà tiré deux fois sur mon fils, expliqua-t-il. Chaque fois, je ne l'ai raté que d'un cheveu. Si cela devait arriver à nouveau… On ne voit pas toujours très clair durant une bataille, et les accidents arrivent. J'en rêvais la nuit et je… Bah, peu importe.

Il chassa ses rêves d'un geste et se tourna. Je posai une main sur son bras pour l'arrêter. Je connaissais ses rêves et je l'avais entendu gémir pendant la nuit, luttant contre eux.

— Culloden ? demandai-je doucement. Ça revient encore ?

J'espérais que c'était Culloden et non Wentworth. Lorsqu'il se réveillait en sursaut après avoir rêvé de la prison, il était en nage, raide, et ne supportait pas qu'on le touche. La nuit précédente, il ne s'était pas réveillé mais avait été agité de sursauts et avait gémi jusqu'à ce que je le prenne dans mes bras. Il s'était alors calmé, tremblant dans son sommeil, son visage pressé contre ma poitrine.

— Ça ne m'a jamais quitté, répondit-il aussi doucement. Et ça ne me quittera jamais. Mais je dors mieux quand tu es près de moi.

48

POUR LE PLAISIR

C'ÉTAIT UN BÂTIMENT EN BRIQUES ROUGES parfaitement ordinaire, sobre, sans fronton ni linteaux en pierre sculptée, mais solide. Ian le contempla d'un œil méfiant. Le siège de l'Assemblée annuelle de Philadelphie, l'instance la plus importante de la Société religieuse des Amis dans les colonies d'Amérique.

— C'est une sorte de Vatican ? demanda-t-il à Rachel. Ou plutôt comme un palais épiscopal ?

Elle lui lança un regard de biais.

— Tu trouves que ça ressemble à un palais, toi ?

En dépit de son ton normal, il pouvait voir son pouls battre rapidement juste sous l'oreille.

— On dirait une banque, observa-t-il.

Elle se mit à rire, puis s'interrompit brusquement en lançant un regard par-dessus son épaule comme si elle craignait que quelqu'un sorte du bâtiment pour la gronder.

— Que font-ils, là-dedans ? demanda-t-il. C'est une grande salle de réunion ?

— Oui, mais il y a aussi de nombreuses affaires à régler. L'assemblée annuelle traite de questions de... je suppose que tu dirais de principes. Nous appelons cela « foi et pratique ». Il y a des livres qui reflètent le sentiment présent de l'assemblée et qui sont réécrits régulièrement, ainsi que des questions. Je crois que tu les reconnaîtrais. Elles ressemblent à l'examen de conscience avant la confession que tu m'as décrit.

— Ah, oui.

Il préféra ne pas s'attarder sur ce sujet. Il ne s'était pas confessé depuis des années mais ne se sentait pas suffisamment coupable pour le moment pour s'en soucier.

— Cette « foi et pratique », c'est là qu'ils décident que tu ne dois pas rejoindre l'armée continentale même si tu ne prends pas les armes ?

Il regretta aussitôt sa question en voyant les traits de Rachel s'assombrir. Cela ne dura qu'un instant. Elle inspira profondément par le nez et releva les yeux vers lui.

— Non, ça, ce serait une opinion formelle. Les Amis examinent une question sous tous ses angles avant de prononcer une opinion, positive ou pas.

Elle avait marqué à peine une hésitation avant de prononcer « ou pas », mais il l'avait entendue. Il lui retira son épingle à chapeau, redressa son chapeau de paille qui était légèrement de guingois, puis enfonça à nouveau l'épingle.

— Et si leur opinion est défavorable et que nous ne trouvons pas une assemblée qui nous accepte, que ferons-nous ? demanda-t-il.

Elle fronça les lèvres avant de répondre.

— Les Amis ne sont pas mariés *par* leur assemblée, ni par un prêtre ou un prédicateur. Ils s'épousent *l'un l'autre*. Et c'est ce que nous ferons, d'une manière ou d'une autre.

Les petites bulles de doute qui avaient flotté dans son estomac toute la matinée commencèrent à éclater. Il mit une main devant sa bouche pour étouffer un rot. La nervosité affectait ses intestins. Il n'avait rien pu avaler durant le petit-déjeuner. Il se tourna légèrement par politesse et aperçut deux silhouettes s'approchant.

— Tiens, voilà ton frère, observa-t-il. Il est bien élégant pour un quaker !

Vêtu de l'uniforme de l'armée continentale, Denzell paraissait aussi piteux qu'un chien de chasse affublé d'un gros nœud-nœud. Ian s'efforça de cacher son amusement et salua son futur beau-frère d'un signe de tête quand ce dernier s'arrêta devant eux. Dottie, sa fiancée, eut moins de scrupules.

— N'est-il pas superbe ? s'émerveilla-t-elle.

Elle recula légèrement pour mieux l'admirer. Denzell toussota dans son poing et remonta ses lunettes sur son nez. Toujours soigné, il n'était pas très grand mais avait de larges épaules et des avant-bras musclés. Ian lui trouvait fière allure dans son uniforme et le lui dit.

— Je veillerai à ce que mon beau plumage ne flatte pas ma vanité, répondit-il sèchement. Et toi, Ian, tu n'as pas été enrôlé comme soldat ?

— Non, Denny. Je ferais un piètre soldat, mais je suis un bon éclaireur.

Il vit le regard de Denzell se promener sur son visage et suivre la double ligne de points tatoués qui contournaient ses pommettes.

— Je n'en doute pas, dit-il en se détendant légèrement. Les éclaireurs ne sont pas astreints à tuer l'ennemi, n'est-ce pas ?

— Non, nous avons le choix, répondit Ian le plus sérieusement du monde. Nous avons le droit d'en tuer si nous le voulons, juste pour le plaisir. Mais ça ne compte pas.

Denzell resta interdit un moment, puis, quand Rachel et Dottie éclatèrent de rire, il sourit enfin.

Le clocher sonna dix heures.

— Tu es en retard, Denny, lui dit sa sœur. Henry a-t-il fait une rechute ?

Le médecin et sa fiancée étaient allés prendre congé du frère de Dottie, Henry, qui était toujours en convalescence après avoir été opéré par Denny et Claire, la tante de Ian.

— D'une certaine manière, répondit Dottie en retrouvant son sérieux. Sauf que son mal n'est pas physique. Il est amoureux de Mercy Woodcock.

— Sa logeuse ? demanda Ian. D'ordinaire, l'amour n'est pas une maladie mortelle.

— Non, à moins de s'appeler Montaigu ou Capulet, répondit Denny. Le problème, c'est que, bien que Mercy l'aime en retour, il se peut qu'elle soit toujours mariée.

— Et tant qu'elle ne reçoit pas la nouvelle que son mari est mort… ajouta Dottie.

— Ou vivant, la reprit Denny. Il y a toujours cette possibilité.

— C'est peu probable, dit Dottie. Tante… je veux dire l'amie Claire a soigné un homme nommé Walter Woodcock qui avait été grièvement blessé à Ticonderoga. Elle a dit qu'il était à l'article de la mort quand il a été c-c-capturé.

Elle buta sur le dernier mot et Ian se souvint que son frère aîné, Benjamin, avait été fait prisonnier.

Denzell vit l'ombre dans le regard de son aimée et lui prit doucement la main.

— Tes deux frères survivront à leurs épreuves, l'assura-t-il. Nous aussi, Dorothea. Il arrive que des hommes meurent et soient mangés par les vers, mais pas par l'amour.

— Pfft ! fit Dottie.

Puis elle lui adressa un petit sourire malgré elle.

— Va, lui dit-elle. Il nous reste encore beaucoup à faire avant de partir.

Denzell acquiesça, sortit une liasse de papiers de sa poche, puis se dirigea vers la porte de l'édifice.

Ian était surpris. Il avait cru qu'ils avaient choisi ce lieu de rendez-vous pour des raisons pratiques, sans savoir que Denny avait affaire avec l'Assemblée annuelle. Il était lui-même en retard. Il devait rejoindre son oncle et tante Claire sur la route de Coryell's Ferry, mais s'était attardé pour aider à charger la carriole. Denny, Dottie et Rachel devaient conduire une voiture chargée de fournitures médicales.

Denny voulait-il prendre conseil pour obtenir un mariage quaker alors même qu'il s'était enrôlé dans l'armée en bravant leur édit... non, Rachel avait appelé ça une « opinion »... sur le soutien à la rébellion ?

En voyant son air perplexe, Dottie lui expliqua sur un ton détaché :

— Il va leur donner son témoignage. Il a tout couché sur le papier, pourquoi il estime que ce qu'il fait est juste. Il va le remettre au secrétaire de l'assemblée et demander que son avis soit considéré et discuté.

— Et ils le feront ?

— Oh, oui, répondit Rachel. Ils ne seront sans doute pas d'accord avec lui, mais ils ne l'empêcheront pas de faire ce qu'il veut. Bonne chance à eux si l'envie leur en prenait !

Elle sortit un mouchoir de sa manche et tamponna ses tempes où perlaient des gouttes de sueur. Le linge était très blanc sur sa peau hâlée. Il sentit un profond élan de tendresse envers elle et lança un regard vers l'horloge du clocher. Il avait espéré avoir une heure seul avec elle avant le départ.

Dorothea regardait toujours la porte derrière laquelle Denzell venait de disparaître.

— Ce qu'il est charmant ! soupira-t-elle comme si elle se parlait à elle-même.

Elle se tourna vers Rachel.

— Il était très mal à l'aise à l'idée de se présenter devant Henry dans son uniforme. Mais nous manquions de temps...

— Ton frère l'a-t-il mal pris ? demanda Rachel.

— On ne peut pas dire que ça lui ait fait plaisir. D'un autre côté, il savait déjà que nous sommes avec les rebelles. Je le lui avais dit. Et puis, c'est mon frère. Il ne me reniera pas.

Ian se demanda si son père se montrerait aussi compréhensif, mais préféra ne pas poser la question. Elle n'avait fait aucune allusion au duc. En outre, les problèmes familiaux de Dottie étaient le moindre de ses soucis pour le moment. Son esprit était occupé par la bataille à venir et tout ce qu'il y avait à faire rapidement. Il croisa le regard de Rachel et ils se sourirent. Toutes les inquiétudes de la jeune femme semblèrent fondre comme neige au soleil quand elle regarda au fond de ses yeux.

Il avait lui aussi des soucis, des contrariétés et des angoisses. Toutefois, au fond de son âme se trouvaient la masse solide de l'amour de Rachel et ce qu'elle lui avait dit, ses paroles brillant comme une pièce d'or au fond d'un puits boueux. « *Nous nous épouserons l'un l'autre.* »

LE PRINCIPE D'INCERTITUDE

COMME ME L'EXPLIQUA JAMIE tandis que nous sortions de Philadelphie, le problème n'était pas de trouver les Anglais, mais de les rattraper avec suffisamment d'hommes et de matériel pour pouvoir intervenir de manière efficace.

— Ils sont partis avec plusieurs centaines de carrioles et de nombreux loyalistes qui ne se sentaient pas en sécurité à Philadelphie. Clinton ne peut pas à la fois les protéger tous et se battre. Il doit donc avancer le plus rapidement possible, ce qui signifie qu'il prendra la route la plus directe.

— Effectivement, on le voit mal couper à travers champ avec tout ce monde, convins-je. Le général Washington a-t-il une idée du nombre de troupes dont Clinton dispose ?

Jamie chassa un taon d'un coup de chapeau.

— Environ dix mille hommes, peut-être plus. Fergus et Germain les ont observés s'assembler avant le départ, mais tu sais combien il est difficile de compter des hommes quand il en sort de toutes les allées et contre-allées.

— Mmm… et… euh… combien d'hommes avons-nous ?

Prononcer ce « nous » me procura une étrange sensation qui se propagea dans la partie inférieure de mon corps, à mi-chemin entre une appréhension paralysante et une fébrilité étonnamment proche de l'excitation sexuelle.

Ce n'était pourtant pas la première fois que je ressentais l'euphorie qui précède la bataille, mais cela faisait longtemps. J'avais oublié.

— Moins que les Anglais, répondit Jamie sur un ton neutre. Cependant, on ne connaîtra pas le nombre exact tant que toutes les milices ne seront pas rassemblées. Prions pour qu'elles n'arrivent pas trop tard.

Il me lança un regard de biais. Je sentis qu'il hésitait à me dire quelque chose. Puis il remit son chapeau et se redressa sur sa selle, préférant se taire. Je penchai la tête en arrière pour le regarder sous les larges bords de ma capeline en paille.

— Quoi ? demandai-je. Tu allais me poser une question.

— Mmphm. C'est vrai mais… je me suis dit que si tu savais quelque chose sur ce qu'il va se passer dans les prochains jours, tu me l'aurais sûrement déjà dit.

— Effectivement.

Je ne savais pas si je devais regretter ou non mon peu de connaissances sur le sujet. Lorsque je songeais aux cas où j'avais cru connaître l'avenir, je réalisais que je n'en avais pas su assez. Je pensai soudain à Frank… et à Black Jack Randall. Mes mains se crispèrent si fort sur mes rênes que ma jument secoua la tête en renâclant.

Jamie se retourna brusquement, surpris lui aussi. Je lui fis signe que tout allait bien et tapotai l'encolure de ma monture pour m'excuser.

— Un taon, mentis-je.

Mon cœur battait à tout rompre contre les baleines de mon corset et je respirai profondément pour me calmer. Je n'avais aucune intention de parler à Jamie de cette vision soudaine, mais elle ne me quittait plus.

J'avais cru savoir que Jack Randall était l'ancêtre de Frank, sept générations plus tôt. Son nom figurait sur l'arbre généalogique que Frank m'avait montré de nombreuses fois. En fait, il était bien son ancêtre... mais sur papier seulement. C'était le petit frère de Jack Randall qui avait engendré la lignée de Frank, mais il était mort avant d'avoir pu se marier à sa maîtresse enceinte. Jack avait épousé Mary Hawkins à la demande de son frère, donnant ainsi un nom et une légitimité à son fils.

Il y avait tant de détails scabreux qui ne figuraient jamais sur ces arbres généalogiques proprets. Brianna était la fille de Frank sur papier... et par amour. Toutefois, le long nez fin et la chevelure flamboyante de l'homme à mes côtés démontraient clairement quel était le sang qui coulait dans les veines de ma fille.

Néanmoins, j'avais cru connaître la vérité. À cause de cette erreur, j'avais empêché Jamie de tuer Jack Randall à Paris, craignant que Frank ne naisse jamais. Et s'il avait tué Randall ? Je lançai un regard vers Jamie, se tenant droit sur sa selle, plongé dans ses pensées, mais l'air déterminé. L'angoisse qui nous avait saisis tous les deux ce matin s'était dissipée.

De nombreuses choses auraient pu arriver ; de nombreuses autres auraient pu ne jamais se produire. Randall n'aurait pas agressé Fergus ; Jamie ne l'aurait pas défié en duel dans le bois de Boulogne... Peut-être n'aurais-je pas fait de fausse couche et perdu notre fille Faith. Quoique... les fausses couches avaient généralement une cause physiologique et non émotive, en dépit de ce que laissaient croire les romans sentimentaux. Néanmoins, le deuil de notre premier enfant était à jamais associé à ce duel dans les bois.

Je chassai ces souvenirs tristes, éloignant mon esprit de ce passé obscur pour l'orienter vers le mystère absolu du futur. Toutefois, juste avant que les images ne disparaissent, une dernière pensée fugace me traversa.

Qu'était devenu l'enfant ? Le fils de Mary Hawkins et d'Alexander Randall, le véritable ancêtre de Frank. Selon toute vraisemblance, il était toujours en vie, quelque part dans ce monde.

Un frisson remonta le long de mon échine. *Denys*. Ce prénom se détacha du parchemin d'un arbre généalogique, des lettres calligraphiées qui prétendaient transmettre un fait, alors qu'elles cachaient presque tout.

Je savais qu'il s'appelait Denys et que, pour autant que je sache, il était l'ancêtre de Frank. Je n'en savais et n'en saurais probablement jamais plus. Je l'espérais. Je souhaitai silencieusement bonne chance à Denys Randall et me concentrai sur autre chose.

LE BON BERGER

VINGT... FOUTUS... KILOMÈTRES! La procession de carrioles s'étirait à perte de vue dans les deux sens, soulevant un nuage de poussière qui masquait pratiquement les mules qui négociaient un virage un kilomètre plus loin. Les gens qui marchaient de chaque côté des véhicules étaient couverts d'une fine poudre brune, tout comme William, bien qu'il maintienne le plus de distance possible avec la colonne qui avançait lentement.

C'était le milieu de l'après-midi et il faisait très chaud. Ils avaient pris la route avant l'aube.

Il s'arrêta un instant pour épousseter les pans de sa veste et boire une gorgée d'eau au goût métallique de sa gourde. Il y avait des centaines de réfugiés, des milliers de suiveurs de camp, tous avec des paquets, des ballots et des charrettes à bras, avec ici et là un cheval ou une mule surchargés qui avaient échappé à la rapacité des charretiers de l'armée. Ils s'étiraient sur une vingtaine de kilomètres entre les troupes ouvrant et fermant le convoi, une masse désordonnée qui lui rappelait le fléau des sauterelles, dans la Bible. Était-ce dans l'Exode ? Il ne s'en souvenait plus, mais la comparaison lui paraissait pertinente.

Certains lançaient des regards derrière eux. Il n'aurait su dire s'ils craignaient d'être poursuivis ou s'ils pensaient à tout ce qu'ils laissaient derrière eux. La ville elle-même n'était plus visible depuis longtemps.

S'il y avait un risque de se transformer en colonne de sel, ce n'était pas à cause du regret mais de la sueur. William s'essuya le front sur sa manche pour la énième fois. Il avait hâte de tourner définitivement le dos à Philadelphie et de ne plus jamais y penser.

Si ce n'avait été d'Arabella-Jane, la ville lui serait déjà totalement sortie de l'esprit, et Dieu savait à quel point il aurait aimé oublier ces quelques derniers jours ! Il tira sur ses rênes et éperonna son cheval en direction de la horde.

Cela aurait pu être pire et avait bien failli l'être. Il avait été à deux doigts d'être renvoyé en Angleterre ou dans le Massachusetts pour rejoindre les autres soldats de l'armée de la Convention. Heureusement que papa, ou plutôt *lord John*, se rappela-t-il fermement, lui avait fait apprendre l'allemand en plus du français, de l'italien, du latin et du grec. Outre les divisions commandées par sir Henry et lord Cornwallis, l'armée incluait un grand corps de mercenaires dirigés par le général von Knyphausen. Ils venaient presque tous du landgraviat de Hesse-Cassel, dont William comprenait le dialecte sans difficulté.

Même ainsi, il avait fallu user de beaucoup de persuasion. Au bout du compte, William avait été accepté parmi la douzaine d'aides de camp de Clinton et chargé de la tâche laborieuse d'aller et venir le long de la colonne qui avançait pesamment, collectant les rapports, envoyant des dépêches et réglant les petits problèmes survenant en route (il s'en produisait toutes les heures). Il s'efforçait de toujours savoir où se trouvaient les médecins et brancardiers les plus proches, vivant dans la hantise que l'une des suiveuses de camp accouche soudainement (il y avait une cinquantaine de femmes enceintes jusqu'aux yeux dans la procession).

Peut-être était-ce de se trouver à proximité de ces femmes pâles, portant leur ventre rond comme un fardeau, souvent avec un autre marmot attaché sur leur dos, qui lui faisait penser à...

Les prostituées savaient sûrement éviter les grossesses, non ? Il ne se souvenait pas d'avoir vu Arabella-Jane prendre la moindre précaution... mais dans son état d'ivresse, il n'aurait sûrement rien remarqué.

Il pensait à elle chaque fois qu'il touchait l'endroit sur ses clavicules où aurait dû se trouver son gorgerin. Si on lui avait posé la question, il aurait répondu qu'il le mettait tous les matins avec son uniforme sans y penser. Toutefois, compte tenu du nombre de fois où Arabella-Jane réapparaissait dans son esprit, il devait avoir la manie de le tripoter sans cesse.

La perte de son gorgerin lui avait valu cinq minutes pénibles au cours desquelles le maréchal de camp, le capitaine Duncan Drummond, avait passé en revue sa personnalité, sa tenue, son hygiène et ses faiblesses diverses et variées. Il avait également dû payer une amende de dix shillings pour la dégradation de son uniforme. Il n'en voulait pas à Arabella-Jane pour l'argent.

Il ne pouvait s'empêcher de guetter le capitaine Harkness. Leur rencontre avait été trop brève pour qu'il se souvienne de son régiment. Toutefois, il n'y avait pas beaucoup de compagnies de dragons parmi les troupes qui les accompagnaient. Il était en train de remonter la colonne, effectuant sa tournée quotidienne sur Visigoth, un grand hongre bai qui trouvait leur pas trop lent et ne cessait de tirer sur ses rênes, réclamant un galop. William le maintenait au petit trot, saluant les compagnies au passage, cherchant des yeux les caporaux et les sergents pour s'assurer qu'il n'y avait pas de problème et qu'ils ne nécessitaient pas son aide.

Il aperçut un groupe de loyalistes particulièrement défraîchis qui s'étaient arrêtés sur le bord de la route, faisant une pause à l'ombre d'un groupe épars de jeunes chênes et d'une charrette contenant tous leurs biens empilés dans un équilibre précaire.

— De l'eau arrive ! leur lança-t-il.

Les traits des femmes s'animèrent sous leurs bonnets et l'homme qui les accompagnait se leva, lui faisant un signe.

William s'arrêta en reconnaissant M. Endicott, un riche marchand de Philadelphie, et sa famille. Il avait dîné chez eux plusieurs fois et avait dansé avec les deux Mlles Endicott à plusieurs reprises.

— À votre service, monsieur, déclara-t-il en ôtant son chapeau.

Il se tourna vers les dames.

— Mes hommages, madame Endicott, mademoiselle Anne, mademoiselle Sally... Votre humble serviteur, mademoiselle Peggy.

Peggy Endicott, âgée de neuf ans, rosit jusqu'à la racine des cheveux tandis que ses deux grandes sœurs échangeaient un regard entendu par-dessus sa tête.

— Est-il vrai que nous sommes poursuivis de près par les rebelles, lord Ellesmere ? demanda M. Endicott. Les dames sont assez préoccupées par cette possibilité.

Il tenait un grand mouchoir en flanelle rouge avec lequel il essuyait son visage rond.

— Les dames n'ont aucune raison de s'inquiéter, le rassura William. Vous êtes sous la protection de l'armée de Sa Majesté.

— Oui, oui, nous le savons, répondit Endicott, légèrement énervé. Autrement, nous ne serions pas là, je vous l'assure. Mais a-t-on une idée d'où se trouve Washington en ce moment ?

Visigoth piaffait, impatient de repartir. William tira sur les rênes et fit claquer sa langue pour le rappeler à l'ordre.

— Oui, monsieur, répondit-il respectueusement. Plusieurs déserteurs nous ont rejoints hier soir. Selon eux, Washington rassemble ses troupes, probablement dans l'espoir de nous rattraper, mais il ne dispose que de deux mille soldats réguliers, plus quelques milices mal équipées.

M. Endicott parut légèrement rassuré, ce qui n'était pas le cas de sa dame et des demoiselles. Mme Endicott tira sur la manche de son mari et lui murmura quelque chose à l'oreille.

— Je vous ai dit que je m'en occupais, madame ! s'échauffa-t-il.

Il avait ôté sa perruque en raison de la chaleur et portait un mouchoir en soie à pois noué sur le crâne. De petits cheveux gris pointaient sous les bords du tissu tels des antennes d'insecte en colère.

Mme Endicott pinça les lèvres et recula avec un air dépité pendant que Mlle Peggy, enhardie par la galanterie du capitaine Ellesmere, trottinait vers lui et posait la main sur son étrier. Effrayé par le fragment de calicot remuant dans un coin de son champ de vision, Visigoth fit un écart brusque. Mlle Peggy poussa un cri, recula en titubant et tomba à la renverse. Toutes les dames Endicott se mirent à hurler, mais William n'y pouvait rien. Il s'efforça de maîtriser son cheval, qui tournait sur lui-même en faisant des bonds de côté, jusqu'à ce qu'il se calme enfin, hennissant et mastiquant nerveusement son frein. Il entendait les plaisanteries des fantassins qui passaient à côté, faisant un détour pour les contourner.

— Mlle Peggy n'a rien ? demanda-t-il essoufflé lorsqu'il fut enfin parvenu à ramener Visigoth sur le bord de la route.

Mlle Anne l'attendait, le reste de la famille ayant battu en retraite derrière la charrette. Il entendait la fillette hurler.

— Mis à part la fessée que papa est en train de lui donner pour avoir failli se faire tuer, elle est indemne, répondit-elle d'un air amusé.

Elle s'approcha prudemment en surveillant Visigoth du coin de l'œil. Calmé, le cheval tirait le cou pour attraper l'herbe sur le sol.

— Je suis navré d'avoir provoqué cet incident, s'excusa William.

Il fouilla dans sa poche et n'y trouva qu'un mouchoir froissé et une pièce de six pence qu'il tendit à Anne.

— Vous voulez bien lui donner ceci avec mes excuses ?

— Elle s'en remettra vite, répondit-elle en prenant néanmoins l'argent.

Elle lança un regard par-dessus son épaule, puis, baissant la voix, dit rapidement :

— Je... j'ose à peine vous le demander, lord Ellesmere, mais... une roue de notre charrette s'est brisée et mon père ne parvient pas à la réparer. Il refuse d'abandonner nos affaires et ma mère est terrifiée à l'idée que les rebelles s'en emparent.

Elle l'implorait d'un regard intense et brillant. Elle avait de très beaux yeux noirs.

— Pourriez-vous nous aider ? S'il vous plaît ? C'est ce que ma petite sœur voulait vous demander.

— Ah. Quel est le problème exactement... Non, peu importe. Laissez-moi y jeter un coup d'œil.

Après tout, un petit arrêt ne ferait pas de mal à Visigoth. Il descendit de selle et attacha le cheval à l'un des jeunes chênes, puis suivit Mlle Anne jusqu'à la charrette.

Elle débordait du même assortiment pêle-mêle qu'il avait vu sur les docks deux jours plus tôt. Une grande horloge pointait hors de piles de vêtements et de linge de maison. Un pot de chambre en faïence était bourré de mouchoirs, de bas et de ce qui devait être le coffre à bijoux de Mme Endicott. Pourtant, cette fois, la vue de cet amas hétéroclite l'émut.

C'étaient les vestiges d'une vraie maison dans laquelle il avait été invité ; le fatras et les trésors de gens qu'il connaissait... et qu'il appréciait. Il avait entendu cette même horloge, avec son chapiteau en bois ajouré, sonner minuit juste avant qu'il ne vole un baiser à Anne Endicott dans le couloir sombre de son père. Il entendait encore son doux *bong, bong* résonner dans ses entrailles.

— Où irez-vous ? demanda-t-il en posant une main sur le bras de Mlle Endicott.

Elle se tourna vers lui, le teint rouge et le front soucieux, ses cheveux noirs sortant de sous son bonnet, mais toujours digne.

— Je ne sais pas. Ma tante Platt vit dans un petit village près de New York, mais je doute que nous arrivions jusque-là.

Elle indiqua du menton la charrette cassée, entourée de sacs et de ballots noués à la hâte.

— Peut-être trouverons-nous un lieu sûr plus proche où nous attendrons que mon père aille prendre... les dispositions nécessaires.

Elle pinça brusquement les lèvres et il se rendit compte qu'elle faisait un effort considérable pour ne pas perdre sa contenance. C'étaient des larmes non versées qui faisaient tant briller ses yeux. Il lui prit la main et déposa un baiser sur le bout de ses doigts.

— Je vais vous aider, assura-t-il.

Plus facile à dire qu'à faire. Bien que l'essieu de la charrette soit intact, la roue, non contente d'avoir heurté une pierre saillante et d'être sortie de son axe, avait perdu la jante métallique qui retenait les rais. Ceux-ci, mal collés, s'étaient éparpillés. La roue gisait en morceaux dans l'herbe. Un papillon orange et noir s'était posé sur le moyeu isolé et éventait paresseusement ses ailes.

Les craintes de Mme Endicott étaient justifiées, tout comme l'anxiété de son mari, qu'il tentait sans grand succès de cacher derrière de l'irascibilité. S'ils restaient échoués trop longtemps, la procession poursuivrait sa route sans eux. Même si les troupes régulières de Washington se déplaçaient trop rapidement pour se livrer au pillage, il y avait toujours des charognards qui rôdaient autour d'une armée, quelle qu'elle soit.

Il inspecta longuement les dégâts, laissant le temps à M. Endicott, le teint toujours rouge mais plus calme, de s'extirper de son imbroglio familial, suivi de Peggy, aussi rouge que son père et l'air abattu. William attira le marchand légèrement à l'écart des dames.

— Êtes-vous armé, monsieur ? lui demanda-t-il à voix basse.

Endicott pâlit et sa pomme d'Adam sursauta au-dessus de sa cravate couverte de poussière.

— J'ai une carabine qui appartenait à mon père, répondit-il d'une voix à peine audible. Je... c'est que... elle n'a pas servi depuis vingt ans.

Fichtre. William lui-même se sentait nu et vulnérable sans une arme. Endicott avait une bonne cinquantaine d'années et était seul pour protéger quatre femmes.

— Je vais vous trouver de l'aide, déclara-t-il sur un ton ferme.

M. Endicott prit une très profonde inspiration. William crut qu'il allait se mettre à sangloter s'il était contraint à parler. Il se tourna et se dirigea tranquillement vers les dames tout en parlant.

— Il doit bien y avoir un charron ou un tonnelier parmi tous ces gens. Ah ! Je vois le porteur d'eau. (Il tendit la main à Mlle Peggy.) Si nous allions le chercher ensemble, mademoiselle. Je suis sûr qu'il ne refusera rien à un si joli minois.

Sans sourire, elle renifla, s'essuya le nez sur sa manche, se redressa et prit sa main. On ne pouvait reprocher aux dames Endicott leur manque de courage.

Une mule à l'air blasé tirait une carriole chargée de plusieurs tonneaux d'eau au milieu de la foule, son conducteur s'arrêtant quand il était hélé. William se fraya un chemin vers lui, portant Peggy dans ses bras pour qu'elle ne soit pas piétinée (et pour le plus grand plaisir de la fillette), puis dirigea le porteur d'eau vers les Endicott. Il salua ensuite galamment les dames, remonta en selle et se mit en quête d'un charron.

L'armée voyageait avec l'équivalent de plusieurs villages d'artisans et d'hommes dits « de soutien » : tonneliers, menuisiers, cuisiniers, forgerons, maréchaux-ferrants, charrons, conducteurs de bestiaux, cochers, brancardiers... Sans parler de la légion de blanchisseuses et de couturières se trouvant parmi les suiveurs de camp. Il ne lui faudrait pas longtemps avant de trouver un ouvrier qualifié capable de secourir les Endicott. Il lança un regard vers le soleil : il était près de trois heures de l'après-midi.

L'armée avançait d'un bon pas, ce qui ne voulait pas dire qu'elle allait vite. En dépit de la chaleur étouffante, Clinton avait ordonné qu'on marche deux heures supplémentaires par jour. Il restait donc quatre heures avant qu'ils ne montent le camp. Avec un peu de chance, d'ici là les Endicott seraient en mesure de reprendre la route et pourraient suivre la procession le lendemain.

Un grondement de sabots et des sifflets attirèrent son attention. En se retournant, il aperçut des plumets de dragons au-dessus des têtes. Il fit faire demi-tour à Visigoth et se dirigea vers eux, examinant chaque visage à mesure que les soldats défilaient devant lui en rangs de deux. Plusieurs d'entre eux le regardèrent, surpris, et un officier lui fit des gestes irrités auxquels il ne prêta pas attention. Une petite voix dans sa tête lui demanda ce qu'il comptait faire une fois qu'il aurait retrouvé Harkness. Il la fit taire également.

Une fois parvenu à la fin de la compagnie, il fit demi-tour et remonta la colonne de l'autre côté, regardant par-dessus son épaule les rangées de visages perplexes, certains offensés, d'autres amusés. Non… non… non… peut-être ? Serait-il seulement en mesure de le reconnaître ? Il était très ivre, ce soir-là. D'un autre côté, il ne doutait pas que Harkness *le* reconnaîtrait.

À présent, toute la compagnie le fixait, intriguée, quoique sans animosité ni crainte. Leur colonel tira sur ses rênes et appela William.

— Hé, Ellesmere ! Tu as perdu quelque chose ?

William plissa des yeux contre le soleil et reconnut Ban Tarleton qui lui souriait sous son flamboyant casque à plumes. Il lui fit signe de le rejoindre. William fit à nouveau tourner sa monture et vint trotter à ses côtés.

— Pas vraiment perdu, expliqua-t-il. Je cherche un dragon que j'ai rencontré à Philadelphie. Un certain Harkness. Ça te dit quelque chose ?

Ban fit la grimace.

— Oui. Il appartient au vingt-sixième régiment. Un chaud lapin, celui-là. Toujours en train de courir après les femmes.

— Et pas toi, peut-être ?

Ban n'était pas un ami proche, mais William avait participé à une ou deux virées nocturnes avec lui à Londres. Il ne buvait pas beaucoup, mais il n'en avait pas besoin. Il était de ces hommes qui paraissaient toujours avoir un petit coup dans l'aile.

Tarleton se mit à rire, son visage coloré par la chaleur et ses lèvres aussi rouges que celles d'une fille.

— Certes, mais Harkness, lui, il ne pense qu'à ça. Un jour, je l'ai vu monter dans un bordel avec trois filles.

— Trois ? Deux, je peux comprendre mais… à quoi sert la troisième ?

Ban, qui avait quatre ans de plus que William, lui adressa le regard compatissant qu'on réservait habituellement aux puceaux et aux vieux garçons. William lui donna un coup dans l'épaule qu'il esquiva en riant.

— C'est bon, j'ai compris, bougonna William. Cela mis à part, je recherche un charron ou un tonnelier. Tu en connais dans les parages ?

Tarleton remit son casque d'aplomb et fit un geste vague vers le convoi des bagages.

— Non, mais il y en a forcément un dans cette cohue. Dans quel régiment es-tu, ces temps-ci ?

Il examina soudain William en fronçant les sourcils. Il venait de s'apercevoir que son uniforme était incomplet.

— Où sont ton épée et ton gorgerin ?

William serra les mâchoires, grinçant littéralement des dents en raison de la poussière dans l'air, puis résuma en quelques mots sa situation militaire. Il ne mentionna pas où ni dans quelles circonstances il avait perdu son gorgerin et, après un bref salut, fit à nouveau demi-tour et redescendit la colonne. Il soufflait comme s'il avait couru un marathon et des décharges électriques parcouraient ses bras et ses jambes, se rejoignant à la base de sa colonne vertébrale.

Sa conversation avec Tarleton avait ravivé sa frustration et, ne pouvant rien changer à sa situation, il défoula sa colère en imaginant ce qu'il ferait à Harkness s'il trouvait le vingt-sixième régiment de cavalerie légère. Il porta machinalement la main sur son torse et son besoin de violence soudain se transforma en une pulsion lubrique tout aussi brutale qui le laissa étourdi.

Puis il se souvint de sa mission première et eut honte. Il ralentit son cheval et se calma. Harkness pouvait attendre, pas les Endicott.

Le sort de cette famille l'attristait, et pas uniquement parce qu'il était penaud de s'être laissé distraire. Il se rendait compte que pendant qu'il s'était trouvé avec les Endicott, partageant leurs soucis, il avait oublié. Oublié le fardeau qu'il portait en lui comme un boulet de plomb dans sa poitrine. Oublié ce qu'il était réellement.

Comment aurait réagi Mlle Anne si elle avait su ? Et ses parents ? Même… enfin, non. Il sourit malgré lui. Il doutait que Peggy Endicott se scandaliserait s'il lui annonçait qu'il était en réalité un coupe-jarret, un cannibale ou pire encore…

Mais tous les autres gens qu'il connaissait… Les Endicott n'étaient qu'une famille loyaliste parmi d'autres à l'avoir accueilli chez eux. Il avait eu tellement honte qu'il n'avait pas osé prendre congé convenablement de ceux qui étaient restés à Philadelphie.

Il lança un regard derrière lui. Les Endicott étaient à peine visibles, assis en cercle dans l'herbe, partageant un repas. Leur complicité lui pinça le cœur. Il n'avait jamais fait partie d'une vraie famille et ne pouvait même pas espérer épouser une femme aux origines aussi modestes qu'Anne Endicott.

Même si le père de cette dernière était ruiné, même s'il perdait tous ses biens et son commerce, même si la famille sombrait dans la misère, les Endicott resteraient eux-mêmes, courageux et fiers de leur nom. Pas lui. Son nom ne lui appartenait pas.

Enfin… il pouvait se marier, admit-il à contrecœur en se dirigeant vers un groupe de suiveurs de camp. Mais seule une femme qui ne s'intéresserait qu'à son titre et à sa fortune voudrait de lui. Se marier dans de telles conditions, en sachant que son épouse le mépriserait et que ses fils porteraient sa tache dans leur sang…

Ces pensées déprimantes s'envolèrent soudain lorsqu'il aperçut un petit groupe d'artisans marchant de chaque côté d'une grande carriole transportant leurs outils.

Il fondit sur eux tel un loup sur un troupeau de moutons affolés et isola un bon charron bien gras qu'il persuada, à force de menaces et de subornation, de grimper en selle derrière lui. Satisfait, il emmena sa proie aux Endicott.

Rasséréné par leur gratitude, il repartit vers le nord, la tête de l'armée et son dîner. Absorbé par des images de poulet rôti et de sauce au jus de viande (il dînait avec l'état-major de Clinton et donc très bien), il ne remarqua pas tout de suite le cavalier qui s'était approché et chevauchait à ses côtés.

— Vous semblez bien songeur, dit une voix vaguement familière.

En tournant la tête, il reconnut le visage souriant de Denys Randall-Isaacs.

William le considéra avec un mélange de curiosité et d'agacement. Un an et demi plus tôt, au cours d'une mission conjointe au Canada, Randall-Isaacs l'avait abandonné à Québec, disparaissant du jour au lendemain et le laissant passer l'hiver sous la neige avec des religieuses et des migrants. L'expérience avait amélioré son français et ses capacités de chasseur, mais pas son humeur.

— Capitaine Randall-Isaacs, le salua-t-il d'un air indifférent.

Loin de se laisser intimider par sa froideur, le capitaine sourit de plus belle.

— Je ne suis plus que Randall, désormais. L'autre nom, c'était pour faire plaisir à mon beau-père, mais comme il n'est plus de ce monde…

Il haussa une épaule, laissant William en tirer la conclusion évidente : un patronyme à consonance juive ne pouvait guère servir un jeune officier ambitieux.

— Je suis surpris de vous trouver ici, reprit-il comme s'ils s'étaient croisés dans un bal un mois plus tôt. Vous étiez à Saratoga avec Burgoyne, n'est-ce pas ?

Les doigts de William se crispèrent sur les rênes et il expliqua patiemment, sans doute pour la vingtième fois, son statut particulier.

Randall hocha la tête avec respect.

— C'est toujours mieux que de faucher du foin dans le Massachusetts, opina-t-il. Vous n'avez pas envisagé de rentrer en Angleterre ?

— Non, répondit William, surpris. D'une part, je doute que ma libération conditionnelle m'y autorise. De l'autre, pour quoi faire ?

Il ne voulait même pas penser à ce qui l'attendait à Helwater, à Ellesmere ou à Londres. *Doux Jésus…*

— En effet, pour quoi faire ? répéta Randall d'un air songeur. D'un autre côté, vous n'aurez plus beaucoup d'occasions de vous distinguer ici, non ?

Il baissa le regard vers la ceinture de William, dépouillée d'arme, et détourna rapidement les yeux comme si la vue était choquante. Elle l'était.

William s'efforça de rester calme et demanda :

— Et que croyez-vous que je puisse faire en rentrant ?

— Vous êtes comte, souligna Randall. Vous avez un siège à la Chambre des lords. Pourquoi ne pas vous en servir pour accomplir quelque chose ? Entrez en politique. Je doute que votre libération conditionnelle vous en empêche, tant que vous ne rejoignez pas l'armée. Le voyage lui-même ne devrait pas être un problème.

— Je n'y avais pas pensé, répondit poliment William.

Il ne pouvait imaginer une activité lui convenant moins que la politique… à moins que le fait de vivre une imposture soit déjà un acte politique.

Randall agitait la tête d'un côté et de l'autre sans cesser de sourire. Il était tel que lorsque William l'avait vu la dernière fois : ses cheveux noirs tirés en arrière mais non poudrés, avec des traits harmonieux, svelte sans être frêle, gracieux, affichant en permanence une expression cordiale et bienveillante. Il n'avait pas beaucoup changé, ce qui n'était pas le cas de William. Il avait deux ans de plus à présent et avait gagné en expérience. Il était à la fois surpris et plutôt satisfait d'être capable de se rendre compte que Randall essayait de le manipuler comme s'ils jouaient une partie de bésigue.

— Il y a toujours d'autres possibilités, déclara-t-il sur un ton vague.

Il fit faire un détour à son cheval pour contourner une énorme flaque d'urine boueuse qui s'était accumulée dans une ornière. La monture de Randall s'y arrêta pour y apporter sa contribution. Son cavalier attendit aussi dignement qu'il était possible dans ce genre de situation, sans tenter de hausser la voix pour se faire entendre par-dessus le vacarme. Puis il s'extirpa de la boue et rejoignit William avant de reprendre leur conversation.

— Des possibilités, dites-vous ? À quoi pensez-vous ?

Il paraissait sincèrement intéressé et William se demanda pourquoi.

— Vous vous souvenez sûrement du capitaine Richardson ? demanda-t-il nonchalamment tout en observant les traits de Randall.

Ce dernier haussa un sourcil, mais n'afficha aucune émotion particulière.

— En effet, répondit-il sur un ton neutre. Vous avez vu ce brave capitaine récemment ?

— Oui, il y a deux jours.

L'agacement de William avait disparu et il observa avec intérêt la réaction de Randall.

Le capitaine ne parut pas décontenancé, mais il s'était légèrement tendu. William le sentait hésiter entre lui demander de but en blanc ce qu'ils s'étaient dit ou changer de tactique.

— Lord John est-il avec sir Henry ? demanda-t-il.

William ne s'était pas attendu à un tel saut du coq à l'âne, mais il n'avait aucune raison de ne pas répondre.

— Non. Pourquoi le serait-il ?

— Vous ne savez pas ? Le régiment du duc de Pardloe se trouve à New York.

— Vraiment ?

William s'efforça de masquer sa surprise.

— D'où le tenez-vous ? demanda-t-il.

Randall agita une main aux ongles parfaitement manucurés comme si la réponse à cette question n'avait pas d'importance, et sans doute n'en avait-elle pas.

— Pardloe a quitté Philadelphie ce matin avec sir Henry, poursuivit-il. Comme le duc a rappelé lord John au service, je pensais que…

— Il a *quoi* ?

Son exclamation perturba Visigoth, qui secoua vivement la tête en hennissant. William tapota son encolure et en profita pour cacher son visage un moment. Son père était *ici* ?

— Je suis passé chez votre père à Philadelphie, hier, expliqua Randall. Une dame écossaise assez étrange – ce doit être sa gouvernante – m'a dit qu'il était parti depuis plusieurs jours. Mais si vous ne l'avez pas vu…

Randall étira le cou pour regarder au loin. Un nuage de fumée s'élevait au-dessus de la cime des arbres, des feux de cuisson, de lavage et de guet marquant l'emplacement du camp en train d'être monté. Leur odeur piquante chatouillait agréablement les narines et William entendit son ventre gronder.

— Hop! Hop! Au pas de course! On se dépêche! cria un sergent derrière eux.

Ils s'écartèrent pour laisser passer une double colonne de fantassins. Impatients de dîner et de déposer leurs armes pour la nuit, ces derniers n'avaient guère besoin d'être encouragés.

Cette pause permit à William de réfléchir. Devait-il proposer à Randall de dîner avec lui afin de le faire parler? Ou s'éloigner au plus vite de cet homme en se servant du prétexte de devoir se présenter à sir Henry? Et si lord John était vraiment avec sir Henry en ce moment? Et son oncle Hal? Ce dernier choisissait bien son moment pour réapparaître!

Randall avait visiblement eu le temps de réfléchir lui aussi et avait pris une décision. Il revint à la hauteur de William, puis, après un bref regard à la ronde pour s'assurer que personne ne pouvait l'entendre, il se pencha vers lui et déclara à voix basse:

— Je vous dis ça en ami, Ellesmere, même si vous n'avez aucune raison de me faire confiance. J'espère toutefois que vous m'entendrez. Pour l'amour de Dieu, n'acceptez aucun projet que Richardson pourrait vous proposer. Ne l'accompagnez nulle part, quoi qu'il advienne. Dans la mesure du possible, évitez-le comme la peste.

Là-dessus, il fit claquer ses rênes, fit tourner sa monture et partit au galop, prenant la direction opposée au camp.

51

LE CHAPARDEUR

SANS LES MIGRAINES, Grey aurait presque trouvé sa situation supportable. La douleur dans son flanc s'était atténuée jusqu'à devenir tolérable. Il avait probablement une côte fêlée, mais tant qu'on ne lui demandait pas de courir, ce n'était pas un problème. Son œil, en revanche…

Non seulement, il refusait obstinément de bouger d'un côté à l'autre, mais, dans un effort de synchronisation avec son compagnon, il ne cessait de sursauter dans son orbite, tirant ce qui l'entravait (comment le Dr Hunter l'avait-il appelé déjà? Le muscle orbiculaire?). Outre la douleur et l'épuisement, il voyait double et souffrait d'épouvantables maux de tête. Lorsqu'ils faisaient des haltes, il était incapable de manger, n'aspirant qu'à s'allonger dans le noir et à attendre que cessent les élancements.

Lorsqu'ils montèrent le camp du soir, après leur seconde journée de marche, il pouvait à peine voir de son bon œil et était pris de haut-le-cœur.

Il tendit sa galette de maïs à son voisin, un tailleur de Morristown nommé Phillipson.

— Tenez, prenez-le. Je ne peux pas…

Il s'interrompit et pressa le talon de sa main contre son orbite. Des étincelles vertes et jaunes jaillirent sous sa paupière, accompagnées d'éclats de lumière blanche, mais la pression atténuait momentanément la douleur.

Phillipson glissa la galette dans le sac de Grey.

— Garde-le pour plus tard, Bert.

Il se pencha pour examiner le visage de Grey à la lumière du feu.

— Ce qu'il te faut, c'est un cache pour cet œil, conclut-il. Au moins, ça t'empêchera de le frotter ; il est plus rouge que les bas d'une catin. Attends.

Il ôta son vieux chapeau de feutre, sortit une petite paire de ciseaux de sa poche et découpa un cercle parfait dans le bord de la coiffe. Il frotta un peu de résine d'épicéa sur le contour pour le faire tenir, puis le plaça délicatement sur l'orbite de Grey, l'attachant à l'aide d'un mouchoir à pois prêté par un autre milicien. Tout le groupe s'était rassemblé autour de lui. Les hommes lui témoignaient leur sollicitude, lui offraient à boire et à manger, se demandaient dans quelle compagnie trouver un médecin qui pourrait lui faire une saignée. Ils étaient tellement prévenants que, dans son état de fatigue et de faiblesse, Grey en aurait versé une larme.

Il les remercia tous. Après une gorgée d'une boisson non identifiable mais fortement alcoolisée de la gourde de Jacob, il s'assit sur le sol, ferma son bon œil, posa sa tête sur un rondin de bois et attendit que s'estompe le tambourinement dans ses tempes.

En dépit de sa douleur physique, il n'était pas démoralisé. Ceux avec qui il marchait n'étaient pas des soldats et certainement pas une armée, mais des hommes simples, poursuivant un objectif commun et veillant les uns sur les autres. C'était un état d'esprit qu'il comprenait et appréciait.

— … et nous déposons nos besoins et nos désirs à tes pieds, Ô Seigneur. Nous t'implorons de bénir nos actions…

Comme tous les soirs, le révérend Woodsworth célébrait un bref service. Ceux qui le souhaitaient pouvaient prier avec lui ; les autres discutaient tranquillement, faisaient du raccommodage ou affûtaient leurs armes.

Grey ignorait où ils étaient, si ce n'est qu'ils se trouvaient quelque part au nord-ouest de Philadelphie. Ils croisaient parfois des messagers à cheval et des bribes de renseignements se propageaient dans le groupe telles des puces. D'après ce qu'il avait saisi, l'armée britannique se dirigeait vers le nord, certainement New York. Washington avait quitté Valley Forge et comptait attaquer Clinton en route, mais personne ne savait où. Les troupes devaient se rassembler dans un lieu appelé Coryell's Ferry, où, peut-être, on leur indiquerait enfin leur destination.

Il ne gaspillait pas son énergie à réfléchir à sa situation. Il aurait pu s'enfuir facilement dans l'obscurité, mais à quoi bon ? En errant dans la campagne grouillante de compagnies de miliciens et de troupes régulières convergeant toutes vers un même point, il courait plus de risques de se retrouver à la merci du colonel Smith, qui le pendrait sur-le-champ, qu'en restant tranquillement dans la milice de Woodsworth.

Le danger serait plus grand quand ils rejoindraient les forces de Washington. Toutefois, les grandes armées ne passaient pas inaperçues et ne cherchaient pas à se cacher. Si Washington se rapprochait de Clinton, il lui serait facile de déserter (si l'on pouvait parler de désertion dans son cas), et de franchir les lignes britanniques. Le seul risque alors serait d'être abattu par une sentinelle un peu trop zélée avant d'avoir pu se rendre et d'avoir révélé son identité.

Gratitude, pensa-t-il en entendant la prière du révérend Woodsworth à travers un brouillard de sommeil et de douleur. Oui, il y avait plusieurs autres détails qu'il pouvait ajouter à sa liste de points positifs.

William, toujours en liberté conditionnelle, ne pouvait pas se battre. Jamie Fraser, libéré de l'armée continentale pour accompagner la dépouille du brigadier Fraser en Écosse, n'était plus soldat. Son neveu Henry se remettait de son opération, mais n'était pas en état de combattre non plus. Donc, s'il y avait une bataille, elle n'engagerait personne dont il devrait se préoccuper. Quoique... Il glissa une main dans la poche vide de ses culottes. *Hal.* Où diable était son maudit frère ?

Il soupira puis se détendit, inhalant des odeurs de feu de bois, d'aiguilles de pin et de glands grillés. Où que soit Hal, il s'en sortirait. Son frère savait se débrouiller seul.

Les prières étaient terminées et un de ses compagnons se mit à chanter. Grey reconnut la mélodie, mais les paroles étaient très différentes. La version qu'il connaissait, apprise d'un médecin militaire qui avait combattu avec les coloniaux durant la guerre franco-indienne, disait :

> *Frère Ephraïm vendit sa vache*
> *Et s'acheta une commission ;*
> *Puis le v'là parti au Canada*
> *Combattre pour la Nation ;*

> *Puis Ephraïm revint chez lui*
> *La queue entre les jambes,*
> *Le pleutre avait fui les Français*
> *De peur de se faire dévorer.*

Le Dr Shuckburgh n'avait pas eu une très haute opinion des coloniaux, pas plus que l'auteur de la nouvelle version, utilisée comme une chanson de marche. Grey l'avait entendue à Philadelphie et fredonna avec les autres :

> *Yankee Doodle vint en ville*
> *Pour s'acheter un fusil,*
> *On l'couvrira d'goudron et d'plumes*
> *Puis ce sera l'tour de John Hancock !*

Ses compagnons entonnèrent le refrain avec brio :

> *Yankee Doodle vint en ville*
> *En chevauchant son poney,*
> *Planta une plume dans son chapeau*
> *Et l'appela macaroni.*

Tout en bâillant, il se demanda si l'un d'eux savait que *dudel* signifiait « simplet », en allemand. Il doutait en outre que Morristown, dans le New Jersey, ait jamais vu un « macaroni », ces jeunes dandys maniérés qui portaient des perruques roses et une douzaine de mouches sur le visage.

À mesure que son mal de crâne passait, il commença à savourer le plaisir simple d'être allongé. Ses chaussures, avec leurs lacets de fortune, n'étaient pas à sa taille. En plus de lui limer les talons à vif, elles lui donnaient des crampes dans les mollets à force de crisper les orteils pour ne pas les perdre. Il étendit délicatement les jambes, appréciant presque ses courbatures, qui paraissaient un soulagement après le supplice de la marche.

Il fut interrompu dans l'inventaire de ses moindres maux par une petite voix parlant à voix basse.

— Monsieur… si vous n'avez pas l'intention de manger votre galette de maïs…

— Pardon ? Ah… oui, bien sûr.

Il se redressa laborieusement en position assise, une main sur son cache, et vit un garçon d'environ onze ou douze ans assis sur le rondin de bois à côté de lui. Il glissa une main dans son sac à dos, cherchant la galette, quand l'enfant eut un hoquet de surprise. Il releva son bon œil vers lui, sa vue vacillant dans la lueur du feu, et reconnut le petit-fils de Claire, ses cheveux blonds ébouriffés formant un halo irrégulier autour de son visage horrifié.

— Chut ! fit-il aussitôt.

Il agrippa le genou du garçon avec une telle force que l'enfant glapit.

— Qu'est-ce qui t'arrive, Bert ? Tu as attrapé un voleur ?

Abe Shaffstall avait interrompu sa partie d'osselets et tournait la tête par-dessus son épaule, plissant ses yeux myopes vers l'enfant… comment s'appelait-il, déjà ? Son père était français. Claude ? Henri ? Non, ça c'était le nom du plus petit, le nain…

— *Ne dis rien !* chuchota-t-il en français au garçon.

Puis il lança à ses compagnons :

— Non, non… c'est le fils d'un voisin, à Philadelphie… euh… Bobby. Bobby Higgins. Qu'est-ce qui t'amène ici, mon garçon ?

Il espérait que l'enfant avait l'esprit aussi vif que sa grand-mère.

— Je cherche mon grand-père, répondit-il.

Mal à l'aise, il lança un regard vers le cercle de visages tous tournés vers lui.

— Ma maman m'a envoyé lui apporter des vêtements et de la nourriture, mais des sales types dans la forêt m'ont fait tomber de ma mule et… ils m'ont tout pris.

Sa voix tremblait et son émoi paraissait sincère. Grey remarqua même des traces de larmes sur ses joues crasseuses.

Un murmure outré parcourut le groupe. Les hommes se mirent à fouiller dans leurs sacs et lui tendirent du pain dur, des pommes, de la viande séchée et un mouchoir sale.

— Comment s'appelle ton grand-père, mon p'tit gars ? demanda Joe Buckman. Et dans quelle compagnie est-il ?

Le garçon lança un regard hésitant à Grey, qui répondit pour lui :

— James Fraser. Il doit être dans l'une des compagnies de la Pennsylvanie, n'est-ce pas, Bobby ?

— Oui, monsieur.

L'enfant s'essuya le nez sur le mouchoir puis accepta une pomme.

— *Merc…*

Il s'interrompit et feignit une quinte de toux avant de reprendre :

— Je vous remercie beaucoup, monsieur. Et vous aussi, monsieur.

Il rendit le mouchoir à son propriétaire et se mit à dévorer la pomme, limitant ses réponses à des mouvements de tête et des grognements faisant comprendre qu'il ne se souvenait plus de la compagnie de son grand-père.

— Ce n'est pas grave, mon garçon, lui dit gentiment le révérend Woodsworth. De toute façon, nous allons tous au même endroit. Tu retrouveras sûrement ton grand-père quand toutes les troupes seront rassemblées. Tu crois que tu pourras nous suivre à pied ?

— Oh oui, monsieur ! Je peux marcher, répondit Germain.

C'était ça ! Germain !

— Je m'occuperai de lui, assura précipitamment Grey.

Cela parut satisfaire tout le monde. Il attendit patiemment que ses compagnons aient oublié la présence du gamin et commencent à se préparer pour la nuit. Puis il se leva, tous ses muscles protestant, et fit discrètement signe à Germain de le suivre.

Dès qu'ils furent hors de portée d'ouïe, il demanda à voix basse :

— Que fais-tu là ? Et où diable est passé ton grand-père ?

Germain déboutonna sa braguette pour pisser.

— Je le cherche vraiment, répondit-il. Il est parti pour…

Il s'interrompit en se demandant soudain quel était son nouveau degré de parenté avec Grey.

— Je vous demande pardon, milord, mais je ne sais pas si je dois vous le dire. C'est que…

Le garçon ne formait qu'une silhouette sombre devant le rideau noir du sous-bois, mais même ainsi sa posture méfiante était patente.

— *Comment se fait-il que vous soyez ici ?* chuchota-t-il en français.

— C'est une bonne question, convint Grey. Il me serait un peu compliqué d'y répondre, mais je peux te dire où nous allons. J'ai cru comprendre que nous devions rejoindre le général Washington dans un lieu appelé Coryell's Ferry. Ça te dit quelque chose ?

Les épaules de Germain se détendirent. Grey entendit son jet d'urine sur les feuilles mortes et décida d'en profiter pour en faire autant. Lorsqu'ils eurent terminé, ils se tournèrent à nouveau vers la lueur du feu de camp.

Ils n'avaient fait que quelques pas quand Grey arrêta l'enfant d'une main sur l'épaule.

— *Un instant, jeune homme.* Si la milice apprend qui je suis, ils me pendront haut et court. Ma vie est entre tes mains. Tu m'as bien compris ?

Il y eut un silence angoissant.

— Êtes-vous un espion, milord ? demanda enfin Germain.

Grey réfléchit avant de répondre, hésitant entre l'opportunisme et la sincérité. Il pouvait difficilement oublier ce qu'il avait vu et entendu. Lorsqu'il rentrerait dans son propre camp, son devoir l'obligerait à transmettre les renseignements dont il disposerait.

— Pas par choix, répondit-il.

Une brise fraîche s'était levée avec le crépuscule et la forêt murmurait autour d'eux.

— Bien, milord. Et merci encore pour la nourriture. Donc, je suis Bobby Higgins. Et vous, qui êtes-vous ?

— Bert Armstrong. Tu peux m'appeler Bert.

Grey se remit à marcher vers le feu et les hommes enroulés dans leurs couvertures. Entre le bruissement du feuillage et les ronflements de ses compagnons, il n'en était pas certain, mais il lui sembla que le petit morveux derrière lui avait le toupet de rire.

52

LES RÊVES DE MORPHÉE

CETTE NUIT-LÀ, NOUS DORMÎMES dans la salle d'une petite taverne à Langhorne. Des gens étaient couchés sur et sous les tables, sur des bancs, des paillasses, des capes pliées, des sacoches, tous le plus loin possible de l'âtre. Bien que le feu ait été couvert pour la nuit, il irradiait encore une chaleur considérable. La température devait avoisiner les quatre-vingt-quinze degrés. L'atmosphère était chargée d'odeurs de fumée et de corps chauds. Les dormeurs étaient à moitié dévêtus ; des hanches, des épaules et des torses pâles luisaient dans la lueur terne des braises.

Jamie avait voyagé en chemise et en culotte, son uniforme flambant neuf soigneusement rangé dans une malle jusqu'à ce que nous approchions de l'armée. Pour se coucher, il lui avait donc suffi de déboutonner sa braguette et d'ôter ses bas. Mon déshabillage était plus complexe. Je portais mon corset de voyage dont les lacets étaient en cuir et, avec la transpiration, les nœuds s'étaient rétractés en petites boules dures qui résistaient à toutes mes tentatives.

— Tu viens te coucher, *Sassenach* ? demanda Jamie.

Il nous avait trouvé un petit coin tranquille derrière le comptoir, où il avait étalé nos capes.

— Attends. Je me suis cassé un ongle en tentant de défaire ces maudits nœuds et je ne peux pas les atteindre avec mes dents !

J'étais sur le point de pleurer de frustration. Je tanguais de fatigue, mais ne pouvais me résoudre à dormir engoncée dans cette cage moite.

Jamie tendit un bras vers moi dans l'obscurité.

— Viens t'allonger près de moi, *Sassenach*, chuchota-t-il. Je m'en occupe.

Après douze heures en selle, la position horizontale était tellement divine que j'étais presque prête à dormir tout habillée. Jamie se mit aussitôt à l'œuvre. Il glissa un bras dans mon dos pour me retenir et se tortilla pour pouvoir approcher sa bouche de mes lacets.

— Ne t'inquiète pas, murmura-t-il dans mon ventre. Si je n'y arrive pas avec les dents, je te libérerai avec mon couteau.

J'émis un petit rire étranglé et il releva des yeux surpris vers moi.

— Je ne sais pas ce qui serait le pire, expliquai-je. Être éventrée accidentellement ou dormir dans mon corset.

Je posai une main sur sa tête. Elle était chaude et ses cheveux, soyeux entre mes doigts.

— Je sais assez bien manier une lame, *Sassenach*, dit-il en interrompant sa tâche un instant. Au pire, je risque de te poignarder dans le cœur.

Il parvint néanmoins à ses fins sans recourir à une arme, mordillant les nœuds jusqu'à les desserrer suffisamment pour pouvoir finir le travail avec ses doigts. Il écarta l'épais carcan en toile comme un clam et je soupirai d'aise, tel un mollusque s'ouvrant à marée haute. Je soulevai ma chemise hors des plis que les baleines avaient creusés dans ma chair. Jamie rejeta le corset de côté, mais resta à la même place, le visage près de mes seins, caressant doucement mes flancs.

C'était un geste machinal, mais un geste qui m'avait manqué durant quatre mois et que j'avais cru ne jamais sentir à nouveau.

— Tu es trop maigre, *Sassenach*, observa-t-il. Je peux sentir toutes tes côtes. Je te trouverai à manger demain.

Au cours des derniers jours, j'avais été trop préoccupée pour me soucier de nourriture et, pour le moment, j'étais trop épuisée pour avoir faim. Je caressais lentement ses cheveux, traçant les contours de son crâne.

— Je t'aime, *a nighean*, murmura-t-il, son souffle chaud sur ma peau.

— Je t'aime, répondis-je aussi doucement.

Je dénouai son ruban et défis sa tresse entre mes doigts. Puis je pressai sa tête contre ma poitrine, non comme une invitation, mais par besoin urgent de le tenir au plus près de moi, le protégeant.

Il déposa un baiser sur mon sein, puis tourna la tête, la posant dans le creux de mon épaule. Il prit une profonde inspiration, puis une autre, et s'endormit. Je sentis son corps se détendre contre moi, à la fois protecteur et confiant.

— Je t'aime, répétai-je en le serrant dans mes bras. Comme je t'aime !

Peut-être était-ce l'épuisement qui me fit rêver de l'hôpital, à moins que ce ne soient les odeurs, un mélange de vapeurs d'alcool et de corps crasseux.

Je longeais le petit couloir du pavillon des hommes, dans l'hôpital où j'avais reçu ma formation d'infirmière, un petit flacon de sels de morphine à la main. Les murs étaient d'un gris sale, tout comme la lumière. Au bout du couloir se trouvait le bain d'alcool où attendaient les seringues.

J'en pris une, froide et glissante, veillant à ne pas la lâcher. Elle tomba néanmoins et se fracassa sur le sol en projetant de minuscules éclats de verre qui me coupèrent les jambes.

Je n'avais pas le temps de m'en soucier. Je devais revenir avec une injection de morphine. Des hommes m'appelaient derrière moi, désespérés. Ils émettaient les mêmes bruits que sous la tente de l'hôpital de campagne durant la guerre : des lamentations, des cris, des sanglots. Je devais faire vite. Mes doigts tremblaient dans la cuvette en acier, cherchant parmi les seringues en verre qui cliquetaient tels des os.

J'en sortis une autre, la serrant si fort qu'elle éclata et m'entailla la main. Du sang coulait sur mon poignet, mais je ne ressentais aucune douleur. Une autre, vite ! Il m'en fallait une autre. Des hommes souffraient atrocement et je pouvais les soulager, *si seulement*...

Enfin, je tins une seringue propre. J'avais débouché mon flacon, mais ma main tremblait, les sels se déversant sur le sol. Sœur Amos serait furieuse. Il me fallait des pinces. Je ne parvenais pas à saisir les minuscules grains entre mes doigts. Prise de panique, j'en fis tomber plusieurs dans la seringue, au lieu du quart de grain prévu. Peu importait, il fallait que je vole au secours des hommes, que je soulage leur douleur.

Je courais dans le couloir gris en direction des cris. Des éclats de verre jonchaient le sol au milieu de gouttes de sang rouges, brillant comme des ailes de libellules. Ma main s'engourdissait et la dernière seringue me glissa des doigts avant que j'atteigne la porte.

Je me réveillai en sursaut, inspirant une bouffée de fumée chargée de bière et de corps puants, ne sachant pas où j'étais.

— Ça va, *Sassenach* ?

Réveillé à son tour, Jamie se hissa sur un coude pour me regarder. Le présent me revint brusquement. Je ne sentais plus mon bras gauche, de l'épaule jusqu'aux doigts, et il y avait des larmes sur mes joues. Je sentais leur fraîcheur sur ma peau.

— Oui... je... Ce n'était qu'un mauvais rêve.

J'avais honte de le dire, comme si les cauchemars étaient son apanage.

— Ah.

Il se rallongea près de moi et me serra contre lui. Il caressa ma joue du pouce et, la sentant humide, l'essuya avec le pan de sa chemise.

— Ça va mieux ? chuchota-t-il.

J'acquiesçai, soulagée de ne pas avoir à en parler.

— Tant mieux.

Il écarta mes cheveux de mon visage et me massa doucement le dos, ses mouvements devenant de plus en plus lents à mesure qu'il se rendormait.

C'était le cœur de la nuit et la salle était plongée dans une profonde torpeur. Tout le monde semblait respirer à l'unisson, les ronflements et les grognements se fondant en un murmure qui ressemblait aux vagues d'une marée descendante, se soulevant, s'affaissant, m'emportant avec elle vers les profondeurs du sommeil.

Seul le fourmillement dans mon bras m'empêchait de sombrer à nouveau, mais ce n'était que temporaire.

Je voyais encore le sang et les éclats de verre sur le sol du couloir ; j'entendais le bris de la seringue. Il y avait des traînées rouge sombre sur le papier peint de la chambre 17.

Tout en écoutant le cœur de Jamie battre contre mon oreille, lent et régulier, je priai :

Seigneur, quoi qu'il advienne, donnez-lui la chance de parler avec William.

53

SURPRIS EN POSITION DE FAIBLESSE

WILLIAM GUIDA SON CHEVAL entre les rochers jusqu'à un endroit plat où ils pourraient tous les deux se désaltérer. C'était le milieu de l'après-midi et, à force d'aller et venir en plein soleil, le long de la procession, il se sentait plus racorni qu'un vieux morceau de bœuf séché rance.

Sa nouvelle monture s'appelait Madras, un cob au poitrail large et au tempérament impavide. Le cheval s'avança dans le ruisseau, de l'eau jusqu'aux jarrets, hennissant de plaisir et s'ébrouant pour chasser le nuage de mouches qui se matérialisait hors de nulle part au moindre arrêt.

William chassa à son tour quelques insectes qui voletaient devant son visage et ôta sa veste. Il était tenté d'entrer dans l'eau lui aussi, jusqu'au cou même, si le ruisseau était assez profond… mais… c'était que… Il lança un regard par-dessus son épaule. Il pouvait entendre le bruit du convoi de bagages, sur la route, au loin. Après tout, pourquoi pas ? Il n'en avait que pour un moment. La dépêche qu'il portait n'était pas urgente. Il l'avait vue rédiger ; ce n'était qu'un message de Clinton invitant le général von Knyphausen à le rejoindre pour dîner dans une auberge qui avait la réputation de servir du bon porc. Tout le monde ruisselait de transpiration. Personne ne s'en rendrait compte s'il revenait mouillé.

Il ôta rapidement ses bottes, sa chemise, ses bas, sa culotte et son caleçon puis s'avança dans l'eau nu comme un ver. Elle ne lui arrivait qu'aux hanches, mais elle était délicieusement fraîche. Il ferma les yeux, savourant la sensation exquise, pour les rouvrir brusquement l'instant suivant.

— William !

Surpris, Madras releva abruptement la tête en l'éclaboussant. William ne le remarqua pas tant il était abasourdi par la vue des deux femmes, sur la rive opposée.

— Que diable fichez-vous ici ?

Il tenta de s'accroupir légèrement sans en avoir l'air. Une petite voix dans sa tête lui demanda pourquoi il se donnait ce mal. Après tout, Arabella-Jane avait déjà vu tout ce qu'il avait à offrir.

— Et elle, qui est-ce ? demanda-t-il en pointant le menton vers l'autre fille.

Elles étaient toutes deux rouges comme des pivoines, mais il supposa (ou espérait) que c'était à cause de la chaleur.

— C'est ma frangine Frances, répondit Jane avec toute l'élégance d'une matrone de Philadelphie. Fait la révérence à sa seigneurie, Fanny.

Fanny, une très jolie adolescente dont les boucles brunes dépassaient sous son bonnet (*Quel âge avait-elle ? Onze, douze ans ?*), fit une charmante révérence en écartant sa jupe en calicot rouge et bleu, puis abaissa pudiquement de longs cils sur ses grands yeux de biche.

— Votre humble serviteur, mademoiselle, dit-il en s'inclinant avec le plus de grâce possible.

À en juger par les expressions des demoiselles, ce devait être une erreur. Fanny se plaqua une main sur la bouche et rougit de plus belle dans son effort pour ne pas rire.

— Je suis ravi de faire la connaissance de votre sœur, reprit froidement William en direction de Jane. Mais je crains que vous ne me preniez à un moment inopportun.

— Oui, c'est une chance, convint Jane. Je ne pensais jamais vous trouver, dans cette cohue. Nous avons dégoté deux places dans le convoi des bagages et, quand on vous a vu passer à fond de train comme si le Malin était à vos basques, on a pensé qu'on ne vous rattraperait jamais. On a quand même pris le risque et… *Voilà*[14] *! Fortuna favet audax,* comme on dit !

Elle se fichait ouvertement de lui, en plus !

Il chercha une réplique cuisante en grec, mais la seule chose qui vint à son esprit outragé fut un souvenir humiliant, une boutade que son père lui avait lancée un jour qu'il était tombé par accident au fond des latrines : « *Quelles nouvelles des Enfers, Perséphone ?* »

— Tournez-vous, ordonna-t-il. Je vais sortir.

Elles ne bougèrent pas. Serrant les dents, il leur tourna le dos et grimpa sur la berge en sentant quatre yeux fixés sur son postérieur dégoulinant. Il attrapa sa chemise et l'enfila maladroitement en espérant que cette simple protection lui permettrait de poursuivre la conversation plus dignement. À moins qu'il ne prenne sa culotte et ses bottes sous le bras et s'en aille sans un mot de plus.

Un grand bruit d'éclaboussures le fit se retourner et il passa la tête par le col de sa chemise juste à temps pour voir Madras escalader l'autre rive et étirer les babines vers la pomme que Jane lui tendait.

— Reviens ici tout de suite ! tonna-t-il.

Le cheval ne lui prêta aucune attention, les filles ayant d'autres pommes à lui offrir. Il ne s'opposa même pas lorsque Arabella-Jane saisit sa bride et la noua autour du tronc d'un jeune saule.

— Vous ne nous demandez même pas comment il se fait que nous soyons ici, observa-t-elle. C'est sûrement la surprise qui vous a privé de vos bonnes manières.

— Pourtant, je me souviens clairement d'avoir dit : « Que diable fichez-vous ici ? » rétorqua-t-il.

— Ah, c'est vrai, dit-elle sans la moindre gêne. Pour répondre brièvement à votre question : le capitaine Harkness est revenu.

— Oh, fit-il. Je vois. Et vous… vous vous êtes enfuies ?

Fanny hocha solennellement la tête.

— Je ne comprends pas, déclara William. Le capitaine Harkness est avec l'armée. Pourquoi vous être jetées dans la gueule du loup au lieu de rester à l'abri à Philadelphie ?

14. En français dans le texte. (N.d.T.)

— Il a été retenu en ville, alors c'est nous qui sommes parties. Et puis, il y a des *milliers* de femmes qui suivent l'armée. Même s'il nous cherche, il ne nous trouvera jamais.

C'était bien pensé. Néanmoins, il savait ce qu'était la vie d'une fille à soldat. En outre, il les soupçonnait fortement d'avoir rompu leur contrat avec le bordel. Fort peu de filles parvenaient à économiser assez pour racheter leur liberté, et les deux qui se trouvaient devant lui étaient bien trop jeunes pour avoir mis suffisamment de côté. Abandonner le confort de lits propres et de repas réguliers à Philadelphie pour venir satisfaire les besoins de soldats crasseux, puant la sueur, dans des camps boueux et infestés de mouches… D'un autre côté, il pouvait difficilement comparer, n'ayant jamais été sodomisé par un salaud vicieux comme Harkness.

— Je suppose que vous êtes parties sans rien et avez besoin d'argent ?

— Ce ne serait pas de refus, mais surtout je voulais vous rendre ceci.

Elle sortit de sa poche un objet brillant. Son gorgerin ! Il fit machinalement un pas vers elle, ses orteils s'enfonçant dans la gadoue.

— Je… vous remercie.

Il avait senti son absence chaque fois qu'il s'habillait et encore plus lorsque les autres officiers lançaient des regards vers l'endroit de son torse où il aurait dû se trouver. Il avait été contraint de raconter au colonel Desplains qu'on le lui avait volé dans un lieu malfamé et s'était pris une sévère semonce. Desplains l'avait néanmoins autorisé à se présenter sans gorgerin jusqu'à ce qu'il s'en procure un autre à New York.

— Ce que nous voulons *vraiment*, c'est votre protection, ajouta Jane.

Elle s'efforçait de paraître sincère et charmante à la fois, et y parvenait un peu trop bien.

— Ma *quoi* ?

— Je ne crois pas que j'aurais beaucoup de mal à gagner ma croûte dans l'armée, dit-elle avec une franchise désarmante. Mais ce n'est pas le genre de vie que je veux pour ma petite sœur.

— Euh… Je peux le comprendre. À quel genre de travail pensez-vous ?

« Camériste ? » fut-il sur le point de suggérer. Toutefois, dans la mesure où elle lui avait rendu son bien, il ravala son sarcasme.

— Je ne sais pas encore, répondit-elle en fixant des remous sur l'eau. Mais si vous pouviez nous aider à parvenir jusqu'à New York sans encombre… et peut-être à nous trouver une place là-bas…

William se passa une main sur le visage.

— Ce sera tout ?

S'il ne lui promettait pas de l'aider, elle était capable de lancer son gorgerin dans le ruisseau par colère. En outre, Fanny était une enfant charmante, délicate et pâle comme une belle-de-jour à peine éclose. Et il n'avait plus le temps de discuter.

— Grimpez en selle et traversez le ruisseau, ordonna-t-il sèchement. Je vous trouverai une autre place dans le convoi des bagages. Je dois porter une dépêche à von Knyphausen, mais nous nous verrons dans le camp du général Clinton ce soir. Non, pas ce soir. Je ne rentrerai que demain.

Il réfléchit un instant, cherchant un lieu de rendez-vous adéquat. Il préférait éviter que deux jeunes putains viennent demander après lui au quartier général de Clinton.

— Retrouvez-moi demain dans la tente des médecins, au coucher du soleil. D'ici là, j'aurai peut-être trouvé une solution.

54

Où je rencontre un navet

AU COURS DE LA JOURNÉE DU LENDEMAIN, nous fûmes rejoints par un messager envoyé par le commandement de Washington et ayant une missive pour Jamie. Il la lut adossé à un arbre, pendant que je m'éclipsais derrière des buissons.

J'étais encore impressionnée par le fait que Jamie ait parlé à George Washington et qu'il était en train de lire une lettre probablement rédigée par le futur « père de la nation ».

En réapparaissant quelques instants plus tard, je demandai tout en remettant de l'ordre dans mes vêtements :

— Qu'est-ce qu'elle dit ?

— Deux ou trois choses, répondit-il en repliant le message et en le glissant dans sa poche. Le plus important, c'est que ma brigade sera sous le commandement de Charles Lee.

— Tu le connais ?

Je glissai un pied dans mon étrier et me hissai en selle.

— Je l'ai rencontré le jour où j'ai connu Washington. Depuis, j'ai essayé de me renseigner sur lui.

À son ton, ce qu'il avait appris n'était guère flatteur.

— Il n'a pas dû te faire une très bonne impression, observai-je.

— C'est le moins qu'on puisse dire. Il est bruyant, discourtois et sale. Ça, j'ai pu m'en rendre compte par moi-même. D'après ce que j'ai entendu par la suite, il est également jaloux comme une teigne et ne s'en cache pas.

— Jaloux ? De qui ?

Pas de Jamie, espérais-je.

— De Washington. Il considère que c'est lui qui devrait être à la tête de l'armée continentale et n'aime pas jouer les seconds violons.

— Vraiment ?

Je n'avais jamais entendu parler d'un général Charles Lee, ce qui était étonnant car, s'il pensait mériter un tel honneur, il devait avoir joué un rôle de premier plan.

— Et tu sais ce qui justifie ses prétentions ?

— Oui. Il estime avoir plus d'expérience militaire que Washington, ce qui est sans doute vrai. Il a servi dans l'armée britannique pendant des années et a participé à plusieurs campagnes victorieuses. Toutefois… je n'aurais pas accepté ce poste si c'était Lee qui me l'avait demandé.

— Je croyais que tu n'en voulais pas de toute façon.

— Mmphm.

Il réfléchit un instant avant de préciser sa pensée :

— C'est vrai que je n'en voulais pas… Je ne sais pas. (Il m'adressa un regard navré.) Je ne voulais certainement pas t'entraîner dans cette guerre.

— Je serai là où tu seras jusqu'à la fin de nos jours, répondis-je sur un ton ferme. Qu'elle arrive dans une semaine ou dans quarante ans.

— Plus tard encore, dit-il avec un sourire.

Nous chevauchâmes un moment en silence, chacun étant profondément conscient de la présence de l'autre. Il en allait ainsi depuis notre conversation, dans les jardins de Kingsessing.

Je t'aimerai toujours. Peu m'importe si tu couches avec toute l'armée anglaise… enfin, non, cela me poserait un sérieux problème, mais je ne cesserais pas de t'aimer.

Je t'ai fait l'amour au moins un millier de fois, Sassenach. Tu crois que je ne te connais pas ?

Personne ne peut te remplacer.

Je me souvenais de chacune de nos paroles, tout comme lui, même si nous n'en avions plus reparlé. Ce n'était pas que nous marchions sur des œufs, mais nous avancions à tâtons… chacun retrouvant le chemin vers l'autre, comme cela nous était déjà arrivé deux fois : lorsque je l'avais retrouvé à Édimbourg, et au tout début, lorsque nous avions été mariés malgré nous et unis par les circonstances.

Je demandai soudain :

— Qu'aurais-tu aimé être si tu n'étais pas né laird de Lallybroch ?

— Je ne suis pas né laird, c'était mon frère. S'il n'était pas mort, tu veux dire.

Une ombre traversa son visage, sans s'attarder. Il pleurait encore la mort du garçon de onze ans qui avait laissé à son petit frère le lourd fardeau d'un titre pour lequel il n'était pas préparé et qu'il avait dû mériter à la sueur de son front. Depuis, il avait eu largement le temps de se faire à cette charge.

— Si tu veux, répondis-je. Mais si tu étais né ailleurs, dans un autre genre de famille ?

— Dans ce cas, je ne serais pas qui je suis, n'est-ce pas ? répondit-il avec logique. Je peux rechigner devant ce que le Seigneur me demande de faire, *Sassenach*, mais je n'ai rien à redire sur comment Il m'a fait.

Je le regardai, grand, fort, droit sur sa selle, avec ses mains habiles, son visage qui exprimait tout ce qu'il était. Je ne trouvais rien à redire non plus.

— En outre, reprit-il, si les circonstances avaient été différentes, je ne t'aurais pas connue, n'est-ce pas ? Je n'aurais pas non plus Brianna et les petits.

Si les circonstances avaient été différentes… Je ne lui demandais pas s'il estimait que sa vie telle qu'elle était en avait valu la peine.

Il se pencha vers moi et me caressa la joue.

— Ça en vaut la peine, *Sassenach*. Pour moi.

Je m'éclaircis la gorge.

— Pour moi aussi.

Ian et Rollo nous rejoignirent quelques kilomètres avant Coryell's Ferry. Il faisait déjà nuit, mais la lueur du camp était visible au loin, au-dessus de la cime des arbres. Nous avancions lentement, étant arrêtés tous les cinq cents mètres environ par des sentinelles qui avaient la manie de surgir inopinément de l'obscurité le mousquet braqué en avant.

— Ami ou ennemi ? brailla une autre pour la sixième fois.

Le soldat nous regardait par-dessous sa lanterne sourde qu'il tenait à bout de bras.

Jamie mit sa main en visière pour se protéger de la lumière et le regarda de haut.

— Le général Fraser et madame. Ça vous paraît suffisamment amical ?

Je cachai un sourire sous mon châle. Il avait refusé de s'arrêter pour trouver de quoi nous nourrir le long du chemin et je ne l'avais pas laissé manger un morceau de bacon non cuit, aussi bien fumé fût-il. Les quatre pommes de Jenny avaient vite disparu et nous n'avions rien avalé depuis la veille au soir. Il était donc de fort méchante humeur.

— Euh… oui, monsieur. Je veux dire, mon général. Je voulais juste…

La lanterne éclaira soudain Rollo, la lumière transformant ses yeux en de sinistres faisceaux verts. La sentinelle émit un son étranglé et Ian se pencha de sa selle, son visage tatoué entrant dans le halo.

— N'ayez crainte, lui dit-il sur un ton cordial. Nous aussi, nous sommes amicaux.

À ma surprise, Coryell's Ferry était un village assez grand, doté de plusieurs auberges et d'imposantes maisons dominant le Delaware.

— Je suppose que c'est pour cela que Washington l'a choisi comme lieu de ralliement, observai-je. C'est un bon poste de ravitaillement.

— Oui, sans doute, dit Jamie, l'air absent.

Il s'était levé sur ses étriers pour examiner le paysage. Toutes les fenêtres des habitations étaient éclairées, mais un grand drapeau américain, avec son cercle d'étoiles, flottait au-dessus de la porte de l'auberge la plus grande. Ce devait être le quartier général de Washington.

Ma priorité était de faire ingurgiter de la nourriture à Jamie avant qu'il rencontre le général Lee, surtout si ce dernier avait la réputation d'être arrogant et coléreux. Peut-être cela tenait-il vraiment à la couleur des cheveux, mais j'avais suffisamment d'expérience avec Jamie, Brianna et Jemmy pour savoir qu'un rouquin avec le ventre vide était une bombe à retardement.

J'envoyai Ian et Rollo avec Jamie à la recherche de l'intendant pour découvrir quel type d'hébergement nous attendait et décharger la mule, puis je humai l'air et suivis mon odorat en direction du fumet le plus proche.

Les feux de cuisine allumés dans des fosses avaient été couverts depuis longtemps, mais j'avais fréquenté assez de camps militaires pour connaître leur fonctionnement. Des casseroles mijoteraient toute la nuit, remplies de ragoût et de porridge pour le lendemain matin, d'autant plus que l'armée était aux trousses du général Clinton. J'avais peine à croire que j'avais rencontré ce dernier quelques jours plus tôt.

J'étais tellement absorbée par ma quête que je ne vis pas un homme sortir de l'obscurité et manquai de le percuter. Il me retint par les bras et nous fîmes quelques pas de danse étourdissants avant de nous stabiliser.

— *Pardonnez-moi, madame*[15] ! Je crains d'avoir marché sur votre pied.

C'était un très jeune homme, français jusqu'au bout des ongles. Il était en culotte et bras de chemise, mais je remarquai que ses manches croulaient de dentelles. C'était donc un officier, en dépit de son jeune âge.

— C'est un fait, convins-je. Mais n'ayez crainte, je suis indemne.

— Je suis atrocement confus. Quel navet je fais ! s'exclama-t-il en se frappant le front.

Il ne portait pas de perruque et, en dépit de sa jeunesse, commençait à se dégarnir. Ce qui lui restait de cheveux était roux et hirsute, sans doute à cause de sa manie de les tripoter sans cesse comme il le faisait à présent.

— C'est absurde, ris-je. Vous n'avez rien d'un navet.

— Oh, mais si ! m'assura-t-il. J'ai marché un jour sur le pied de la reine de France. *Sa Majesté* s'est montrée moins gracieuse que vous et m'a traité de navet. Toutefois, si cela ne s'était pas produit, je n'aurais pas été contraint de quitter la cour, peut-être ne serais-je jamais venu en Amérique et nous n'aurions pas l'occasion de déplorer ma maladresse, *n'est-ce pas* ?

Il était très enjoué et sentait le vin, ce qui n'avait rien d'extraordinaire. Néanmoins, entre le fait qu'il soit si français, visiblement riche et si jeune, je fus prise d'un doute. Ce ne pouvait être lui…

— À qui ai-je l'honneur de… commençai-je.

— *Oh, mille pardons, madame !*

Il saisit mes doigts et plongea dans un baisemain avant de se présenter :

— *Marie-Joseph Paul Yves Roch Gilbert du Motier, marquis de La Fayette, pour vous servir, madame.*

Je parvins à saisir « La Fayette » dans le torrent de syllabes françaises et ressentis le petit élan d'excitation qui me tenaillait chaque fois que je rencontrais une personnalité que je connaissais des livres d'histoire. (Quoique la réaliste en moi me disait qu'ils n'étaient généralement pas plus remarquables que ceux qui avaient eu la prudence et la chance de ne pas orner les pages d'histoire avec leur sang et leurs tripes.)

Je m'étais suffisamment remise pour l'informer que j'étais madame la générale Fraser et que j'étais sûre que mon époux viendrait lui présenter ses respects dès que je lui aurais trouvé de quoi manger.

— Mais vous devez dîner avec moi, madame ! s'exclama-t-il.

Il tenait toujours ma main et, la coinçant dans le creux de son bras, m'entraîna vers un grand bâtiment qui ressemblait vaguement à une auberge. C'en était une, mais qui avait été réquisitionnée par les forces rebelles et abritait désormais l'état-major de Washington. Je m'en rendis rapidement compte lorsque le marquis me conduisit sous une grande bannière, à travers la salle principale, puis dans l'arrière-salle où plusieurs officiers étaient assis autour d'une table présidée par un homme corpulent qui ne ressemblait

---

15. En français dans le texte. (N.d.T.)

pas exactement à son portrait sur les billets de un dollar mais s'en approchait néanmoins.

Le marquis s'inclina devant Washington.

— *Mon général*, permettez-moi de vous présenter madame la générale Fraser, l'incarnation de la grâce et de la beauté.

Tous les hommes se levèrent à l'unisson en faisant crisser les bancs en bois (en fait, ils n'étaient que six) et s'inclinèrent tour à tour en murmurant des « À votre service, madame » et des « Votre humble serviteur ». Washington s'était levé lui aussi (*Bigre, il était aussi grand que Jamie !*) et me salua une main sur le cœur.

— Vous nous honorez par votre présence, madame Fraser, déclara-t-il avec l'accent traînant de la Virginie. Oserai-je espérer que votre époux vous accompagne ?

Je fus prise d'une folle envie de répondre « *Non, il m'a envoyée me battre à sa place* » mais parvins à me retenir.

— En effet, répondis-je plutôt. Il est… euh…

Je fis un geste vague vers la porte, sur le seuil de laquelle, avec un sens de la synchronisation remarquable, Jamie apparut, faisant tomber des aiguilles de pin de sur sa manche et parlant à Ian, qui se tenait derrière lui.

— Ah te voilà ! dit-il en m'apercevant. On m'a dit que tu avais disparu avec un drôle de Français. Que…

Il s'interrompit soudain en se rendant compte que je n'étais pas seulement en compagnie du drôle de Français.

Tout le monde se mit à rire. La Fayette se précipita vers Jamie et lui prit la main.

— *Mon frère d'armes !* s'exclama-t-il.

Il fit claquer ses talons, sans doute par réflexe, puis s'inclina.

— Ne m'en voulez pas d'avoir dérobé votre ravissante épouse ! Pour me faire pardonner, permettez-moi de vous inviter à dîner.

J'avais déjà rencontré Anthony Wayne à Ticonderoga et étais ravie de le revoir, tout comme Dan Morgan, qui me claqua une bise sur les deux joues. Je devais reconnaître que je n'étais pas peu fière d'avoir la main baisée par le général Washington, tout en remarquant l'halitose qui accompagnait ses célèbres problèmes dentaires. Je me demandai comment trouver un prétexte pour examiner ses dents, puis cessai totalement de penser en voyant entrer une procession de serviteurs portant des plateaux chargés de poissons frits, de poulets rôtis, de biscuits au babeurre dégoulinant de miel et d'un incroyable assortiment de fromages, ces derniers ayant été apportés de France par le marquis.

— Essayez donc celui-ci, m'enjoignit-il en découpant une tranche friable et odorante de roquefort veiné de bleu.

Nathanael Greene, assis de l'autre côté du marquis, pinça discrètement le nez et m'adressa un sourire compatissant. Je lui souris en retour. J'aimais les fromages corsés.

Je n'étais pas la seule. Rollo, qui, naturellement, était entré avec Ian et était assis derrière lui, leva la tête et avança son long museau velu entre Ian et le général Lee, agitant sa truffe d'un air intéressé.

— Grands dieux !

Lee, qui n'avait apparemment pas remarqué la présence du chien jusque-là, fit un bond de côté, manquant d'atterrir sur les genoux de Jamie.

Sa réaction détourna l'attention de Rollo, qui se mit à le renifler attentivement.

Je pouvais le comprendre. Charles Lee était grand, mince, avec un long nez fin et les manières de table les plus déplorables que j'avais vues depuis que Jemmy avait appris à manger avec une cuillère. Non seulement il parlait la bouche pleine et mastiquait les mâchoires grandes ouvertes, mais il faisait de grands gestes en projetant tout ce qu'il avait au bout de sa fourchette ou de ses doigts. Par conséquent, le devant de son uniforme était couvert de taches d'œuf, de soupe, de gelée et d'autres substances non identifiables.

Cela mis à part, il était amusant et spirituel. Les autres s'adressaient à lui avec une certaine déférence. Je me demandais pourquoi. Contrairement à d'autres hommes autour de la table, Charles Lee n'atteindrait jamais une grande notoriété en tant qu'important personnage révolutionnaire. En retour, il les traitait avec... non, ce n'était pas du mépris... de la condescendance, peut-être ?

La conversation allait bon train ; je discutai surtout avec le marquis, qui se mettait en quatre pour m'être agréable. Il me dit à quel point son épouse lui manquait. (*Grands dieux, quel âge pouvait-il avoir ? Il ne me paraissait même pas avoir vingt ans.*) C'était elle qui était à l'origine des fromages. Non, elle ne les fabriquait pas elle-même, mais ils venaient de leur domaine, à Chavaniac, que sa femme dirigeait avec grande clairvoyance en son absence. De temps à autre, je lançais des regards vers Jamie. Il participait à la conversation, mais ses yeux surveillaient les visages, jaugeant, évaluant, jugeant. Ils se posaient le plus souvent sur le général Lee, son voisin.

Il connaissait déjà bien Wayne et Morgan, et savait tout ce que j'avais pu lui dire sur Washington et La Fayette. (J'espérais que ce que je croyais savoir était au moins à moitié vrai. Nous ne tarderions pas à le vérifier).

On apporta du porto. De toute évidence, le dîner était offert par le marquis. J'avais la nette impression que le haut commandement de l'armée continentale ne dînait pas toujours aussi fastueusement. Les hommes avaient évité de parler de la bataille à venir, mais je sentais le sujet planer au-dessus de nous tel un orage imminent, chargé de nuages noirs et traversé d'éclairs. Je commençai à lisser ma jupe et à donner des signes de départ. Jamie, assis en face de moi, les remarqua et me sourit.

Lee s'en aperçut lui aussi (il lorgnait mon décolleté d'un air absent). Il interrompit l'anecdote qu'il racontait à Ian et me déclara avec un large sourire :

— C'est un vrai plaisir d'avoir fait votre connaissance, madame. Votre mari nous rend un grand service en nous offrant le délice de votre compagnie et je...

Il s'arrêta en pleine phrase (et la bouche pleine), fixant Rollo qui s'était encore approché et ne se tenait plus qu'à quelques centimètres de lui. Lee était assis sur un banc bas et Rollo était grand, ce qui plaçait leurs visages à peu près à la même hauteur.

— Pourquoi ce chien me regarde-t-il ainsi ? demanda-t-il sèchement à Ian.

— Je crois qu'il attend de voir ce que vous allez laisser tomber, répondit-il avec un calme olympien.

Jamie ajouta poliment :

— Je serais vous, je laisserais tomber quelque chose et vite !

Ian, Rollo et moi prîmes congé des généraux puis une ordonnance équipée d'une lanterne nous conduisit vers nos lits. De grands feux brûlaient le long des berges du Delaware et de nombreux bateaux sur le fleuve avaient leurs lanternes allumées, les lumières se reflétant sur l'eau noire tel un banc de poissons scintillants.

— Tu sais quelque chose au sujet de ton voisin de table ? demandai-je à Ian dans mon mauvais gaélique.

Il se mit à rire. (Jamie et lui riaient *toujours* quand j'essayais de parler leur langue.)

— Non, répondit-il, mais je compte bien me renseigner. Tout ce que je peux dire pour le moment, c'est que c'est un Anglais.

Il avait utilisé le mot « *sassenach* », ce qui me fit sursauter. Cela faisait longtemps que je n'avais pas entendu un Écossais employer ce mot dans le vrai sens du terme.

— Certes. Tu crois que ça change quelque chose ?

Techniquement, ils étaient *tous* encore anglais. Enfin, à l'exception de La Fayette, de von Steuben, de Kosciuszko et de quelques autres excentriques. Néanmoins, la plupart des officiers continentaux étaient nés et avaient grandi dans les colonies, ce qui n'était pas le cas de Lee. Ian émit un son moqueur indiquant qu'il considérait que cela faisait toute la différence.

— Mais j'ai entendu dire que, lui aussi, il a été adopté par les Kahnyen'kehaka, objectai-je.

Ian se tut un moment, puis me prit le bras et se pencha vers moi pour me glisser dans l'oreille :

— Ma chère tante, vous croyez que je n'ai jamais cessé d'être un Écossais ?

55

LES VESTALES

JAMIE ET MOI ÉTIONS LOGÉS chez les Chenowyth, une famille charmante quoique, on pouvait les comprendre, légèrement angoissée, dont la maison était située tout au bout de l'unique rue de Coryell's Ferry. Mme Chenowyth m'accueillit en robe de chambre et avec une chandelle, puis me conduisit dans une chambre à l'arrière de la maison. Cette dernière avait été évacuée à la hâte par un certain nombre de petits Chenowyth qui, à en juger par les sons de nombreuses respirations simultanées, devaient dormir avec leurs parents.

Le lit unique était grand, mais pas encore assez pour Jamie, dont les pieds dépasseraient du bord. Il y avait une bassine et une aiguière remplie d'eau fraîche. J'en bus quelques gorgées pour soulager ma gorge desséchée par l'abus de vin français. Puis je m'assis sur le bord du lit, me sentant bizarre.

Peut-être était-ce le vin. Peut-être était-ce le fait que la chambre n'ait pas de fenêtre. Mme Chenowyth avait refermé la porte derrière elle. La pièce était petite, faisant environ trois mètres sur deux et demi. Il n'y avait pas un brin d'air et la chandelle brûlait haute et droite devant le mur en briques. Ce dut être sa flamme qui me fit penser à oncle Lamb et au jour où il m'avait parlé des vierges vestales, me montrant une sculpture en calcédoine bleuâtre provenant du temple de Vesta.

Je l'entendais encore : « *Si une vierge violait ses vœux, elle était fouettée, puis emmurée vivante dans une petite tombe souterraine contenant une table, une chaise, un peu d'eau et une seule bougie. Elle mourait quand il n'y avait plus d'air.* »

J'avais alors environ dix ans et avais trouvé cela délicieusement morbide. J'avais demandé à mon oncle comment une vestale pouvait briser ses vœux. Ce fut ainsi que je reçus ma première «leçon de choses», comme on l'appelait alors, oncle Lamb n'étant pas homme à tourner autour du pot dès qu'il s'agissait de faits concrets. Bien qu'il m'eût assuré que le culte de Vesta n'existait plus depuis longtemps, je résolus alors de ne pas être vierge, juste au cas où. C'était plutôt une bonne résolution, même si j'ignorais encore que coucher avec des hommes avait des effets secondaires très singuliers.

Ian m'avait apporté nos sacoches, qu'il avait laissées tomber dans un coin avant d'aller chercher un lieu où Rollo et lui pourraient dormir. Je me levai, sortis ma brosse à dents et ma poudre dentifrice, trouvant assez surréaliste de me brosser les dents alors qu'une bataille se préparait. Ce n'était pas tout à fait comme remettre en ordre les transats du *Titanic*, mais…

Je savais que Washington et La Fayette survivraient quoi qu'il advienne (il était déroutant de penser désormais à eux comme à des hommes plutôt qu'à des noms). Les grands pores sur le nez de Washington quand il s'était penché pour me baiser la main, les cicatrices de la variole sur ses joues, son odeur, un mélange d'amidon et de sueur, de vin et de poudre de perruque (il en portait toujours en dépit de la chaleur), son haleine fétide et douceâtre due à ses dents gâtées… Cela me rappela à l'ordre et je me brossai les dents vigoureusement. Il sentait aussi le sang. En raison d'un saignement des gencives, peut-être ?

Je me débarrassai de ma robe, de ma veste et de mon corset, puis agitai un moment ma chemise dans l'espoir de créer un courant d'air. Cela n'eut guère d'effet, à part le vacillement de la flamme. Je mouchai la chandelle et m'allongeai.

Je ne m'attendais pas à dormir. Depuis que nous avions quitté Philadelphie, des décharges d'adrénaline me parcouraient sans cesse comme le courant dans un circuit défectueux. À présent, elles formaient un bourdonnement continu dans mes veines. Si la conversation durant le dîner avait été générale, l'atmosphère avait été électrique. Dès que Ian et moi étions partis et que la table avait été desservie… C'était ce que j'avais connu de plus proche d'un conseil de guerre, et ses vibrations résonnaient encore en moi.

J'avais également senti l'anxiété des hommes, mais quand elle trouvait un bon débouché, l'anxiété pouvait se convertir en efficacité. C'était probablement ce que Washington et ses généraux faisaient en ce moment, élaborant des plans, répartissant les troupes, inventant des stratégies… J'aurais aimé être avec eux. Cela serait certainement plus intéressant que de rester allongée dans le noir, contemplant l'infini dans un ennui mortel… Ce devait être une horrible façon de mourir.

Je me relevai et me dirigeai vers la porte. Il n'y avait aucun bruit ; aucune lumière ne filtrait sur le seuil de la chambre voisine. Je cherchai à tâtons mes souliers et ma cape sur le sol, passai celle-ci sur mes épaules et sortis, traversant sur la pointe des pieds la maison plongée dans l'obscurité.

La porte d'entrée n'était pas verrouillée. Peut-être M. Chenowyth était-il sorti et pas encore rentré. Je courrais le risque de me retrouver coincée à l'extérieur, mais passer la nuit en chemise au milieu d'un camp militaire me paraissait préférable à rester enfermée dans une tombe. En outre, j'étais pratiquement sûre qu'un des petits Chenowyth avait fait pipi au lit récemment.

Je remontai la rue sans que personne me remarque. Les tavernes et estaminets étaient gorgés de monde et déversaient leurs clients sur les trottoirs. Les soldats réguliers en uniforme fanfaronnaient, espérant provoquer la jalousie des miliciens. Il y avait également des femmes, et toutes n'étaient pas des putains. Surtout, il y avait de l'air.

La chaleur de la journée s'était dissipée et, s'il ne faisait pas frais, l'atmosphère n'était plus étouffante. Échappée de ma tombe, je savourais ma liberté et mon invisibilité. Étant grande, drapée dans une cape, mes cheveux tressés en arrière pour la nuit, je ressemblais à la plupart des miliciens. Personne ne se retourna sur moi.

La rue et le camp au-delà étaient fébriles. Je reconnaissais cette ambiance qui me projetait dans plusieurs endroits différents, les champs de bataille que j'avais connus, depuis ceux de France en 1944 à ceux de Prestonpans et Saratoga. Ce n'était pas toujours aussi joyeux. Souvent, la peur prédominait. Je me souvins de la nuit avant Culloden et fus parcourue par un frisson glacé si puissant que je chancelai et manquai de me cogner contre un mur.

— Amie Claire ?

— Denzell ?

À moitié aveuglée par la lueur de plusieurs torches passant tout près, je clignai des yeux devant la silhouette qui venait d'apparaître devant moi.

— Que fais-tu ici ? demanda-t-il sur un ton alarmé. Il s'est passé quelque chose ? Est-ce Jamie ?

— D'une certaine manière, oui, répondis-je. Mais tout va bien. J'avais besoin de prendre l'air. Et vous, que faites-vous ici ?

— J'allais chercher un pichet de bière.

Il me prit fermement par le bras.

— Viens avec moi. Tu ne devrais pas être seule dans la rue, avec tous ces soldats. Ceux qui ne sont pas encore saouls le seront bientôt.

Je ne discutai pas. Sa main sur mon bras me retenait contre les courants de la nuit qui semblaient m'emporter au hasard dans le passé, le futur, puis de nouveau dans le passé.

Quand nous tournâmes à droite au bout de la rue, en direction des feux et des tentes du camp, je demandai :

— Où sont Rachel et Dottie ?

— Rachel est partie quelque part avec Ian, je n'ai pas demandé où. Dottie est dans la tente médicale, soignant une indigestion aiguë.

— Juste ciel ! Qu'a-t-elle mangé ?

Il se mit à rire.

— Non, ce n'est pas elle qui souffre d'indigestion, mais une Mme Peabody venue se plaindre d'horribles coliques. Dottie a dit qu'elle se chargeait de lui administrer un calmant et m'a envoyé chercher de la bière. Il ne serait pas prudent pour elle de s'aventurer seule dans une taverne.

Je sentis une pointe de reproche dans le ton et émis un « hmm » neutre. Il se garda d'en dire plus sur le fait que j'errais seule dans les rues, la nuit, en « déshabillé », peut-être parce qu'il ne le remarqua qu'une fois que nous entrâmes sous la grande tente médicale et que j'ôtai ma cape.

Il me lança un bref regard choqué, toussota puis, saisissant un grand tablier en toile, parvint à me le tendre sans me regarder. Dottie, occupée à masser le dos d'une très grosse dame assise sur un tabouret et penchée en avant, m'adressa un sourire par-dessus le bonnet de sa patiente.

— Comment allez-vous, ma tante ? Vous avez des fourmis dans les jambes ce soir ?

— On peut dire ça, répondis-je en enfilant le tablier. C'est Mme Peabody ?

— Oui, répondit Dottie en réprimant un bâillement. L'indigestion semble s'être atténuée. Je lui ai donné un calmant avec de la menthe, mais elle se plaint également de douleurs au dos.

— Hmm.

Je m'accroupis devant la femme, qui semblait s'être à moitié endormie, puis sentis son haleine, qui titrait dans les quarante degrés au moins. Je posai une main sur son ventre afin de tenter de localiser le problème. Elle fut prise d'une toux grasse que je ne connaissais que trop bien et s'étrangla. Je bondis en arrière juste à temps.

— Merci pour le tablier, dis-je à Denny en essuyant quelques gouttes de vomi qui m'avaient éclaboussée. Vous n'auriez pas apporté un tabouret d'accouchement, par hasard ?

— Un tabouret d'accouchement ? Sur un champ de bataille ?

Il fixa la femme avec des yeux légèrement saillants derrière ses lunettes. Elle oscillait lourdement telle une grosse cloche qui hésitait à sonner.

— En parlant de bataille, je crois bien que celle-ci en sera une, observai-je. Pouvez-vous nous apporter une couverture, Dottie ? Nous ferions mieux de l'allonger par terre ; elle fera s'effondrer le lit.

À nous trois, nous ne fûmes pas de trop pour déplacer Mme Peabody, qui avait tourné de l'œil dès que nous l'avions soulevée, et la coucher sur une couverture étalée sous la lanterne. Un nuage de papillons de nuit s'était formé aussitôt, attiré par la lumière ainsi que par le mélange d'odeurs variées qui épaississait l'air.

Mme Peabody n'avait pas simplement tourné de l'œil, mais avait sombré dans ce qui paraissait être un coma éthylique. Après un bref débat, nous la tournâmes sur le côté au cas où elle vomirait à nouveau. Cette position permit à son ventre considérable de se répandre sur le sol devant elle, tel un sac bien rempli. Elle ressemblait à la reine d'une espèce d'insectes sociaux, prête à pondre des œufs par milliers. Je me retins de le dire, car Dottie était encore pâle.

Denzell s'était remis du choc et surveillait son pouls, une main sur son poignet.

— Il est remarquablement fort, conclut-il en me regardant. Tu penses qu'elle arrive à terme ?

— Je ne l'espère pas, répondis-je. Mais il est difficile de le savoir sans l'examiner… euh… de plus près.

Je pris une profonde inspiration et fis appel à mes pulsions les plus généreuses.

— Vous voulez que je… euh… proposai-je faiblement.

Denzell bondit aussitôt sur ses pieds et saisit un seau.

— Je vais chercher de l'eau propre !

Étant donné que Dottie était sa fiancée, je me retins de le traiter de couard en sa présence, me contentant de lui faire signe d'y aller. Mme Peabody me mettait mal à l'aise pour différentes raisons. J'ignorais si son travail était sur le point de commencer et, le cas échéant, comment son état comateux influerait sur l'accouchement. Le taux d'alcool dans son sang affectait certainement le fœtus. Un bébé ivre parviendrait-il à respirer ? Il ne vomirait pas, puisqu'il n'avait rien dans l'estomac à rejeter, mais s'il aspirait des matières dans le ventre de sa mère ? C'était une situation particulièrement dangereuse même dans un hôpital moderne doté de toute une équipe d'obstétriciens. La plupart des bébés naissant dans ces conditions mouraient de suffocation, de lésions pulmonaires ou d'infection.

J'avais très honte d'admettre que ma pire crainte était qu'une complication de l'accouchement m'oblige à rester auprès de la mère et de l'enfant. Mon serment de médecin et ma conception de mes responsabilités m'interdisaient d'abandonner un patient qui avait besoin de moi.

Mais je n'abandonnerais pas Jamie. Je savais sans l'ombre d'un doute qu'il participerait à la bataille, et ce, bientôt. Il ne partirait pas sans moi.

Un bruit m'extirpa de mon dilemme médico-moral. Dottie avait commencé à déballer les instruments et laissé tomber une scie à amputer. En se baissant pour la ramasser, elle marmonna quelque chose en allemand, probablement un gros mot. John jurait toujours en allemand. Ce devait être une tradition familiale.

Penser à John rajouta une couche de culpabilité à mes sentiments déjà complexes, quoique la partie logique de mon cerveau la rejetât fermement en me disant que ce n'était pas le moment. Néanmoins, mon inquiétude pour lui ne pouvait être étouffée aussi facilement.

— Vous devriez aller vous coucher, Dottie, dis-je. Je m'en occupe. De toute manière, il ne se passera rien dans l'immédiat. Je peux préparer moi-même les instruments chirurgicaux.

— Non, ce n'est rien.

Elle s'interrompit en bâillant, se surprenant elle-même et plaquant une main devant sa bouche avec un temps de retard.

— Oh, pardonnez-moi, madame Fraser.

Cela me fit sourire. Elle avait également les bonnes manières de John. Sans doute Hal les avait-il aussi, quand il n'était pas occupé à se comporter comme la dernière des ordures.

Elle me dévisagea gravement. Elle avait vraiment un regard saisissant.

— En fait, je suis contente d'avoir cette occasion de vous parler en tête à tête.

— Ah oui ?

Je m'accroupis pour poser une main sur le ventre de Mme Peabody. Je ne sentais aucun mouvement, mais les bébés étaient généralement calmes, juste avant le début du travail. Si j'avais eu mon stéthoscope, j'aurais pu chercher un battement de cœur fœtal, mais il était dans l'une des boîtes que Ian et l'ordonnance avaient emportées quelque part. En outre, ce que j'entendrais ou pas ne changerait strictement rien au protocole immédiat.

Dottie s'assit sur une caisse comme s'il s'agissait d'un trône. Comme tous les Grey que j'avais rencontrés, elle avait toujours un maintien impeccable.

— Oui, j'aurais aimé connaître la manière correcte d'avoir un rapport sexuel.

— Ah. Hum…

Elle baissa les yeux vers Mme Peabody avant d'ajouter :

— Et savoir s'il y a un moyen d'éviter… euh…

— Une grossesse, achevai-je pour elle.

Je m'éclaircis la gorge. Je comprenais que la vue de Mme Peabody puisse détourner une jeune femme de l'envie de devenir enceinte, voire du sexe en général. Toutefois, Dorothea Grey était clairement une créature à poigne.

— Ne vous méprenez pas, ma tante. Ou devrais-je vous tutoyer et vous appeler « amie Claire » ? Je veux des enfants… J'en ai très envie, même, mais si je pouvais éviter que cela m'arrive sur un champ de bataille ou sur un navire en pleine mer…

Je sautai sur cette dernière image, histoire de gagner du temps afin de trouver la meilleure manière de lui présenter la chose. Je me serais plutôt attendue à ce genre de question de la part de Rachel, car elle n'avait pas eu de mère.

— Un navire ? demandai-je. Vous songez à rentrer en Angleterre ?

Elle fit une grimace qui me rappela fortement son père et je me retins de justesse de rire.

— Je ne sais pas. J'ai très envie de voir maman, bien sûr, ainsi qu'Adam et tous mes… En fait, je doute de revoir mes amis un jour. (Elle agita une main, balayant ses amis.) Ce n'est pas qu'il n'y ait pas de quakers dans la bonne société, mais ils sont tous très riches, et nous ne le serons pas.

Elle se mordit la lèvre avec une expression plus calculatrice que chagrine.

— Si je parviens à convaincre Denny de m'épouser ici, pour que nous soyons déjà mariés en arrivant en Angleterre, il sera facile de trouver à Londres une assemblée qui nous accepte. Tandis qu'ici… (Elle fit un grand geste vers le camp autour de nous.) Sa participation à la guerre lui sera toujours reprochée.

— Même quand la guerre sera terminée ?

Elle m'adressa un sourire patient trop vieux pour son visage.

— Papa dit qu'il faut au moins trois générations pour que s'effacent du sol les traces d'une guerre. Et d'après ce que j'ai vu, les quakers ont la mémoire longue.

— Il n'a sans doute pas tort.

Mme Peabody s'était mise à ronfler. Je ne percevais toujours pas de contractions. Je calai confortablement mon dos contre une caisse et pris mon courage à deux mains.

— Bon, commençons par quelques notions de base en anatomie.

Ignorant en quoi consistait l'instruction d'une jeune fille bien née, et ce qu'elle avait pu apprendre par ses propres moyens, je décidai de commencer par l'appareil génital féminin, débutant avec l'utérus et progressant vers l'extérieur, étape par étape. Lorsque j'en arrivai au clitoris, elle s'exclama ravie :

— Vous voulez dire que ça a un nom ? J'ai toujours pensé que ce n'était que... vous savez... un petit bout de chair.

À son ton, il était clair que je n'avais pas besoin de lui expliquer ce qu'on faisait de ce « petit bout de chair ». Je me mis à rire.

— À ma connaissance, c'est la seule structure du corps humain qui n'a d'autre fonction que de procurer du plaisir.

— Mais les hommes... n'ont-ils pas... ?

— Si, bien sûr. Et leur bout de chair leur donne bien du plaisir également, mais il est aussi très fonctionnel. Vous... euh... vous savez comment il fonctionne ? Au cours du rapport ?

— Denzell refuse de me laisser toucher son membre nu, s'offusqua-t-elle. Je rêve de pouvoir l'examiner à loisir, mais je n'ai fait que l'entrevoir lorsqu'il... vous savez. (Ses yeux pétillaient.) Mais je l'ai déjà senti à travers sa culotte. J'ai été stupéfaite la première fois qu'il a durci sous ma main ! Comment fait-il ça ?

Je lui expliquai le concept de la pression hydrostatique le plus simplement possible, devinant où cela allait nous conduire. Je me redressai sur les genoux.

— Je dois examiner Mme Peabody pour vérifier que le travail ne commence pas, déclarai-je. Nous devons respecter sa pudeur, dans la mesure où l'on peut en avoir dans ce genre de circonstance, mais puisque vous m'assistez vous n'avez qu'à observer ce que je fais. Je vous expliquerai au fur et à mesure.

Je relevai délicatement les jupes de Mme Peabody, dévoilant ses parties intimes, qui étaient densément boisées mais très reconnaissables et indubitablement féminines.

— Quand le col de l'utérus, c'est-à-dire l'ouverture de l'utérus, commence à se dilater pour permettre le passage du bébé, il y a souvent un écoulement de sang et de glaire. C'est tout à fait normal. Je n'en vois encore aucun signe.

Cela me rassura.

Dottie se pencha par-dessus mon épaule tandis que j'introduisais prudemment ma main fraîchement lavée.

— Oh! fit Dottie comme si elle venait d'avoir une révélation. C'est donc *là* que ça va?

Cette fois, je ne pus m'empêcher de rire.

— En effet, confirmai-je. Je suppose que Denzell vous l'aurait dit. Vous ne le lui avez jamais demandé?

— Non.

Elle se rassit sur ses talons sans cesser d'observer attentivement tandis que je posai une main sur le ventre de Mme Peabody et palpai son col utérin.

— Non? demandai-je.

— Non, je ne voulais pas paraître ignorante. Denny est si… comment dire, *instruit*. Je sais lire, naturellement, et écrire, même si je ne rédige que des lettres. Je sais aussi jouer d'un instrument, ce qui ne me sert pas à grand-chose. Je m'affaire autour de lui et l'aide quand je le peux, bien sûr. Il est toujours prêt à m'expliquer des choses, mais… j'ai cette vision de notre nuit de noces et de lui m'expliquant ce que nous devons faire comme lorsqu'il m'indique comment aspirer la morve d'un enfant avec un tube ou pincer la peau afin qu'il puisse faire une suture, et… (Elle fit une petite moue charmante qu'elle avait dû hériter de sa mère)… Je ne veux pas que ça se passe ainsi.

— Hum… je vous comprends.

Je retirai ma main, l'essuyai et couvris à nouveau Mme Peabody avant de reprendre son pouls. Il était lent, mais puissant. Cette femme devait avoir le cœur d'un bœuf.

— Et comment aimeriez-vous que cela se passe? demandai-je. En tenant compte du fait que ce genre d'activité est… très variable. Denzell a-t-il jamais…? Je suppose que vous l'ignorez.

Elle plissa son front blanc et lisse.

— Je ne sais pas. Je n'ai jamais pensé à le lui demander. J'ai des frères et je sais qu'ils l'ont fait parce qu'ils en parlent avec leurs amis. Je veux dire qu'ils le font avec des filles de joie. Comme tous les hommes, je suppose. D'un autre côté, je ne sais pas si Denny irait voir une prostituée… Qu'en pensez-vous?

Elle ne paraissait pas troublée outre mesure. Dans son milieu social, il était sans doute communément accepté que les hommes, ou du moins les militaires, fréquentent des maisons closes.

Des souvenirs très vifs de ma propre nuit de noces me revinrent subitement, ainsi que ma stupéfaction en apprenant que mon mari était puceau.

— Peut-être pas, répondis-je. Cela dit, en tant que médecin, il connaît forcément la mécanique, même si cela ne se résume pas à ça.

Son regard s'illumina et elle se pencha en avant, les mains sur les genoux.

— Racontez-moi tout.

— C'est un peu comme du blanc d'œuf mélangé avec une ou deux gouttes de civette. Il paraît que c'est bon pour la peau, quoique personnellement…

Je m'interrompis en entendant des voix approcher. Rachel et Ian étaient de retour, enjoués, le teint frais et ayant l'air de deux jeunes gens ayant passé la dernière heure à faire précisément ce que je venais d'expliquer à Dottie.

Celle-ci se tourna vers Rachel puis lança un regard très bref vers la culotte de Ian. Ses joues rosirent.

Rachel ne le remarqua pas, son attention s'étant aussitôt fixée sur Mme Peabody. À dire vrai, tous les regards étaient concentrés sur elle. Il était pratiquement impossible de voir autre chose.

Elle fronça les sourcils et se tourna vers moi.

— Où est Denzell ?

— Excellente question, répondis-je. Il est parti chercher de l'eau il y a un bon moment déjà. Si vous avez soif, il y a de la bière.

J'indiquai la cruche oubliée dans un coin. Ian en versa une tasse pour Rachel, attendit qu'elle l'ait bue, puis la remplit à nouveau pour lui-même sans quitter des yeux Mme Peabody qui, bien que toujours inconsciente, émettait toutes sortes de bruits étranges.

— Oncle Jamie sait où vous êtes, ma tante ? me demanda-t-il. Il vous cherchait tout à l'heure. Il a dit qu'il vous avait trouvé un endroit sûr où dormir mais que vous vous étiez évadée.

Il ajouta avec un grand sourire :

— ... Une fois de plus.

— Ah, fis-je. Sa réunion avec les généraux est terminée ?

— Oui, il a voulu faire connaissance avec plusieurs capitaines de milice sous ses ordres, mais la plupart dormaient déjà. Il est alors allé vous rejoindre chez les Chenowyth. Mme Chenowyth a été très surprise de découvrir que vous n'étiez plus chez elle.

— Je suis juste sortie prendre un peu d'air, répondis-je sur la défensive. Et puis...

Je fis un geste vers la patiente étendue sur le sol, qui émettait à présent un ronflement rythmique. Elle avait meilleure mine, ce qui était bon signe.

— Euh... Jamie t'a paru fâché ? demandai-je.

Ian et Rachel éclatèrent de rire.

— Non, ma tante, répondit Ian, mais il est mort de fatigue et il vous veut.

— C'est lui qui t'a dit de me dire ça ? m'étonnai-je.

— Pas vraiment en ces termes, expliqua Rachel, mais son expression était claire.

Elle se tourna vers Ian en exerçant une légère pression sur son bras.

— Tu veux bien aller chercher Denny ? Il faut que quelqu'un remplace Claire au chevet de cette femme, n'est-ce pas ?

Elle m'interrogea du regard.

— Je ne pense pas que l'accouchement soit pour tout de suite, répondis-je (en croisant les doigts). Mais elle ne peut pas rester seule dans son état.

Ian bâilla, puis s'ébroua.

— J'y vais, annonça-t-il. Si je rencontre oncle Jamie, je lui dirai où vous êtes, ma tante.

Quand il fut parti, Rachel remplit à nouveau la tasse et me la tendit. La bière était aussi chaude que l'air sous la tente, ce qui n'était pas peu dire, mais son âpreté me fit grand bien. Je ne m'étais pas rendu compte de ma fatigue jusqu'à ce que l'alcool me revigore.

Après avoir vérifié le pouls et la respiration de Mme Peabody, Dottie posa une main sur le ventre considérable de la patiente.

— As-tu déjà assisté un accouchement, ma sœur? demanda-t-elle à Rachel en soignant son parler quaker.

— Oui, plusieurs fois, répondit Rachel en s'accroupissant à côté d'elle. Ce cas-ci paraît différent. Cette pauvre femme a-t-elle subi un acci… «Ouf!» (Elle venait de sentir son haleine chargée et recula en toussant.) Je vois.

Mme Peabody gémit bruyamment et tout le monde se tendit. J'essuyai mes mains sur mon tablier, au cas où. Nous attendîmes en silence, puis, quand Mme Peabody se détendit à nouveau, Dottie inspira profondément.

— Mme… je veux dire, l'amie Claire m'éclairait justement sur… euh… ce qu'on est en droit d'attendre lors de sa nuit de noces.

Rachel releva des yeux intéressés.

— Voilà des renseignements qui me seraient bien utiles à moi aussi. Je sais où vont les… parties pour l'avoir vu assez souvent, mais…

— Vraiment?

Dottie écarquilla les yeux et Rachel se mit à rire.

— Oui, mais Ian m'assure qu'il est plus doux et adroit qu'un taureau ou un bouc. C'est que mes observations se limitent au monde animal. La femme qui s'est occupée de moi après la mort de mes parents m'a consciencieusement informée de mes obligations conjugales, mais ses instructions se limitaient en grande partie à: «Écarte les cuisses, serre les dents et laisse-toi faire.»

Je m'assis sur une caisse et m'étirai pour soulager mon dos. Dieu savait combien de temps il faudrait à Ian pour trouver Jamie dans la masse grouillante du camp. J'espérais aussi que Denny ne s'était pas pris un coup sur le crâne ou n'avait pas été piétiné par une mule.

— Versez-moi donc encore un verre, demandai-je. Et prenez-en un vous aussi, vous allez en avoir besoin.

— … et si, à un moment, il dit «oh mon Dieu, oh mon Dieu», prenez bien note de ce que vous étiez en train de faire afin de le refaire la prochaine fois.

Cela fit rire Rachel, mais Dottie plissa le front, louchant légèrement.

— Vous croyez… tu crois que Denny invoquerait le nom du Seigneur en vain, même dans ces circonstances?

— Je l'ai entendu le faire pour moins que ça, répliqua Rachel.

Elle étouffa un petit rot avec le dos de sa main avant d'ajouter:

— Il s'efforce d'être parfait en ta présence, de peur que tu ne changes d'avis.

— Tu crois? s'étonna Dottie d'un air plutôt satisfait. Ça ne me viendrait jamais à l'esprit. Devrais-je le lui dire?

— Pas avant de l'avoir entendu gémir «oh mon Dieu, oh mon Dieu», répondit Rachel en pouffant de rire.

— Ne vous inquiétez pas, la rassurai-je. Quand un homme dit «oh mon Dieu» dans cette situation, c'est presque invariablement une prière.

— Une prière de désespoir ou de gratitude? demanda Dottie.

— Ça… ça dépend de vous, répondis-je.

Je réprimai à mon tour un petit rot.

En entendant des voix mâles approcher, nous lançâmes toutes les trois un regard coupable vers la cruche désormais vide et nous nous redressâmes en remettant un peu d'ordre dans nos chevelures légèrement en désordre. Toutefois, aucun des hommes qui entrèrent n'était en état de nous jeter la première pierre.

Ian avait trouvé Jamie *et* Denzell. En chemin, il avait trouvé un nouveau compagnon, un petit homme avec une courte queue de cheval et coiffé d'un chapeau à corne. Bien qu'aucun ne titubât, il flottait autour d'eux un nuage de grains d'orge fermentés.

— Te voilà, *Sassenach*! s'exclama Jamie.

Son visage s'était illuminé en me voyant, ce qui me rassura.

— Es-tu... Qui est-ce?

En s'avançant vers moi les bras tendus, il venait d'apercevoir Mme Peabody, qui gisait désormais les bras écartés et la bouche grande ouverte.

— C'est la dame dont je t'ai parlé, oncle Jamie.

Ian ne titubait pas, mais oscillait lentement. Il dut se tenir à l'un des pieux de la tente pour ne pas tomber.

— Celle qui... euh...

Il fit un geste de sa main libre vers le monsieur au chapeau à corne.

— Sa femme, quoi, acheva-t-il.

— Ah, je vois, dit Jamie en s'approchant prudemment de Mme Peabody. Elle n'est pas morte, n'est-ce pas?

— Non, je crois que je m'en serais rendu compte, répondis-je.

Il était peut-être ivre, mais il remarqua néanmoins le ton légèrement dubitatif avec lequel j'avais dit « je crois ». Il s'agenouilla près de la patiente et approcha une main devant sa bouche.

— Nan, elle est juste complètement ronde, déclara-t-il joyeusement. Vous voulez un coup de main pour la ramener chez vous, monsieur Peabody?

À côté de moi, Dottie chuchota à Rachel :

— Il ferait mieux de lui prêter une brouette.

— Ce serait très aimable à vous, monsieur, déclara M. Peabody.

Étonnamment, il semblait être le seul du groupe à être sobre. Il s'agenouilla et écarta des cheveux moites de sur le front de son épouse.

— Lulu? Réveille-toi, ma chérie. Il est temps de rentrer à la maison.

À ma surprise, elle ouvrit les yeux. Elle battit des paupières un instant, puis son regard se fixa sur son mari.

— C'est toi, Simon! dit-elle avec un sourire émerveillé.

Là-dessus, elle se rendormit profondément.

Jamie se releva péniblement et j'entendis les petits os de son dos craquer l'un après l'autre. Il souriait toujours, mais Ian avait raison : il était mort de fatigue. Tous les plis de son visage s'étaient creusés et il avait de grands cernes noirs sous les yeux.

Ian les vit lui aussi.

— Tante Claire a besoin de retrouver son lit, déclara-t-il. Elle a eu une longue nuit. Pourquoi ne l'emmènes-tu pas, mon oncle? Denny et moi aiderons M. Peabody.

Jamie me lança un regard et je bâillai avec ostentation (sans trop me forcer, il est vrai). Après m'être brièvement assurée une dernière fois que Mme Peabody n'était en train ni de mourir ni d'accoucher, je lui pris le bras et l'entraînai vers la sortie, saluant tout le monde d'un signe de la main.

Une fois au-dehors, nous prîmes une grande goulée d'air frais, soupirâmes de concert et éclatâmes de rire.

— C'est vrai que la nuit a été longue, n'est-ce pas ?

Je posai mon front sur son torse, glissai mes bras autour de sa taille et massai doucement les bosses de ses vertèbres à travers sa veste.

— Que s'est-il passé ? demandai-je.

Il déposa un baiser sur le sommet de mon crâne avant de répondre :

— J'ai reçu le commandement de dix compagnies de miliciens de la Pennsylvanie et du New Jersey. Le marquis a un millier d'hommes sous ses ordres, dont les miens, et il a été chargé d'un plan pour aller mordre les fesses de l'armée britannique.

— Voilà qui devrait vous amuser un moment. Tu as besoin de sommeil, Jamie.

Les bruits du camp s'étaient considérablement atténués, mais l'air lourd était encore chargé de l'énergie de tous ces hommes, qu'ils soient éveillés ou dorment d'un sommeil agité. Je sentais les mêmes vibrations dans le corps de Jamie en dépit de son épuisement.

Ses bras se resserrèrent autour de moi et sa main libre descendit lentement le long de mon dos. J'avais laissé le tablier de Denny sous la tente et ma cape était pliée sur mon bras. Je ne portais que ma chemise.

Sa grande main pressa ma fesse.

— J'ai besoin de toi, *Sassenach*. Un besoin urgent.

À travers la fine mousseline de ma chemise, je sentais les boutons de son gilet et autre chose de dur. Effectivement, son désir était flagrant.

— Ça t'ennuie de le faire dans une crypte qui sent le pipi ? demandai-je en pensant à la chambre des Chenowyth.

— Je t'ai fait l'amour dans des endroits pires que ça, *Sassenach*.

Avant que j'aie pu répondre « Cite-m'en trois », le rabat de la tente s'écarta pour laisser sortir une petite procession constituée de Denzel, de Dottie, de Rachel et de Ian, chacun portant un coin du grand drap en toile sur lequel dormait toujours la forme volumineuse de Mme Peabody ; son mari ouvrait la marche en brandissant haut une lanterne.

Nous nous tenions dans l'obscurité et ils passèrent sans nous voir, les filles pouffant de rire pendant que les garçons grognaient sous l'effort et que M. Peabody les encourageait.

Lorsqu'ils se furent éloignés, nous regardâmes l'entrée de la tente, sombre et vide.

— Qu'en penses-tu ?

— Oh oui !

Les brancardiers avaient emporté l'unique lanterne et la lune basse ne formait qu'un mince croissant au-dessus de l'horizon. Lorsque nous entrâmes sous la tente, une douce obscurité poussiéreuse sentant l'alcool (avec une légère

pointe de vomi) nous enveloppa comme un nuage. Heureusement, je me souvenais où se trouvaient les choses. Nous parvînmes à pousser quatre caisses l'une
contre l'autre et j'étalai ma cape dessus. Jamie ôta sa veste et son gilet, puis nous
nous allongeâmes dans l'obscurité.

— Combien de temps avons-nous ? demandai-je en déboutonnant sa
braguette.

Sa chair était chaude et dure dans ma main, sa peau douce comme de la
soie.

— Assez de temps, répondit-il.

Il caressa un de mes tétons du bout du pouce, prenant son temps en dépit de
l'urgence de son désir.

— Ne te presse pas, *Sassenach*. Une autre occasion ne se présentera peut-
être pas de sitôt.

Il m'embrassa longuement, sa bouche sentant le roquefort et le porto.
Même ici, je percevais l'énergie du camp, elle vibrait en nous comme une corde
de violon tendue à l'extrême.

— Je ne sais pas si j'aurai le temps de te faire crier, *Sassenach*, chuchota-t-il
dans mon oreille. Mais je parviendrai peut-être à te faire gémir ?

— C'est possible. Il nous reste du temps avant l'aube, non ?

Peut-être était-ce la bière, mes conseils aux futures mariées, l'heure tardive,
l'attrait de la clandestinité ou notre besoin croissant de nous couper du reste du
monde et de nous accrocher l'un à l'autre, mais nous prîmes tout notre temps, et
plus encore.

— Oh mon Dieu, dit-il enfin en s'affaissant sur moi, son cœur battant
contre mes côtes. Oh… mon Dieu.

Je sentais mon propre pouls battre jusqu'au bout de mes doigts et résonner
dans mes os, et ne parvins à émettre rien de plus éloquent qu'un « Ooh ». Au
bout d'un moment, je me recomposai suffisamment pour caresser ses cheveux.

— Nous rentrerons bientôt chez nous, lui murmurai-je. Et alors tout le
temps nous appartiendra.

Nous restâmes ainsi encore un moment, refusant de nous disjoindre et de
nous rhabiller. Pourtant, les caisses étaient inconfortables et le risque d'être surpris augmentait à chaque instant.

Il remua enfin, sans se lever pour autant.

— Oh mon Dieu, répéta-t-il sur un tout autre ton. Trois cents hommes.

Il me serra plus fort contre lui.

56

LE SALE PAPISTE

LE SOLEIL N'AVAIT PAS ENCORE FRANCHI la ligne d'horizon, mais l'enceinte
des chevaux grouillait déjà comme une fourmilière. Les palefreniers, les

ravitailleurs, les charretiers et les charrons s'affairaient dans une douce lueur rose incongrue au son de centaines de mâchoires mastiquant en rythme. William souleva le sabot du hongre bai et tendit la main vers le cure-pied que son nouveau petit palefrenier serrait nerveusement contre son torse.

— Approche-toi, Zeb, l'encouragea-t-il. Je vais te montrer comment faire. C'est très facile.

— Oui, monsieur.

Zebedee Jeffers avança de trois centimètres, son regard inquiet allant sans cesse du sabot au flanc massif de l'animal. Jeffers n'aimait pas les chevaux et avait une aversion particulière pour Visigoth. Il ignorait probablement ce qu'était un Visigoth, ce qui n'était sans doute pas plus mal.

— Regarde.

Il tapa le cure-pied contre le bord d'un caillou qui s'était logé sous la courbe du fer à cheval durant la nuit.

— Il paraît tout petit, mais c'est comme si tu avais une pierre dans ta chaussure. Si on ne l'enlève pas, le cheval finira par boiter. Il n'est pas logé trop profondément. Tu veux essayer ?

— Non, répondit sincèrement Zeb.

Zebedee venait de la côte du Maryland. Il s'y connaissait en huîtres, en bateaux et en poissons, pas en chevaux.

— Il ne te fera aucun mal, l'assura William en commençant à s'impatienter.

Il faisait des allers et retours le long de la colonne une douzaine de fois par jour, portant des dépêches et collectant des rapports. Ses deux montures devaient être prêtes en permanence. Son palefrenier habituel, Colenso Baragwanath, était alité, ayant une fièvre, et il n'avait pas eu le temps de trouver un autre serviteur.

— Si monsieur, répondit Zeb. Regardez.

Il tendit un bras maigrichon en montrant une vilaine morsure en train de suppurer.

William se retint de lui demander ce qu'il avait pu faire au cheval. Visigoth n'avait pas si mauvais caractère, mais il pouvait être irritable. Or, les gesticulations nerveuses de Zeb avaient de quoi mettre les nerfs de n'importe qui à rude épreuve, surtout ceux d'un cheval fatigué qui avait faim.

— Comme tu voudras, soupira-t-il.

Il glissa le cure-pied sous le fer et fit sauter le caillou, puis passa la main le long de la patte du cheval avant de lui tapoter le flanc.

— Ça va mieux ? demanda-t-il à Visigoth.

Il fouilla dans sa poche et en sortit un bouquet de carottes molles. Il les avait achetées la veille à une fermière venue vendre ses produits dans le camp, les portant dans des paniers suspendus à une palanche en travers de ses larges épaules. Il en tendit une à Zeb.

— Tiens. Fais ami-ami avec lui. Donne-la-lui à plat sur ta paume.

Avant que le malheureux n'ait eu le temps de tendre son rameau d'olivier putatif, Visigoth le lui attrapa des doigts dans un éclair de grandes dents jaunes. L'adolescent poussa un cri en reculant précipitamment, heurta un seau et atterrit sur les fesses dans une grande flaque de crottin.

Partagé entre l'agacement et l'envie de rire, William parvint à étouffer les deux et l'aida à se relever.

— Bon, dit-il en époussetant vigoureusement le garçon. Veille bien à ce que *toutes* mes affaires soient dans le convoi des bagages, passe voir Colenso et demande-lui s'il n'a besoin de rien, puis assure-toi que j'aie quelque chose à manger ce soir. Je vais demander à l'un des palefreniers de Sutherland de s'occuper de Visigoth et de Madras.

Zeb s'affaissa de soulagement.

— Merci, monsieur!

Il détalait déjà quand William lança derrière lui :

— Et va montrer ce bras à l'un des médecins!

L'adolescent remonta les épaules jusqu'aux oreilles et accéléra le pas, faisant semblant de ne pas l'avoir entendu.

William sella lui-même Visigoth comme il le faisait toujours, ne laissant personne d'autre que lui vérifier un harnachement dont sa vie pouvait dépendre. Puis il le laissa avec Madras et se mit en quête des montures de Sutherland. Malgré la cohue, il n'eut aucun mal à les trouver. Sutherland possédait dix chevaux, tous de superbes spécimens d'environ seize paumes, et il y avait une douzaine de palefreniers pour s'en occuper. William venait de conclure un marché avec l'un d'eux quand il aperçut un visage familier dans la foule.

— Merde! marmonna-t-il.

Le capitaine Richardson l'avait repéré et venait vers lui avec un sourire cordial.

— Lord Ellesmere! Votre serviteur, capitaine.

— À votre service, répondit William aussi aimablement que possible.

Que lui voulait cette crapule ? Ou peut-être n'était-il pas vraiment une crapule, après tout, quoi qu'en dise Randall, qui pouvait en être une tout autant. Néanmoins, il gardait rancune à Richardson, autant pour mère Claire que pour lui-même. Il eut un pincement au cœur en pensant à Claire. Elle n'était en rien responsable de ce qui lui arrivait.

— Je suis surpris de vous trouver ici, déclara Richardson avec un regard autour d'eux. N'êtes-vous pas dans l'armée de convention ?

Le soleil s'était levé et des faisceaux dorés illuminaient les particules de poussière qui s'élevaient des robes rêches des mules.

— En effet, répondit froidement William.

Richardson le savait pertinemment. Néanmoins, William se sentait obligé de se défendre sans trop comprendre pourquoi. Il écarta les bras.

— Comme vous le voyez, je ne porte pas d'armes. Je n'ai pas le droit de me battre.

Il esquissa quelques gestes polis indiquant son besoin urgent d'être ailleurs, mais Richardson ne bougea pas, souriant avec ce visage très ordinaire, si ordinaire que sa propre mère ne l'aurait pas reconnu dans une foule sans ce grain de beauté sur un coin de son menton.

Il se rapprocha et baissa la voix.

— Oui, c'est ce que je vois. Dans ce cas, je me demandais si vous ne vouliez...

— Non, répondit catégoriquement William. Je suis l'un des aides de camp de Clinton et je ne peux abandonner mon poste. Si vous voulez bien m'excuser, capitaine, on m'attend.

Il tourna les talons et s'éloigna. Il avait déjà parcouru plusieurs dizaines de mètres quand il s'aperçut qu'il avait oublié son cheval. Richardson se tenait toujours près de l'enceinte, discutant avec un palefrenier qui retirait les pieux et enroulait la corde autour de son épaule. Le nombre de chevaux et de mules diminuait rapidement, mais il en restait encore suffisamment autour de Visigoth pour que William s'en approche discrètement et fasse mine de fouiller dans ses sacoches, tête baissée, en attendant que Richardson s'en aille.

La conversation lui avait laissé une image troublante de sa belle-mère telle qu'il l'avait vue la dernière fois, ébouriffée, *en déshabillé* et plus rayonnante qu'il ne l'avait jamais vue. En fait, elle n'était sans doute plus sa belle-mère, mais il l'aimait bien. Avec un temps de retard, il se rendit compte qu'elle était toujours sa belle-mère... même si lui avait changé de père. Quelle gabegie !

Il serra les dents et chercha sa gourde dans sa sacoche. Il avait fallu que cet emmerdeur d'Écossais resurgisse du fond de l'océan pour chambouler la vie de tout le monde et semer la confusion... Pourquoi ne s'était-il pas noyé pour ne jamais revenir ?

Ne jamais revenir.

« *Tu es un sale papiste et ton nom de baptême est James.* » Il se figea. Il s'en souvenait à présent. Les écuries de Helwater, les odeurs chaudes de chevaux et de mash, les brins de paille qui s'enfonçaient dans les mailles de ses bas, les dalles froides... Il avait pleuré. Pourquoi ? Il ne se souvenait que d'un sentiment de profond désespoir, d'impuissance totale. La fin du monde. Mac s'en allait.

Il inspira profondément et pinça les lèvres. Mac. Ce nom n'invoquait pas un visage. Il ne se souvenait pas des traits de Mac. Il était très grand. Plus grand que grand-père et que tous les valets et palefreniers. *La sécurité. Un sentiment de bonheur constant comme une vieille couverture douce.*

— Merde, murmura-t-il en fermant les yeux.

Ce bonheur avait-il été un mensonge, lui aussi ? Il avait été trop petit pour comprendre la différence entre la déférence d'un palefrenier envers son jeune maître et une véritable affection. Mais...

— « Tu es un sale papiste », répéta-t-il d'une voix étranglée par ce qui ressemblait à un sanglot. « Et ton nom de baptême est James. »

« *C'était le seul prénom que j'avais le droit de te donner.* »

Il se rendit compte qu'il pressait sa main contre son gorgerin, mais ce n'était pas le réconfort de l'objet en métal qu'il recherchait. C'était celui des petites perles en bois du chapelet qu'il avait porté autour du cou pendant des années, caché sous sa chemise. Le chapelet que Mac lui avait donné... avec son prénom.

Il sentit soudain sa tête lui tourner. *Tu es parti. Tu m'as laissé !*

— Merde ! répéta-t-il.

Il frappa si fort du poing dans la sacoche que le cheval hennit et fit un écart. Une douleur vive et fulgurante se propagea jusque dans son épaule, noyant tout le reste.

57

N'ENTRE PAS SANS VIOLENCE DANS CETTE BONNE NUIT

IAN SE RÉVEILLA JUSTE AVANT L'AUBE et trouva son oncle accroupi près de lui.

— Je pars prendre le petit-déjeuner avec les capitaines de mes compagnies, annonça-t-il sans préambule. Tu rallieras celles du colonel Wilbur en tant qu'éclaireur. Et tu t'occuperas de nous trouver des chevaux, d'accord ? Il me faudra une monture de rechange, entraînée au feu, et toi aussi.

Il laissa tomber une bourse sur le ventre de Ian, sourit, puis disparut dans la brume matinale.

Ian s'extirpa lentement de sa couverture en s'étirant. Pour dormir, il s'était choisi un endroit tranquille à l'écart du camp, sur une petite butte près du fleuve. Il ne perdit pas de temps à se demander comment son oncle l'avait trouvé ni à s'émerveiller devant sa capacité de récupération.

Il se prépara sans hâte, s'habilla minutieusement, trouva de quoi manger et réfléchit à ce qu'il devait faire. Il avait rêvé, au cours de la nuit, et les images l'habitaient toujours, même si les détails lui échappaient. Il s'était trouvé dans une épaisse forêt et avait senti une présence cachée quelque part dans le feuillage. Il ignorait ce que c'était, mais une désagréable sensation de danger perdurait entre ses omoplates. Il avait entendu un corbeau croasser, ce qui ne pouvait être qu'un avertissement. Puis, quand le corbeau avait volé à côté de lui, il était devenu un oiseau blanc. Ses ailes avaient frôlé sa joue et il sentait encore l'effleurement des plumes sur sa peau.

Pour les Iroquois comme pour les Highlanders, les animaux blancs étaient des messagers.

Étant à la fois Indien et Highlander, il ne prenait pas ces signes à la légère. Parfois, le sens d'un songe flottait à la surface de l'esprit comme une feuille morte sur l'eau. Il cessa d'y penser en espérant que son rêve finirait par s'expliquer de lui-même. Il alla se présenter au colonel Wilbur, trouva et marchanda deux chevaux assez grands pour supporter un homme de la taille de son oncle durant une bataille… L'oiseau blanc l'accompagna tout le long de la journée, voletant au-dessus de son épaule droite, formant juste une forme claire apparaissant de temps en temps dans l'angle de son champ de vision.

En fin d'après-midi, ayant accompli toutes ses tâches, il retourna dans le camp principal et trouva Rachel faisant la queue avec d'autres femmes devant le puits de l'auberge Goose and Grapes. Deux seaux étaient posés à ses pieds.

— Je pourrais aller te les remplir dans le fleuve, proposa-t-il.

Malgré la chaleur de la journée, elle était toujours aussi belle et fraîche comme une rose, ses longs bras nus fermes et délicats hâlés par le soleil. Il se sentait le cœur léger rien qu'à la regarder.

Elle lui sourit et arrangea l'une des deux plumes qu'il avait attachées dans ses cheveux.

— Non merci, Ian. Ta tante dit que les bateaux déversent toutes leurs ordures dans le fleuve et que la moitié de l'armée s'y soulage. Elle a raison. Pour trouver de l'eau propre, il faudrait remonter plus d'un mille en amont. Tu es sur le point de partir ?

Il lui savait gré de lui poser la question sur un ton intéressé mais sans inquiétude ni désapprobation.

— Je ne tuerai personne à moins d'y être contraint, Rachel, dit-il doucement en caressant sa joue. Je n'ai pas à me battre, je suis éclaireur.

— Oui, mais tout peut arriver. Je sais.

Elle tourna un instant la tête pour lui cacher l'ombre dans ses yeux.

En ressentant soudain une pointe d'agacement, il eut envie de lui demander si elle préférait qu'il tue ou qu'il se fasse tuer pour le salut de son âme. Il refoula cette impulsion ainsi que son élan de colère. Elle l'aimait, il n'en doutait pas. C'était peut-être une question pertinente à poser à un quaker, mais pas à sa promise.

Elle l'observa attentivement et il se sentit mal à l'aise en se demandant si elle pouvait lire dans ses pensées.

— Chacun doit tracer sa voie, Ian, dit-elle doucement. Je ne peux pas partager la tienne, mais je marcherai à tes côtés.

La femme qui se tenait derrière eux dans la file poussa un soupir de contentement.

— En voilà une jolie chose à dire, ma petite, félicita-t-elle en s'adressant à Rachel.

Elle se tourna vers Ian et le regarda de haut en bas. Il portait ses culottes en daim, son pagne et une chemise en calicot. Hormis pour ses tatouages et les plumes dans ses cheveux, il ne pensait pas avoir l'air particulièrement extravagant.

Elle secoua la tête d'un air dubitatif puis conclut :

— Tu ne la mérites probablement pas, mais tâche d'être à la hauteur, mon garçon.

Ils se faufilèrent dans le camp jusqu'au lieu où officiait Denzell, Ian portant les seaux de Rachel. La tente médicale était toujours là, mais la carriole avec ses deux chardonnerets peints sur le hayon avait été conduite à côté. Dottie était grimpée dedans tandis que Denzell lui passait des sacs et des boîtes.

Rachel se hissa sur la pointe des pieds pour embrasser la joue de Ian, puis disparut à l'intérieur de la tente pour aider aux préparatifs.

— Nous rejoindras-tu plus tard, Ian ? demanda Denzell.

— Où vous voudrez, *a bhràthair*, répondit Ian. Où allez-vous ?

— Oh, nulle part.

Denzell ôta ses lunettes et les essuya sur un pan de sa chemise.

— Nous n'avons pas encore reçu d'instructions, mais nous préférons nous tenir prêts. Nous pensons organiser une assemblée ce soir, avant le dîner. Cela nous ferait plaisir que tu te joignes à nous, mais tu n'es pas obli…

— Oui, bien sûr, je viendrai, répondit précipitamment Ian. Mais... euh... où... ?

Il fit un geste vague vers le chaos autour d'eux. De nouvelles compagnies de miliciens continuaient d'arriver du New Jersey et de la Pennsylvanie. Les officiers qui avaient été chargés de les accueillir et de les aider à trouver un lieu où monter leur camp ayant été rapidement dépassés, les nouveaux venus s'installaient partout où ils trouvaient un espace libre. Des hommes allaient et venaient dans tous les sens à la recherche de nourriture et d'eau, s'interpellant, s'invectivant. Non loin, une équipe creusait de nouvelles fosses sanitaires à grand renfort de grognements et de jurons. Ceux qui ne pouvaient attendre formaient une petite procession continue vers un taillis voisin afin de se soulager. Ian nota mentalement de regarder où il mettait les pieds s'il devait passer par là.

— Vous ne pensez pas vous réunir ici, non ? demanda-t-il.

Les gens venaient consulter le médecin à toute heure de la journée et de la nuit. Ce n'était pas une assemblée de quakers qui allait les arrêter.

— L'ami Jamie a proposé de nous trouver un refuge, répondit Denny. Nous nous y rendrons dès que... Que se passe-t-il, Dorothea ?

Dottie avait interrompu ses rangements dans la carriole pour parler à une fillette qui avait grimpé à ses côtés et lui expliquait quelque chose avec de grands gestes nerveux.

— Une femme en couches, Denny, répondit-elle. À trois feux de camp d'ici.

— C'est urgent ?

— D'après cette demoiselle, oui. C'est le quatrième enfant de sa mère. Elle n'a eu aucun problème avec les trois premiers, mais, compte tenu des conditions...

Elle se faufila entre les bagages jusqu'au hayon et Ian lui tendit la main pour l'aider à sauter à terre.

Elle s'approcha de Denny et lui glissa :

— En fait, elle voulait Mme Fraser, mais elle dit que tu feras l'affaire. N'es-tu pas flatté ?

— Je vois que ma réputation se répand comme du miel sur un coussin en soie, répondit-il avec un sourire. Tu ferais mieux de venir avec moi. Ian, tu veux bien surveiller notre carriole un moment ?

Ils s'éloignèrent tous les deux dans le dédale de carrioles, de chevaux et de cochons errants. Un éleveur entreprenant avait conduit une douzaine de porcs maigrichons dans le camp dans l'espoir de les vendre à l'intendant. Un tir de mousquet avait affolé les bêtes qui s'étaient enfuies à travers la foule, provoquant une grande confusion. Rollo en avait attrapé une et lui avait brisé le cou. Ian l'avait aussitôt saignée et éviscérée, avait donné le cœur et le mou au chien, puis avait enveloppé la dépouille dans une toile humide et l'avait cachée sous la carriole de Denny. Il avait l'intention de payer le propriétaire s'il le rencontrait mais, en attendant, il ne quittait pas son butin des yeux. Il lança un bref regard sous le véhicule et constata avec satisfaction que le gros paquet en toile était toujours là.

Rollo émit un son étrange qui n'était pas tout à fait un gémissement.

— Que t'arrive-t-il, *a choin* ? lui demanda Ian.

Le chien s'approcha et lui lécha la main, puis haleta d'un air engageant. Ian s'agenouilla et promena ses doigts tout le long du corps massif. Tante Claire appelait cela une « palpation », un mot qui le faisait toujours sourire.

Il percevait bien une légère sensibilité là où Rollo avait reçu une balle, l'automne précédent, dans le gras de l'épaule juste au-dessus de la patte avant, mais ce n'était rien de nouveau. Il y avait aussi un point en bas de la colonne vertébrale, quelques pouces avant le début de la queue, qui lui faisait fléchir les pattes et grogner quand il appuyait dessus. Peut-être s'était-il fait mal en pourchassant le cochon…

— C'est peut-être simplement que tu te fais un peu vieux, *a choin*, dit-il en grattant le dessous de son museau blanchi.

— Ça nous arrive à tous, *a mac mo pheathar*, répondit son oncle Jamie en surgissant du crépuscule.

Il s'assit sur la souche qu'utilisait Dottie pour grimper dans la carriole. Il portait son uniforme complet et paraissait avoir chaud. Ian lui tendit sa gourde et Jamie la prit en le remerciant d'un signe de tête avant d'essuyer son front sur sa manche.

Ian l'interrogea du regard.

— Oui, après-demain, répondit Jamie. Aux premières lueurs du jour, sinon avant. Le petit Gilbert a reçu l'autorisation d'attaquer l'arrière-garde.

— Tu… je veux dire, nous partons avec lui ?

Jamie acquiesça et but une longue gorgée d'eau. Ian lui trouva un air tendu, mais après tout, il avait trois cents hommes sous ses ordres. S'ils partaient tous avec La Fayette…

Jamie abaissa la gourde en faisant claquer ses lèvres.

— Je crois qu'ils m'envoient avec lui dans l'espoir que la sagesse d'un vieillard tempérera l'enthousiasme juvénile de M. de La Fayette. Et puis ce sera toujours mieux que de rester en arrière avec Lee. (Il fit une grimace.) « Eau qui bout » juge indigne de lui de n'avoir que mille hommes sous ses ordres et a refusé le commandement.

Ian émit un petit rire. Il avait une foi absolue en la sagacité de son oncle. En outre, il serait sans doute amusant d'asticoter l'arrière-train de Clinton. Il avait déjà hâte de mettre ses peintures de guerre.

— Où est passé Denzell ? demanda Jamie avec un regard autour de lui.

— Il aide pour un accouchement quelque part là-bas, répondit Ian avec un geste vers la direction qu'avaient prise Denzell et Dottie. Il dit que tu organises une réunion quaker, ce soir.

— En fait, je n'avais pas l'intention d'y assister moi-même. Je lui ai juste dit que ma tente était à leur disposition s'ils la voulaient. Pourquoi, tu comptes y aller ?

— Peut-être bien. Après tout, il m'a invité.

— Vraiment ? dit Jamie, l'air intéressé. Tu crois qu'ils veulent te convertir ?

— Je ne crois pas qu'ils fonctionnent de cette manière, répondit Ian d'un air légèrement contrit. Et bonne chance à eux si c'est leur intention. Le pouvoir de la prière a ses limites.

Jamie se mit à rire.

— Détrompe-toi, mon garçon. Si la petite Rachel décide de faire de toi un quaker, elle transformera ton épée en soc avant que tu n'aies eu le temps de dire « Les chaussettes de l'archiduchesse sont-elles sèches, archi-sèches ».

— Peut-être, mais si je me mettais en tête de devenir quaker, qui serait là pour les protéger tous ? Rachel, son frère et Dottie, hein ? Tu le sais comme moi. Ils peuvent être ce qu'ils sont parce que nous sommes ce que nous sommes.

Jamie se pencha légèrement en arrière, fronçant les lèvres, puis esquissa un sourire.

— Oui, je le sais, tout comme Denzell Hunter. C'est pourquoi il s'est engagé, même si ça lui a coûté sa maison et son assemblée. Néanmoins, ils valent la peine d'être protégés, indépendamment de ton amour pour Rachel.

— Mmphm…

Ian n'était pas d'humeur à discuter philosophie, pas plus que son oncle, d'ailleurs. C'était la longue heure entre chien et loup, quand la vie de la forêt marquait une pause et reprenait son souffle, ralentissant pour la nuit. C'était un bon moment pour chasser, car les arbres ralentissaient les premiers et l'on voyait encore les animaux bouger parmi eux.

Oncle Jamie le savait bien. Il était détendu, immobile. Seuls ses yeux remuaient. Ian suivit son regard et aperçut un écureuil accroché au tronc d'un sycomore, à environ trois mètres sur la droite. Il ne l'aurait pas vu sans le bref mouvement de la queue de l'animal avant qu'il ne se fige. Il se tourna vers Jamie et ils se sourirent. Ils restèrent silencieux un moment, écoutant le vacarme du camp qui, lui-même, commençait à s'apaiser.

Denzell et Dottie n'étaient toujours pas revenus. Sans doute l'accouchement était-il plus compliqué que prévu. Rachel ne tarderait pas à prendre la direction de la tente de Jamie pour l'assemblée.

Il s'interrogea. Il fallait une réunion de quakers pour conseiller les promis, puis pour approuver et se porter témoin de leur mariage. Denzell s'était-il mis en tête d'établir une nouvelle assemblée d'Amis au sein de laquelle il pourrait épouser Dottie… et où Rachel pourrait l'épouser lui ?

Jamie s'étira, se préparant à partir.

— Euh… mon oncle ? commença Ian.

Jamie se retourna aussitôt sur lui.

— Quoi ? Ne me dis pas que tu as mis ta fiancée enceinte !

— Certainement pas ! répliqua Ian, offensé. Quel mauvais esprit ! Comment peux-tu croire une chose pareille, vieux rabougri ?

— C'est que je connais ce ton et je sais ce que ce « Euh… mon oncle » signifie. Il signifie que tu t'es mis dans le pétrin avec une fille et que tu as besoin d'un conseil. Or, je ne vois pas comment tu pourrais t'égarer avec la petite Rachel. Je n'ai jamais rencontré une fille plus simple et franche qu'elle (il esquissa un petit sourire)… à part ta tante Claire.

— Mmphm.

La perspicacité de son oncle était agaçante, mais Ian devait reconnaître qu'il n'avait pas entièrement tort.

— C'est juste que…

Il rougit, même si la question qui lui brûlait les lèvres était parfaitement innocente.

— Pour tout te dire, reprit-il, je n'ai jamais été avec une vierge. Et je suis sûre que Rachel en est une.

Jamie le dévisagea perplexe.

— Je n'en doute pas, dit-il quand il fut remis de sa surprise. La plupart des hommes ne verraient pas là un inconvénient majeur.

— Tu sais très bien ce que je veux dire, s'échauffa Ian. Je veux que ça lui plaise.

— Voilà qui est très louable. Pourquoi, certaines de tes partenaires se sont déjà plaintes ?

— Tu es décidément d'une drôle d'humeur, mon oncle. Ne fais pas semblant de ne pas comprendre.

— Je comprends que, quand tu paies une femme, il est peu probable qu'elle critique ta prestation. As-tu dit à Rachel que tu as l'habitude de fréquenter des prostituées ?

Ian sentit le feu lui monter jusqu'aux oreilles et dut s'efforcer de respirer calmement avant de répondre.

— Je lui ai tout dit. Et je n'en fais pas une « habitude ».

Il se garda d'ajouter « tous les hommes en font autant », sachant d'avance la réplique qui l'attendait.

Fort heureusement, Jamie cessa ses taquineries et réfléchit à la question.

— Ton épouse iroquoise, elle n'était pas…, demanda-t-il délicatement.

— Non. Les Indiens ont une vision assez différente de la sexualité.

Profitant de l'occasion de se venger du sarcasme de son oncle, il ajouta :

— Tu te souviens de la fois où nous avons rendu visite aux Cherokees Snowbird et où Oiseau a envoyé deux jeunes filles réchauffer ton lit ?

Son oncle lui lança un regard torve qui le fit rire. Au bout d'un moment, Jamie demanda :

— Dis-moi, Ian… Aurais-tu eu cette conversation avec ton père ?

— Grands dieux, non !

— Tu m'en vois flatté, rétorqua Jamie.

Ian avait répondu un peu trop spontanément et ressentit le besoin de se justifier.

— C'est que… Ce n'est pas que je n'aurais pas eu envie de lui en parler, mais… il m'aurait raconté des choses sur lui et maman, non ? Je ne voulais pas… je ne pouvais pas, c'est tout.

— Mmphm.

— Tu ne vas pas essayer de m'expliquer comment ma mère…

— Qui, je te le rappelle, est aussi ma sœur. Non, je ne te parlerais jamais de ça. Je comprends ton problème. Je me disais simplement que…

Il n'acheva pas sa phrase et Ian se tourna vers lui d'un air interrogateur. La lumière baissait, mais il y en avait encore suffisamment pour distinguer ses traits.

— Ta tante Claire était veuve quand je l'ai épousée, reprit Jamie.

— Oui, et alors ?

— Alors, à notre nuit de noces, c'était moi le puceau.

Ian ne s'était pas rendu compte d'avoir bougé, jusqu'à ce que Rollo redresse brusquement la tête et le regarde, surpris.

— Vraiment ? demanda-t-il d'une voix enrouée.

— Oui. Tu me diras, j'avais reçu de nombreux conseils de mon oncle Dougal et de ses hommes.

Dougal MacKenzie était mort avant la naissance de Ian, mais il en avait beaucoup entendu parler, en bien comme en mal.

— Des conseils que tu pourrais me transmettre ?·

Jamie se leva et fit tomber des fragments d'écorce de sur les pans de sa veste.

— Certainement pas. Je suppose que tu sais déjà que tu dois te montrer doux, n'est-ce pas ?

— Oui, je m'en doute. Rien d'autre ?

— Le meilleur conseil que je puisse te transmettre est celui que m'a donné ma femme, cette fameuse nuit : « Procède lentement et soit attentif à ce qui se passe. » Avec ça, tu ne peux pas te tromper. *Oidhche mhath*, Ian. Je te verrai aux premières lueurs du jour, sinon avant.

— *Oidhche mhath*, mon oncle.

Jamie avait atteint la lisière de la clairière quand Ian le rappela :

— Oncle Jamie !

Jamie lança un regard par-dessus son épaule.

— Quoi ?

— Et elle, elle a été douce avec toi ?

— Tout le contraire ! répondit Jamie avec un grand sourire.

58

L'art de la castramétation

LE SOLEIL ÉTAIT BAS DANS LE CIEL lorsque William rejoignit le camp de Clinton, et plus bas encore quand il confia Visigoth aux palefreniers de Sutherland. Zeb avait disparu de la circulation. Peut-être se trouvait-il avec Colenso.

Il remit sa sacoche de dépêches au capitaine von Munchausen, discuta avec le clerc de la compagnie puis trouva la tente qu'il partageait avec deux autres jeunes capitaines du vingt-septième régiment d'infanterie. Randolph Merbling était assis à l'extérieur, lisant dans les derniers rayons du soleil. Thomas Evans n'était pas là, pas plus que Colenso Baragwanath, Zebedee Jeffers et ses bagages.

Il poussa un profond soupir, puis s'ébroua comme un chien sortant de l'eau. Il était tellement las d'être en colère qu'il n'en avait plus la force. Il emprunta une serviette à Merbling, se débarbouilla puis alla se chercher de quoi dîner.

Il était résolu à ne penser à rien avant d'avoir avalé quelque chose. Il y parvint en grande partie, laissant le poulet rôti, le pain et le fromage remplir tous les vides en lui. Il avait presque terminé son repas quand une image vint perturber son agréable rêverie digestive. L'image d'un joli visage aux yeux méfiants exactement de la couleur du cidre qu'il était en train de boire.

Jane ! Fichtre, il avait complètement oublié la putain et sa petite sœur. Il leur avait dit de le retrouver dans la tente du médecin au coucher du soleil. Fort heureusement, ce dernier n'avait pas encore totalement sombré derrière la ligne d'horizon. Il se mit aussitôt en route, puis fit demi-tour, alla trouver le cuisinier et parvint à lui soutirer plusieurs morceaux de pain et un peu de fromage, au cas où.

La castramétation était la science de disposer un camp militaire : comment prévoir l'évacuation d'eau, où creuser les tranchées sanitaires, où placer le dépôt de poudre pour éviter qu'il soit inondé en cas de pluies fortes… Il avait suivi un bref cours autrefois. Il n'en aurait probablement jamais besoin, mais cela l'aidait à se repérer dans un camp. Par exemple, l'hôpital était censé se trouver à l'opposé du centre de commandement, près de l'eau et de préférence sur une hauteur quand il y en avait une.

C'était le cas et il trouva la grande tente en toile verte sans difficulté. Il aurait même pu la repérer les yeux fermés. Les médecins étaient entourés par les odeurs de leur travail : le sang séché, le vomi, la mort récente se sentaient une centaine de pas à la ronde. C'était bien pire après une bataille, mais la puanteur existait même les jours de paix en raison des maladies et des accidents, et elle était encore accentuée par la chaleur moite qui pesait sur le camp telle une couverture humide.

Des hommes et quelques femmes se tenaient près de la tente, attendant des soins. Jane ne figurait pas parmi eux. Il fut déçu tout en se disant qu'il aurait plutôt dû être soulagé. Cette femme et sa sœur ne lui causeraient que des ennuis. Elles avaient dû se lasser d'attendre et…

— Vous êtes très en retard, milord, dit une voix accusatrice derrière lui.

Il fit volte-face et vit Jane, qui le regardait de haut. Enfin, autant que le pouvait une femme qui mesurait une tête de moins que lui, c'est-à-dire au prix d'un effort considérable. Il sourit malgré lui.

— J'avais dit au coucher du soleil, lui rappela-t-il. Or, il n'est pas encore couché, non ?

Il pointa le menton vers l'ouest, où une lumière orangée brillait au-dessus des arbres.

Elle tourna sa mauvaise humeur vers l'astre en question.

— Il met un temps fou à se coucher, ici. En ville, il tombe beaucoup plus rapidement.

Avant qu'il n'ait pu contredire cette affirmation absurde, elle se tourna vers lui avec un froncement de sourcils.

— Pourquoi ne portez-vous pas votre gorgerin ? demanda-t-elle les mains sur les hanches. Vous savez le mal que j'ai eu à le récupérer pour vous ?

— Je vous en suis profondément reconnaissant, mademoiselle. Il m'a semblé plus prudent de ne pas le remettre afin d'éviter les questions sur sa réapparition soudaine. Or, j'ai cru comprendre que votre sœur et vous préfériez éviter les… explications fastidieuses ?

Elle renifla, mais ne parvint pas à cacher son amusement.

— Comme c'est prévenant de votre part ! Apparemment, vous êtes moins prévenant avec ceux qui vous servent.

— Que voulez-vous dire ?

— Suivez-moi.

Elle glissa un bras sous le sien et l'entraîna vers la forêt avant qu'il n'ait pu protester. Elle le conduisit vers un petit abri construit avec un sac de couchage militaire et des jupons. Elle lui fit signe de se pencher pour regarder à l'intérieur. Il découvrit Fanny assise près d'une paillasse fourrée d'herbe fraîche sur laquelle étaient accroupis Colenso et Zeb. Tous deux se recroquevillèrent encore un peu plus en l'apercevant.

— Que fichez-vous ici ? tonna-t-il. Et où sont mes bagages, Zeb ?

— Ici, m'sieur, répondit Zeb d'une voix tremblante en lui montrant un tas derrière l'abri. Je n'ai pas trouvé votre tente et je ne voulais pas les laisser.

— Mais je t'avais dit… Peu importe. Et toi, Baragwanath ? Toujours malade ?

William se pencha pour passer la tête à l'intérieur de l'abri. Colenso était pâle comme du lait tourné et se tenait le ventre.

— Oh… c'est rien, m'sieur, dit-il en déglutissant péniblement. Je… j'ai dû… manger… quelque chose.

— Tu as vu le médecin ?

Colenso baissa la tête et voûta les épaules. Zeb reculait lentement, songeant visiblement à prendre la fuite.

William l'attrapa par le bras. Le petit palefrenier poussa un cri strident et il le lâcha aussitôt.

— Qu'y a-t-il ? Tu n'as pas été faire soigner cette plaie ?

— Ils ont peur des médecins, déclara Jane derrière lui.

William se redressa sur toute sa hauteur et lui adressa un regard noir.

— Vraiment ? Qui leur a dit d'avoir peur des médecins ? Et d'abord, comment se fait-il qu'ils soient avec vous ?

Elle pinça les lèvres et lança malgré elle un regard vers l'abri. Fanny les observait, ses yeux de biche paraissant plus grands encore dans la pénombre. Elle posa une main protectrice sur l'épaule de Colenso. Jane poussa un profond soupir et reprit le bras de William.

— Venez avec moi.

Elle l'entraîna à l'écart, juste assez loin pour qu'ils voient l'abri sans que ses occupants puissent les entendre.

— Fanny et moi, on vous attendait quand ces deux garçons sont arrivés. Le plus grand… comment avez-vous dit qu'il s'appelle ?

— Colenso Baragwanath.

En voyant son air amusé, il ajouta :

— Il est cornouaillais.

— Oui, bien, j'espère que ce n'est pas contagieux. Il était si malade qu'il ne tenait plus debout. Il s'est effondré près de nous en faisant des bruits affreux. Le plus petit – oui, je sais qu'il s'appelle Zebedee, merci – était pratiquement en larmes, dans tous ses états. Il se trouve que ma sœur a le cœur tendre. Elle a voulu les aider et j'ai suivi. Nous avons emmené Colenso dans le bois et avons juste eu le temps de lui baisser ses culottes avant qu'il se fasse dessus. Puis je lui ai donné un peu d'eau.

Elle lui montra la petite gourde en bois qu'elle portait en bandoulière. Il se demanda où elle l'avait dégotée. Elle ne l'avait pas quand il l'avait vue la dernière fois au bord du ruisseau.

— Je vous en sais gré, mademoiselle, répondit-il formellement. Mais pourquoi ne pas l'avoir conduit directement auprès du médecin ?

Pour la première fois, il vit son assurance se craqueler. Elle se tourna légèrement et il remarqua que les reflets des derniers rayons de soleil sur le sommet de son crâne donnaient à ses cheveux lisses la couleur et la texture d'un marron frais. Cela lui rappela leur première rencontre et raviva le souvenir de son mélange de honte et d'excitation. Surtout de son excitation.

— Répondez-moi, ordonna-t-il sur un ton plus agressif qu'il ne l'avait voulu.

Elle se tourna vers lui avec un regard noir.

— Il y avait un doigt sur le sol, près de la tente. Ma sœur a pris peur et a transmis sa peur aux garçons.

— Un doigt ?

Il avait vu des piles de membres amputés devant les tentes des médecins, à Saratoga, et outre le fait d'avoir remercié le ciel qu'aucun ne lui appartienne, il ne s'en était pas ému.

— Le doigt de qui ?

— Comment voulez-vous que je le sache ? J'étais trop occupée par votre ordonnance pour avoir le temps de me renseigner !

— Ah, oui. Merci.

Il lança un regard vers l'abri et remarqua que Fanny en était sortie. Elle se tenait à l'écart, les observant avec un air méfiant sur son joli visage. Avait-il l'air si menaçant ? Il se détendit légèrement et lui sourit. Peine perdue, elle continua de le regarder avec suspicion.

Il s'éclaircit la gorge et, ôtant le sac qu'il portait à l'épaule, le tendit à Jane.

— Au cas où vous n'auriez pas encore dîné. Les garçons, enfin Zeb au moins, ont-ils mangé quelque chose ?

Jane prit le sac avec une rapidité qui laissait deviner qu'elles n'avaient rien avalé depuis un certain temps.

— Oui, répondit-elle. Il a dit avoir dîné avec les autres palefreniers.

— Très bien. Dans ce cas, je vais l'emmener se faire soigner le bras et chercher un remède pour Colenso pendant que vous vous sustentez. Ensuite, nous discuterons de votre situation.

L'expression de Jane changea brusquement. Elle tourna vers lui des yeux couleur de… de cidre… ou de sherry ? Il était profondément conscient de sa présence physique. Puis, sans qu'il l'ait vue bouger, elle se tint soudain beaucoup plus près de lui, le frôlant presque. Il sentit l'odeur de ses cheveux et, sans doute dans son imagination, la chaleur de sa peau sous sa chemise. Elle prit sa main et laissa lentement traîner son pouce en travers de sa paume. Il sentit les poils de son bras se hérisser.

— Je suis sûre que nous pourrons trouver un arrangement raisonnable, milord, dit-elle d'un air grave avant de le lâcher.

Il traîna Zeb jusque dans la tente du médecin comme un pourceau récalcitrant, puis resta à ses côtés, l'esprit ailleurs, tandis qu'un jeune médecin écossais couvert de taches de rousseur nettoyait sa plaie. Arabella-Jane ne portait plus le parfum putassier du bordel, et Dieu qu'elle sentait bon !

— Nous devrions cautériser la plaie, déclara la voix du médecin. Cela évitera la formation d'un abcès.

— Non ! cria Zeb.

Il libéra son bras et s'enfuit vers la porte, percutant ceux qui se trouvaient sur son passage et faisant tomber une femme qui poussa un grand cri. Arraché à ses rêveries, William bondit et le plaqua au sol.

— Courage, Zeb, lui dit-il en le relevant et en le poussant fermement vers le Dr MacMachinchose. Ça ne fait pas si mal. Ça ne dure qu'un moment.

Zeb ne paraissant pas convaincu, William le planta sur un tabouret et releva sa manche.

— Regarde, dit-il en exhibant la longue cicatrice en forme de comète sur son avant-bras. Voilà ce qui arrive quand on a un abcès.

Sous le regard impressionné de l'adolescent et du médecin, il leur raconta l'écharde projetée par un arbre foudroyé.

— J'ai erré dans le Great Dismal trois jours durant, en proie à la fièvre. Des… Indiens m'ont trouvé et m'ont conduit chez un docteur. J'ai failli mourir et… (il abaissa ses sourcils et adressa un regard théâtral à Zeb)… le médecin s'apprêtait à me couper le bras quand l'abcès a éclaté. Il a alors cautérisé la plaie. Si tu ne te laisses pas faire, tu n'auras peut-être pas autant de chance.

Zeb paraissait toujours aussi malheureux, mais il acquiesça à contrecœur. William posa les mains sur ses épaules et lui tint des propos encourageants pendant que le fer chauffait. Son cœur battait aussi vite que si c'était lui qui attendait le fer rouge.

Des Indiens… Un, plus particulièrement. Il avait cru avoir épuisé sa colère et voilà qu'elle repartait de plus belle, telle une flamme jaillissant de braises écrasées par un tisonnier.

Foutu Ian Murray ! Foutu Écossais qui se faisait passer pour un Iroquois ! Son foutu cousin, par-dessus le marché !

Puis il y avait Rachel… Murray l'avait conduit chez les Hunter pour se faire soigner. Il inspira profondément, revoyant la robe bleu indigo suspendue à une patère, et lui la pressant contre son visage, inhalant son odeur comme s'il manquait d'air.

C'était là que Murray avait rencontré Rachel, lui aussi. Et voilà qu'elle était fiancée à ce…

— Aïe !

Zeb se tortilla sous lui et William se rendit compte qu'il lui enfonçait les doigts dans la clavicule. Il le lâcha comme s'il était une pomme de terre chaude, se souvenant soudain de la poigne d'acier de James Fraser sur son bras et de la douleur qui l'avait paralysé de l'épaule jusqu'au bout des doigts.

— Excuse-moi.

Le médecin était prêt, avec son cautère. William prit le bras de Zeb le plus délicatement possible et le tint immobile, comme Rachel l'avait fait pour lui.

Il avait dit vrai, l'intervention fut rapide. Le médecin pressa la lame sur la plaie, compta jusqu'à cinq, puis la retira. Zeb se raidit, inspira suffisamment d'air pour remplir les poumons de trois personnes, mais ne cria pas.

— Voilà, c'est fait, conclut le médecin avec un sourire. Je vais mettre un peu d'onguent sur la plaie et la bander. Tu as été très courageux, mon garçon.

Les yeux de Zeb étaient humides, mais il ne pleura pas. Il renifla profondément, s'essuya sur sa manche et releva les yeux vers William.

— Bravo, le félicita celui-ci en exerçant une légère pression sur son épaule.

Zeb parvint à esquisser un petit sourire.

Le temps qu'ils retournent auprès des filles et de Colenso, William était parvenu à maîtriser sa rage, une fois de plus. Parviendrait-il un jour à s'en débarrasser ? *Pas tant que tu n'auras pas décidé ce que tu comptes faire.* Comme il ne pouvait rien y faire pour le moment, il piétina les étincelles dans son esprit jusqu'à en faire une petite boule dense et rouge qu'il mit de côté derrière ses pensées.

Jane prit la fiole que le Dr MacMachinchose avait préparée pour Colenso.

— Laissez Fanny faire, déclara-t-elle. Il a confiance en elle.

Fanny s'assit auprès de Colenso, qui faisait semblant de dormir, et lui caressa la tête en murmurant dans son oreille.

William fit signe à Jane de le suivre. Lorsqu'ils furent suffisamment éloignés de l'abri, il se rendit compte avec surprise qu'une partie de son cerveau avait analysé le problème et concocté une ébauche de plan.

— Voilà ce que je vous propose, commença-t-il. Je m'arrangerai pour que votre sœur et vous receviez régulièrement des rations de l'armée en tant que suiveuses de camp, et vous voyagerez sous ma protection. Une fois à New York, je vous donnerai cinq livres, et à vous de vous débrouiller. En retour…

Elle ne sourit pas vraiment, mais une fossette se creusa dans le coin de sa joue.

— En retour, répéta-t-il plus fermement, vous veillerez sur mon ordonnance et mon palefrenier, soignant leurs maux et vous assurant qu'ils vont bien. Et vous vous occuperez de mon linge.

La fossette disparut aussitôt.

— De votre linge ! s'exclama-t-elle stupéfaite.

— Oui, de mon linge.

Il savait à quel genre de proposition elle s'était attendue et s'étonnait lui-même de ne pas l'avoir faite. Cependant, il ne pouvait pas ; pas avec les images de Rachel et d'Anne Endicott encore fraîches à son esprit ; pas avec la rage profonde qui couvait en lui, alimentée par l'idée qu'une putain était le seul genre de femme qu'il méritait.

— Mais je ne suis pas lavandière !

— Ce n'est pourtant pas bien sorcier, répondit-il patiemment. Il vous suffit de laver mon linge et de ne pas mettre d'amidon dans mes caleçons.

— Mais… mais…, balbutia-t-elle, atterrée. Il faut une… bouilloire ! Une fourche, une palette, quelque chose pour remuer… et de la lessive ! Je n'ai pas de lessive !

— Ah. Eh bien…

Il fouilla dans une poche, n'y trouva rien ; fouilla dans l'autre et en sortit une guinée, une pièce de deux pence et un florin. Il lui tendit la guinée.

— Achetez ce qu'il vous faut avec ça.

Elle regarda la pièce en or dans sa paume, l'air interdit. Elle ouvrit la bouche, puis la referma.

— Que se passe-t-il ? demanda-t-il.

Elle ne répondit pas, une autre petite voix derrière s'en chargea :

— Eh fait pas comment.

En se retournant, il vit Fanny l'observant dessous son bonnet, ses joues délicates rosies par le coucher de soleil.

— Pardon ?

Les joues de l'adolescente rougirent encore et elle répéta :

— Eh… fait… pas… comment.

Jane rejoignit sa sœur en deux enjambées et glissa un bras autour de ses épaules en lançant un regard noir à William.

— Ma sœur a un problème d'élocution. C'est pourquoi elle a peur des médecins. Elle croit qu'ils lui couperont la langue s'ils s'en rendent compte.

William marqua un temps d'arrêt.

— Je vois, dit-il enfin. Et ce qu'elle vient de me dire… « Elle ne sait pas comment »… elle parlait de vous, je suppose ? Et qu'est-ce que vous ne savez pas faire ?

— L'a-a-a-gent, murmura Fanny en fixant le sol.

— L'agent… l'argent ?

William se tourna vers Jane.

— Vous ne savez pas…

— Je n'ai jamais eu d'argent ! s'énerva-t-elle en lançant la guinée à ses pieds. Je connais les noms des pièces, mais je ne sais pas ce qu'on peut en faire, sauf… sauf qu'on peut acheter dans un bordel ! Ma chatte vaut six shillings, ma bouche trois et mon cul une livre. Mais si quelqu'un me donnait trois shillings, je ne saurais pas si je peux me payer une miche de pain ou un cheval avec ! Je n'ai jamais rien acheté de ma vie !

— Vous… vous voulez dire… Mais vous receviez des gages. Vous avez dit que…

— Je vis dans un bordel depuis que j'ai dix ans ! l'interrompit-elle. Je n'ai jamais reçu de gages ! Mme Abbott les dépensait pour notre nourriture et nos tenues, selon elle. Je n'ai jamais possédé un penny de ma vie, et vous, vous me donnez… ça ! (Elle écrasa la guinée sous son talon, l'enfonçant dans la terre.) Pour acheter une bouilloire ? Comment ? Où ? À qui ?

Sa voix tremblait de rage et elle semblait au bord des larmes. Il aurait voulu la prendre dans ses bras et la réconforter, mais c'était sans doute le meilleur moyen de perdre un doigt.

— Quel âge a Fanny ? demanda-t-il plutôt.

Elle redressa brusquement la tête.

— Fanny ? répéta-t-elle sans comprendre.

— Fais on-onfe ans, répondit l'enfant derrière elle. Laiffez-la tanquiiiille !

En se tournant vers elle, il constata qu'elle avait saisi un bâton et le dévisageait d'un air menaçant. Il aurait ri s'il n'avait pris conscience d'un détail. Il recula d'un pas et les deux filles se rejoignirent tel un aimant, s'accrochant l'une à l'autre et le fixant avec méfiance.

— Combien coûte sa virginité ? demanda-t-il à Jane.

— Dix livres, répondit machinalement Fanny.

Au même moment, Jane se mit à crier :

— Elle n'est pas à vendre ! Ni à vous ni à n'importe quel autre salaud !

Elle serra sa sœur contre elle, le défiant de s'approcher.

— Je n'en veux pas ! s'exclama-t-il. Je ne fornique pas avec des enfants, pour l'amour de Dieu !

Jane ne lâcha pas sa sœur pour autant.

— Alors pourquoi cette question ?

— Pour m'assurer que je ne me trompais pas sur la raison de votre présence ici.

— À savoir ?

— Vous vous êtes enfuies. Sans doute parce que votre petite sœur a atteint un âge où… ?

Il haussa un sourcil en regardant Fanny. Jane pinça les lèvres, puis acquiesça à contrecœur.

— Le capitaine Harkness ? demanda-t-il.

Il avait lancé cette hypothèse à tout hasard et avait fait mouche. Le capitaine Harkness était furieux d'avoir vu sa proie lui filer entre les doigts. Incapable de s'en prendre à William, il avait sans doute choisi d'exercer sa vengeance ailleurs.

La lumière baignait le paysage dans des tons d'or et de lavande. Il vit les traits de Jane pâlir et sentit son cœur se serrer. S'il mettait la main sur ce Harkness… Il résolut de le chercher dès le lendemain. Elle avait dit qu'il était resté à Philadelphie, mais elle se trompait peut-être. Il ferait un excellent exutoire à sa colère.

Il ramassa la guinée à ses pieds, se rendant compte qu'il avait commis une erreur en la lui donnant. Non pas en raison de ce qu'elle venait de lui dire, mais parce qu'une personne comme elle, ou Colenso, ne possédait jamais une telle somme. On les aurait soupçonnés de l'avoir volée et ils se seraient fait dépouiller par le premier venu.

— Bon, dit-il sur un ton faussement détaché. Contentez-vous de veiller sur les garçons. Et évitez les soldats, l'une et l'autre, tant que je ne vous aurai pas trouvé d'autres tenues (il indiqua leurs robes trop voyantes, couvertes de poussière et tachées de sueur). Ils vous prendraient pour des prostituées et les soldats ne comprennent pas le sens du mot « non ».

— Mais je suis une putain, répliqua Jane d'une étrange voix sèche.

— Non, répondit-il fermement. Vous voyagez sous ma protection. Comme je ne suis pas un maquereau, vous n'êtes pas une putain. Une fois à New York, vous ferez ce que vous voudrez.

59

Une découverte dans les rangs

La seizième milice de Pennsylvanie, sous le commandement du révérend Peleg Woodsworth, pénétra dans le camp en rangs ordonnés. Les hommes avaient fait une halte quelques minutes plus tôt afin de mettre un peu d'ordre dans leurs tenues, de nettoyer leurs armes et de se débarbouiller. Lord John savait que personne ne le remarquerait, mais il approuvait néanmoins, considérant qu'il s'agissait là d'une bonne discipline militaire, comme il en informa Germain.

— Les soldats négligés font de mauvais combattants, observa-t-il avec un regard critique vers le grand accroc dans la manche de sa veste noire crasseuse. D'autre part, un soldat doit savoir obéir aux ordres, quels qu'ils soient.

Germain hocha la tête.

— C'est ce que dit ma mère. Que tu sois d'accord ou pas, tu fais ce qu'on te dit, sinon, gare à toi !

— Ta mère aurait fait un admirable sergent.

Il avait rencontré Marsali Fraser à plusieurs reprises à son imprimerie.

— Voilà une femme qui comprend parfaitement ce qu'est l'essence du commandement, ajouta-t-il. À propos de « Gare à toi », que penses-tu qu'il t'arrivera quand tu rentreras chez toi ?

De toute évidence, Germain n'y avait pas beaucoup réfléchi. Il plissa le front quelques instants, puis conclut :

— Ça dépend de combien de temps je me serai absenté. Si je rentrais demain, je me prendrais sûrement une belle raclée, mais si je reste absent plus d'une semaine, elle sera sûrement contente que je sois encore en vie.

— Ah. Tu connais l'histoire du fils prodige ?

— Non, milo... euh, Bert. C'est quoi ?

— Eh bien, il y avait un...

Grey s'arrêta net comme s'il avait reçu un pieu dans la poitrine. La compagnie commençait déjà à s'éparpiller. Les hommes derrière eux les contournèrent et poursuivirent leur chemin. Germain tordit le cou pour suivre son regard.

— Tiens, observa-t-il. C'est l'homme qui se fait passer pour un Français. Mon père ne l'aime pas.

Grey fixait un gentleman portant un costume à la dernière mode en soie à rayures bleues et grises, qui le fixait lui aussi, la bouche entrouverte, et semblait avoir oublié le petit groupe d'officiers continentaux qui l'accompagnait.

— Je connais beaucoup de Français, dit Grey en retrouvant son souffle. Tu as raison, il n'en est pas un.

Il tourna les talons, l'esprit troublé, et entraîna Germain par le bras.

— Viens, ton grand-père doit être quelque part dans cette cohue. Tu vois ce bâtiment, là-bas, avec le drapeau ?

Il pointa un doigt vers un drapeau pendant mollement de l'autre côté du camp, mais clairement visible.

— Rends-toi là-bas, indiqua-t-il. Ce doit être le quartier général du commandant en chef. Explique ce que tu cherches à l'un des officiers ; ils sauront dans quelle milice le trouver.

— Oh, ce ne sera pas nécessaire, répondit Germain. *Grand-père* y sera.

— Où ça ?

— Là-bas, avec le général Washington, répondit Germain avec la patience de quelqu'un qui est contraint de traiter avec un demeuré. Il est général, lui aussi. Vous ne le saviez pas ?

Avant que Grey ait pu réagir à ce nouveau renseignement ahurissant, l'enfant avait décampé en direction du drapeau.

Plusieurs jurons particulièrement violents lui traversèrent l'esprit, s'adressant tantôt à Percy Wainwright, tantôt à Jamie Fraser. Que fichaient-ils ici, l'un comme l'autre ? Il lança un regard prudent par-dessus son épaule. Percy avait disparu, ainsi que les officiers continentaux. Il ne restait plus que quelques lieutenants, qui discutaient. Grey sentait ses doigts le démanger. Il était prêt à étrangler quelqu'un, mais jugea plus utile de réfréner cette pulsion pour le moment et de se concentrer sur ce qui lui convenait de faire à présent.

Il se remit à marcher d'un pas leste sans savoir où il allait. Percy l'avait vu ; Jamie, pas encore, mais il pouvait tomber sur lui à tout moment. *Un général ?*

Il n'avait pas revu Percy, son ex-amant, ex-frère, espion français et petite ordure patentée, depuis leur dernière conversation à Philadelphie, quelques mois plus tôt. Il était alors venu le trouver pour le séduire, politiquement plus que physiquement (même si Grey pensait qu'il n'aurait pas rechigné à passer à l'acte). Il lui avait présenté une offre pour la Couronne britannique : restituer à la France les précieux Territoires du Nord-Ouest, en échange de quoi les « mandants » de Percy s'engageaient à convaincre le gouvernement français de ne pas s'allier avec les colonies américaines.

Par devoir, Grey avait discrètement transmis la proposition à lord North avant de l'effacer de son esprit, tout comme Percy. Il ignorait ce qu'en avait fait le Premier ministre.

De toute manière, il est trop tard. La France avait signé un traité avec les colonies rebelles en avril dernier. Restait à savoir si cette alliance se traduirait par une aide concrète. Les Français étaient connus pour leur manque de fiabilité.

Et maintenant ? Son instinct de survie le poussait à se fondre dans le décor et à disparaître le plus rapidement possible. Germain avait promis de ne pas dire à Jamie qu'il se trouvait dans le camp. Toutefois, deux considérations le retenaient : d'une part, il ignorait encore où se trouvait l'armée britannique et si elle était loin ; de l'autre, la présence de Percy l'intriguait, même s'il savait que de céder à sa curiosité était dangereux.

Il avançait toujours (autrement, il aurait été bousculé et piétiné) et se retrouva marchant aux côtés du révérend Woodsworth. Le visage du grand pasteur était animé par une excitation qui contrastait avec son air digne et son calme habituels. Grey ne put s'empêcher de sourire.

— Le Seigneur nous a conduits jusqu'ici sains et saufs, Bert, lui dit Woodsworth avec le regard brillant. Il nous accordera la victoire, j'en suis convaincu !

— Ah.

Grey chercha une réponse appropriée et, découvrant à sa surprise qu'il ne pouvait en son âme et conscience corroborer cette affirmation, préféra ne pas se mouiller.

— Nous ne pouvons présumer connaître les intentions du Tout-Puissant, mon révérend, mais j'espère de tout cœur que, dans sa miséricorde, il nous préservera.

— Bien dit, Bert ! Très bien dit, approuva Woodsworth en lui donnant une grande tape dans le dos.

60

Des quakers et des intendants militaires

Jamie trouva Nathanael Greene dans sa tente, encore en bras de chemise, les restes de son petit-déjeuner sur la table devant lui et lisant une lettre en fronçant les sourcils. Il la reposa dès qu'il aperçut Jamie sur le seuil, puis se leva.

— Entrez ! Entrez donc ! Avez-vous déjà mangé ? Il me reste un œuf.

Il esquissa un sourire en lui montrant un œuf dans un petit coquetier en bois sur lequel était peinte une fleur. Ce qui l'avait troublé, dans la lettre, restait inscrit dans les plis de son front. Jamie lança un regard vers elle. À en juger par les pâtés et les bords irréguliers, il s'agissait d'une correspondance privée plutôt que d'un document officiel.

— Je vous remercie, j'ai déjà pris mon petit-déjeuner, répondit-il. Je me demandais… Si vous avez l'intention de sortir aujourd'hui, pourrais-je vous accompagner ?

Greene parut surpris, mais content.

— Bien sûr ! Je serais ravi d'écouter vos conseils, général Fraser.

— Nous pourrons peut-être échanger des avis ? En tout cas, j'aimerais avoir le vôtre, quoique sur un sujet qui n'a rien de militaire.

Greene, en train de mettre sa veste, s'arrêta, un bras dans une manche.

— Vraiment ? Mon avis sur quel sujet ?

— Le mariage.

L'expression de Greene passa de la stupéfaction à une tentative de masquer sa stupéfaction, puis à autre chose. Il lança un regard vers la lettre sur la table, puis acheva d'enfiler sa veste.

— Voilà un domaine pour lequel nous aurions tous besoin de conseils, général Fraser, répondit-il avec une moue ironique. Venez.

Ils sortirent du camp en prenant la direction du nord-quart-nord-ouest. Greene se guidait avec une vieille boussole et Jamie regretta de ne plus posséder l'astrolabe plaqué or que William lui avait envoyé de Londres à la demande de lord Grey. Il avait disparu dans l'incendie de la Grande Maison, mais l'ombre qui traversa son esprit avait davantage trait à John Grey qu'au feu et à ses conséquences.

Ils discutèrent d'abord de l'affaire qui les occupait plus particulièrement : l'emplacement de dépôts d'approvisionnement le long de leur ligne de marche probable et, éventuellement, de leur ligne de retrait, même si ni l'un ni l'autre ne souleva ce point. L'itinéraire de l'armée britannique ne faisait guère de doute : un corps d'armée aussi grand, avec un immense convoi de bagages et des hordes de suiveurs avait un choix de routes très limité.

Greene lui montra une ferme abandonnée.

— Oui, celle-ci ferait l'affaire, convint Jamie. Vous pensez que le puits est bon ?

— Allons le vérifier, proposa Greene. Un peu d'eau ne nous ferait pas de mal avec cette chaleur infernale.

Ils avaient dénoué leur cravate, déboutonné leur gilet et ôté leur veste, qu'ils avaient pliée en travers de leur selle. Jamie sentait le lin de sa chemise adhérer à son dos et la sueur couler le long de ses côtes et de son visage. Heureusement, le puits n'était pas tari. Ils aperçurent des reflets au fond et le caillou qu'ils laissèrent tomber à l'intérieur atterrit avec un « plouf » satisfaisant. En revanche, la poulie était pourrie. Jamie alla chercher une corde dans sa sacoche et ils durent remonter le seau à la force des bras.

Greene but longuement, puis renversa le seau sur sa tête. Il s'ébroua comme un chien puis se tourna vers Jamie.

— Je dois avouer que vous m'avez surpris en voulant mes conseils sur le mariage. Votre couple m'a paru très harmonieux.

— Oh, ce n'est pas mon mariage qui m'inquiète, répondit Jamie en prenant le seau à son tour. Vous connaissez un jeune éclaireur du nom de Ian Murray ? C'est mon neveu.

— Murray… Murray… Oh, lui ! C'est votre neveu, dites-vous ? J'ai parié qu'il était indien. Ça m'a coûté une guinée. C'est ma femme qui va être contente !

Il ajouta avec un soupir :

— Vous me direz, elle est difficile à contenter, ces temps-ci.

Jamie eut la confirmation que la lettre était bien d'une nature privée et réprima un sourire.

— Je pourrais persuader mon neveu de vous la rendre, si vous pouviez l'aider à se marier.

Il remonta le seau à son tour et s'abandonna au bonheur d'une douche fraîche. L'eau avait le goût des pierres, au fond du puits.

— Il souhaite épouser une jeune quakeresse, reprit-il. Le jour où nous nous sommes rencontrés, je vous ai entendu parler avec Mme Hardman et j'ai compris que vous apparteniez vous aussi à la Société des Amis. Je me demandais donc si vous pouviez me conseiller sur la marche à suivre pour rendre cette union possible ?

Greene en resta sans voix. Il remua les lèvres un moment comme s'il hésitait entre ravaler un mot et le cracher.

— Eh bien…, commença-t-il.

Il s'interrompit. Jamie attendit patiemment. Greene était un homme aux opinions tranchées et il ne parlait pas à la légère. Même ainsi, Jamie se demandait ce que sa question avait de si compliqué. Les coutumes des quakers étaient-elles encore plus étranges qu'il ne l'avait pensé ?

— Eh bien…, répéta Greene en redressant les épaules. Je dois vous dire, mon général, que je ne me considère plus comme un Ami, même si j'ai en effet été élevé dans cette secte. Je dois vous dire également que je suis parti en raison de leur mentalité étriquée et superstitieuse. Si votre neveu veut devenir quaker, le meilleur conseil que je puisse vous donner est de tout faire pour l'en dissuader.

— Ah. Il n'a aucune intention de se convertir, ce qui me paraît très sage de sa part. Il n'est vraiment pas fait pour être quaker.

Greene se détendit légèrement et alla même jusqu'à esquisser un sourire.

— Je suis ravi de l'entendre. Et il ne s'oppose pas à ce que sa femme reste une Amie ?

— Je le crois assez sensé pour ne pas lui suggérer le contraire.

Cette fois, Greene rit franchement.

— Dans ce cas, il devrait survivre au mariage !

— Oh, il fera un bon mari pour la petite, je n'en doute pas. Le problème, c'est de les marier.

— En effet.

Greene essuya son front avec un mouchoir ouaté tout en observant la vieille ferme.

— Cela risque d'être *très* difficile, poursuivit-il. Surtout si la jeune femme est… Enfin. Laissez-moi y réfléchir un moment. En attendant, le puits est bon, mais nous ne pouvons pas entreposer de la poudre ici. Il ne reste pratiquement rien du toit et, en cette saison, les orages sont fréquents.

— Il y a sans doute un cellier à l'arrière, suggéra Jamie.

C'était le cas. La porte avait disparu. De longues tiges grêles et pâles avaient germé d'un sac de pommes de terre abandonné et grimpaient désespérément vers la lumière.

— Cela fera l'affaire, décida Greene en rédigeant une note dans un petit carnet qu'il portait partout avec lui. Nous pouvons poursuivre notre route.

Ils firent boire les chevaux, s'aspergèrent à nouveau, puis reprirent leur chemin, fumant légèrement. Greene n'était pas un bavard et ils ne parlèrent plus pendant plusieurs kilomètres, jusqu'à ce qu'il semble être parvenu à une conclusion et déclare sans préambule :

— Le point principal à retenir des Amis est qu'ils dépendent beaucoup les uns des autres et de l'opinion de leurs coreligionnaires, souvent au point d'exclure le reste du monde. L'assemblée de la jeune femme connaît-elle votre neveu ?

— Mmphm, fit Jamie. D'après ce que m'a dit son frère, ils ont tous les deux été exclus de leur assemblée, en Virginie, quand il a décidé de devenir médecin pour l'armée continentale. À moins qu'il ait été exclu et qu'elle l'ait simplement suivi. J'ignore si cela fait une différence.

— Ah, je vois. Un « quaker combattant », comme ils disent.

Greene écarta sa chemise mouillée de son torse dans l'espoir de laisser passer un peu d'air sur sa peau. Vainement. L'air était aussi épais qu'une couverture de laine.

— Non, répondit Jamie. Il refuse de prendre les armes, mais le seul fait qu'il soit associé à l'armée semble avoir offensé ses Amis.

Greene émit un petit rire cynique.

— D'ailleurs, reprit Jamie, Denzell Hunter, le Dr Hunter, est également fiancé, mais son cas semble relativement plus simple, puisque sa promise s'est convertie au quakerisme.

— Appartient-elle à une assemblée particulière ?

— Non, apparemment sa conversion a eu lieu dans l'intimité. J'ai cru comprendre que les quakers n'avaient ni clergé ni rituel… ?

Il laissa délicatement sa phrase en suspens et Greene rit à nouveau.

— C'est un fait, mais je peux vous assurer, général Fraser, qu'il n'y a rien d'intime dans la vie d'un Ami, surtout sur le plan spirituel. Mon propre père s'opposait à la lecture, considérant qu'elle éloignait l'homme de Dieu. Lorsque, jeune homme, non content de lire, je me suis mis à collectionner des ouvrages de stratégie militaire, un sujet qui m'intéressait, j'ai été conduit devant une commission d'examen de notre assemblée et soumis à un tel interrogatoire que… Bref, comme je vous le disais, je ne suis plus membre de cette secte.

Il marmonna dans sa barbe pendant quelque temps tout en observant la route devant eux en fronçant les sourcils. Même dans son énervement, il observait leur environnement, pensant à la logistique.

Jamie prit soudain conscience d'une certaine vibration dans l'air et se demanda si Greene l'avait sentie lui aussi. Ce n'était pas vraiment un bruit, mais une perturbation qu'il connaissait bien : un grand nombre d'hommes et de chevaux, trop loin pour qu'on voie la poussière qu'ils soulevaient mais néanmoins bien là. Ils avaient trouvé l'armée britannique. Il ralentit légèrement et surveilla attentivement les arbres devant eux, guettant des éclaireurs, car les Anglais savaient sûrement qu'ils étaient poursuivis.

Greene avait l'ouïe moins fine, ou peut-être était-il déconcentré, car il lança un regard surpris vers Jamie, puis ralentit le pas à son tour. Jamie leva une main pour lui faire signe de se taire et pointa le menton en avant : un cavalier venait vers eux sur la route. On entendait le bruit de ses sabots. La monture de Jamie releva une tête intéressée, dilatant ses naseaux.

Ils étaient tous les deux armés. Greene posa la main sur le mousquet posé en travers de sa selle. Jamie laissa son fusil dans son baudrier, mais vérifia les amorces des pistolets glissés dans les fontes attachées à son pommeau.

Le cavalier avançait lentement. La main de Jamie, sur la crosse, se détendit et il fit non de la tête à l'intention de Greene. Ils s'arrêtèrent et attendirent. Quelques secondes plus tard, le cavalier apparut.

— Ian !

— Oncle Jamie !

Les traits de Ian s'illuminèrent. Il était habillé en Iroquois, avec une culotte en daim, une chemise en calicot et des plumes dans les cheveux. Une longue carcasse au pelage gris gisait en travers de sa selle, son sang gouttant le long de la jambe avant de son cheval.

La bête n'était pas morte. Rollo remua, redressa la tête et fixa sur les nouveaux venus son regard jaune de loup. Il reconnut l'odeur de Jamie et aboya une fois, puis se mit à haleter, la langue pendante.

— Qu'est-il arrivé à ton chien ? demanda Jamie en s'approchant et en se penchant pour l'examiner de plus près.

— Cet idiot est tombé dans une chausse-trape.

Ian lança un regard de reproche à son chien, puis lui gratta doucement le cou.

— En fait, admit-il, j'y serais tombé moi-même s'il n'était pas passé devant moi.

— Il est grièvement blessé ? demanda Jamie.

Il n'en avait pas l'air. Rollo observait Greene avec ce regard calculateur qui faisait reculer la plupart des gens de quelques pas. Ian enfonça les doigts dans la fourrure de son chien pour le retenir, au cas où.

— Non, répondit-il, mais il s'est déchiré la patte et boite. Je cherchais un abri sûr où le laisser pendant que je fais mon rapport au capitaine Mercer. Mais puisque tu es là... Oh, bonjour, monsieur.

Il esquissa un bref salut à Greene, dont le cheval manifestait un puissant désir de s'éloigner le plus possible de Rollo en dépit des efforts de son cavalier, puis se tourna à nouveau vers Jamie.

— Puisque tu es là, ça t'ennuierait de ramener Rollo au camp et de demander à tante Claire de soigner sa patte ?

Résigné, Jamie descendit de selle et chercha un mouchoir dans sa poche.

— D'accord, répondit-il, mais laisse-moi d'abord lui bander la patte. Je ne veux pas qu'il me mette du sang sur la culotte et mon cheval n'appréciera pas non plus.

Greene s'éclaircit la gorge.

— Puisque vous parlez de rapport, monsieur... monsieur Murray ? (Il interrogea du regard Jamie, qui acquiesça.) Auriez-vous l'obligeance de me le faire à moi aussi ?

— Oui, monsieur, répondit Ian. L'armée est divisée à présent en trois corps, avec un long convoi de bagages au milieu. J'ai discuté avec un autre éclaireur, qui est allé jusqu'à l'avant de la colonne. Selon lui, ils se dirigent vers un endroit appelé Freehold. Le terrain ne convient pas vraiment pour une attaque ; il est tout bosselé comme une serviette froissée, parsemé de ravines et de petits ruisseaux. Toutefois, l'autre éclaireur dit qu'il y a en amont des prairies qui pourraient servir. Vous pourriez peut-être les attirer là-bas.

Greene posa une série de questions précises, auxquelles Ian n'avait pas toutes les réponses, pendant que Jamie effectuait l'opération délicate de bander la patte du chien. Il avait une vilaine plaie laissée par un pieu, mais elle ne paraissait pas trop profonde. Il fallait espérer que le pieu n'était pas empoisonné. Les Indiens utilisaient parfois cette méthode pour éviter qu'un cerf ou un carcajou piégés ne bondissent hors de la fosse.

La monture de Jamie n'était pas chaude à l'idée de porter un loup sur son dos, mais elle finit par se laisser convaincre, non sans rouler des regards nerveux en arrière de temps à autre.

— *Fuirich, a choin*, dit Ian à son chien en le grattant derrière les oreilles. Je reviens vite, promis. *Taing*, mon oncle !

Après un bref signe de tête vers Greene, il remonta en selle et s'éloigna, son propre cheval pressé de mettre le plus de distance possible entre lui et Rollo.

Greene lança un regard au chien en fronçant le nez.

— Doux Jésus, ce qu'il pue ! gémit-il.

— On s'y fait, répondit Jamie sur un ton résigné. Ma femme affirme qu'on s'habitue à toutes les odeurs au bout d'un moment. Elle sait de quoi elle parle.

— Pourquoi, elle est cuisinière ?

— Non, médecin. Elle fait allusion aux odeurs de gangrène, d'abcès suppurants, d'entrailles pourries, ce genre de choses.

Greene écarquilla les yeux.

— Je vois. Vous avez décidément une famille très intéressante, général Fraser.

Il fit un signe de tête vers Ian, qui disparaissait au loin.

— Mais vous vous trompez peut-être au sujet de votre neveu et de son inaptitude à devenir quaker. Au moins, il ne se laisse pas impressionner par les titres.

61

Un trio explosif

JAMIE REVINT DE SON EXPÉDITION avec le général Greene trempé de sueur, froissé, totalement échevelé mais plutôt de bonne humeur, accompagné de Rollo, sanglant, renfrogné, mais non grièvement blessé.

— Il se remettra vite, assurai-je en lui caressant la tête. Il a beaucoup saigné, mais la plaie n'est pas profonde. Je ne pense pas avoir besoin de la suturer.

— Ravi de te l'entendre dire, *Sassenach*, déclara Jamie.

Rollo s'était laissé faire pendant que je le lavais, lui appliquais un baume et bandais sa patte, mais il ne semblait pas enclin à supporter plus de tripotage.

— Où sont mes bons bas ? demanda Jamie.

— Dans la malle, avec le reste de ton linge. Tu ne le sais pas encore ?

— Si, mais j'aime bien quand tu t'occupes de moi.

Je les lui sortis obligeamment et demandai :

— Tu veux aussi que je te les enfile ?

— Non, je crois que je pourrai me débrouiller tout seul, dit-il en les prenant. Cela dit, tu ne pourrais pas me donner ma chemise ?

— Avec plaisir, répondis-je en la sortant la malle et en la secouant. Comment allait le général Greene ce matin ?

— Bien. Je l'ai interrogé sur le mariage quaker.

Il enfila sa chemise par-dessus sa tête (son *unique* chemise blanche propre, lui fis-je remarquer) avant de poursuivre :

— Le problème de Denzell et de Rachel est qu'ils n'ont pas leur propre assemblée. Ce n'est pas qu'ils ne peuvent pas se marier, mais pour le faire convenablement, il leur faudrait tout un groupe d'Amis. Un « comité de discernement » doit rencontrer les promis, les conseiller et s'assurer qu'ils savent à quoi ils s'engagent. (Il m'adressa un petit sourire.) Pendant que Greene me parlait, je me demandais ce qu'un comité de ce genre aurait dit de nous quand nous nous sommes mariés.

— En tout cas, il n'aurait pu deviner mieux que nous ce à quoi nous nous engagions, répondis-je, amusée. Tu crois qu'il nous aurait trouvés bien assortis ?

— S'il avait vu la façon dont je te reluquais en douce quand tu ne me regardais pas, il n'en aurait pas douté.

Il m'embrassa brièvement, puis chercha la brosse du regard.

— Tu veux bien me tresser les cheveux ? Je ne peux pas passer mes troupes en revue en ressemblant à un épouvantail.

Sa chevelure était vaguement nouée dans sa nuque avec un lacet en cuir, des mèches s'en échappant dans tous les sens.

— Bien sûr. Combien d'hommes dois-tu inspecter, et quand ?

Je le fis asseoir sur le tabouret et me mis au travail avec la brosse.

— Qu'as-tu fabriqué ? On croirait que tu as rampé à travers la campagne. Tu as des queues-de-renard, des feuilles, des petites samares d'érable négondo et… oh, même ce petit bonhomme.

Je cueillis une minuscule chenille verte prise dans ses mèches et la lui montrai sur le bout de mon doigt.

— *Thalla le Dia*, dit-il à la chenille.

« Que Dieu t'accompagne. » Il la prit délicatement et alla la déposer dans l'herbe près de la porte de la tente.

— Tous, *Sassenach*, répondit-il en revenant s'asseoir. Mes deux dernières compagnies sont arrivées ce matin. Elles ont eu le temps de se nourrir et de se reposer un peu. (Il tordit le cou pour me regarder.) Au fait, tu ne veux pas venir avec moi et leur jeter un coup d'œil ? Tu pourrais me dire si certains ne sont pas en état de combatte et soigner ceux qui auront besoin d'être remis sur pied.

— Oui, bien sûr. Quand ?

— Retrouve-moi sur le terrain de manœuvre dans une heure.

Il passa ses doigts sur la tresse auburn brillante, doublée et attachée avec un ruban noir dans sa nuque.

— Parfait ! conclut-il. À part ça, suis-je présentable ?

Il se leva et épousseta ses manches en faisant tomber quelques fragments de feuilles. Le sommet de son crâne frôlait le toit de la tente. Il rayonnait d'énergie, de soleil et d'excitation contenue.

— On dirait Mars, le dieu de la Guerre, en personne, dis-je avec un sourire narquois. Tâche de ne pas effrayer tes hommes.

Je lui tendis son gilet, qu'il enfila d'un mouvement d'épaules.

— Oh, j'ai bien l'intention de les terroriser, répondit-il sérieusement. Il n'y a qu'ainsi que j'aurai une chance de les sortir de là vivants.

Ayant une heure devant moi, je pris une sélection de fournitures médicales et me rendis vers le grand arbre autour duquel les suiveurs de camp souffrants tendaient à se rassembler. Quand ils en avaient le temps, les médecins militaires les soignaient. Ce ne serait pas le cas aujourd'hui.

Il y avait là l'assortiment habituel de petits maux et blessures : une écharde profondément enfoncée (infectée et nécessitant l'application d'un baume extracteur, suivie d'une excavation, d'une désinfection et d'un pansement) ; un orteil luxé (après que le patient eut donné un coup de pied à un camarade de jeu ; il ne me fallut qu'une minute pour le réduire) ; une lèvre fendue (une suture et un peu d'onguent à la gentiane) ; un pied profondément entaillé (résultat d'un moment d'inattention en fendant du bois ; vingt-huit points de suture et un grand bandage) ; un enfant ayant une infection auriculaire (cataplasme à l'oignon et prescription d'une infusion d'écorce de saule) ; un autre ayant des crampes abdominales (une tisane à la menthe et une sévère mise en garde contre les œufs d'un âge inconnu trouvé dans des nids d'oiseaux non identifiés)…

Je mis de côté les patients nécessitant des traitements jusqu'à ce que j'eus fini de soigner les blessures. Puis, tout en surveillant la progression du soleil, je les conduisis à ma tente afin de distribuer des sachets d'écorce de saule, de menthe et de feuilles de chanvre.

Le rabat de la tente était ouvert. J'étais pourtant convaincue de l'avoir fermé derrière moi. En passant la tête à l'intérieur, je me figeai : un homme se tenait devant mon coffre de médecin, pillant visiblement mes provisions.

— Que faites-vous là ? m'exclamai-je.

Il tressaillit. Dans la pénombre, je constatai qu'il s'agissait d'un officier, un capitaine.

— Je vous demande pardon, madame, dit-il en inclinant la tête. J'ai entendu dire qu'il y avait ici une réserve de médicaments et je…

— En effet et elle m'appartient.

Ce n'était certes pas très aimable de ma part, mais je trouvais son comportement pour le moins cavalier. Je radoucis néanmoins mon ton.

— De quoi avez-vous besoin ? demandai-je. Je peux peut-être vous aider.

Il lança un regard surpris vers moi puis vers le coffre, un équipement professionnel coûteux.

— C'est à vous ? Mais que faites-vous donc avec des instruments pareils ?

Plusieurs réponses me vinrent à l'esprit, mais je m'étais suffisamment remise de ma surprise pour me retenir de les lui donner.

— Puis-je savoir qui vous êtes, monsieur ? demandai-je sur un ton neutre.

— Oh, pardonnez-moi. Je suis le capitaine Jared Leckie, pour vous servir. Je suis le médecin du Second régiment du New Jersey.

Il m'observait attentivement, se demandant qui j'étais. Je portais par-dessus ma robe un tablier en toile ayant de grandes poches remplies d'instruments, de bandages, de fioles et de petits pots d'onguent. J'avais ôté ma capeline avant d'entrer sous la tente et, comme d'habitude, ne portais pas de bonnet. Bien qu'ayant attaché mes cheveux, ils s'étaient libérés et s'enroulaient derrière mes oreilles. Il devait me prendre pour une lavandière venue chercher le linge, ou pire.

— Je suis madame Fraser, dis-je en m'inclinant à mon tour.

En constatant qu'il n'était guère impressionné, je précisai :

— Madame *la générale* Fraser.

Il écarquilla les yeux et me regarda de haut en bas, s'arrêtant sur ma poche de poitrine, contenant un rouleau de bandage qui s'était défait et dont une partie pendait devant moi ainsi qu'un petit flacon d'*Asa fœtida* dont le bouchon était tombé et dont l'odeur nauséabonde supplantait toutes les autres. On ne l'appelait pas « ase fétide » pour rien. Je sortis le flacon et le rebouchai convenablement. Ce geste parut le rassurer.

— Ah, je comprends ! dit-il. Le général est médecin.

Ce capitaine Leckie était jeune et visiblement pas très malin.

— Non, répondis-je. Mon mari est soldat. Le médecin, *c'est moi*.

Il me dévisagea comme si je venais d'avouer que je me prostituais. Puis il commit l'erreur de croire que je plaisantais et éclata de rire.

Au même moment, l'une de mes patientes, une jeune mère dont le fils de un an souffrait d'une otite, passa timidement sa tête à l'intérieur de la tente. L'enfant dans ses bras hurlait et était rouge vif.

— Oh, madame Wilkins ! m'exclamai-je. Excusez-moi de vous avoir fait attendre. Entrez. Je lui prépare l'écorce tout de suite.

Le capitaine Leckie fronça les sourcils et fit signe à Mme Wilkins d'approcher. Elle me lança un regard inquiet puis le laissa se pencher sur le petit Peter. Il enfonça son gros pouce sale dans la bouche pleine de salive de l'enfant puis déclara sur un ton accusateur :

— C'est une dent qui a du mal à percer. Il faut lui couper la gencive pour la laisser passer.

Il commença à fouiller dans ses poches, sans doute à la recherche d'un scalpel ou d'une lancette non stérilisés.

Tout en laissant tomber un peu d'écorce de saule dans mon mortier, j'objectai :

— Il fait ses dents, en effet, mais son incisive percera d'elle-même d'ici vingt-quatre heures. Il souffre surtout d'une infection à l'oreille.

Il se tourna vers moi, sidéré et indigné.

— Vous me contredisez ?

— Oui, répondis-je calmement. Vous vous trompez. Vous n'avez qu'à regarder son oreille, elle...

— Sachez, madame, que je suis diplômé de la faculté de médecine de Philadelphie !

— Je vous en félicite. En attendant, vous vous trompez quand même.

Lui ayant momentanément cloué le bec, j'achevai de réduire l'écorce en poudre, la versai sur un carré de gaze que je pliai en un petit paquet et remis à Mme Wilkins. Je lui expliquai ensuite comment préparer l'infusion, comment l'administrer et comment appliquer un cataplasme à l'oignon.

Elle saisit le paquet comme s'il menaçait d'exploser puis, après un bref regard vers le capitaine Leckie, prit la fuite. Les cris du petit Peter s'atténuèrent telle une sirène s'éloignant.

Je me tournai vers le capitaine et déclarai aussi aimablement que possible :

— Si vous avez besoin de simples, docteur Leckie, j'en ai une bonne provision. Je peux…

Il se dressa sur toute sa hauteur tel un héron toisant une grenouille, les yeux en boutons de bottines.

— Madame, me salua-t-il sèchement avant de passer devant moi.

Une fois qu'il fut sorti, je levai les yeux au ciel, ou plutôt vers le plafond de la tente. Un petit gecko était accroché à la toile, m'observant sans montrer d'émotion particulière.

— Prends note, lui dis-je. Comment se faire de nouveaux amis et propager la bonne parole.

J'écartai le rabat et fis signe au patient suivant d'entrer.

Je dus me dépêcher pour ne pas rater mon rendez-vous avec Jamie. Il était sur le point de commencer son inspection quand j'accourus, tordant ma chevelure en un chignon et épinglant ma capeline par-dessus. Il faisait horriblement chaud et rester quelques minutes en plein soleil me causait déjà des picotements sur le nez et les joues.

Jamie me salua courtoisement et commença à avancer le long de la rangée d'hommes prêts pour la revue, saluant les officiers, posant des questions, indiquant à son aide de camp des mesures à prendre.

Ce dernier était le lieutenant Schnell, un charmant jeune Allemand de Philadelphie qui avait environ dix-neuf ans. Un autre homme les accompagnait, un monsieur corpulent dont l'uniforme me fit penser qu'il devait être le capitaine de la compagnie que nous inspections. Je les suivis en souriant aux soldats, tout en guettant des signes de maladie, de blessure ou de handicap. Jamie n'avait pas besoin de mon expertise pour détecter tout seul les pochards.

Ils étaient trois cents, m'avait-il dit, et la plupart paraissaient en forme. Je continuais de marcher et de hocher la tête, tout en imaginant le capitaine Leckie se tordant de douleur et nécessitant mes soins, après quoi il ramperait à mes pieds en m'implorant de lui pardonner son attitude désobligeante. J'hésitais entre une balle de mousquet logée dans une fesse, une torsion testiculaire ou autre pathologie passagère mais mortifiante, comme une paralysie faciale herpétique, quand un détail dans la rangée retint mon attention.

L'homme devant moi se tenait raide comme un piquet, au garde-à-vous, le mousquet au niveau de la poitrine, le regard fixé droit devant. Tout cela était parfaitement réglementaire, sauf qu'il était le seul. Les miliciens, quoique parfaitement compétents, accordaient généralement peu d'importance à l'étiquette militaire. Je lui lançai un regard surpris, passai au suivant, puis lui lançai un nouveau regard.

— Putain de bordel de merde !

Par miracle, Jamie, distrait par l'arrivée d'un messager, ne m'entendit pas. Je reculai précipitamment de deux pas, me penchai et regardai sous les grands bords du chapeau mou. Les traits du soldat étaient figés et une lueur menaçante brillait dans ses yeux.

— Que fichez-vous ici ? murmurai-je en le prenant par la manche.

— Si je vous le disais, vous ne me croiriez pas, chuchota-t-il en retour sans remuer un seul muscle de son visage. Je vous en prie, ma chère, poursuivez votre chemin.

J'étais tellement sidérée que je lui aurais sans doute obéi si je n'avais aperçu au même instant une petite silhouette derrière la rangée. Elle essayait de passer inaperçue en s'accroupissant derrière la roue d'une carriole.

— Germain ?

Cette fois, Jamie se retourna brusquement en écarquillant les yeux.

Germain se raidit, puis se tourna pour prendre ses jambes à son cou, mais pas assez vite. Le lieutenant Schnell, faisant honneur à son nom, bondit à travers les hommes et le rattrapa en quelques enjambées. Il le retint par le bras et lança un regard intrigué à Jamie.

— C'est à vous, mon général ? demanda-t-il.

— Oui, il est à moi, répondit Jamie sur un ton qui aurait glacé le sang à plus d'un. Que diable fais-tu i...

— Je suis ordonnance ! protesta fièrement Germain en essayant de libérer son bras. C'est mon devoir d'être ici !

— Certainement pas, rétorqua son grand-père. Et que veux-tu dire par « ordonnance » ? L'ordonnance de qui ?

Germain lança un regard vers John puis, comprenant aussitôt son erreur, baissa les yeux. Trop tard. Jamie fut devant John en une fraction de seconde et lui arracha son chapeau.

Seul quelqu'un qui avait bien connu lord John Grey l'aurait identifié. Il portait un cache noir sur un œil ; l'autre était pratiquement invisible sous les ecchymoses et la crasse. Sa chevelure blonde luxuriante avait été coupée presque à ras et semblait avoir été frottée avec de la boue.

Avec un aplomb considérable, il se gratta le crâne puis tendit son mousquet à Jamie.

— Je me rends, monsieur, annonça-t-il d'une voix claire. Mon ordonnance de même.

Il posa une main sur l'épaule de Germain. Le lieutenant Schnell, totalement dérouté, lâcha aussitôt l'enfant comme s'il s'était brûlé les doigts.

Je n'avais jamais vu Jamie rester sans voix. Ce ne fut pas le cas, mais il s'en fallut de peu. Il inspira profondément par le nez, puis se tourna vers le lieutenant Schnell.

— Conduisez les prisonniers devant le capitaine McCorkle, lieutenant.

— Hum..., dis-je délicatement.

Un regard bleu acier se tourna vers moi.

— Il est blessé, indiquai-je avec un signe vers John.

Jamie fronça les lèvres, puis hocha la tête.

— Lieutenant Schnell, conduisez les prisonniers et Mme Fraser dans ma tente.

Sans doute était-ce un effet de ma sensibilité s'il me sembla qu'il avait placé un accent particulier sur « Mme Fraser ».

Il se tourna à nouveau vers John.

— J'accepte votre reddition, colonel, ainsi que votre parole. Je m'occuperai de vous plus tard.

Là-dessus, il nous tourna le dos à tous les trois d'une manière qu'on ne pouvait qualifier que d'emphatique.

— Qu'est-ce que vous avez fait à votre œil ? demandai-je en examinant le globe meurtri.

J'avais fait asseoir John sur le lit de camp dans ma petite tente médicale, laissant le rabat ouvert afin d'avoir le plus de lumière possible. Son œil enflé était à moitié fermé et entouré d'un cercle noir poisseux là où j'avais retiré le cache en feutre. La chair tout autour formait une palette criarde de tons verts, violets et jaunes. Le globe lui-même était aussi rouge qu'un jupon en flanelle et, à en juger par l'irritation de ses paupières, devait larmoyer continuellement depuis un certain temps.

— Votre mari m'a frappé quand je lui ai dit que nous avions couché ensemble, répondit-il calmement. J'espère que sa réaction a été plus modérée lors de vos retrouvailles.

J'aurais aimé être capable d'émettre un son écossais convaincant pour lui répondre. Comme ce n'était pas le cas, je me contentai d'un regard noir.

— Je refuse de discuter de mon mari avec vous. Allongez-vous, tête de mule.

Il obtempéra avec une grimace de douleur.

— Il a dit qu'il vous avait frappé deux fois, repris-je. Où est tombé le deuxième coup ?

— Sur mon foie, répondit-il en se touchant délicatement le bas de l'abdomen.

Je remontai sa chemise et examinai les dégâts, découvrant un autre arc-en-ciel spectaculaire autour des côtes inférieures, se prolongeant avec des traînées bleues vers la crête iliaque.

— Ce n'est pas votre foie, indiquai-je. Il se trouve de l'autre côté.

— Vous en êtes sûre ?

— Oui, je suis médecin, lui rappelai-je. Laissez-moi regarder votre œil.

Je n'attendis pas sa permission, mais il ne résista pas, fixant le plafond en toile pendant que j'écartais ses paupières autant que possible. La sclérotique et la conjonctive étaient sérieusement enflammées et même la faible lumière le faisait larmoyer abondamment. Je tendis deux doigts.

— Deux, répondit-il avant même que je le lui demande. Et inutile de me demander de regarder à droite, à gauche, en haut et en bas. Cela m'est impossible. Je peux voir, bien que ce soit un peu flou, et tout m'apparaît en double, ce qui est très désagréable, mais je ne peux pas remuer l'œil. Selon le Dr Hunter, un muscle quelconque serait coincé par une sorte d'os. Il ne se sentait pas compétent pour y remédier.

— Je suis flattée que vous pensiez que je le suis.

— J'ai pleine confiance en vos talents, docteur Fraser, répondit-il poliment. En outre, ai-je le choix ?

— Non. Ne bougez pas... Germain!

Je venais d'apercevoir un mouvement de calicot rose du coin de l'œil. Le fugitif entra lentement sous la tente, l'air vaguement coupable.

— Ne me dis pas ce que tu as sous ta chemise, dis-je en remarquant une bosse suspecte sous le tissu. Je ne veux pas être la complice d'un délit. Non, attends... C'est vivant?

Germain toucha précautionneusement la bosse comme s'il n'en était pas sûr, puis secoua la tête.

— Non, *grand-mère*.

— Tant mieux. Viens ici et tiens-moi ça.

Je lui donnai mon miroir de poche, écartai encore un peu le rabat de la tente pour faire entrer un rayon de soleil, puis ajustai la main de Germain afin que la lumière réfléchie par le miroir illumine directement l'œil blessé. John poussa un cri de douleur, mais se retint docilement aux bords du lit de camp et cessa de bouger. Son œil larmoyait profusément, ce qui était aussi bien: cela laverait les bactéries et me permettrait peut-être de faire tourner plus facilement le globe oculaire.

Je choisis mon plus petit cautère et le glissai délicatement sous la paupière. C'était le meilleur instrument à ma portée, étant plat, lisse et en forme de spatule. Denny avait probablement vu juste. Je ne pouvais tourner le globe vers le haut; la moindre pression faisait blêmir John. En revanche, je parvenais à le faire pivoter très légèrement d'un côté et de l'autre. Compte tenu de la sensibilité du visage de John sous l'œil, je commençai à me faire une idée mentale du problème. Il s'agissait certainement d'une fracture orbitale dite « par enfoncement », qui avait fendu la délicate paroi inférieure de l'orbite et poussé un fragment d'os ainsi qu'une partie du muscle droit inférieur dans le sinus maxillaire. Le bord du muscle était coincé dans la fente, immobilisant le globe oculaire.

— Maudit barbare de brute sanguinaire d'Écossais! grommelai-je en me redressant.

— Ce n'est pas sa faute, le défendit John. Je l'avais provoqué.

Il me paraissait un peu trop joyeux et je lui lançai un regard torve.

— Je ne suis pas satisfaite de vous non plus, l'informai-je. Vous n'allez pas aimer ce qui vous attend et ça vous fera les pieds. Comment avez-vous pu... Non, ne me le racontez pas pour le moment, je suis occupée.

Il croisa les mains sur son ventre en prenant un air bonasse. Germain ricana et je le fis aussitôt taire par un autre regard mauvais.

Serrant les lèvres, je remplis une seringue (la seringue pénienne du Dr Fentiman; ça tombait bien) d'une solution saline afin d'irriguer l'œil et sortis ma petite pince à becs effilés. J'examinai à nouveau le globe avec ma spatule improvisée puis préparai une minuscule aiguille incurvée en y insérant un catgut humidifié. J'allais peut-être pouvoir me passer de suturer le muscle droit inférieur (si le bord du muscle n'était pas trop effiloché après être resté longtemps coincé et s'il tenait bon après avoir été libéré), mais je préférais me tenir prête au cas où. J'espérais que ce ne serait pas nécessaire en raison de l'œdème considérable... mais je ne pouvais attendre quelques jours qu'il désenfle.

Ma plus grande préoccupation n'était pas la réduction immédiate de la fracture ni la libération du muscle, mais le risque d'adhésion. Pour aider à la guérison, l'œil devait rester immobile, mais le muscle risquait de coller à l'orbite, bloquant définitivement le globe. Il me fallait, pour appliquer sur la zone, une substance glutineuse qui soit biologiquement inerte et non irritante. À mon époque, j'aurais utilisé des gouttes de glycérine liquide, mais ici…

Du blanc d'œuf, peut-être ? Non, la chaleur du corps risquait de le figer. Quoi, alors ?

— John !

Le cri choqué derrière moi me fit me retourner, l'aiguille à la main. Un très pimpant gentleman portant une élégante perruque et un costume en velours bleu gris se tenait sur le seuil de la tente, regardant mon patient d'un air ahuri.

Percy Beauchamp m'aperçut et demanda sur un ton péremptoire :

— Que lui est-il arrivé ?

— Va-t'en ! ordonna John d'une voix que je ne lui avais encore jamais entendue.

Il se redressa en position assise, s'efforçant de fixer le nouveau venu d'un regard d'acier malgré son œil écarlate et larmoyant.

— Tout de suite ! insista-t-il.

— Pour l'amour de Dieu, que fais-tu ici ? demanda Beauchamp.

Il parlait avec un accent anglais où se mêlaient de vagues inflexions françaises. Il avança d'un pas et baissa le ton de sa voix.

— Ne me dis pas que tu es devenu un rebelle ?

— Certainement pas. Je t'ai dit de partir.

— Tu veux dire que… Mais que s'est-il passé ?

Il s'était suffisamment avancé à présent pour voir John dans son ensemble, avec ses cheveux crasseux coupés en dépit du bon sens, sa tenue crasseuse et débraillée, ses bas crasseux troués aux orteils et au talon, son visage crasseux tuméfié qui le fixait d'un air assassin.

Je m'apprêtais à intervenir quand Germain m'arrêta d'une main sur mon bras.

— C'est l'homme qui cherchait papa à New Bern, l'année dernière. *Grandpère* dit que c'est un vilain.

Il avait abaissé son miroir et observait la scène avec intérêt.

Percy lui lança un regard stupéfait, puis se ressaisit à une vitesse remarquable.

— Tiens, mais c'est le propriétaire des deux grenouilles distinguées, dit-il avec un sourire. Peter et Simon, si je me souviens bien ? Une jaune et l'autre verte.

Germain s'inclina respectueusement.

— Monsieur a une excellente mémoire. Que lui voulez-vous, à mon papa ?

— Excellente question, opina John en plaçant une main sur son œil blessé.

— En effet, approuvai-je. Asseyez-vous donc, monsieur Beauchamp, et expliquez-nous.

Je saisis John par les épaules.

— Quant à vous, allongez-vous.

Il résista à mes tentatives pour l'aplatir et balança ses jambes de l'autre côté du lit.

— Cela peut attendre, protesta-t-il. Que fais-tu ici, Percy ?

— Je vois que vous vous connaissez bien, dis-je en commençant à m'échauffer.

— Certainement, c'est mon frère. Ou plutôt, il l'était.

Germain et moi nous exclamâmes à l'unisson :

— Quoi ?

— Je croyais que vous n'aviez qu'un frère, Hal, repris-je.

Mon regard alla de Percy à John. Ils ne se ressemblaient pas du tout, alors que John et Hal semblaient avoir été coulés dans le même moule.

— Mon frère par alliance, précisa John en fléchissant les genoux pour se lever. Viens avec moi, Percy.

— Vous n'irez nulle part, dis-je en haussant le ton.

— Et comment comptez-vous m'arrêter ?

Il se leva et oscilla légèrement. Avant que j'aie pu lui répondre, M. Beauchamp bondit et retint John par le bras pour l'empêcher de tomber. John se libéra d'un geste sec et trébucha en arrière, heurtant le lit de camp. Il parvint à retrouver son équilibre et se tint pantelant, fixant Beauchamp d'un air mauvais et serrant les poings.

Beauchamp le dévisageait tout aussi intensément. L'air entre eux était… électrique. *Oh*, pensai-je en les observant l'un et l'autre et en comprenant soudain. *Oh*.

Je dus faire un mouvement inconscient, car Beauchamp se tourna soudain vers moi. Ce qu'il lut sur mon visage le laissa perplexe un instant, puis il se ressaisit et s'inclina avec un sourire ironique.

— *Madame*, dit-il en français.

Il poursuivit dans un anglais impeccable :

— Lord John est en effet mon frère par alliance, bien que nous n'ayons pas parlé depuis… un certain temps. Je suis ici à l'invitation du marquis de La Fayette, entre autres. Permettez-moi de conduire lord John auprès du marquis. Je vous promets de vous le ramener en une seule pièce.

Il me sourit, le regard chaleureux et sûr de son charme qui était, il est vrai, considérable.

— Lord John est un prisonnier de guerre, déclara sèchement une voix écossaise derrière lui. Il est sous ma responsabilité. Je regrette, mais il ne bougera pas d'ici, monsieur.

Percy Beauchamp fit volte-face vers Jamie, qui occupait toute l'entrée de la tente d'un air implacable.

— Je veux quand même savoir pourquoi il cherche papa, déclara Germain en fronçant ses petits sourcils blonds.

— J'aimerais le savoir moi aussi, monsieur, dit Jamie en baissant la tête pour entrer. Je vous en prie, asseyez-vous.

Il indiqua mon tabouret d'un signe de tête. Percy Beauchamp lança un regard vers John puis se tourna à nouveau vers Jamie. Son visage s'était vidé de toute expression, mais ses yeux noirs et vifs étaient pleins de calculs.

— Hélas, dit-il en retrouvant son léger accent français. Je suis attendu par *le marquis* et le général Washington. Par conséquent, vous voudrez bien m'excuser. *Bonne journée, mon général*.

Il marcha vers la sortie la tête haute et se tourna au dernier moment pour adresser un sourire à John.

— *À bientôt, mon frère.*

— Le plus tard sera le mieux !

Après la sortie très digne de Percy Beauchamp, personne ne bougea durant l'espace de neuf battements de cœur (je les comptai), puis John se laissa tomber sur le lit de camp avec un soupir sonore. Jamie croisa mon regard et, après un bref hochement de tête, s'assit sur le tabouret. Personne ne parla jusqu'à ce que Germain rompe enfin le silence.

— Tu ne dois plus le frapper, *grand-père*. Milord est très gentil. Je suis sûr qu'il ne couchera plus avec grand-mère, maintenant que tu es rentré.

Jamie le foudroya du regard, mais je sentais qu'il se retenait de sourire. De là où je me tenais, je vis la nuque de John virer au rose vif.

— Je suis très reconnaissant à lord John d'avoir veillé sur ta grand-mère, répondit Jamie à Germain. Mais si tu crois sauver tes fesses en faisant des remarques déplacées sur tes aînés, tu te trompes.

Germain se dandina sur place, mal à l'aise, et lança un regard navré à John, l'air de dire « Ça valait quand même le coup d'essayer ».

— Je suis très touché de la bonne opinion que vous avez de moi, jeune homme, lui dit John. Et je vous retourne le compliment. Néanmoins, vous êtes sûrement conscient que les bonnes intentions à elles seules ne rachètent pas des conséquences d'un comportement irréfléchi.

Le teint de Jamie commençait à rosir autant que celui de John.

— Germain, l'appelai-je. Si tu allais faire un petit tour ? Oh, essaie de me trouver du miel, par la même occasion.

Ils se retournèrent tous les trois vers moi d'un air perplexe.

— Pour sa viscosité, expliquai-je avec un haussement d'épaules. Et ses propriétés antibactériennes.

— Que veut dire « viscosité » ? demanda Germain d'un air intéressé.

— Germain ! le rappela à l'ordre Jamie en lui montrant la porte de la tente.

Il fila aussitôt sans attendre ma réponse.

Tout le monde prit une profonde inspiration.

Avant que des paroles regrettables ne soient prononcées, j'ordonnai à John :

— Cette fois, allongez-vous ! Jamie, tu as un moment ? J'aimerais que tu tiennes le miroir pendant que je m'occupe de son œil.

Ils obéirent tous les deux sans hésiter, tout en veillant à ne pas se regarder. J'étais presque prête. Après avoir positionné Jamie de manière à avoir l'éclairage nécessaire, j'irriguai à nouveau l'œil et l'orbite avec une solution saline puis me rinçai les doigts dans le même liquide.

— J'ai besoin que vous restiez tous les deux parfaitement immobiles, annonçai-je. Je suis désolée, John, mais je ne vois pas d'autre solution. Avec un peu de chance, ce sera vite terminé.

— J'ai déjà entendu ça quelque part, marmonna Jamie.

Je redoutais d'utiliser ma pince, de peur de percer la cornée. J'écartai donc les paupières de John avec le pouce et l'index de la main gauche, enfonçai mes doigts de la main droite le plus possible dans l'orbite et pinçai le globe oculaire.

John émit un son étranglé. Jamie tressaillit, mais ne lâcha pas le miroir.

Peu de choses dans ce monde sont aussi glissantes qu'un globe oculaire mouillé. Je m'efforçai de ne pas pincer trop fort, mais il n'y avait rien à faire : une pression trop légère et le globe m'échappait aussitôt des doigts comme un grain de raisin huilé. Je serrai les dents et essayai à nouveau en le tenant plus fort.

À ma quatrième tentative, je parvins enfin à le retenir suffisamment longtemps pour essayer de le faire tourner dans son orbite. Je n'y parvins pas tout à fait, mais au moins, cela me permit de comprendre comment faire.

Cinq minutes plus tard, John tremblait comme un œuf en gelée, les mains crispées sur les bords du lit ; Jamie priait en gaélique dans sa barbe et nous étions tous les trois trempés de sueur.

Je repris mon souffle, essuyai la transpiration sous mon menton avec le dos de ma main, puis me rinçai à nouveau les doigts.

— Encore une fois, dis-je. Si je n'y arrive toujours pas, nous ferons une pause et réessayerons plus tard.

— Oh Seigneur ! gémit John.

Il ferma les deux yeux brièvement, déglutit, puis les rouvrit le plus grand possible. Ses tempes luisaient de larmes.

Je sentis Jamie bouger près de moi. Il recentra le faisceau de lumière tout en se rapprochant du lit, pressant sa jambe près de la main crispée de John. J'agitai mes doigts mouillés pour chauffer mes articulations, récitai une brève prière à sainte Claire, patronne des maux d'yeux, et enfonçai profondément mon pouce et mon index dans l'orbite.

J'avais eu le temps de me faire une image très claire de la fracture, une ligne sombre sous la conjonctive déchirée, dans laquelle était prise la ligne du muscle droit inférieur. J'exerçai une torsion rapide et sèche avant que mes doigts ne glissent et sentis le muscle faire un léger pop ! Il était libre. John frémit de la tête aux pieds en émettant un léger râle.

— Alléluia ! lâchai-je.

Je me mis à rire de soulagement. J'avais un peu de sang sur les doigts, très peu, et je les essuyai sur mon tablier. Jamie tiqua et détourna le regard.

— Et à présent ? demanda-t-il en prenant soin de ne pas regarder John.

— Maintenant quoi ? Ah.

Je réfléchis quelques secondes, puis secouai la tête.

— Il doit rester allongé quelques heures avec l'œil bandé ; idéalement, un jour ou deux. Si Germain me trouve du miel, j'en utiliserai un peu pour lubrifier l'orbite afin de prévenir une adhérence.

— Je voulais dire : doit-il rester sous la surveillance d'un médecin ? précisa Jamie.

— Pas en permanence. Quelqu'un, c'est-à-dire moi, doit vérifier régulièrement l'état de son œil, mais il n'y a plus grand-chose à faire. L'œdème et les ecchymoses se résorberont d'eux-mêmes. Pourquoi ? Que comptes-tu faire de lui ?

Jamie fit un petit geste de frustration.

— J'aimerais le livrer à l'équipe de Washington pour qu'il soit interrogé.

— Mais c'est à vous que je me suis rendu, objecta John. À vous, personnellement. Cela signifie que je suis sous votre responsabilité.

— Je sais, merci pour le cadeau, grommela Jamie.

Je posai une main sur le front de John. Il était chaud, mais pas fiévreux.

— De toute façon, vous ne comptez pas lui raconter quoi que ce soit d'utile, n'est-ce pas ? demandai-je. Comme, par exemple, la nature exacte de vos relations avec M. Beauchamp ?

Jamie émit un petit rire cynique.

— Je sais pertinemment quelle est sa relation avec ce petit sodomite, dit-il avec un regard noir vers John. Vous n'avez pas non plus l'intention de me dire ce qu'il fait ici ?

— Non, répondit John d'un ton joyeux. Même si c'était le cas, cela ne vous aiderait en rien.

Jamie hocha la tête, s'y étant attendu. Puis il se leva d'un air décidé.

— Fort bien. J'ai du travail à faire, et toi aussi, *Sassenach*. Quand Germain reviendra et que tu en auras fini avec le miel, dis-lui qu'il est chargé du prisonnier. Il ne doit le quitter sous aucun prétexte, sauf si toi ou moi l'y autorisons. Et si M. Beauchamp revenait lui rendre une petite visite, Germain devra assister à la conversation. (Il se tourna vers John.) Mon petit-fils parle couramment le français, et si vous essayez d'infléchir sa loyauté…

— Je vous en prie, monsieur ! s'offusqua John.

— Mmphm, fit Jamie d'un air renfrogné.

Là-dessus, il partit.

62

Comment se faire une amie d'une mule

Restée seule avec John, il y eut un silence gêné. Je ne savais trop que dire. Lui non plus, apparemment. Il résolut le problème en fermant les yeux et en faisant semblant de dormir. Je ne pouvais le laisser tant que Germain n'était pas revenu avec le miel, s'il en trouvait. (J'avais assez confiance en ses capacités.)

Je ne pouvais pas non plus rester assise les bras croisés. Je sortis donc mon mortier et mon pilon, puis me mis à moudre de la racine de gentiane et de l'ail pour préparer un onguent antibiotique. Cela m'occupait les mains, mais, malheureusement, pas l'esprit, qui tournait en rond tel un hamster dans sa roue.

J'avais deux préoccupations majeures, dont une à laquelle je ne pouvais rien : soit l'imminence de la bataille. Je ne pouvais pas me tromper. Jamie ne me l'avait pas annoncé explicitement, peut-être parce qu'il n'avait pas encore reçu d'ordres écrits, mais je le savais aussi clairement que si cela avait été annoncé par un aboyeur de journaux. L'armée se préparait à bouger.

Je lançai un regard vers John, allongé tel un gisant, les mains croisées sur le ventre. Il ne lui manquait plus qu'un petit chien enroulé à ses pieds. Rollo, qui ronflait sous le lit, devrait faire l'affaire.

Naturellement, mon autre inquiétude concernait John. J'ignorais comment il était arrivé là, mais suffisamment de gens l'avaient vu se rendre pour que tout le camp soit au courant de sa présence avant la tombée de la nuit. Ensuite…

— Si je m'absentais un instant, ça ne vous dirait pas de vous enfuir ? demandai-je soudain.

— Non, répondit-il en rouvrant les yeux. J'ai donné ma parole. En outre, je ne parviendrais même pas à la lisière du camp.

Le silence retomba dans la tente, perturbé uniquement par le vrombissement d'un gros bourdon et le vacarme plus lointain de soldats s'entraînant.

Le seul point positif, pour ainsi dire, était que les préparatifs de guerre empêcheraient probablement les officiers de s'intéresser de trop près à John. Que diable Jamie ferait-il de lui, une fois l'armée partie, au petit matin ?

— *Grand-mère ! Grand-mère !*

Germain déboula dans la tente et Rollo, qui avait dormi durant toute la visite de Percy Beauchamp sans remuer un cil, bondit avec un « Wouf ! » explosif, manquant de renverser le lit et John avec lui.

— Gentil, le chien ! dis-je en le retenant par la peau du cou. Que t'arrive-t-il, Germain ?

— Je l'ai vu, grand-mère ! Je l'ai vu ! L'homme qui m'a volé Clarence ! Venez vite !

Sans attendre ma réponse, il tourna les talons et repartit comme un boulet de canon.

John commençait à se lever et Rollo tirait sur ma main.

— Assis ! leur ordonnai-je à tous les deux. Et ne bougez pas d'ici !

Les poils sur mes bras étaient hérissés et la transpiration ruisselait dans mon cou. J'avais oublié mon chapeau et le soleil me brûlait les joues. Lorsque je rattrapai enfin Germain, je haletais, autant à cause de la chaleur que de l'émotion.

— Où…

— Il est là, grand-mère ! Le grand type avec un mouchoir autour du bras. Je parie que Clarence l'a mordu. Bien fait !

Le type en question était effectivement grand. Il faisait deux fois ma taille, avec une tête comme un potimarron. Il était assis par terre, à l'ombre du grand arbre où se rassemblaient ceux qui avaient besoin de soins. Un petit groupe de ces derniers se tenaient à une certaine distance de lui, baissant la tête et voûtant le dos, lui lançant furtivement des regards craintifs.

— Je crois que tu ferais mieux de disparaître, glissai-je à Germain.

N'entendant pas de réponse, je me retournai et constatai que le petit malin n'avait pas attendu mon conseil et s'était déjà volatilisé.

Je me dirigeai tout sourire vers le petit groupe qui attendait. Il était principalement constitué de femmes et d'enfants. Je n'en connaissais aucun personnellement, mais eux savaient qui et ce que j'étais. Ils murmurèrent des salutations en lançant des regards de biais vers le malabar assis sous l'arbre. Le message était clair : « Occupez-vous d'abord de lui avant que ça ne se gâte. » Effectivement, il irradiait une violence mal contenue dans toutes les directions.

Je rassemblai mon courage et m'approchai de lui en me demandant ce que j'allais pouvoir lui dire. *« Qu'avez-vous fait de la mule Clarence ? »* ou *« Comment osez-vous voler un enfant et le laisser seul en pleine nature, espèce de gros salaud ? »*

J'optai pour :

— Bonjour, je m'appelle madame Fraser. Qu'est-il arrivé à votre bras ?

— Une saloperie de mule m'a mordu jusqu'à l'os, grogna-t-il. Je vais lui faire la peau à cette sale carne.

Il me lança un regard noir sous d'épais sourcils striés de cicatrices. Ses phalanges étaient également couvertes de vieilles entailles.

— Laissez-moi voir.

Sans attendre sa permission, je pris son poignet (il était chaud et velu) et dénouai le mouchoir. Ce dernier était raide de sang séché, et pour cause.

Clarence (s'il était vraiment le coupable) l'avait effectivement mordu jusqu'à l'os. Les morsures de chevaux et de mules peuvent être douloureuses mais ne provoquent généralement que des contusions. Les équidés ont des mâchoires puissantes, mais leurs incisives sont conçues pour arracher l'herbe et, la plupart des morsures se faisant à travers des vêtements, elles transpercent rarement la peau. Cela pouvait néanmoins arriver et Clarence y était parvenu.

Un lambeau de peau et une bonne partie de chair avaient été partiellement arrachés sur environ trois pouces. Sous la mince couche de graisse, j'apercevais le tendon luisant et la membrane rouge qui recouvrait le radius. Bien que récente, la plaie avait cessé de saigner, hormis pour un léger suintement en périphérie.

— Hmm…, fis-je en retournant sa main. Pouvez-vous replier les doigts et serrer le poing ?

Il le pouvait, quoique son annulaire et son auriculaire s'arrêtèrent à mi-chemin. Ils remuaient néanmoins, donc le tendon n'avait pas été sectionné.

— Hmm, fis-je encore en fouillant dans mon sac.

Je sortis un flacon de solution saline et une sonde. Pour désinfecter, l'eau saline était légèrement moins douloureuse que l'alcool dilué et le vinaigre. Il était également plus facile de se procurer du sel, du moins en ville. Je tins fermement son poignet et versai le liquide sur la plaie.

Il émit un son d'ours blessé et les patients qui attendaient reculèrent de quelques pas comme un seul homme.

— Ce devait être une mule bien acariâtre, observai-je sur un ton léger.

Les traits de la brute se rembrunirent encore.

— La salope, je vais la battre jusqu'à ce qu'elle en crève ! cracha-t-il en me montrant ses dents jaunes. Je vais la dépecer et vendre sa viande.

— Je vous le déconseille. Si vous faites des mouvements violents avec ce bras, vous risquez la gangrène.

— Ah oui ? demanda-t-il, soudain inquiet.

— Parfaitement. Vous avez déjà vu quelqu'un atteint de gangrène ? La chair devient verte et putride ; elle dégage une odeur pestilentielle. Il faut amputer d'urgence ou c'est la mort.

— Ouais, j'ai déjà vu ça, marmonna-t-il en regardant son bras.

— Alors on sera bien sage, n'est-ce pas ? dis-je sur un ton apaisant.

Dans d'autres cas similaires, j'aurais offert au patient un petit remontant, ce que j'avais sous la main. Grâce au marquis, je possédais une bonne réserve de cognac français. Sauf que je ne me sentais pas l'âme charitable.

De fait, Hippocrate n'aurait qu'à fermer les yeux pendant quelques minutes. Je n'allais pas faire de mal au patient, bien sûr. D'ailleurs, je ne pouvais pas lui faire grand-chose armée d'une aiguille à suture et d'une paire de ciseaux de broderie.

Je recousis la plaie le plus lentement possible, veillant à l'arroser de solution saline régulièrement et cherchant furtivement autour de moi qui pourrait m'aider. Jamie se trouvait avec Washington et le haut commandement, établissant une stratégie pour leur attaque ; je ne pouvais le déranger pour s'occuper d'un voleur de mule.

Ian était parti sur son poney espionner l'arrière-garde britannique. Rollo se trouvait avec John. Rachel, Denny et Dottie avaient pris la carriole des quakers pour chercher des provisions dans un village voisin. (Je leur souhaitais bonne chance : les ravitailleurs du général Greene avaient déjà fondu sur toutes les fermes et les granges des environs tel un nuage de sauterelles dès que l'armée avait monté le camp.)

Mon patient marmonnait une litanie de jurons répétitifs et peu originaux, mais ne donnait aucun signe de vouloir tourner de l'œil d'un instant à l'autre. Ce que je faisais à son bras ne risquait guère d'améliorer son humeur. Et s'il avait vraiment l'intention de filer tout droit tuer Clarence une fois que je l'aurais recousu ?

Dans un combat à la loyale, j'aurais misé sur la mule, mais elle était probablement attachée ou entravée. Puis une horrible pensée me traversa l'esprit. Je savais où était Germain et ce qu'il était en train de faire.

— Putain de bordel de merde ! murmurai-je.

Germain était un pickpocket extrêmement doué, mais voler une mule au nez et à la barbe d'une bande de charretiers était une autre paire de manches.

Qu'avait dit Jamie ? *S'il se fait prendre pour vol, il sera pendu ou fouetté et je ne pourrai rien y faire.* Les charretiers étant ce qu'ils étaient, ils auraient tôt fait de lui tordre le cou plutôt que d'attendre la justice militaire.

Je lançai un bref regard par-dessus mon épaule, essayant de repérer le camp des charretiers. Si j'apercevais Germain…

En fait, je vis Percy Beauchamp, qui m'observait d'un air songeur à l'ombre d'une tente voisine. Dès que nos regards se croisèrent, il se dirigea vers moi en rajustant sa veste. Ce n'était pas le moment de faire la fine bouche. À cheval (ou mule) donné, on ne regardait pas les dents.

— Madame Fraser, dit-il en s'inclinant. Puis-je vous être d'une aide quelconque ?

Et comment ! Je ne pouvais pas faire traîner les sutures beaucoup plus longtemps. Je levai un instant le nez vers mon patient massif en me demandant s'il parlait le français.

Mon visage devait être aussi transparent que l'affirmait Jamie, car Percy me sourit et déclara sur un ton détaché en français :

— Je doute que ce déchet d'avortement maîtrise sa propre langue maternelle au-delà des quelques mots qui suffisent pour recruter une catin vérolée et assez sotte pour s'accoupler avec ce sinistre individu, sans parler de comprendre un traître mot de la langue des anges.

Le charretier continuait de grommeler :

— Saloperie de merde de salope de mule ; enfer et damnation que ça fait mal...

Je me détendis légèrement et répondis en français :

— En effet, j'ai besoin d'aide et vite. Mon petit-fils essaie de récupérer la mule que cette brute lui a volée. Voulez-vous bien aller le chercher dans le camp des charretiers avant qu'il se fasse prendre ?

— *À votre service, madame.*

Il claqua des talons, s'inclina et partit.

Je pris tout mon temps et plus pour bander la plaie, angoissant à l'idée que mon grossier patient ne surprenne Germain dans son camp. Les manières exquises de Percy risquaient de ne pas être à la hauteur de la tâche. Je ne pouvais qu'espérer qu'Hippocrate continuerait à fermer les yeux si j'étais contrainte de prendre des mesures radicales au cas où la brute s'en prendrait à Germain.

J'entendis un braiment familier derrière moi et, me retournant brusquement, je vis Percy, légèrement décoiffé, conduisant Clarence vers moi. Assis sur la mule, Germain toisait mon patient d'un air victorieux.

Je me redressai précipitamment et cherchai mon couteau. Le charretier, occupé à palper délicatement son bandage, redressa la tête et bondit aussitôt sur ses pieds en rugissant :

— Saloperie !

Il fonça droit sur eux, les poings serrés. Percy pâlit légèrement, mais ne se démonta pas. Il tendit la bride à Germain et avança d'un pas ferme.

— Monsieur, commença-t-il.

J'aurais été curieuse de savoir ce qu'il comptait lui dire au juste, mais ne le sus jamais, car le charretier, un homme de peu de mots, lui envoya son poing gros comme un jambon en plein ventre. Percy tomba à la renverse sur les fesses et se replia comme un éventail.

— Germain, non ! criai-je.

Ne se laissant pas décourager par la perte soudaine de son soutien, le chenapan tentait de cingler le visage du charretier avec les rênes.

Il aurait peut-être réussi si son intention n'avait pas été aussi flagrante. Le charretier esquiva et bondit, voulant manifestement attraper la bride ou Germain. La foule autour de nous ayant compris ce qui se passait, les femmes se mirent à crier. Au même moment, Clarence décida d'intervenir et, couchant les oreilles et retroussant les babines, fit claquer ses dents à même pas un pouce du visage du charretier, manquant de lui arracher le nez.

— SALOPERIE DE PUTAIN DE MULE !

Hors de lui, le charretier se rua sur l'animal, planta ses dents dans sa lèvre supérieure et s'accrocha à son cou. Clarence hurla ; les femmes hurlèrent ; Germain hurla.

Personnellement, je ne hurlai pas car je n'avais plus de souffle. Je jouai des coudes dans l'attroupement tout en glissant mes doigts dans la fente de ma jupe pour attraper mon couteau. Juste au moment où je saisissais le manche, une main se posa sur mon épaule et m'arrêta net.

— Permettez, milady.

Fergus passa devant moi, s'approcha de la mêlée hurlante composée du charretier, de la mule et de l'enfant, puis tira un coup avec le pistolet qu'il tenait à la main.

Tout s'arrêta durant une fraction de seconde, puis le raffut reprit de plus belle, tout le monde se précipitant pour voir ce qui se passait. Pendant un long moment, personne, y compris moi, n'y comprit grand-chose. Dans sa stupeur, le charretier avait lâché Clarence et s'était tourné vers Fergus, les yeux exorbités et de la salive teintée de sang lui coulant sur le menton. Germain, faisant preuve de plus de présence d'esprit que je n'en aurais eu, avait repris les rênes et tirait dessus de toutes ses forces pour faire tourner la tête de la mule qui, manifestement, n'avait pas dit son dernier mot.

Fergus rangea calmement son pistolet sous sa ceinture (il avait dû tirer dans le sol près des pieds du charretier) et déclara :

— Si j'étais vous, monsieur, je m'éloignerais le plus possible de cet animal. Il est clair qu'il ne vous aime pas.

Les cris s'étaient interrompus et plusieurs personnes se mirent à rire.

— Ça t'en bouche un coin, hein, Belden ! lança un homme près de moi. La mule peut pas te sentir, qu'est-ce que t'en dis ?

Le charretier paraissait légèrement hébété mais toujours aussi fou de rage. Il se tenait les poings serrés, les jambes écartées, les épaules voûtées, faisant face à la foule.

— Ce que j'en dis ? commença-t-il. Je dis que…

Entre-temps, Percy s'était relevé et avait retrouvé l'usage de ses jambes. Sans hésiter, il avança et envoya un puissant coup de pied dans les bourses de la brute.

L'effet fut réussi. Même l'homme qui semblait être un ami de Belden rugit de rire. Le charretier ne tomba pas, mais se recroquevilla comme une feuille morte en se tenant l'entrejambe. Percy eut la sagesse de ne pas attendre qu'il se remette. Il se tourna et s'inclina devant Fergus.

— *À votre service, monsieur.* Je vous suggère, à vous et votre fils, ainsi qu'à la mule, bien sûr, de vous retirer.

— *Merci infiniment*, répondit Fergus. Et je vous suggère d'en faire autant, *tout de suite.*

— Hé ! cria l'ami du charretier, qui ne riait plus. Vous ne pouvez pas voler sa mule !

Fergus pivota vers lui avec toute la majesté de l'aristocrate que Percy avait affirmé qu'il était.

— En effet, je ne peux pas, monsieur. Car un homme ne peut pas voler ce qui lui appartient déjà, n'en est-il pas ainsi ?

— Il n'est pas… il n'est pas ainsi quoi ? demanda l'homme, désorienté.

Fergus ne daigna pas répondre. Arquant un sourcil noir, il s'éloigna de quelques pas, se retourna, puis lança :

— Clarence! *Viens ici !*

Pendant ce temps, Germain était plus ou moins parvenu à maîtriser la mule, dont les oreilles étaient néanmoins toujours couchées. En entendant la voix de son maître, elles se redressèrent aussitôt et se tournèrent vers lui.

Fergus sourit et j'entendis une femme près de moi soupirer. Il fallait reconnaître que le sourire de Fergus était irrésistible. Il sortit une pomme de sa poche et l'embrocha sur son crochet.

— Viens, mon beau, dit-il en tendant sa main droite et en agitant les doigts comme pour lui gratter le cou.

Clarence trotta aussitôt vers lui, oubliant M. Belden, qui s'était assis par terre, serrant ses genoux et se balançant lentement. La mule poussa le coude de Fergus du museau, prit la pomme et se laissa caresser le front. Il y eut un murmure d'approbation dans la foule et quelques regards accusateurs vers M. Belden.

Je ne me sentais plus sur le point de défaillir et les muscles de mon ventre commencèrent à se détendre. Je parvins à remettre mon couteau dans son fourreau sans me transpercer la cuisse et essuyai ma main sur ma jupe.

— Quant à toi, *petit écervelé*, nous allons avoir une conversation.

Fergus avait parlé à voix basse avec ce ton glaçant qu'il avait clairement appris de Jamie. Le teint de Germain vira au jaune pâle.

— Oui, *papa*, répondit-il en baissant la tête pour éviter le regard comminatoire de son père.

— Descends de Clarence, lui ordonna ce dernier.

Il se tourna vers moi et ajouta d'une voix plus forte :

— Madame la générale, permettez-moi d'offrir cet animal au général Fraser au service de la liberté !

Ce fut dit avec une telle conviction que plusieurs personnes applaudirent. J'acceptai le présent le plus gracieusement possible au nom du général Fraser. Lorsque nous en eûmes fini avec ces amabilités, je remarquai que Belden s'était éclipsé discrètement vers le camp des charretiers, cédant tacitement Clarence à la cause.

Je pris la bride de la mule, soulagée et ravie de la revoir. Le sentiment était réciproque, car elle me renifla l'épaule et me souffla affectueusement dans le cou.

Après avoir fixé son fils d'un œil réprobateur, Fergus se tourna vers Percy, qui était toujours un peu pâle mais avait redressé sa perruque et retrouvé sa superbe. Il s'inclina profondément devant Fergus, qui soupira puis s'inclina en retour.

— Je suppose que, nous aussi, nous devons avoir une petite conversation, déclara-t-il résigné. Peut-être un peu plus tard ?

Le beau visage de Percy s'illumina.

— *À votre service*, mon seigneur, répondit-il avec une autre courbette.

Des usages multiples d'une seringue pénienne

Comme je m'en doutais, Germain était parvenu à dénicher ce que je lui avais demandé. Une fois l'excitation du sauvetage de Clarence retombée, il sortit de sous sa chemise deux rayons de miel poisseux enveloppés dans un mouchoir noir et sale.

— Que comptez-vous en faire, grand-mère ? demanda-t-il intrigué.

J'avais posé un rayon dans un pot propre et aspirais le miel avec la très utile seringue pénienne, soigneusement stérilisée avec de l'alcool, en veillant à éviter les fragments de cire et les grains de pollen visibles à l'œil nu. L'instrument ayant été conçu pour irriguer plutôt que pour pénétrer la peau, sa canule effilée se terminait par un bout émoussé ; exactement ce qu'il me fallait pour faire tomber du miel au compte-gouttes sur un globe oculaire.

— Je vais lubrifier l'œil de lord John, expliquai-je. Fergus, tu veux bien tenir sa tête, s'il te plaît ?

Je posai une main sur le front de John.

— Et toi, Germain, écarte-lui les paupières.

— Je peux rester immobile, grogna John.

— Taisez-vous. Personne ne peut rester immobile quand on lui tripote un œil.

— Vous aviez vos doigts dans mon œil il y a moins d'une heure et je n'ai pas bougé !

— Si, vous vous êtes tortillé, rétorquai-je en m'asseyant sur le tabouret à côté de lui. Ce n'était pas votre faute, c'était plus fort que vous. Maintenant, restez tranquille. Je ne voudrais pas vous crever l'œil accidentellement.

Il souffla par le nez, pinça les lèvres et se laissa immobiliser par Fergus et Germain. J'avais hésité à diluer le miel avec de l'eau bouillie, mais la chaleur ambiante l'avait déjà suffisamment liquéfié et je préférais qu'il conserve toutes ses propriétés.

Je repris mon cautère pour soulever la paupière et laissai couler un peu de miel sur le globe.

— Le miel est antibactérien, expliquai-je. Ça veut dire qu'il tue les microbes.

Fergus et Germain, à qui j'avais déjà expliqué plusieurs fois ce qu'était un microbe, hochèrent la tête d'un air entendu et s'efforcèrent d'avoir l'air de croire que de telles choses existaient. John ouvrit la bouche pour parler, puis la referma avec un soupir. Je poursuivis :

— Toutefois, ce qui m'intéresse plus particulièrement, aujourd'hui, c'est qu'il est visqueux. Tu peux lâcher à présent, Germain. John, clignez de l'œil. Oh, excellent !

L'opération avait naturellement fait larmoyer l'œil, mais même dilué, le miel conservait sa viscosité. Le reflet de la lumière sur la sclérotique avait changé, indiquant la présence d'un fin voile opaque. La substance avait légèrement débordé et des perles ambrées coulaient sur la tempe de John vers son oreille. Je les essuyai avec un mouchoir.

— Alors ? demandai-je.

John ouvrit et ferma l'œil très lentement plusieurs fois.

— Je vois trouble.

— Peu importe, vous ne regarderez rien avec cet œil pendant un jour ou deux de toute façon. Comment sentez-vous votre œil ?

— Mieux, convint-il à contrecœur.

Fergus, Germain et moi émîmes des sons d'approbation.

— Très bien, dis-je. Asseyez-vous… doucement ! Oui, comme ça. Fermez l'œil et tenez ça dessous pour éponger les gouttes.

Je lui tendis un mouchoir propre, déroulai un morceau de gaze, plaçai une compresse sur son orbite, puis enroulai plusieurs fois le bandage autour de sa tête. Il ressemblait fortement à l'un des personnages d'un vieux tableau intitulé *The Spirit of '76*, mais je me gardai de le lui dire.

Je me redressai, plutôt satisfaite de moi-même.

— Fergus ? demandai-je. Pourquoi tu ne vas pas avec Germain chercher de quoi manger ? Pour lord John et pour la route demain. La journée risque d'être longue.

— Celle d'aujourd'hui l'a déjà été suffisamment, bougonna John.

Il oscillait légèrement et je le forçai à se rallonger. Il étira son cou, puis s'enfonça dans l'oreiller avec un soupir.

— Merci, dit-il.

— Je vous en prie.

J'hésitai, mais, Fergus étant sorti, je n'aurais peut-être pas d'autre occasion de lui poser la question qui me trottait dans la tête.

— Vous ne sauriez pas ce que Percival Beauchamp veut à Fergus, par hasard ?

Il rouvrit son bon œil.

— Vous voulez dire que vous ne pensez pas qu'il croie vraiment que Fergus est l'héritier d'une grande fortune ? Moi non plus. Si votre époux veut bien d'un conseil qu'il n'a pas demandé, je lui suggère fortement d'éviter le plus possible d'avoir affaire à M. Beauchamp.

L'œil se referma.

Je l'observai longuement, songeuse.

— Que vous a-t-il fait ? demandai-je enfin.

Il ne rouvrit pas l'œil, mais ses traits se tendirent.

— À moi ? Rien. Absolument rien.

Il roula sur le côté, me tournant le dos.

64

Trois cent un

Trois cents hommes. Jamie s'avança dans l'obscurité derrière le feu de camp du seizième régiment du New Jersey et s'arrêta un moment pour laisser ses yeux s'accoutumer. Trois cents foutus bonshommes. Il n'avait jamais commandé un groupe de plus de cinquante combattants.

Il se retrouvait à présent avec dix compagnies de miliciens, chacune avec son propre capitaine et quelques lieutenants nommés de manière informelle. En outre, Lee lui avait donné son propre état-major : deux aides de camp, un secrétaire (cela soulagerait au moins les doigts de sa main droite), trois capitaines (dont un se tenant à ses côtés, s'efforçant de ne pas avoir l'air inquiet), dix lieutenants (qui serviraient de liaison entre lui et ses compagnies), un cuisinier, un aide-cuisinier et… naturellement, il avait déjà un médecin.

En dépit de la tension, il sourit en revoyant le visage de Lee quand il lui avait expliqué pourquoi il n'avait pas besoin qu'il lui assigne un médecin militaire.

Le général l'avait d'abord regardé, interdit, puis s'était ressaisi et avait rougi en pensant qu'il se payait sa tête. Jamie avait alors retroussé sa manche et lui avait montré sa main droite, avec la vieille cicatrice blanche formant des étoiles sur ses phalanges, là où les os avaient transpercé la peau, et l'autre, plus récente, encore rouge mais nette, droite et parfaitement recousue, allant du majeur à l'auriculaire, montrant là où l'annulaire avait été amputé avec une telle adresse qu'il fallait y regarder deux fois avant de comprendre pourquoi la main paraissait étrange.

— Votre épouse est une couturière accomplie, avait observé Lee, amusé.

— En effet, mon général, avait répondu poliment Jamie. Et elle n'a pas sa pareille avec une lame tranchante.

Lee lui avait adressé un regard sardonique puis lui avait montré à son tour sa main droite. Il lui manquait l'annulaire et l'auriculaire.

— Tout comme le gentleman qui m'a tranché ces deux-là, déclara-t-il sur un ton détaché. C'était lors d'un duel, en Italie.

Jamie ne le connaissait pas bien. Lee était réputé bon soldat, mais c'était également un vantard. Il était également fier comme Artaban, et un homme qui connaissait sa propre valeur péchait parfois par excès d'arrogance.

Le plan pour attaquer l'arrière-garde britannique, d'abord conçu comme une frappe brève portée par La Fayette et un millier d'hommes (Lee estimant un si petit commandement indigne de lui) avait évolué, comme c'était toujours le cas lorsque vous donniez à des commandants le temps d'y réfléchir. Après que Washington eut décidé que le corps expéditionnaire compterait cinq mille hommes, Lee avait condescendu à en prendre la tête, laissant La Fayette aux commandes de sa force plus petite afin d'épargner son amour-propre, mais sous les ordres de Lee. Jamie nourrissait quelques doutes quant à cette stratégie, mais ce n'était pas à lui de le dire.

Il lança un regard sur sa gauche, où se trouvaient Ian et Rollo, le premier sifflotant, le second haletant de chaleur.

— *Iain*, demanda-t-il en gaélique, as-tu pu interroger tes amis à plumes au sujet d'Ounewaterika ?

— Oui, mon oncle, mais ils n'avaient pas grand-chose à dire, car ils ne le connaissent que de réputation. Selon celle-ci, c'est un guerrier féroce.

— Mmphm.

Les Iroquois étaient eux-mêmes féroces et attachaient une grande valeur au courage. Toutefois, ils n'entendaient pas grand-chose à la stratégie et à la tactique. En outre, ils avaient une façon très particulière de juger les caractères. Il s'apprêtait à interroger Joseph Brant, qui était ce qui se rapprochait le plus d'un général, au sein des Iroquois, quand un grand homme dégingandé s'approcha de lui.

— Je vous demande pardon, monsieur, pourrais-je m'entretenir un instant avec vous ?

Il lança un regard vers les hommes qui accompagnaient Jamie et ajouta :

— En privé ?

— Certainement, capitaine… Woodsworth.

Il espérait que son hésitation était passée inaperçue. Il s'était efforcé de mémoriser les noms de tous les capitaines de milice, mais il avait encore un peu de mal à s'en souvenir. Il fit signe à Ian de continuer avec le capitaine Whewell jusqu'au feu suivant, qui était celui de l'une des compagnies assignées à ce dernier.

— Prévenez les hommes de ce qui se prépare, capitaine, ordonna-t-il. Mais ne repartez pas sans moi.

— De ce qui se prépare ? répéta Woodsworth. Pourquoi, nous partons déjà ?

— Pas encore, capitaine, répondit Jamie. Écartons-nous un peu, voulez-vous ? Nous risquons d'être bousculés.

Ils se tenaient sur le sentier qui menait des feux à des tranchées sanitaires creusées à la hâte. Une odeur âcre d'immondices et de chaux vive flottait dans l'air.

Il entraîna Woodsworth à l'écart, l'informa du nouveau commandement et l'assura que cela ne changeait rien pour les compagnies qu'il dirigeait lui-même. Elles recevraient leurs ordres comme convenu.

En secret, il pensait que, si cela ne changeait pas le fonctionnement des compagnies, cela pouvait influer sur le fait qu'elles se battraient le lendemain matin ou pas. En vérité, il était impossible de dire si leurs chances seraient meilleures avec Lee ou La Fayette. Le hasard, le sort, ou peut-être Dieu en déciderait.

— Vous vouliez me parler en privé ? lui rappela-t-il.

— Oh.

Woodsworth se redressa et chercha précipitamment dans sa tête les mots du discours qu'il avait préparé.

— Oui, mon général. Je me demandais ce qu'il était advenu de Bertram Armstrong.

— Bertram... qui?

— L'homme que vous avez arrêté hier dans ma mili... dans les rangs. Celui qui était avec le petit garçon.

Jamie ne savait pas s'il devait rire ou être agacé. *Bertram?*

— L'homme en question est entre de bonnes mains, capitaine. Mon épouse a soigné son œil et il a été nourri.

— Ah, dit Woodsworth en se dandinant sur place. Je suis ravi de l'entendre, mon général, mais je m'inquiète pour lui. Des bruits courent.

— Je n'en doute pas. Mais qu'est-ce qui vous inquiète plus particulièrement?

— On raconte, enfin les hommes de la compagnie de Dunning, qu'Armstrong est un espion du gouvernement, que c'est un officier britannique qui s'est infiltré parmi nous, qu'ils ont trouvé une commission et une lettre sur lui. Je...

Il marqua une pause pour reprendre son souffle, puis débita à toute allure:

— Je ne peux pas le croire, mon général, pas plus que mes camarades. Nous pensons qu'il s'agit d'une erreur et nous... nous espérons qu'aucune mesure précipitée ne sera prise.

— Personne n'a rien suggéré de la sorte, capitaine, l'assura Jamie.

Une sonnerie d'alarme venait de retentir dans le fond de son esprit. *Uniquement parce que personne n'en a encore eu le temps.* Dans la précipitation des derniers préparatifs, il était parvenu à mettre de côté l'épineux problème de lord John. Il ne pouvait plus l'ignorer. Il aurait dû prévenir immédiatement La Fayette, Lee et même Washington de la présence de Grey dans le camp. Il avait espéré utiliser la confusion générale comme prétexte pour ce retard.

Woodsworth paraissait navré mais déterminé.

— J'hésite à parler franchement, mon général, mais les esprits s'échauffent rapidement et des actions regrettables... et irréparables sont parfois commises. Ce serait très fâcheux.

— Vous avez des raisons de penser que quelqu'un s'apprête à commettre de tels actes?

Jamie lança un regard vers les feux autour d'eux. Il voyait des corps bouger, aussi animés que les flammes, ainsi que des ombres dans la forêt, mais il ne percevait aucun frémissement d'émeute, ni même de colère. Il entendait des conversations animées, des voix excitées, des rires, même des chants. Ce n'était que l'atmosphère fébrile de l'anticipation, pas le grondement menaçant d'une foule haineuse.

— Je suis un homme d'Église, mon général. Je sais comment une conversation entre des hommes nerveux peut vite dégénérer et comment cette conversation peut se transformer en actes. Un peu trop d'alcool, quelques mots déplacés...

— Oui, vous avez raison, convint Jamie.

Il se maudit de ne pas y avoir pensé plus tôt. Il avait laissé ses propres sentiments lui embrumer l'esprit. Certes, il ne savait pas que Grey portait sur lui une commission, ce jour-là, mais ce n'était pas une excuse.

— J'ai envoyé un message au général Lee concernant... M. Armstrong, reprit-il. Si vous entendez qu'on parle encore de lui, faites savoir que son cas est étudié par le haut commandement. Cela évitera peut-être des réactions... regrettables.

— Oui, mon général, dit Woodsworth avec un soupir de soulagement. Je n'y manquerai pas.

Il s'écarta, tête baissée, puis s'immobilisa.

— Oh! fit-il.

— Quoi? demanda Jamie en commençant à s'impatienter.

Il se sentait assailli de tous côtés par une multitude de petits problèmes et n'avait pas besoin de s'en ajouter un autre.

— Excusez-moi d'insister, mais le garçon qui se trouvait avec Armstrong, le petit Bobby Higgins...

Tous les sens de Jamie se mirent en alerte.

— Oui?

— Il cherchait son grand-père. Armstrong a dit qu'il le connaissait et qu'il s'appelait James Fraser.

Jamie ferma les yeux. Si personne ne lynchait Grey avant l'aube, il se chargerait peut-être lui-même de l'étrangler.

— En effet, il s'agit de mon petit-fils, capitaine. Il est actuellement avec mon épouse.

Ce qui signifie que je connaissais Bert Armstrong. Si ce petit détail se répandait, il allait devoir répondre à des questions très embarrassantes, posées par des personnes qui étaient en droit de les lui poser.

— Ah tant mieux! Je voulais juste...

— Me faire part de vos préoccupations, oui, capitaine. Je vous en remercie. Bonne nuit.

Woodsworth s'inclina en reculant et en murmurant « Bonne nuit » à son tour. Puis il disparut dans la nuit qui ne présageait rien de bon et ne faisait qu'empirer.

Jamie rajusta sa veste et s'éloigna. Trois cents hommes à préparer, à diriger, à motiver, à commander et à contrôler. Trois cents vies entre ses mains.

Trois cents, plus *une*.

65

Les moustiques

Il était très tard quand Jamie apparut dans le cercle de lumière de notre feu. Il me sourit et se laissa tomber assis sur le sol.

— Il y a à manger? demanda-t-il.

— Oui, monsieur, répondit une femme qui touillait une marmite.

Elle me lança un regard suggérant que je n'avais pas l'air au mieux de ma forme, et ajouta:

— Et vous aussi, madame, vous allez manger.

Légèrement hagarde, j'acceptai une écuelle en bois remplie d'une substance chaude et un morceau de pain.

Bien que morte de faim, je remarquai à peine ce que je mangeais. La journée avait été tellement remplie que je n'avais pas eu le temps de déjeuner et n'aurait sûrement rien avalé si, ayant apporté de la nourriture à John, il n'avait insisté pour que je m'asseye dix minutes et grignote quelque chose avec lui. Percy Beauchamp n'était pas réapparu, ce qui, me semblait-il, était une bonne chose.

J'avais exempté deux douzaines d'hommes des compagnies de Jamie pour des raisons médicales : infirmité, asthme, sénescence... Plus environ trois douzaines d'autres qui étaient essentiellement aptes, mais souffraient de blessures nécessitant des soins, le plus souvent à cause de bagarres ou de chutes en état d'ivresse. De fait, plusieurs d'entre eux étaient *encore* sous l'influence de l'alcool et avaient été envoyés cuver leur vin sous bonne garde.

Je me demandai combien d'hommes partaient combattre totalement ivres. En toute sincérité, si on m'avait demandé la même chose qu'à eux, j'aurais été tentée d'en faire autant.

L'atmosphère était encore électrique, mais l'euphorie avait cédé le pas à la concentration. Les préparatifs allaient bon train.

J'avais terminé les miens, ou du moins je l'espérais. Une petite tente pour m'abriter du soleil, des paquets de fournitures médicales, plusieurs trousses chirurgicales, chacune avec son bocal de sutures humides, un rouleau de tissu ouaté pour éponger le sang, une bouteille d'alcool dilué. J'étais à court de sel, mais n'avais plus la force de me traîner jusqu'à l'intendance pour en quémander. J'essaierais le lendemain main. Naturellement, j'avais aussi préparé la sacoche d'urgence que je portais sur l'épaule en toutes circonstances.

J'étais assise près du feu, mais, en dépit des flammes et de la chaleur ambiante, j'avais les mains froides et me sentais lourde, comme si je m'ossifiais lentement. Cela me fit comprendre à quel point j'étais fatiguée. Le camp ne dormait pas encore. On entendait toujours des conversations autour des feux, ainsi que, ici et là, une faux ou une épée qu'on affûtait. Néanmoins, le volume sonore avait considérablement baissé et même les plus excités commençaient à succomber au sommeil.

Je me relevai en gémissant du rondin de bois sur lequel j'étais assise et glissai à Jamie :

— Allons nous coucher. Même si ce n'est que pour quelques heures, tu as besoin de sommeil, et moi aussi.

— D'accord, mais pas sous une toile, répondit-il en se levant à son tour. J'étoufferais dans une tente.

Bien que l'idée de dormir sur le sol dur ne m'enchantât guère, je déclarai noblement :

— Ce n'est pas l'espace en plein air qui manque.

J'allai chercher quelques couvertures, puis le suivis en bâillant vers la berge, où nous trouvâmes un coin tranquille derrière un écran de saules qui laissaient traîner leurs feuilles dans l'eau.

À ma surprise, je trouvai notre couche improvisée étonnamment confortable. Nous avions étendu nos couvertures sur un épais tapis de jeunes herbes. Si près de l'eau, il faisait plus frais. Je me débarrassai de mes jupons et de mon corset, puis soupirai d'aise en sentant un petit courant d'air soulever ma chemise moite.

Jamie s'était déshabillé lui aussi, ne conservant que sa chemise, et se badigeonnait de baume antimoustique. Leurs hordes qui infestaient la rive expliquaient sans doute pourquoi si peu de monde dormait au bord de l'eau. Je m'assis près de lui et pris dans son pot un peu de graisse parfumée à la menthe. Les moustiques ne me piquaient pas, ce qui ne les empêchait pas de me siffler dans les oreilles et de me rentrer dans la bouche ou le nez, ce qui était extrêmement agaçant.

Je m'allongeai et l'observai tandis qu'il achevait de s'oindre. Je sentais le matin approcher au loin et n'aspirai qu'à sombrer dans le sommeil, aussi bref fût-il, avant que le soleil ne se lève et que le chaos ne commence.

Jamie referma le pot et s'étira près de moi avec un grognement de satisfaction. Je roulai vers lui au moment même où il roulait vers moi et nous nous rencontrâmes dans une étreinte aveugle et maladroite, souriant lèvres contre lèvres, nous tortillant pour nous lover confortablement l'un contre l'autre. En dépit de la chaleur, j'avais envie de le toucher.

De toute évidence, il avait envie de me toucher lui aussi.

— Vraiment ? demandai-je, stupéfaite. Comment peux-tu ? Tu es debout depuis l'aube !

— Justement, je ne suis plus debout, répliqua-t-il. Je suis désolé, *Sassenach*. Je sais que tu es épuisée, mais j'en ai tellement envie !

Il lâcha mes fesses juste le temps de retirer sa chemise et, résignée, je libérai la mienne prise entre mes jambes.

— Je ne t'en voudrai pas si tu t'endors en cours de route, murmura-t-il à mon oreille tout en me caressant. Je n'en ai pas pour longtemps, je veux juste…

— Les moustiques vont te piquer le derrière, dis-je en corrigeant ma position et en ouvrant les cuisses. Tu aurais dû te mettre du bau… Oh !

— Oh ? répéta-t-il d'un air satisfait. Naturellement, si tu préfères rester éveillée, je ne m'en plaindrai pas.

Je lui pinçai les fesses, fort. Il poussa un petit cri, rit puis me lécha l'oreille. J'étais un peu sèche et il tendit la main vers le pot de baume antimoustique.

— Tu es sûr ? demandai-je, légèrement appréhensive. Oh !

Il avait commencé à appliquer l'onguent semi-liquide avec plus d'enthousiasme que de dextérité, mais cet enthousiasme était encore plus excitant. En outre, me faire vigoureusement badigeonner les parties intimes avec de la graisse à la menthe poivrée était une nouveauté pour moi.

— Refais ce bruit, dit-il dans un souffle rauque. Ça me plaît.

Il avait dit vrai, cela ne lui prit pas longtemps. Il était à demi couché sur moi, haletant, son cœur battant lentement contre mon sein. J'avais les jambes enroulées autour de ses hanches et sentais les petits insectes voleter autour de mes chevilles et de mes pieds, avides de sa chair nue. Je n'étais pas prête à le lâcher. Je le serrai contre moi, me balançant lentement, moite, parcourue de picotements et… Il ne me fallut pas longtemps non plus. Mes muscles tremblants se relâchèrent et je le libérai.

Peu après, enveloppée dans un nuage de menthe poivrée, je lui glissai :

— Tu sais quoi ? Les moustiques ne piqueront pas ta verge.

— Au point où j'en suis, je me fiche qu'ils m'emportent dans leur repaire et me donnent en pâture à leur progéniture, murmura-t-il. Viens ici, *Sassenach*.

J'écartai les cheveux de mon visage et me blottis douillettement dans le creux de son épaule, son bras autour de moi. À ce stade, je m'étais suffisamment adaptée à la chaleur humide pour perdre la notion des limites de mon corps et fondre simplement dans le sommeil.

Je dormis sans rêver ni bouger jusqu'à ce qu'une crampe dans mon pied droit me réveille suffisamment pour que je modifie ma position. Jamie souleva légèrement le bras, puis le reposa lorsque je m'immobilisai à nouveau. C'est alors que je compris qu'il ne dormait pas.

— Ça va ? demandai-je doucement.

— Oui, chuchota-t-il. Rendors-toi, *Sassenach*. Je te réveillerai quand il le faudra.

J'avais la bouche sèche et il me fallut un moment avant de trouver mes mots.

— Tu as besoin de dormir, toi aussi.

— Non. Je n'en ai pas envie. Si près de la bataille… je fais des rêves. J'en ai fait les trois dernières nuits et ils ne font qu'empirer.

Mon bras se trouvait contre son ventre, je levai la main et la posai sur son cœur. J'étais au courant pour ses cauchemars. D'après les mots qu'il avait prononcés dans son sommeil et la manière dont il se réveillait en tremblant, je savais très bien de quoi il avait rêvé. *Ils ne font qu'empirer.*

— Chut, fit-il avant de déposer un baiser dans mes cheveux. Ne t'en fais pas, *a nighean*. Je veux juste rester allongé ici avec toi dans mes bras et te regarder dormir. Grâce à toi, je me lèverai l'esprit clair… pour faire ce que j'ai à faire.

66

LES PEINTURES DE GUERRE

NESSUN DORMA. « QUE PERSONNE NE DORME. » C'était une chanson, ou plutôt une aria, avait dit Brianna. Il faisait partie d'un opéra dans lequel elle avait fait de la figuration à l'université, déguisée en Chinoise. Ian sourit en songeant à sa cousine, plus grande que la plupart des hommes, allant et venant sur scène dans de grands mouvements de robes en soie. Il aurait aimé voir ça.

Il avait pensé à elle en ouvrant la petite pochette en daim où il rangeait ses peintures. Bree peignait, et bien. Elle broyait ses propres pigments. Elle avait préparé de l'ocre rouge pour lui, ainsi que du noir et du blanc à l'aide de charbon et d'argile sèche, un vert profond avec de la malachite en poudre et un jaune brillant avec la bile d'un buffle que sa mère et elle avaient tué. Personne ne possédait d'aussi belles peintures que lui. Il aurait aimé que Mange des tortues et certains autres frères de son clan iroquois soient avec lui pour les admirer.

Les bruits lointains du camp étaient comme le chant des cigales dans les arbres au bord d'une rivière : un bourdonnement si fort qu'il vous empêchait de penser, mais qui disparaissait une fois qu'on s'y habituait. *Que personne ne dorme…* Les femmes et les enfants dormiraient peut-être, mais pas les putains. Pas ce soir.

Cette pensée lui pinça le cœur, mais il l'écarta. Puis il pensa à Rachel et l'écarta également, mais plus difficilement.

Il ouvrit le boîtier en bois de saule qui contenait la graisse de daim et s'en recouvrit le visage, la poitrine et les épaules, lentement, en se concentrant. D'ordinaire, il le faisait en parlant aux esprits de la terre, puis à ses propres saints, Michel et Bride. Toutefois, ce n'étaient pas eux qu'il voyait à présent. Brianna était toujours présente, vaguement, mais c'était surtout la présence de son père qui était déconcertante.

Il ne lui semblait pas correct de chasser son propre père de ses pensées. Il s'arrêta, ferma les yeux et attendit de voir si ce dernier avait quelque chose à lui dire.

— J'espère que tu ne viens pas m'annoncer ma mort prochaine, hein ? demanda-t-il à voix haute. Parce que je n'ai pas l'intention de mourir avant d'avoir couché avec Rachel au moins une fois.

— Voilà un noble objectif !

Ian sursauta. La voix ironique n'était pas celle de son père mais de son oncle Jamie. Il se tenait entre les branches tombantes d'un saule pleureur, vêtu d'une simple chemise blanche. La lune avait presque disparu derrière la ligne d'horizon et il ne formait qu'une silhouette spectrale aux jambes nues.

— Quoi, tu n'es pas en uniforme, mon oncle ? Washington ne va pas être content.

Washington tenait à ce que ses officiers soient impeccables à tout moment, affirmant que les continentaux ne seraient jamais pris au sérieux s'ils se présentaient sur le champ de bataille avec l'allure et le comportement d'une populace débraillée.

— Désolé de t'avoir interrompu, Ian, dit Jamie en s'approchant. À qui parlais-tu ?

— Oh, à mon père. Il était… là, dans mon esprit. Je pense souvent à lui, mais il est rare que je le sente auprès de moi. C'est pourquoi je me suis demandé s'il ne venait pas m'annoncer une mauvaise nouvelle.

Jamie hocha la tête. Il ne semblait pas troublé par cette pensée.

— J'en doute. Tu mets tes peintures de guerre ?

— Oui, j'allais le faire. Tu en veux ?

Il plaisantait à moitié et ce fut ainsi que Jamie le comprit.

— Je te remercie, Ian, mais le général Washington me ferait pendre par les pouces et fouetter si je me présentais devant lui peinturluré avec toutes mes troupes.

Ian se mit à rire, plongea deux doigts dans le pot d'ocre rouge, puis s'en étala sur le torse.

— Que fais-tu ici en chemise ? demanda-t-il.

— Je me lavais, répondit Jamie. Et... je parlais à mes propres morts.

— Mmphm. Quelqu'un en particulier ?

— Mon oncle Dougal et Murtagh, qui était comme mon parrain. Ce sont les deux que je veux avec moi dans la bataille. Quand je le peux, je m'isole un moment avant un combat. Pour me laver, prier un peu et... leur demander s'ils veulent bien m'accompagner.

Ian trouva l'idée intéressante. Il n'avait connu ni l'un ni l'autre, car ils étaient morts à Culloden, mais il en avait entendu parler.

— De grands guerriers, paraît-il. Tu demandes aussi à mon père de venir avec toi ? C'est peut-être pour ça qu'il est là.

Jamie se tourna vers lui surpris, puis se détendit et secoua la tête.

— Je n'ai jamais eu à le demander à Ian Mòr, répondit-il doucement. Il a toujours... toujours été à mes côtés.

Il fit un bref geste sur sa droite.

Ian sentit ses yeux et sa gorge lui piquer. Heureusement, il faisait sombre. Il prit un petit pot devant lui et le tendit vers Jamie.

— Tu veux bien m'aider ?

— Oui, bien sûr. Comment dois-je faire ?

— Rouge sur mon front, mais ça, je peux le faire. Mets-moi du noir depuis les pointillés jusqu'au menton. Le noir, c'est pour la force, vois-tu ? Ça annonce que tu es un guerrier. Le jaune signifie que tu n'as pas peur de mourir.

— Je vois. Et tu veux mettre du jaune aujourd'hui ?

— Non, répondit-il sur un ton léger.

Jamie se mit à rire, puis trempa la brosse en patte de lapin dans le pot, lui tapota les joues, puis étala la couleur avec ses pouces. Ian ferma les yeux et sentit ce contact lui donner de la force.

— Tu fais ça tout seul, d'habitude ? lui demanda Jamie. Ce doit être difficile sans un miroir.

— La plupart du temps, oui. Parfois, on le fait à deux, avec un frère du clan. Ou quand il s'agit d'un événement important, comme un grand raid ou une guerre, c'est le grand sorcier qui s'en charge en chantant.

— Je t'en prie, Ian, ne me demande pas de chanter, murmura son oncle. Je veux bien *essayer*, mais...

— Merci, je peux m'en passer.

Du noir pour le bas du visage, du rouge pour le front et une ligne de vert malachite le long de la ligne tatouée, d'une oreille à l'autre en passant sur l'arête du nez.

Ian baissa les yeux vers les petits pots de pigment et indiqua le blanc.

— Tu veux bien me dessiner une petite flèche, mon oncle ? Au milieu du front.

Il lui montra l'endroit, faisant un signe de gauche à droite.

Jamie plongea un doigt dans le blanc en observant :

— Tu ne m'as pas dit un jour que le blanc était pour la paix ?

— Si, on en met beaucoup quand on part pour négocier ou commercer. Mais il indique aussi le deuil. Donc, si tu veux venger quelqu'un, tu portes du blanc.

Jamie redressa la tête, surpris.

— La flèche n'est pas pour une vengeance, précisa Ian. C'est pour Flèche volante, l'homme dont j'ai pris la place dans la tribu quand ils m'ont adopté.

Il avait parlé sur un ton neutre, mais il sentit son oncle se tendre et baissa la tête. Ni l'un ni l'autre n'oublierait jamais le jour de leur séparation, quand il était parti avec les Kahnyen'kehaka et qu'ils avaient pensé ne jamais se revoir. Il se pencha vers Jamie et posa une main sur son bras.

— Ce jour-là, tu m'as dit *Cuimhnich* («Souviens-toi»), et je n'ai jamais oublié.

— Moi non plus, Ian.

Jamie traça la flèche sur son front, tel un prêtre le mercredi des Cendres, marquant Ian du signe de la croix.

— Personne n'a oublié, ajouta-t-il. C'est fini?

Ian toucha délicatement la ligne verte pour s'assurer qu'elle était suffisamment sèche.

— Oui, je pense. Tu sais que c'est Brianna qui m'a préparé ces peintures? Je pensais à elle, puis je me suis dit que je ne devais pas l'emmener.

Jamie émit un petit rire.

— On emmène toujours nos femmes au combat, Ian Òg. Elles sont la racine de notre force.

— Vraiment?

Cela paraissait logique et le soulageait. Néanmoins…

— Je pensais aussi que ce ne serait pas juste de penser à Rachel dans un moment pareil. Avec ses croyances quakers.

Jamie plongea l'index dans la graisse de daim, puis dans le pot de blanc, et traça un grand «V» près de la clavicule droite de Ian. Même dans l'obscurité, on le distinguait clairement.

— La colombe de la paix, dit-il avec un hochement de tête satisfait. Rachel est avec toi.

Il s'essuya les doigts sur une pierre, puis se releva et s'étira. Il se tourna vers l'est. Il faisait encore nuit, mais l'air avait changé au cours des quelques minutes qu'ils venaient de passer ensemble. Alors qu'un peu plus tôt, son oncle avait semblé faire partie de la nuit, sa haute silhouette se détachait désormais clairement devant le ciel.

— Dans une heure, pas plus, annonça Jamie. N'oublie pas de manger avant, d'accord?

Il tourna les talons puis repartit vers le bord de l'eau et ses propres prières interrompues.

67

Tendre la main vers ce qui n'est pas là

William aurait aimé cesser de porter la main vers des objets qui n'étaient pas là. Plus d'une douzaine de fois dans la journée, il avait voulu saisir la dague qui aurait dû être glissée sous sa ceinture, ou la crosse d'un de ses pistolets. Il avait touché sa hanche d'une main impuissante, cherchant son épée, sa poche de poudre, sa giberne.

À présent, il était couché nu et luisant de sueur sur son lit de camp, portant sans réfléchir sa main vers son chapelet en bois. Le chapelet qui, s'il l'avait encore, n'aurait pu lui apporter le réconfort qu'il y avait puisé durant toutes ces années. Le chapelet qui, s'il l'avait encore, ne représentait plus « Mac ». S'il l'avait encore, il l'aurait arraché et lancé dans le feu le plus proche. C'était sans doute ce que James Fraser avait fait quand il le lui avait jeté au visage. D'un autre côté, ce n'était pas James Fraser le bâtard, n'est-ce pas ?

— *Scheisse !* marmonna-t-il en se retournant.

À quelques pieds de lui, Evans remua et lâcha un pet dans son sommeil, un bruit bref et sourd comme un coup de canon au loin. De l'autre côté, Merbling continuait de ronfler.

Demain. Il s'était couché tard après une journée harassante et devait se lever dans environ une heure. Pourtant, il ne parvenait pas à trouver le sommeil. Ses yeux accoutumés à l'obscurité distinguaient la toile pâle de la tente au-dessus de lui. Il savait déjà qu'il ne dormirait pas. Même s'il ne se battrait pas, demain, la proximité de la bataille l'habitait au point qu'il aurait pu bondir de son lit et courir affronter l'ennemi sur-le-champ, l'épée à la main.

Il y aurait une bataille. Peut-être pas une grande, mais les rebelles les talonnaient. Demain, ou plutôt aujourd'hui, il y aurait un affrontement. Cela briserait peut-être les ambitions de Washington, même si sir Henry affirmait que ce n'était pas son but. Une seule chose comptait pour lui : mettre ses troupes et les réfugiés à l'abri à New York. Néanmoins, si ses officiers décidaient de démontrer leur supériorité militaire en cours de route, il n'y verrait pas d'objections.

William s'était tenu au garde à vous derrière sir Henry tout le long du dîner, le dos contre la paroi de la tente, écoutant attentivement les plans qui se dessinaient. Il avait même eu l'honneur de porter les ordres écrits à von Knyphausen. Les troupes de ce dernier marcheraient jusqu'à Middletown, pendant que la brigade de Clinton se rassemblerait à l'arrière-garde pour engager les rebelles et que lord Cornwallis escorterait le convoi de bagages en lieu sûr. C'était pourquoi il s'était couché si tard.

Il bâilla soudain et se cala plus confortablement contre son oreiller en clignant des yeux. Finalement, il pourrait peut-être dormir un peu. D'avoir pensé au dîner, aux ordres et à des détails triviaux tels que la chemise de nuit de von Knyphausen (elle était en soie rose, avec des pensées violettes brodées autour du col), plutôt qu'à la bataille à venir l'avait considérablement détendu. Une distraction, voilà ce qu'il lui fallait.

Il ferma les yeux et commença mentalement à extraire les racines carrées de nombres supérieurs à cent.

Il en était à la racine carrée de 117 et cherchait le produit de 12 et de 6 quand il sentit un courant d'air sur sa peau moite. Il rouvrit les yeux en pensant que Merbling s'était levé pour aller se soulager. Une silhouette noire se tenait juste devant l'entrée de la tente. Le rabat était ouvert et elle se détachait clairement devant la lueur des feux à l'extérieur. Une femme.

Il se redressa brusquement et chercha sa chemise qu'il avait lancée au pied du lit.

— Que fichez-vous ici ? chuchota-t-il.

Elle avait hésité. En entendant sa voix, elle vint droit sur lui et, avant même qu'il n'ait pu réagir, elle posa ses mains sur ses épaules, sa chevelure lui frôlant le visage. Il tendit les mains par réflexe et découvrit qu'elle ne portait qu'une chemise de nuit, ses seins libres et chauds à quelques centimètres de son visage.

Elle se redressa et, dans le même mouvement, ôta sa chemise par-dessus sa tête, secoua ses cheveux et l'enfourcha, ses cuisses moites serrant les siennes.

— Levez-vous de là !

Il la repoussa. Merbling cessa de ronfler. Evans s'agita dans son lit.

William se leva, attrapa leurs deux chemises et, lui agrippant le bras, l'entraîna hors de la tente le plus silencieusement possible.

— Quelle mouche vous pique ? chuchota-t-il lorsqu'ils se furent suffisamment éloignés. Remettez ça !

Il lui fourra sa chemise dans les mains et enfila hâtivement la sienne. Il n'y avait personne à la ronde, mais ils pouvaient être surpris à tout moment.

La tête de Jane émergea du col de sa chemise telle une fleur perçant la neige. Une fleur de très mauvaise humeur. Elle sortit sa chevelure du vêtement et la secoua vigoureusement.

— À votre avis ? rétorqua-t-elle. J'essayais de vous rendre service !

— Service ?

Dans la pénombre, il voyait ses yeux briller de colère.

— Les soldats veulent toujours tirer un coup avant la bataille. Ils en ont besoin !

Il se passa une main sur le visage puis inspira un grand coup.

— Je vois. Oui. C'est très aimable de votre part.

Il eut envie de rire ainsi que, très soudainement, d'accepter son offre. Mais pas assez pour forniquer avec Merbling d'un côté et Evans de l'autre, leurs oreilles grand ouvertes.

— Je ne me battrai pas, demain, annonça-t-il.

De le dire à voix haute était encore plus douloureux.

— Ah non ? Pourquoi pas ?

Elle paraissait désapprouver.

— C'est une longue histoire, répondit-il patiemment. Et cela ne vous regarde pas. Écoutez-moi bien. J'apprécie l'intention, mais comme je vous l'ai déjà dit, vous n'êtes pas une putain, du moins pas pour le moment, et encore moins « ma » putain.

Tout en disant cela, il était assailli d'images de ce qui aurait pu se passer si elle s'était glissée dans son lit alors qu'il n'était qu'à moitié réveillé. Il chassa résolument ces visions, lui prit les épaules et la fit pivoter.

— Retournez vous coucher, ordonna-t-il.

Il ne put s'empêcher de lui donner une petite tape sur les fesses en guise d'au revoir. Elle lui lança un regard noir par-dessus son épaule.

— Lâche ! Un homme qui refuse de baiser refuse de se battre.

— Quoi ?

L'espace d'un instant, il crut avoir mal entendu.

— Vous m'avez parfaitement comprise. Allez… vous… faire… foutre !

Il la rattrapa en deux enjambées et la força à se retourner.

— Et d'où tenez-vous ce beau truisme ? De votre grand ami le capitaine Harkness ?

Il n'était pas vraiment furieux, mais le choc de son arrivée imprévue vibrait encore en lui et il était agacé.

— Vous ai-je sauvée de la sodomie pour que vous me lanciez ma situation au visage avec un tel mépris ?

— Quelle situation ? demanda-t-elle.

— Je vous l'ai déjà dit. Vous savez ce qu'est l'armée de la Convention ?

— Non.

— C'est une autre longue histoire et je ne vous la raconterai pas à moitié nu au milieu du camp. À présent, allez donc vous occuper de votre sœur et des garçons. C'est votre travail. Je peux très bien m'occuper de moi-même.

Elle émit un *pfff !* de dédain puis baissa les yeux avec une moue sarcastique vers son sexe qui pointait absurdement en tendant sa chemise.

— Ça, je n'en doute pas, railla-t-elle.

— *Scheisse*, marmonna-t-il à nouveau.

Puis il l'enlaça et l'embrassa. Elle se débattit mais, après quelques instants, il comprit qu'elle cherchait plus à le provoquer qu'à se libérer. Il la serra plus fort jusqu'à ce qu'elle cesse et continua de l'embrasser encore un long moment.

Il la lâcha enfin, hors d'haleine et couvert d'un voile de transpiration. L'air autour de lui était épais comme du goudron. Elle était essoufflée, elle aussi. Il aurait pu la posséder. Le voulait. Il aurait pu la pousser à genoux dans l'herbe près de la tente, lui retrousser sa chemise et la prendre en levrette. Ce n'était l'affaire que de quelques secondes.

— Non, dit-il en essuyant ses lèvres sur le dos de sa main. Non !

Toutes les fibres de son corps la désiraient. S'il avait eu seize ans, il se serait répandu depuis belle lurette. Ce n'était pas le cas. Il avait suffisamment de sang-froid pour la faire pivoter à nouveau, l'attraper par la nuque et par les fesses pour l'empêcher de se retourner, et la tenir immobile. Il se pencha pour lui parler à l'oreille.

— Quand nous serons à New York, j'y réfléchirai.

Elle se raidit, sa croupe ronde durcissant dans sa main, mais ne tenta pas de se libérer ou de le mordre, ce à quoi il s'était à moitié attendu.

— Pourquoi ? demanda-t-elle calmement.

— C'est encore une longue histoire. Bonne nuit, Jane.

Il la lâcha et s'éloigna rapidement. Non loin, les tambours du réveil retentirent.

68

PARTIR DANS LA NUIT NOIRE

HEUREUSEMENT, IAN AVAIT BRIÈVEMENT REPÉRÉ le terrain la veille. C'était une nuit sans lune et il devait avancer prudemment en restant sur la route. Il était inutile de risquer les pattes de son cheval sur un terrain accidenté. Le moment venu, sainte Bride illuminerait le ciel pour lui.

Il appréciait l'obscurité, ainsi que la solitude. Non pas que les alentours soient déserts. La nuit, la forêt était vivante. De nombreuses créatures sortaient pendant cette heure surréelle juste avant que les premières lueurs du jour se répandent sur la terre. Ni les bruissements des lièvres et des campagnols, ni les chants paresseux des oiseaux se réveillant ne requéraient son attention, et les animaux ne lui prêtaient aucune attention. Il avait achevé ses prières après le départ d'oncle Jamie, puis était parti seul en silence, encore habité par une paix intérieure.

Lorsqu'il vivait avec les Iroquois, surtout après que sa relation avec Emily se fut dégradée, il quittait parfois la maison longue pendant des jours d'affilée, partant chasser avec Rollo jusqu'à ce que la nature ait apaisé son esprit et qu'il se sente suffisamment revigoré pour rentrer. Il baissa machinalement les yeux, mais Rollo était resté auprès de Rachel. Sa plaie avait été nettoyée et tante Claire lui avait appliqué un baume qui lui permettrait de cicatriser rapidement. Néanmoins, même en pleine forme et bien plus jeune, Ian ne l'aurait jamais entraîné avec lui dans le genre de bataille que celle-ci promettait d'être.

Elle aurait lieu, cela ne faisait plus aucun doute. Il le sentait dans l'air. Son corps se préparait au combat, comme un feu qui montait en lui. Il savourait d'autant plus ce calme qui précédait la tempête.

— Profites-en, ça ne durera pas, observa-t-il au cheval, qui n'en avait cure.

Il effleura des doigts la colombe blanche sur son épaule et poursuivit son chemin, silencieux mais plus seul.

Sur les ordres de sir Henry, les hommes avaient dormi avec leurs armes. S'il n'était pas très à l'aise d'être couché avec un mousquet et une giberne, la présence d'un fusil contre soi maintenait alerte, prêt à bondir au combat dès que battrait le réveil. William n'avait pas d'arme avec laquelle dormir et n'avait pas besoin d'être réveillé puisqu'il n'avait pas dormi, mais il n'en était pas moins alerte. Il ne combattrait pas, ce qui le désolait, mais il n'avait pas l'intention de se tenir à l'écart pour autant.

L'agitation régnait dans le camp. Les tambours arpentaient les rangées de tentes, appelant les soldats. L'air était rempli d'odeurs de pain frais, de porc grillé et de purée de pois cassés.

Bien que le jour ne se soit pas encore levé, il sentait le soleil juste sous la ligne d'horizon, s'élevant lentement et inexorablement vers son règne quotidien. Cela lui rappela la baleine qu'il avait vue lors de sa traversée vers l'Amérique : une ombre noire sous l'eau à bâbord, facilement confondue avec le jeu de la lumière sur les vagues, puis, lentement, une masse émergente, l'émerveillement de la voir grandir, si proche, si imposante, puis, soudain... là.

Il fixa ses jarretières, boucla les pattes de sa culotte aux genoux puis enfila ses bottes de Hesse. Histoire d'ajouter une touche solennelle à sa tenue, il n'oublia pas cette fois de fixer son gorgerin. Naturellement, ce dernier lui rappela Jane (pourrait-il jamais remettre son gorgerin sans penser à elle ?) et les événements récents.

Il regrettait encore de ne pas avoir accepté son offre. Il avait encore son odeur dans les narines, douce et musquée, comme s'il avait enfoui son visage dans une fourrure. La pique qu'elle lui avait lancée lui restait sur le cœur, même si, avec le recul, il parvenait à en rire. Finalement, peut-être y réfléchirait-il « avant » d'arriver à New York.

Il enfilait sa veste lorsque le capitaine Crosbie, un autre aide de camp de sir Henry, passa la tête dans la tente, l'air très pressé.

— Ah, tu es là, Ellesmere ! J'espérais t'attraper avant qu'il ne soit trop tard. Tiens, c'est pour toi.

Il lança un billet plié vers lui et disparut.

William le ramassa sur le sol. Evans et Merbling étaient tous les deux partis. Eux avaient des troupes à passer en revue et à commander ! Comme il les enviait !

Le message venait du général sir Henry Clinton et lui fit l'effet d'une gifle résonnante : « ... *considérant votre statut particulier, il m'apparaît préférable que vous restiez aujourd'hui avec le service administratif...* »

Même jurer en allemand ne suffisait pas à exprimer le fond de sa pensée.

— *Stercus !* cracha-t-il. *Excrementum obscænum ! Filius mulieris prostabilis !*

Il avait envie de frapper quelque chose. Il savait déjà qu'il serait vain de tenter de convaincre sir Henry de changer d'avis. Néanmoins, la perspective de passer sa journée à se tourner les pouces dans la tente des secrétaires... Que ferait-il s'il n'était même pas autorisé à porter des dépêches ou, même, à garder le troupeau des suiveurs de camp et des loyalistes ? Qu'attendait-on de lui, qu'il serve leur dîner aux clercs ou qu'il tienne un flambeau dans chaque main pour les éclairer comme un foutu candélabre quand il ferait sombre ?

Il allait froisser le message en boule quand une autre tête s'avança dans la tente, suivie d'un corps élégant : le capitaine André, paré pour la bataille, son épée au flanc et ses pistolets accrochés à sa ceinture. Bien qu'il soit fort sympathique, William lui lança un regard mauvais.

— Ah te voilà, Ellesmere! déclara André, jovial. Je craignais que tu ne sois déjà parti. J'ai besoin que tu me portes une dépêche ; c'est urgent. C'est pour le colonel Tarleton qui commande la légion, tu sais, le nouveau régiment provincial, les types en vert… Tu connais?

— Oui, oui, répondit William en acceptant la missive. Certainement, capitaine.

— Parfait!

André lui donna une tape sur l'épaule, puis repartit d'un pas fringant, la promesse du combat lui donnant des ailes.

William réfléchit quelques instants, puis replia soigneusement le billet de sir Henry en lui rendant son aspect original et le déposa sur son lit. Il pouvait fort bien avoir été intercepté d'abord par André puis, compte tenu de l'urgence de sa dépêche, était parti immédiatement avant d'avoir pu lire le message de Clinton.

De toute manière, qui se soucierait de lui?

69

LE POTRON-MINET

IL DEVAIT ÊTRE QUATRE HEURES DU MATIN, soit juste avant le «pet du moineau», comme disaient les soldats anglais de mon époque. Je subissais à nouveau cette impression de dislocation temporelle, des souvenirs d'une autre guerre se dressant telle une brume entre moi et mon travail, pour disparaître aussitôt, révélant un présent clair et vif en technicolor.

Jamie, lui, n'était pas entouré de brume. Sa silhouette grande et solide se détachait clairement sur les derniers lambeaux de la nuit. Bien que je sois éveillée, habillée et prête, la froideur du sommeil m'engourdissait encore, rendant mes doigts maladroits. Je sentis la chaleur de Jamie et me rapprochai de lui comme d'un feu de camp. Il guidait Clarence, qui était encore plus chaud, bien que nettement moins alerte, les oreilles pendantes et d'humeur grincheuse.

Jamie déposa la bride de la mule dans ma main et déclara :

— Prends ça aussi, pour qu'on ne te vole pas Clarence au cas où tu te retrouverais toute seule.

«Ça», c'étaient deux grands pistolets rangés dans leurs étuis accrochés à une lourde ceinture qui comportait également une giberne et une corne à poudre.

J'enroulai les rênes autour d'un jeune arbre afin de pouvoir mettre la ceinture. Les pistolets étaient incroyablement lourds, mais je ne pouvais nier que leur poids sur mes hanches était réconfortant.

Jamie lança un regard vers la tente où se trouvait John.

— Que fait-on de… ? commençai-je.

— Je m'en suis occupé, m'interrompit-il. Rassemble le reste de tes affaires, *Sassenach*. Il me reste un quart d'heure, tout au plus, et j'ai besoin que tu sois avec moi au moment de partir.

Je le regardai s'éloigner vers la mêlée, droit et déterminé, et me demandai, comme tant d'autres fois auparavant : *Est-ce pour aujourd'hui ? Est-ce la dernière image qu'il me restera de lui ?* Je restai immobile, ne le perdant pas des yeux.

Lorsque je l'avais perdu la première fois, avant Culloden, je m'étais souvenu de chaque seconde de notre dernière nuit ensemble. D'infimes détails m'étaient revenus au fil des ans : le goût de sel sur sa tempe ; la courbe de son crâne contre mes paumes ; le petit duvet doux dans sa nuque, moite sous mes doigts ; la goutte soudaine et magique de son sang dans la lumière de l'aurore lorsque j'avais entaillé sa main et l'avais marqué à jamais comme mien. Ces images l'avaient gardé en moi toutes ces années.

Puis, lorsque j'avais cru que l'océan me l'avait enlevé, je m'étais souvenue de sa présence près de moi, chaude et solide dans mon lit... le rythme de sa respiration, la lumière sur son visage au clair de lune, les reflets sur ses cheveux dans le soleil levant. Seule dans ma chambre de Chestnut Street, j'entendais son souffle, lent, régulier, incessant alors même que je savais qu'il avait cessé. Ce son me réconfortait un instant, puis me rendait folle l'instant suivant en me rappelant ce que j'avais perdu. Je plaquais alors l'oreiller sur mon visage dans une tentative futile pour ne plus l'entendre, pour émerger un peu plus tard dans l'obscurité et l'atmosphère enfumée par le feu de cheminée et les chandelles, ayant besoin de l'entendre à nouveau.

Si cette fois...

Il se tourna brusquement comme si j'avais appelé son nom. Il revint rapidement vers moi, me prit dans ses bras et déclara d'une voix basse mais ferme :

— Ce ne sera pas pour aujourd'hui non plus.

Puis il me hissa sur la pointe des pieds et m'embrassa doucement. Quelques hommes près de nous applaudirent, mais peu m'importait. Que ce soit pour aujourd'hui ou pas, je n'oublierais pas.

Jamie se dirigea d'un pas leste vers ses compagnies, qui l'attendaient en groupes épars près du fleuve. La brume et le souffle faisaient perdurer encore un peu la paix de la nuit et le sentiment profond de la présence de ses proches près de lui. Il avait demandé à Ian Mòr de rester auprès de Ian Òg ; cela lui paraissait plus juste. Pourtant, il avait l'étrange impression d'être accompagné par trois hommes.

Il avait besoin de toute la force de ses morts pour diriger trois cents miliciens qu'il n'avait rencontrés que quelques jours plus tôt. Auparavant, il avait toujours mené au combat des hommes de son sang, de son clan, qui le connaissaient bien et lui faisaient confiance, tout comme il les connaissait et leur faisait confiance. Ces miliciens étaient pour lui des inconnus dont les vies étaient entre ses mains.

Ce n'était pas leur manque d'entraînement qui l'inquiétait. Ils étaient mal dégrossis et indisciplinés, du menu fretin, comparés aux soldats réguliers qui s'étaient entraînés tout l'hiver avec von Steuben (il ne pouvait penser au Prussien en forme de petit tonneau sans sourire). Cependant, il avait toujours commandé ce genre d'hommes : des fermiers et des chasseurs arrachés à leurs occupations quotidiennes, armés de faux et de houes quand ils n'avaient pas d'épées et de mousquets. Ils se battraient comme des possédés pour lui… à condition qu'il ait leur confiance.

— Comment allez-vous, mon révérend ? demanda-t-il à Woodsworth.

Ce dernier venait de bénir son groupe de volontaires et se tenait au milieu d'eux, le dos voûté dans sa veste noire, les bras ouverts comme un épouvantail protégeant son champ. Son visage austère s'illumina en le voyant.

— Fort bien, mon général, répondit-il d'un ton bourru. Nous sommes prêts.

Dieu merci, il ne fit aucune allusion à Bertram Armstrong.

— Vous m'en voyez ravi.

Jamie sourit aux hommes les uns après les autres et vit l'aube se lever sur leurs visages.

— Monsieur Whelan, monsieur Maddox, monsieur Hebden… Vous êtes tous d'attaque ce matin, j'espère ?

— Oui général, murmurèrent-ils.

Sous leur timidité, ils étaient contents qu'il se souvienne de leurs noms. Il aurait aimé les connaître tous, mais faute de temps, il n'avait pu mémoriser que quelques visages et noms dans chacune des compagnies. Cela créerait peut-être l'illusion qu'il connaissait chaque homme individuellement. Il l'espérait ; ils devaient savoir qu'ils comptaient tous à ses yeux.

— Nous sommes prêts, mon général !

C'était Craddock, l'un de ses trois capitaines, raide et impressionné par l'importance du moment. Derrière lui se tenaient Judah Bixby et Lewis Orden, deux de ses lieutenants. Bixby n'avait pas vingt ans et Orden n'était guère plus âgé. Ils avaient du mal à contenir leur excitation et il leur sourit, sentant leur ardeur juvénile se propager dans son sang.

Certains dans la milice étaient décidément de très jeunes hommes, remarqua-t-il. Il aperçut deux adolescents montés en graine, grands et grêles. D'où sortaient-ils ? Ah oui, les fils de Craddock. Il s'en souvenait à présent. Leur mère était morte un mois plus tôt et ils avaient décidé de suivre leur père.

Seigneur, aidez-moi à les ramener sains et saufs !

Il sentit une main invisible se poser brièvement sur son épaule et comprit alors qui était le troisième mort qui l'accompagnait.

Taing, Da ! pensa-t-il.

Il battit des paupières et leva le nez en l'air en espérant que les hommes prendraient les larmes dans ses yeux pour l'effet des premiers rayons du soleil sur son visage.

J'attachai Clarence à un pieu et retournai vers ma tente, moins troublée mais toujours à cran. À partir de maintenant, les événements allaient se précipiter et je devais me préparer à l'imprévisible. Fergus et Germain étaient partis se chercher un petit-déjeuner. J'espérais qu'ils reviendraient rapidement, car le moment venu, il me faudrait partir, quelle que soit ma réticence à abandonner un patient, quel qu'il soit. Mon patient du moment était allongé sur le dos, sous la lanterne, son bon œil entrouvert, fredonnant une chanson en allemand. Il se tut en entendant quelqu'un entrer et tourna la tête vers moi. Il sursauta en voyant mon armement.

— Sommes-nous sur le point d'être attaqués ? demanda-t-il en se redressant.

— Restez allongé, ordonnai-je. Non, c'est juste Jamie qui est prévoyant. (Je touchai prudemment l'un de mes pistolets.) Je ne sais même pas s'ils sont chargés.

— Ils le sont certainement, connaissant votre mari.

Il se rallongea avec un léger grognement.

— Vous croyez donc si bien le connaître ? dis-je avec une pointe d'agressivité qui me surprit moi-même.

— Oui, répondit-il avec un léger sourire. Pas aussi bien que vous sur certains aspects, naturellement, mais peut-être mieux sur d'autres. Nous sommes tous deux des soldats.

D'un mouvement de tête, il indiqua le raffut militaire en dehors de la tente.

— Si vous le connaissiez si bien, vous n'auriez pas été lui raconter ce que vous lui avez dit, rétorquai-je, piquée.

— Ah.

Son sourire s'effaça et il fixa le plafond en toile d'un air méditatif.

— Je me doutais de sa réaction. Je le lui ai dit quand même.

— Ah, fis-je à mon tour.

Je m'assis près de la pile de sacs et de fournitures qui nous avaient accompagnés jusqu'ici. Une grande partie devrait être abandonnée. Je pouvais en charger beaucoup sur Clarence et dans mes sacoches, mais pas tout. Pour que l'armée puisse se déplacer plus rapidement, les soldats avaient reçu l'ordre de se défaire de pratiquement tout ce qu'ils transportaient, hormis leurs armes et leurs gourdes.

Au bout d'un moment, John demanda sur un ton un peu trop nonchalant.

— Vous a-t-il rapporté ce que je lui ai dit ?

— Non, mais je peux l'imaginer.

Pinçant les lèvres, j'évitai de le regarder et alignai des bouteilles sur un coffre. J'étais parvenue, non sans mal, à soutirer un peu de sel à un tavernier et avais préparé une solution saline rudimentaire. J'avais également de l'alcool. Je saisis la chandelle et fis goutter de la cire sur les bouchons afin qu'ils ne sautent pas en cours de route et déversent leur contenu.

Je ne tenais pas à m'appesantir sur les raisons pour lesquelles John avait été blessé à l'œil. Surtout, je craignais que la conversation ne nous mène un peu trop près de Wentworth. Même si Jamie l'avait considéré comme un ami proche au cours des dernières années, j'étais sûre qu'il ne lui avait pas parlé de Jack Randall et de ce qui s'était passé dans cette prison. Il l'avait raconté à son beau-frère Ian de nombreuses années plus tôt, et Jenny devait donc être au courant, même si je doutais qu'elle eût jamais abordé le sujet avec son frère. Personne d'autre ne savait.

John devait penser que Jamie l'avait frappé par jalousie ou par révulsion pour tout ce qui concernait sa sexualité. C'était sans doute injuste de le lui laisser croire, mais la justice n'avait rien à voir dans cette histoire.

Je n'en regrettais pas moins la brouille entre eux. Je savais à quel point l'amitié de John avait compté pour Jamie, et inversement. En outre, bien que soulagée de n'être plus mariée à John, j'avais pour lui une profonde affection.

D'autre part, même si le bruit et le remue-ménage à l'extérieur m'incitaient à oublier tout le reste pour me concentrer sur l'urgence du départ, je ne pouvais oublier que je le voyais peut-être lui aussi pour la dernière fois.

Avec un soupir, je commençai à envelopper les bouteilles scellées dans des serviettes. Il me fallait également trouver de la place pour tout ce que j'avais rapporté de Kingsessing, mais…

— Ne vous inquiétez pas, ma chère, dit doucement John. Je sais que tout finira par s'arranger… si nous vivons assez longtemps.

Je pointai le menton vers le rabat de la tente, au-delà duquel le vacarme d'une armée en mouvement s'accentuait.

— Vous avez toutes les chances de survivre, vous, répondis-je. À moins que vous ne mettiez encore les pieds dans le plat avec Jamie avant notre départ et qu'il vous brise le cou pour de bon.

Il lança un bref regard vers le pâle rayon de lumière qui entrait dans la tente et grimaça.

— Ça ne vous est jamais arrivé, n'est-ce pas ? demandai-je. De rester assis et d'attendre pendant une bataille en vous demandant si une personne qui vous est chère reviendra ?

— Non.

Ma remarque avait fait mouche. Il n'y avait encore jamais pensé et cela ne lui faisait pas plaisir. *Bienvenue au club*, pensai-je avec une pointe d'amertume.

Après un long silence, je lui demandai :

— Vous croyez qu'ils rattraperont Clinton ?

— Comment le saurais-je ? répondit-il avec un haussement d'épaules. Je n'ai pas la moindre idée d'où se trouvent les troupes de Clinton. Je ne sais pas où est Washington, ni même où nous sommes.

Je soulevai un paquet de bandages et de compresses ouatées et pointai le menton dans la direction où j'avais aperçu le commandant en chef pour la dernière fois.

— Le général Washington doit se trouver à une trentaine de verges d'ici. Quant à Clinton, je serais surprise s'il était bien loin.

— Ah ? Pourquoi dites-vous ça ?

— Parce qu'il n'y a pas plus d'une heure, nous avons reçu l'ordre de nous délester de tout le superflu. J'ignore si « se délester » est le terme juste ou si le mot existe aujourd'hui. C'est pour cela que nous inspections les troupes quand nous vous avons trouvé, afin, si nécessaire, de laisser derrière nous les hommes incapables d'effectuer une longue marche avec peu de rations. C'est apparemment le cas. Mais vous savez très bien ce qui se passe. Si je peux l'entendre, vous aussi.

N'importe qui pourvu d'une paire d'oreilles pouvait percevoir la nervosité ambiante, les officiers aboyant des ordres, les jurons des hommes qui se bousculaient ou se marchaient sur les pieds dans leur précipitation, les braiments des mules. J'espérais que personne ne me volerait Clarence pendant que j'étais occupée ailleurs.

John acquiesça. Je le sentais qui analysait la situation sous tous les angles, ainsi que leurs implications.

— Oui, « se délester » se comprend très bien, observa-t-il d'un air absent. Même si on l'emploie plutôt dans le cas d'un navire. Mais…

Se souvenant soudain de ce que j'avais dit, il se redressa brusquement et me fixa d'un regard intense avec son œil unique.

— Ne faites pas ça, lui recommandai-je. Vous tirez sur l'autre œil. Et ce que je suis ou ne suis pas n'est pas important pour le moment, n'est-ce pas ?

— Non, marmonna-t-il.

Il ferma l'œil, le rouvrit et regarda le plafond de la tente au-dessus de lui. L'aube s'était levée et une lumière dorée traversait la toile jaunie. L'air était rempli de particules de poussière et d'une odeur de sueur sèche.

— Je sais très peu de choses qui pourraient intéresser le général Washington, déclara-t-il. Je serais surpris qu'il ne les connaisse pas déjà. Je ne suis pas un officier en service… ou plutôt, je ne l'étais pas jusqu'à ce que mon cher frère m'ait remobilisé d'office sans me demander mon avis. Saviez-vous que, par sa faute, j'ai bien failli être pendu ?

— Non, mais cela ne m'étonne pas de sa part, dis-je en riant malgré moi.

— Comment… Vous connaissez Hal ?

Il se redressa sur un coude.

— Oui, rallongez-vous et je vous raconterai.

Ni lui ni moi n'irions nulle part pendant les minutes qui suivraient, ce qui me laissa tout le temps de lui narrer mes aventures avec Hal à Philadelphie tout en enroulant des bandages, en rangeant mon coffre de médecine et en sélectionnant les éléments les plus importants dans mes fournitures. Pour les urgences, je serais réduite à ce que je pouvais transporter sur moi en me déplaçant au pas de course. Je préparai donc un petit sac à dos tout en lui faisant part de mon opinion sur son frère.

— S'il s'imagine pouvoir empêcher Dorothea d'épouser le Dr Hunter…, ricana-t-il. Je paierais cher pour entendre la conversation quand il rencontrera Denzell. Sur qui miseriez-vous, compte tenu du fait que Hal n'aura pas son régiment derrière lui pour imposer ses décisions ?

— Il me semble que la rencontre a déjà eu lieu. Quant aux probabilités, je miserais sur Denzell. Il n'a pas seulement Dieu mais aussi l'amour et Dorothea de son côté. Cela devrait l'emporter sur… l'autocratisme de Hal.

— Personnellement, j'appelle cela de la pure rosserie, mais je peux me le permettre car c'est mon frère.

Un bruit de voix parlant français nous annonça l'arrivée de Fergus et de Germain. Je me levai brusquement.

— Je n'aurais peut-être pas la…

Il leva une main pour m'interrompre.

— Si vous ne pouvez pas, alors au revoir, ma chère, dit-il doucement. Et bonne chance.

70

Un pou perdu dans la foule

Le jour s'était levé depuis une heure et s'annonçait aussi étouffant que les précédents. Toutefois, pour le moment, l'air était encore frais, ce qui faisait le bonheur de Visigoth et de William. Ce dernier se frayait un passage à travers la cohue d'hommes, de chevaux et de charrettes tout en sifflotant *When the King Enjoys His Own Again*[16].

Le convoi de bagages était presque prêt. Il voyait un grand nuage de poussière rose teintée d'or s'élever au-dessus du parc des charretiers quelques centaines de mètres plus loin, près de la division de von Knyphausen, de l'autre côté de Middletown. La procession prendrait la direction de Sandy Hook, emmenant, espérait-il, Jane, Fanny, Zeb et Colenso. Il eut un bref souvenir sensoriel des cuisses de Jane contre sa peau nue et cessa de siffloter, puis le chassa de son esprit. Il avait une mission sérieuse à accomplir !

Personne ne savait au juste où se trouvait la légion britannique, bien qu'on présumât qu'elle ne devait pas être loin de la division de Clinton, puisqu'il s'agissait de l'un de ses régiments, créé à peine un mois plus tôt à New York. C'était un peu risqué, mais William était prêt à parier que, dans le branle-bas de combat, il parviendrait à ne pas se faire remarquer par sir Henry.

— Ce serait comme de repérer un pou dans la perruque d'un Français, murmura-t-il en flattant l'encolure de Visigoth.

Frais et sémillant, le cheval avait hâte de rejoindre la grand-route et de s'élancer au galop. La distance à parcourir pour rejoindre la division de Clinton à l'arrière-garde lui permettrait de se défouler. Pour le moment, il fallait encore s'extirper de la masse croissante des suiveurs de camp encore abrutis de sommeil, hagards après avoir été précipitamment extirpés de leur couche. William tenait les rênes courtes pour éviter que Visigoth ne piétine un enfant. Il y en avait des dizaines, courant partout comme des grenouilles.

En relevant la tête, il aperçut une silhouette familière faisant la queue devant la charrette du boulanger et son cœur fit un petit bond. Anne Endicott. Elle ne portait pas de bonnet et son épaisse natte brune lui tombait dans le dos. Cette vue lui procura un petit frisson et il se retint de lui faire signe. Il serait toujours temps plus tard, après la bataille.

---

16. Ballade célébrant le roi Charles Ier durant la première révolution anglaise, reprise plus tard par les jacobites et très populaire en Angleterre à la fin du XVIIe siècle. (N.d.T.)

71

FOLIE À TROIS

FERGUS M'AVAIT APPORTÉ UN FRIAND et une boîte en fer-blanc contenant du café. Du vrai café !

— Milord vous enverra chercher très bientôt, m'informa-t-il.

— Il est bientôt prêt ?

Le petit pâté feuilleté était chaud et croustillant. Bien que sachant que je risquais de ne rien avaler d'autre de sitôt, j'y goûtai à peine.

— Ai-je le temps de refaire le bandage de lord John ? demandai-je encore.

La fébrilité ambiante commençait à me contaminer et je sentais ma peau me picoter comme si j'étais attaquée par une fourmilière.

— Je vais me renseigner, milady. Germain ?

Il inclina la tête vers la sortie de la tente, faisant signe à son fils de le suivre.

Que ce soit par loyauté envers John ou par peur de se retrouver dans la proximité de Jamie (qui avait menacé son postérieur d'une manière très convaincante), Germain préféra rester dans la tente.

— Je vais bien, l'assura John. Tu peux partir avec ton père.

Il était encore pâle et couvert d'un voile de transpiration, mais ses mâchoires et ses mains n'étaient plus crispées et il ne paraissait pas avoir mal.

Je fis un signe à Fergus, qui sortit sans commentaire, et déclarai à l'enfant :

— Trouve-moi un linge propre, veux-tu ? Ensuite, tu pourras m'aider pendant que lord John se repose. Quant à vous (je m'adressai à John), restez allongé, gardez l'œil fermé et évitez de vous attirer des ennuis, si cela vous est possible.

Il tourna vers moi son œil valide et grimaça légèrement quand le mouvement tira sur le globe blessé.

— M'accuseriez-vous d'être le seul responsable de l'imbroglio qui m'a valu de rester presque borgne, madame ? demanda-t-il, acerbe. Il me semble me souvenir que vous y avez participé d'une certaine manière.

— Je n'y suis pour rien si vous avez atterri ici, répliquai-je tout en sentant mes joues rougir. Germain, tu as trouvé le tissu ouaté ?

Germain me le tendit puis resta près du lit, observant son occupant d'un air critique.

— Vous ne craignez pas que le miel attire les mouches, grand-mère ? Vous savez ce qu'on dit : « On attrape plus de mouches avec du miel qu'avec du vinaigre. » Je suppose que vous ne pouvez pas lui mettre du vinaigre dans l'œil…

— Hmm, fis-je.

Il n'avait pas tort. Nous n'étions pas loin des charretiers. J'entendais les mules s'ébrouer et braire. Fraîchement réveillées, les mouches bourdonnaient autour de moi tandis que je défaisais le bandage.

— Tu as raison. Je ne peux pas utiliser du vinaigre, mais de la menthe pourrait faire l'affaire. Va chercher la boîte avec une fleur de lys dessus, puis étale la pommade sur le visage et les mains de lord John. Attention, n'en mets pas dans son œil ! Puis apporte-moi la petite boîte...

— Je suis parfaitement capable de me mettre de la pommade tout seul, m'interrompit John. Donne-moi ça, petit.

— Restez allongé, ordonnai-je sèchement. Quant à ce dont vous êtes capable, je n'ose même pas y penser.

J'avais placé une petite coupe de miel près de la lanterne pour le réchauffer. Sans cesser de réfléchir, je remplis ma seringue et déposai un peu de miel sur son œil, puis plaçai délicatement un petit tampon de tissu sur l'orbite avant d'enrouler une bande de gaze propre autour de sa tête pour le maintenir en place.

— Germain, tu veux bien aller remplir la gourde ? demandai-je.

Elle était à moitié pleine, mais il la prit sans discuter et sortit, me laissant seule avec John.

Tout en fourrant les derniers éléments dans ma sacoche de premiers soins, je demandai sur un ton hésitant :

— Dois-je laisser Germain avec vous... ainsi que Fergus ?

— Non, répondit-il, légèrement surpris. Pourquoi ?

— Eh bien... par mesure de protection. Au cas où M. Beauchamp reviendrait.

Je n'avais aucune confiance en Percy. J'avais également quelques doutes quant au bien-fondé d'exposer Fergus à sa présence, mais il venait de m'apparaître que John pourrait sans doute le protéger.

— Ah.

Il ferma son bon œil un moment, puis le rouvrit.

— Cet imbroglio-ci est de mon fait uniquement, observa-t-il avec une grimace. Bien que je reconnaisse que Germain soit un redoutable adversaire, je n'ai pas besoin d'un garde du corps. Je doute que Percy ait l'intention de m'agresser ou de me kidnapper.

— Vous... l'aimez ?

— Cela vous concerne-t-il ? répondit-il du tac au tac.

Je rougis encore plus et mis quelques secondes avant de répondre :

— Oui, je crois. Quel qu'ait été mon rôle dans ce... cet... euh...

— Cette *folie à trois* ?

Je me mis à rire. Je lui avais expliqué ce qu'était une « folie à deux » en parlant de la fixation commune de Mme Figg et de la blanchisseuse sur les caleçons amidonnés.

— Si l'on veut, mais, pour en revenir à votre question, oui, cela me concerne, pour Jamie.

Pour lui aussi. La précipitation des événements récents m'avait empêchée de réfléchir à la situation, mais j'étais certaine que Jamie l'avait analysée. Maintenant que j'étais bien réveillée et que j'avais réglé mes propres affaires, mon esprit rattrapait son retard avec une rapidité dérangeante.

— Vous souvenez-vous d'un capitaine André ? demandai-je abruptement. John André. Il était au bal de Mischianza.

— J'ai certes perdu plusieurs choses au cours des derniers jours, mais ni ma mémoire ni mes facultés mentales, répondit-il sèchement. Bien sûr que je le connais. Un jeune homme très sociable au tempérament artistique. Il était invité partout à Philadelphie. Il fait partie de l'état-major du général Clinton.

— Saviez-vous également que c'est un espion ?

Mon cœur battait à tout rompre et mon corset me parut soudain trop serré. M'apprêtais-je à commettre une terrible erreur irrévocable ?

— Non, dit-il, surpris. Qu'est-ce qui vous fait croire une chose pareille ?

Une demi-seconde plus tard, il ajouta :

— Et pourquoi diable me le dites-vous ?

Je m'efforçai de conserver un ton calme.

— Parce que, dans un an ou deux, il sera surpris en flagrant délit. Il sera démasqué derrière les lignes américaines, en civil, avec des documents compromettants sur lui. Les Américains le pendront.

Mes paroles restèrent en suspens entre nous, aussi visibles que si elles avaient été écrites avec de la fumée noire. John ouvrit la bouche, puis la referma, déconcerté.

Quelqu'un non loin de nous s'entraînait au fifre, faisant la même fausse note suraiguë toujours au même endroit. Le nombre de mouches ne cessait d'augmenter. Elles s'engouffraient sous la tente en petits nuages carnivores. Deux d'entre elles se posèrent sur le front de John et il les chassa d'un geste agacé. Le pot de menthe poivrée était toujours sur le lit là où Germain l'avait posé. Je le saisis.

— Non, dit-il brusquement en me le prenant des mains. Je peux… je… Ne me touchez pas, s'il vous plaît.

Ses doigts tremblaient. Il eut un certain mal à ouvrir le pot et je me gardai de l'aider. En dépit de l'atmosphère étouffante, je me sentais glacée.

Il s'était rendu à Jamie en personne et lui avait donné sa parole. Ce serait donc à Jamie de le livrer au général Washington. Il n'aurait pas le choix : trop de gens avaient assisté à l'incident et savaient qui était John.

Sans se relever, il parvint à cueillir une noix de graisse mentholée puis s'en frotta le visage et le cou.

— Vous n'aviez rien sur vous qui vous incrimine, hasardai-je. Pas de documents compromettants.

— J'avais mon ordre de commission dans ma poche lorsque les miliciens m'ont capturé, répondit-il comme si cela n'avait pas d'importance. Ce n'est pas une preuve d'espionnage, mais cela prouve néanmoins que je suis un officier britannique, en tenue civile, derrière les lignes américaines. Ne me parlez plus, ma chère. C'est trop dangereux.

Après s'être frictionné les mains, il referma le couvercle et me tendit le pot.

— Vous feriez mieux de partir, ajouta-t-il à voix basse. Il ne faut pas que l'on vous voie seule avec moi.

Germain passa la tête dans la tente au même moment.

— Grand-mère ? Venez vite. *Papa* dit que *grand-père* vous réclame.

Il disparut et j'attrapai rapidement mon équipement, me bardant de sacs et de boîtes. Je me dirigeai vers le rabat, puis m'arrêtai un instant et me tournai vers John.

— J'aurais dû plutôt vous demander… vous aime-t-il ?

Il ferma son œil et poussa un long soupir.

— Je ne l'espère pas, répondit-il.

Je hâtai le pas derrière Germain avec ma sacoche remplie de fioles cliquetant les unes contre les autres sur l'épaule, une petite boîte d'instruments chirurgicaux supplémentaires ainsi qu'un bocal de sutures sous le bras, tenant la bride de Clarence d'une main et l'esprit tellement agité que je ne savais pas où j'allais.

Je me rendis compte avec un temps de retard que je n'avais rien dit à John qu'il n'avait su déjà (à part le sort du capitaine André, ce qui, bien qu'effrayant, n'avait pas d'importance dans l'immédiat).

Il m'avait empêchée d'en dire plus parce qu'il savait le grand danger qu'il courait et les conséquences que cela pourrait avoir pour Jamie et moi. *Il ne faut pas que l'on vous voie seule avec moi.*

Parce que j'avais été son épouse. C'était ce qu'il avait pensé et n'avait pas voulu me dire, jusqu'à ce que j'insiste.

S'il manquait à sa parole et s'enfuyait, je serais sans doute soupçonnée de l'avoir aidé. Ce soupçon serait considérablement renforcé si quelqu'un témoignait nous avoir vus discuter en tête à tête. Jamie serait à son tour soupçonné de complicité ou, dans le meilleur des cas, d'avoir une épouse qui n'était loyale ni à lui ni à la cause de l'indépendance… Je pouvais finir dans une prison militaire. Jamie également.

Mais si John ne s'évadait pas… ou s'il s'évadait et était capturé à nouveau…

J'aperçus Jamie devant moi sur son cheval, tenant la bride de ma jument. Or, c'était avec lui que je franchirais le Rubicon aujourd'hui, pas avec John.

Le marquis de La Fayette les attendait au point de rendez-vous, frétillant et les yeux brillants. Jamie ne put s'empêcher de sourire en voyant le fringant jeune homme dans son superbe uniforme aux revers en soie rouge. En dépit de sa jeunesse, il ne manquait pas d'expérience. Il lui avait décrit la bataille de Brandywine Creek où il avait été blessé à la jambe, un an plus tôt. Washington avait insisté pour qu'il s'allonge à ses côtés et l'avait enveloppé dans sa propre cape. Gilbert idolâtrait Washington, qui n'avait pas de fils et ressentait clairement une profonde affection pour le petit marquis.

Il lança un regard à Claire pour voir si elle appréciait l'élégante toilette de La Fayette, mais elle plissait le front en fixant un groupe au loin, derrière les soldats continentaux se tenant en rangs ordonnés. Elle ne portait pas ses lunettes. Ayant une bonne vue de loin, il se leva dans ses étriers pour regarder.

— C'est le général Washington et Charles Lee, l'informa-t-il en se rasseyant.

La Fayette, qui les avait aperçus également, bondit en selle et s'élança vers le haut commandement.

— Je ferais bien de les rejoindre moi aussi, observa Jamie. Tu vois Denzell Hunter quelque part ?

Il espérait confier Claire au médecin. Aussi utile soit-elle, il ne tenait pas à ce qu'elle s'aventure seule sur le champ de bataille, si bataille il y avait, et ne voulait pas la laisser livrée à elle-même.

Toutefois, Hunter se déplaçait avec sa carriole et était à la traîne derrière les soldats en marche. Des nuages de poussière flottaient dans l'air, soulevés par des milliers de pieds énergiques. Ils lui piquaient la gorge et le faisaient tousser.

— Non, répondit-elle. Ne t'inquiète pas.

Elle lui sourit courageusement, bien qu'elle soit pâle et qu'il sente sa peur.

— Comment te sens-tu ? demanda-t-elle.

Elle sondait ses traits comme elle le faisait chaque fois qu'il partait au combat, comme si elle voulait graver son visage dans sa mémoire au cas où il ne reviendrait pas. Il le comprenait, mais cela lui faisait une impression étrange et il était déjà suffisamment troublé ce matin.

— Bien.

Il lui prit la main et la baisa. Il aurait dû éperonner sa monture, mais il s'attarda encore un instant, rechignant à la quitter.

— As-tu… ? commença-t-elle.

— Mis un caleçon propre ? Oui, même si ça n'en vaut sans doute pas la peine, tu sais, une fois que les canons commencent à cracher…

La plaisanterie n'était pas de très bon goût mais elle rit quand même, ce qui le rassura.

— Ai-je quoi ? demanda-t-il.

— Peu importe. Inutile de t'encombrer l'esprit en ce moment. Mais… sois très prudent, d'accord ?

Il la vit déglutir péniblement et son cœur se serra.

— Je te le promets.

Il reprit ses rênes et lança un regard derrière lui en espérant voir Ian. Elle ne 'risquait pas grand-chose pour le moment, au milieu des compagnies qui se formaient, mais il aurait été plus tranquille. S'il le lui disait, elle risquait de…

— Voilà Ian ! s'exclama-t-elle en mettant sa main en visière. Qu'est-il arrivé à son cheval ?

Il suivit son regard. Effectivement, son neveu était à pied, traînant sa monture qui boitait, tous deux paraissant maussades.

— Que t'arrive-t-il, Ian ? demanda-t-il.

— Il a marché sur une pierre tranchante en remontant une berge et son sabot s'est fendu en deux.

Ian fit courir sa main le long de la patte de l'animal, qui la fléchit sans hésiter et se laissa examiner, reportant pratiquement son poids sur lui. Effectivement, la crevasse dans le sabot non ferré était profonde et Jamie fit une grimace compatissante. Ce devait être comme de marcher longtemps avec un ongle arraché.

Claire se laissa glisser de sa selle.

— Prends ma jument, Ian, proposa-t-elle. Je monterai Clarence. Après tout, je n'ai pas besoin d'aller vite.

— Oui, c'est une bonne idée, convint Jamie à contrecœur.

Sa jument était puissante et Ian avait besoin d'une bonne monture.

— Changez vos selles et, Ian, guette le Dr Hunter. Reste avec ta tante jusqu'à son arrivée, d'accord ? Prends soin de toi, *Sassenach*. Je te retrouve plus tard.

Il ne pouvait plus attendre et dirigea son cheval à travers la foule. D'autres officiers s'étaient rassemblés autour de Washington. Il était en retard. Toutefois, ce n'était pas le risque de se faire remarquer qui lui nouait les entrailles, mais la culpabilité.

Il aurait dû rapporter l'arrestation de John Grey immédiatement. Il avait retardé l'échéance en espérant... en espérant quoi ? Que cette situation absurde s'évapore d'elle-même ? S'il lui avait livré Grey, Washington l'aurait mis aux arrêts, à moins qu'il n'eût ordonné de le pendre sur-le-champ pour l'exemple. C'était peu probable, mais le seul risque l'avait empêché de parler, comptant sur le chaos du départ pour que personne ne s'en préoccupe.

Mais ce qui le rongeait à présent n'était pas d'avoir failli à son devoir ni même d'avoir exposé Claire au danger en laissant le petit sodomite dans leur tente au lieu de le livrer ; c'était de n'avoir pas pensé à libérer Grey de sa parole avant de partir. S'il l'avait fait, Grey aurait facilement pu s'évader en profitant de la confusion dans le camp. Même si cela leur causerait des ennuis plus tard... Grey aurait été hors de danger.

Il était trop tard. Il récita mentalement une brève prière pour le salut de lord John Grey, puis arrêta sa monture auprès de celle du marquis de La Fayette et salua Washington.

72

DES BOURBIERS ET DES IMBROGLIOS

TROIS COURS D'EAU SILLONNAIENT LE PAYSAGE, le découpant. Là où la terre était molle, le courant avait creusé de profondes ravines aux flancs escarpés, leurs berges envahies de jeunes pousses et de broussailles. Un fermier auquel Ian avait parlé la veille en repérant les environs lui avait donné leurs noms, Dividing Brook, Spotswood Brook et Spotswood North Brook, mais il ne savait plus très bien lequel était lequel.

La berge sur laquelle il se tenait à présent était plate et basse. Le ruisseau s'étalait en formant un terrain spongieux. Ian s'en éloigna, ce n'était bon ni pour l'homme ni pour le cheval. Un des fermiers avait qualifié les ravines de « bourbiers », un terme qui lui paraissait juste. Il suivit le ruisseau du regard, cherchant un bon point d'eau. La ravine était trop encaissée. Un homme pouvait grimper ou dévaler ses flancs ; pas un cheval ni une mule.

Il sentit leur présence avant de les voir. Tels des prédateurs chassant, ils étaient tapis dans les bois, attendant qu'une proie vienne s'abreuver. Il fit faire demi-tour à sa monture et remonta le cours d'eau, observant les arbres sur l'autre rive.

Il y eut un mouvement : un cheval agitant la tête pour chasser une mouche. Il entraperçut un visage, peint, comme le sien.

Un frisson d'alerte le parcourut et il se plaqua sur l'encolure de sa monture juste au moment où une flèche sifflait au-dessus de sa tête. Elle se planta dans un sycomore voisin.

Il se redressa, son arc à la main, et décocha une flèche dans le même mouvement, visant l'endroit où il les avait vus. Sa flèche déchira des feuilles sur son passage sans rien atteindre. Il ne s'était pas attendu à toucher quelque chose.

— Iroquois! cria une voix moqueuse.

Suivirent quelques mots dans une langue qu'il ne comprenait pas, même si leur sens était clair. Il fit un geste très écossais tout aussi éloquent et il les entendit rire.

Il s'approcha du sycomore et libéra la flèche. L'empenne était munie de plumes de pic-vert, mais il ne reconnaissait pas le motif sur le trait. La langue qu'ils parlaient n'était pas algonquine. Peut-être des Assiniboines? S'il les voyait, il le saurait. Ils pouvaient également venir de plus près.

Il connaissait pratiquement tous les éclaireurs indiens collaborant avec les rebelles; ceux-là travaillaient sûrement pour l'armée britannique. S'ils avaient voulu le tuer, il serait déjà mort. Il s'agissait plutôt d'un jeu plus brutal que ce à quoi il se serait attendu. Peut-être parce qu'ils l'avaient reconnu pour ce qu'il était.

Iroquois! Pour un Blanc, c'était plus facile à prononcer que « Kahnyen'kehaka ». Pour les tribus qui connaissaient les Kahnyen'kehakas, c'était un mot utilisé pour faire peur aux enfants ou une insulte. Cela signifiait « mangeur d'homme », car ils étaient connus pour rôtir leurs ennemis vivants et dévorer leur chair.

Ian ne l'avait jamais vu de ses propres yeux, mais il connaissait des hommes, des anciens, qui lui en avaient parlé avec une petite lumière dans le regard. Il préférait ne pas y penser; cela lui rappelait trop le prêtre mort à Snaketown, mutilé et brûlé vif… la nuit où il avait été arraché à sa famille et était devenu iroquois.

Le pont se trouvait en amont du cours d'eau, à une soixantaine de mètres. Il hésita un instant, puis, n'entendant plus aucun bruit dans la forêt sur l'autre rive, traversa, les sabots du cheval claquant sur les planches de bois. Si des éclaireurs britanniques rôdaient dans le coin, l'armée ne devait pas être bien loin.

De l'autre côté de la forêt s'étendaient de grands prés et, au-delà, il aperçut une ferme importante. Entre les arbres, il devinait un groupe de bâtiments et des mouvements. Il fit un détour et s'approcha en contournant un bosquet.

Il y avait des soldats portant une veste verte, sur une crête derrière les dépendances de la ferme. Il sentait le soufre de leurs mèches lentes dans l'air lourd. Des grenadiers.

Il fit demi-tour et alla trouver un officier à qui rapporter la nouvelle.

William finit par trouver le détachement de cavalerie de la légion britannique dans la cour d'une ferme où les hommes remplissaient leurs gourdes avec l'eau du puits. Le guet avait lancé un cri d'alerte en voyant approcher un cavalier solitaire et la moitié de la compagnie s'était aussitôt rangée en formation, le mousquet prêt. Ils étaient bien entraînés. Leur officier, Banastre Tarleton, était un militaire énergique et compétent.

Il se tenait à l'ombre d'un grand arbre, détendu, son élégant casque à plumes sous un bras et s'essuyant le visage avec un mouchoir en soie verte. William leva les yeux au ciel devant cette affectation. Il s'approcha au pas et se pencha sur l'encolure de sa monture pour lui tendre la dépêche.

— De la part du capitaine André, annonça-t-il. Vous n'avez pas chômé, à ce que je vois.

Les hommes s'étaient battus. Il sentait la fumée sur leurs uniformes et plusieurs d'entre eux, légèrement blessés, étaient assis adossés au mur de la ferme, du sang sur leurs tenues. Les portes de l'étable étaient ouvertes. Elle était déserte. La cour était parsemée de bouses piétinées et il se demanda si le fermier avait lui-même éloigné son troupeau ou si l'une des deux armées s'était chargée de l'en débarrasser.

— Une simple escarmouche, répondit Tarleton en lisant le message. Mais voici qui devrait nous occuper un moment. On nous somme d'aller prêter main-forte à lord Cornwallis. Il transpirait à grosses gouttes et sa cravate en cuir comprimait son cou épais et musclé. Pourtant, il avait l'air particulièrement réjoui par cette perspective.

— Parfait.

William s'apprêtait à repartir quand Tarleton l'arrêta d'un geste. Il glissa le message dans sa poche avec son mouchoir vert, puis déclara :

— Puisque je te tiens, Ellesmere... Hier soir, au camp, j'ai vu un beau brin de fille dans la queue pour le pain. (Il se mordit la lèvre un instant, puis la libéra, rouge et humide.) Un sacré beau brin, même, accompagné d'une ravissante petite sœur qui, elle, n'est pas encore tout à fait assez mûre pour moi.

William sentit les muscles de ses cuisses et de ses épaules se contracter. Tarleton lança un regard vers ses mains et il fit un effort pour les décrisper.

— Je lui ai fait une offre, poursuivit Tartelon, mais elle l'a refusée en me déclarant qu'elle t'était réservée ?

Ce n'était pas vraiment une question, mais c'en était une quand même.

— Si elle s'appelle Jane, sa sœur et elle voyagent sous ma protection, répondit sèchement William.

— Ta protection ? répéta Tarleton visiblement amusé. Celle dont je te parle m'a dit qu'elle s'appelle Arabella. Il s'agit sans doute de deux filles différentes.

— Non, c'est bien la même, répliqua William en tirant sur ses rênes. Bas les pattes, Ban.

Ce fut une erreur. Tarleton ne résistait jamais à un défi. Ses yeux se mirent à pétiller et il se cala confortablement sur ses jambes écartées.

— Je te propose de la gagner aux poings.

— Quoi ? Ici ? Tu es fou ?

Il entendait des clairons non loin, sans parler des hommes de Tarleton, dont un bon nombre suivait leur conversation avec intérêt.

— Il n'y en aura pas pour longtemps, insista Tarleton en se balançant lentement sur ses talons.

Sa veste repoussée en arrière, son poing gauche mollement serré, il frotta sa main droite contre sa cuisse, puis lança un regard vers l'étable derrière lui.

— Mes hommes n'interviendront pas, l'assura-t-il. Mais si tu es timide, on peut aller là-dedans.

William se retint de rétorquer que la fille en question ne lui appartenait pas, cela n'aurait fait que convaincre Tarleton que la voie était libre. Il l'avait souvent vu avec des femmes. Il n'était pas violent avec elles, mais insistant, et il ne capitulait jamais avant d'avoir obtenu ce qu'il désirait.

Et après Harkness… Ses pensées avaient un temps de retard sur son corps. Avant d'avoir pris consciemment une décision, il avait sauté de selle.

Ban déposa son casque sur le sol avec un sourire narquois et ôta sa veste en prenant tout son temps. Son mouvement attira les hommes et, en quelques secondes, ils furent entourés d'un cercle de dragons qui sifflaient et criaient des encouragements. Le seul à ne pas partager leur enthousiasme était le lieutenant de Tarleton, dont le teint avait viré au grisâtre.

— Colonel ! s'écria-t-il.

Il paraissait plus angoissé par l'idée de s'opposer à son supérieur que par ce qu'il risquait de se passer s'il n'intervenait pas. Néanmoins, il devait faire son devoir et tendit une main pour arrêter Tarleton.

— Lâche-moi, grogna celui-ci. Et ferme-la !

William se sentait détaché, comme s'il assistait à la scène vue de haut. Le ridicule de la situation prêtait à rire et un dernier vestige de conscience lui ordonnait de remonter sur son cheval. Son corps, toutefois, en avait décidé autrement et exultait d'avance.

Il avait déjà vu Ban se battre et ne commit pas l'erreur d'attendre un signe de sa part. Dès que la veste verte toucha le sol, il bondit, se prit un féroce crochet dans les côtes, attrapa Tarleton par les épaules et lui envoya un coup de tête en plein visage, provoquant un horrible craquement d'os.

Il le lâcha, le poussa brutalement des deux mains sur la poitrine et le projeta en arrière, du sang giclant de son nez cassé et sur le visage une expression de surprise qui se transforma aussitôt en hargne. Tarleton planta ses talons dans le sol puis se jeta sur lui tel un chien enragé.

William avait une tête et vingt kilos de plus que lui ; il avait également trois cousins plus âgés qui lui avaient appris à se battre. Banastre Tarleton avait pour lui l'inébranlable conviction de remporter tous les combats qu'il provoquait.

Ils roulaient sur le sol, pris dans une étreinte qui rendait tous les coups difficiles, quand William entendit vaguement le lieutenant pousser des cris affolés et un remue-ménage autour d'eux. Des mains le saisirent par les épaules et l'écartèrent de Tarleton. D'autres mains le poussèrent frénétiquement vers son cheval. Des tambours et des bruits de bottes approchaient dans l'allée.

Étourdi, il grimpa en selle, un goût de sang dans la bouche, et cracha. Sa veste fut jetée en travers de ses genoux et quelqu'un donna une claque sur la croupe de sa monture, qui démarra aussitôt, manquant de désarçonner son cavalier avant qu'il n'ait eu le temps de mettre les pieds dans les étriers.

William serra les genoux et les chevilles contre les flancs de Visigoth, le poussant au galop. Il déboula dans l'allée juste devant une colonne d'infanterie, faisant bondir de côté son sergent qui poussa un cri de stupeur. Des Écossais. Il aperçut leurs pantalons et leurs bonnets à carreaux puis entendit quelques interjections dans ce qui semblait être du gaélique. Peu lui importait et il poursuivit sa route sans ralentir. Ils appartenaient à un régiment inconnu et donc leurs officiers ne le reconnaîtraient pas.

Tarleton pourrait leur raconter ce qu'il voudrait. Une oreille lui sifflait et il plaqua sa paume contre elle pour étouffer le son.

Lorsqu'il écarta la main, le sifflement avait cessé, remplacé par de nombreuses voix chantant *Yankee Doodle Dandee*. Il lança un regard par-dessus son épaule et vit des continentaux à la veste bleue traînant des canons vers une crête.

Que faire ? Retourner prévenir les fantassins écossais et les hommes de Tarleton ? Filer vers le sud et Cornwallis ?

— Hé toi, là-bas ! La tunique rouge !

Le cri sur sa gauche le fit se retourner juste à temps. Une quinzaine d'hommes en chemise de chasse fondaient sur lui, brandissant des houes et des faux. L'un d'eux, armé d'un mousquet, le mit en joue. Ce devait être celui qui avait parlé, car il lança à nouveau :

— Lâche tes rênes et descends de ton cheval !

— Cours toujours ! rétorqua William.

Il éperonna Visigoth, qui repartit comme s'il avait la queue en feu. Il entendit la détonation du mousquet, mais il s'était couché sur l'encolure du cheval et ne s'arrêta pas.

73

LES ÉTRANGES FRÉMISSEMENTS D'UNE TENTE

BIEN QUE N'ÉTANT PAS PARTICULIÈREMENT PRESSÉ de se retrouver enfermé dans une geôle, John Grey aurait apprécié un peu de solitude. Fergus Fraser et son fils avaient tenu à rester avec lui jusqu'à ce qu'on vienne le chercher, sans doute pour pouvoir raconter ensuite à Jamie ce qu'on avait fait de lui.

Il se désintéressait totalement de cette question, attendant simplement de voir ce qui se passerait. S'il aspirait à être seul, c'était pour pouvoir réfléchir en paix à la présence de Percy, à ses motivations et à ses agissements éventuels. Il avait dit qu'il était le conseiller de La Fayette. Il n'osait pas imaginer le genre de conseils qu'il lui prodiguait... Et pourquoi s'intéressait-il tant à Fergus Fraser ?

Il lança un regard vers l'imprimeur en question, qui était engagé dans une conversation délicate avec son fils précoce.

— Mais si, tu l'as fait ! s'indigna Germain. Tu me l'as dit toi-même une dizaine de fois ! Tu m'as raconté comment tu étais parti à la guerre avec grand-père, tu avais planté un couteau dans la cuisse d'un homme et tu avais chevauché un canon que les soldats rapportaient de Prestonpans ! Et tu n'avais même pas mon âge !

Fergus réfléchit un instant, dévisageant gravement son fils tout en regrettant clairement d'avoir été aussi prolixe. Il inspira profondément par le nez.

— Ce n'est pas la même chose, expliqua-t-il. À l'époque, je n'étais pas le fils de milord, mais son employé. C'était mon devoir de le servir et il n'avait pas la responsabilité de veiller sur moi.

Germain cligna des yeux.

— Tu n'étais pas son fils ?

— Bien sûr que non, répliqua Fergus, exaspéré. Si je t'ai parlé de Prestonpans, je t'ai sûrement dit que j'étais orphelin, à Paris, quand j'ai rencontré ton *grand-père*. Il m'a engagé pour faire les poches.

— Il a quoi ? s'exclama John malgré lui.

Fergus lui lança un regard surpris. Concentré sur sa conversation avec Germain, il avait oublié sa présence.

— Oui, milord. C'est que nous étions jacobites, comprenez-vous. Il avait besoin de renseignements. De lettres.

— Mmm, je comprends, murmura John.

Il but une gorgée de sa flasque puis, se souvenant des bonnes manières, la tendit à Fergus qui cligna des yeux surpris. Il l'accepta avec une courbette et but goulûment. Effectivement, traquer un enfant récalcitrant à travers une armée devait donner soif. Grey songea brièvement à Willie et remercia le ciel qu'il soit hors de danger... Ou pas ?

Il avait appris que William quitterait Philadelphie avec Clinton lorsque l'armée se retirerait, peut-être comme aide de camp d'un officier supérieur. Toutefois, il n'avait pas prévu que Washington se lancerait à leur poursuite et serait sur le point de les rattraper, auquel cas, William...

Il fut interrompu par une question que lui adressait Germain.

— Moi ? Oh... seize ans. Je serais peut-être entré dans l'armée plus tôt si le régiment de mon frère avait existé. Il ne l'a créé que durant le soulèvement jacobite.

Il se tourna vers Fergus, intrigué.

— Vous étiez à Prestonpans ?

Cela aurait été sa première bataille s'il n'avait rencontré Jamie Fraser, dit « le Rouge », un jacobite de sinistre réputation, dans un col de montagne, deux nuits plus tôt.

— Vous avez déjà tué quelqu'un ? lui demanda Germain.

— Pas à Prestonpans, mais plus tard, à Culloden. Je ne m'en vante pas.

Il reprit sa flasque et avala le peu qu'il restait d'un trait. S'il avait attendu quelques minutes pour boire, il se serait sûrement étranglé sur sa gorgée. Le rabat de la tente s'ouvrit et Percy Wainwright/Beauchamp passa la tête à l'intérieur. Il s'immobilisa un instant, son regard fusant d'un occupant à l'autre. John se retint de lui envoyer sa flasque au visage.

— Je vous demande pardon mais je suis occupé, monsieur, déclara-t-il.

— C'est ce que je constate, répondit Percy sans le regarder.

Il s'avança vers Fergus la main tendue.

— Monsieur Fraser, *comment allez-vous* ?

Ne pouvant plus l'éviter, Fergus lui serra la main avec retenue et inclina légèrement la tête sans répondre. Germain émit un grondement sourd qui cessa aussitôt quand il croisa le regard torve de son père.

— Je suis heureux de vous rencontrer enfin en privé, reprit Percy en français. (Il lui adressa un sourire charmant.) Monsieur, savez-vous qui vous êtes réellement ?

— Peu d'hommes ont ce privilège, répondit Fergus. Pour ma part, je m'en remets entièrement à Dieu, qui sait qui je suis mieux que moi. De ce fait, je crois bien que je n'ai rien d'autre à vous dire, monsieur. Si vous voulez bien m'excuser.

Il passa brusquement devant Percy, le faisant reculer précipitamment et lui faisant perdre l'équilibre. Germain suivit son père, puis se retourna sur le seuil de la tente et lui tira la langue.

— Sale grenouille ! lança-t-il.

Il disparut avec un glapissement quand son père le tira par la manche.

Dans ses efforts pour ne pas tomber à la renverse, Percy avait perdu son soulier à boucle d'argent. Il frotta son bas, fit tomber la terre et les détritus de la plante de son pied, puis remit sa chaussure, les lèvres pincées et une roseur assez séduisante sur ses pommettes saillantes.

— Ne devrais-tu pas être avec l'armée ? lui demanda John. Si elle a lieu, il ne faudrait pas que tu rates la rencontre entre Washington et Clinton. Je suppose que tes « employeurs » voudront un rapport détaillé.

— Ferme-la et écoute-moi bien, John. Je n'ai pas beaucoup de temps.

Percy se laissa tomber sur le tabouret et scruta son visage comme s'il évaluait son intelligence.

— Connais-tu un officier britannique du nom de Richardson ? demanda-t-il.

Fergus se fraya un chemin dans le chaos laissé par le départ de l'armée, tenant fermement Germain par la main. Les suiveurs de camp et les volontaires jugés inaptes au combat étaient occupés à récupérer tout ce qu'ils pouvaient, et personne ne prêtait attention aux Fraser. Il espérait que son cheval serait encore là où il l'avait laissé. Il toucha la crosse du pistolet qu'il portait sous sa chemise, au cas où.

— Une grenouille ? demanda-t-il sans cacher son amusement. Tu l'as vraiment traité de sale grenouille ?

— C'est ce qu'il est, papa.

Germain s'arrêta brusquement et libéra sa main.

— Papa, il faut que j'y retourne.

— Pourquoi ? Tu as oublié quelque chose ?

Il lança un regard vers la tente derrière lui, se sentant mal à l'aise. Beauchamp ne pouvait l'obliger à l'écouter, ni le contraindre à quoi que ce soit. Il ne comprenait pas pourquoi l'homme lui inspirait une telle aversion. Ou plutôt, une telle angoisse. Fergus n'était pas du genre à se raconter des histoires, pourquoi craignait-il tant ce Beauchamp ?

— Non, mais… *Grand-père* m'a demandé de rester auprès de lord John si M. Beauchamp venait. Je dois écouter tout ce qu'ils disent.

— Il t'a dit pourquoi ?

— Non, mais c'est ce qu'il a dit. Et puis j'étais… *je suis* l'ordonnance de lord John. J'ai le devoir de rester auprès de lui.

L'enfant paraissait si sincère que Fergus en fut ému. Néanmoins…

Fergus enviait aux Écossais leurs interjections sommaires mais tellement éloquentes qu'il n'avait jamais pu imiter. Il savait néanmoins émettre toutes sortes de sons aussi expressifs par le nez.

— D'après ce qu'ont dit les soldats, lord John est un prisonnier de guerre. Tu comptes aussi l'accompagner dans son cachot ? Tu auras l'air malin, quand ta mère viendra t'en sortir en te traînant par la peau du cou. Allez, viens. *Maman* est très inquiète et nous devons l'avertir que tu n'as rien.

L'allusion à Marsali fit son effet. Germain baissa les yeux et se mordit la lèvre.

— Non, c'est que… Je veux dire que… Mais papa ! Il faut juste que j'aille m'assurer que M. Beauchamp ne lui fait pas de mal et vérifier qu'il a de quoi manger. Tu ne voudrais pas qu'il meure de faim, quand même !

— Milord ne m'a pas paru au bord de l'inanition.

Toutefois, en voyant l'urgence sur les traits de son fils, il capitula et fit un pas vers la tente. Le visage de Germain s'illumina aussitôt et il reprit la main de son père, le tirant.

— Pourquoi crois-tu que M. Beauchamp voudrait du mal à lord John ? demanda Fergus en s'arrêtant à nouveau.

— Parce que milord ne l'aime pas, et *grand-père* non plus. Allez, viens, papa ! Milord n'est pas armé et qui sait ce que ce sodomite a dans sa poche ?

— Sodomite ?

— Oui, c'est ce que *grand-père* a dit. Viens !

Germain trépignait sur place.

Un sodomite, tiens donc… C'était intéressant. Fergus, observateur et fin connaisseur de la nature et de la sexualité humaines, avait deviné depuis longtemps les préférences de lord John, sans en parler à Jamie, car le lord anglais était un bon ami. Le savait-il ? Quoi qu'il en soit, voilà qui risquait de rendre la relation entre lord John et ce Beauchamp nettement plus complexe. Il s'approcha de la tente avec une méfiance et une curiosité accrues.

Il se tint prêt à plaquer une main sur les yeux de son fils au cas où ils tomberaient sur une scène inconvenante. Toutefois, avant qu'ils ne soient suffisamment proches pour regarder par les fentes du rabat, il vit la toile de la tente remuer d'une étrange manière.

— *Arrête-toi*, chuchota-t-il à Germain.

Il ne pouvait imaginer quel genre de ribauderie provoquerait de tels remous dans une tente. Il fit signe à Germain de ne pas bouger et longea la structure à pas de loup.

Comme il s'y attendait, lord John était en train de ramper sous le bord de la toile de l'autre côté de la tente, jurant doucement en allemand. Pendant ce temps, Beauchamp sortait tranquillement par-devant, comme le lui confirma l'exclamation de Germain. Une fraction de seconde plus tard, son fils se retrouva derrière lui. Il fut impressionné par sa capacité à se mouvoir rapidement et sans bruit, mais le moment n'était pas aux louanges. Il lui fit signe de le suivre et ils se cachèrent derrière une pile de fûts.

Beauchamp, le teint rouge, s'éloigna d'un pas leste tout en lissant les pans de son élégante veste. Lord John se releva et partit dans la direction opposée sans se soucier de ses vieilles frusques, et pour cause. Où allait-il donc ainsi ?

— Que faisons-nous, papa ? chuchota Germain.

Fergus n'hésita qu'un instant. Beauchamp se dirigeait vers une grande auberge, sans doute le centre de commandement du général Washington. Tant qu'il restait dans l'armée continentale, il serait facile de le retrouver si besoin était.

— Doit-on suivre lord John, papa ?

Germain frémissait d'anxiété et Fergus posa une main sur son épaule pour le calmer.

— Non, répondit-il fermement et non sans regret (étant lui-même très intrigué). Il semble très pressé et notre présence pourrait lui causer plus de tort que de bien.

Il ne précisa pas que lord John se dirigeait certainement vers le champ de bataille, s'il y en avait un. Cela n'aurait fait qu'accroître l'agitation de Germain. Ce dernier avait hérité de l'obstination de son Écossaise de mère.

— Mais…

Fergus réprima un sourire en le voyant froncer ses petits sourcils blonds, reproduisant exactement l'une des expressions de Marsali.

— Il part chercher soit *grand-père*, soit ses compatriotes, expliqua-t-il. L'un comme les autres s'occuperont de lui et notre compagnie ne lui sera d'aucune utilité. En outre, ta mère nous trucidera tous les deux si nous ne sommes pas rentrés avant la fin de la semaine.

Sans compter qu'il était inquiet de savoir Marsali et les enfants seuls à l'imprimerie. L'exode de l'armée britannique et de hordes de loyalistes n'avait pas rendu Philadelphie plus sûre, loin de là. Des pillards et des hors-la-loi étaient entrés dans la ville pour s'emparer des biens de ceux qui avaient fui. En outre, il restait de nombreux habitants qui n'admettaient pas ouvertement leurs sympathies loyalistes mais pouvaient exercer des représailles, une fois la nuit tombée.

— Viens, dit-il plus doucement en reprenant la main de son fils. Nous trouverons de quoi manger en chemin.

John Grey se fraya un chemin dans la forêt, son œil unique le faisant trébucher régulièrement. Le sol n'était pas toujours là où il semblait être.

Une fois hors du camp, il ne fit plus d'efforts pour passer inaperçu. Le bandage en gaze que Claire avait méticuleusement enroulé autour de sa tête maintenait la compresse sur son orbite. Elle avait déclaré que cela protégerait son œil tout en permettant à la peau autour de sécher. Cela semblait efficace. Ses paupières n'étaient plus aussi irritées, bien qu'un peu poisseuses. Surtout, cela lui donnait l'allure d'un blessé laissé en arrière par l'armée américaine partie au front. Personne ne l'arrêterait pour l'interroger.

Enfin, personne sauf ses anciens camarades du seizième régiment de Pennsylvanie, s'il avait la malchance de tomber sur eux. Qu'avaient-ils pensé en le voyant se rendre à Jamie ? Il se sentait un peu coupable. Après s'être montrés si bons avec lui, ils s'étaient sûrement sentis trahis. Enfin, il n'avait guère eu de choix.

Pas plus qu'il n'en avait à présent.

« *Ils vont kidnapper ton fils.* » Percy n'aurait pu trouver meilleure accroche pour obtenir toute son attention. Il s'était aussitôt redressé dans son lit.

« Qui "ils" ? Pourquoi ?

— Les Américains. Quant au pourquoi… pour vous atteindre, toi et ton frère. As-tu la moindre idée de ta valeur, John ?

— Ma valeur aux yeux de qui ? »

Il s'était levé, oscillant dangereusement. Percy lui avait pris la main pour le stabiliser. Elle était chaude, ferme et terriblement familière. Il s'était libéré aussitôt et avait repris :

« On me dit que j'ai une valeur considérable en tant que bouc émissaire, si les Américains décidaient de me pendre. »

Où était le fichu message de Hal ? Qui l'avait, à présent ? Watson Smith ? Le général Wayne ?

« Voilà qui serait fâcheux, avait répliqué Percy sur un ton léger. Ne t'inquiète pas, j'interviendrai.

— Auprès de qui ? avait demandé John par curiosité.

— Du général La Fayette, avait répondu Percy avec une petite courbette. J'ai l'honneur d'avoir son oreille.

— Merci, mais le risque d'être pendu n'est pas mon premier souci pour le moment. Dis-moi plutôt ce que tu sais au sujet de William.

— Ce serait tellement plus simple devant un verre de porto, avait soupiré Percy, mais le temps presse. Assieds-toi, au moins. On dirait que tu vas t'affaler de tout ton long d'un instant à l'autre. »

Grey s'était assis, le plus dignement possible, et avait attendu.

« Pour te présenter la chose le plus simplement possible, et elle est loin d'être simple, crois-moi, un officier britannique nommé Richardson…

— Oui, je le connais, l'avait interrompu Grey. Il…

— Je sais. Tais-toi. C'est un espion américain.

— Un quoi ? »

S'il avait été encore debout, il se serait effectivement affalé. Il s'était agrippé au bord du lit des deux mains.

« Il comptait arrêter Mme Fraser pour avoir distribué des documents séditieux, expliqua-t-il. C'est la raison pour laquelle je l'ai épousée. Je…

— Toi ? s'était étonné Percy. Tu t'es marié ?

— Parfaitement. Toi aussi, si je me souviens bien, non ? Parle-moi encore de ce Richardson. Depuis combien de temps espionne-t-il pour les Américains ?

— Je n'en sais rien. Je l'ai appris au printemps de l'année dernière, mais il peut avoir commencé bien avant. Il ne chôme pas. Non content de collecter des renseignements et de les transmettre, c'est également un agent provocateur. »

Grey avait résisté à l'envie de frotter son œil et avait grommelé :

« Il n'est pas le seul à provoquer. Quel rapport entre lui et William ? »

Il commençait à se sentir très mal à l'aise. Il avait donné à William l'autorisation d'entreprendre de petites missions de renseignements pour Richardson, qui…

« À plusieurs reprises, il a tenté d'attirer ton fils dans des pièges, cherchant à faire croire qu'il aurait changé de camp. L'année dernière, il l'a envoyé dans le Great Dismal, en Virginie. Si son plan avait fonctionné, il serait tombé sur un nid de rebelles qui ont un bastion là-bas. Le but était sans doute de le capturer et de le retenir prisonnier, puis de faire courir le bruit qu'il avait déserté pour rejoindre leurs forces.

— Mais pourquoi ? Veux-tu bien t'asseoir, enfin ? Tu me donnes mal au crâne en m'obligeant à lever le nez vers toi. »

Percy avait ri doucement et s'était assis, non pas sur le tabouret en face de lui mais à ses côtés sur le lit, les mains sagement posées sur les genoux.

« Probablement pour discréditer ta famille, avait-il répondu. À la même époque, Pardloe faisait des discours incendiaires à la Chambre des Lords sur la conduite de la guerre. »

Il avait eu un petit mouvement d'impatience, agitant les doigts, un geste que John l'avait souvent vu faire.

« Je ne connais pas encore tous les détails, avait-il poursuivi, mais il compte faire enlever ton fils au cours de la marche vers New York. Cette fois, il ne s'embarrasse plus des plans alambiqués ; les temps ont changé, maintenant que les Français sont entrés en guerre. Il s'agit d'un simple kidnapping dans l'intention de vous faire chanter, Pardloe et toi. En échange de la vie du garçon, ils exigeront votre coopération dans l'affaire du Territoire du Nord-Ouest, entre autres choses, sans doute. »

Grey avait fermé son bon œil en sentant la tête lui tourner. Deux ans plus tôt, Percy avait refait irruption dans sa vie avec une proposition concernant également ce fameux territoire canadien.

« Les temps ont changé, en effet, avait-il répété sur un ton sarcastique. »

Percy avait inspiré profondément par le nez avant d'annoncer :

« L'amiral d'Estaing a quitté le port de Toulon avec une flotte en avril. S'il n'a pas déjà débarqué à New York, cela ne saurait tarder. J'ignore si le général Clinton est au courant.

— Bon sang ! »

Grey avait serré le bord du lit si fort que les clous avaient laissé des marques dans sa peau. Ces maudits Français étaient donc officiellement entrés en guerre ! Ils avaient signé un traité d'alliance avec les Américains en février et déclaré la guerre à l'Angleterre en mars, mais les paroles ne valaient pas grand-chose. Les navires, les canons et les hommes, eux, coûtaient cher.

Il avait soudain agrippé le bras de Percy et l'avait serré fort.

« Et quel est ton rôle dans tout ça ? avait-il dit d'une voix blanche. Pourquoi me préviens-tu ? »

Percy s'était tendu légèrement mais n'avait pas tenté de se libérer. Il avait fixé Grey en retour, le regard clair et franc.

« Mon rôle n'a pas d'importance et nous n'avons pas le temps d'en parler. Tu dois retrouver ton fils au plus tôt. Quant à pourquoi je te préviens… »

John l'avait vu venir et n'avait pas esquivé. Percy sentait la bergamote et le petit-grain. Il y avait une trace de vin rouge dans son souffle. Les doigts de John sur son bras s'étaient desserrés.

« Pour tes beaux yeux », avait murmuré Percy contre ses lèvres.

Puis l'ordure s'était mise à rire.

74

CE QUI FAIT TRANSPIRER
ET TREMBLER UN HOMME

NOUS NOUS ENGOUFFRÂMES DANS LE SILLAGE des troupes. Celles-ci, allégées de tout équipement superflu, marchaient rapidement. J'avais chargé Clarence avec tout ce qu'il était capable de porter. Comme il était une grande mule, cela représentait beaucoup, y compris ma petite tente, un lit de camp pliant pour les opérations et tout ce que j'avais pu emporter comme bandages, compresses ouatées et désinfectants (un petit fût de solution saline purifiée et deux bouteilles d'alcool éthylique déguisé en poison, avec une tête de mort sur l'étiquette). Il y avait également un pot d'huile douce pour les brûlures, mon coffre de médecine, des fagots d'herbes séchées, de grandes jarres d'onguent, des douzaines de flacons de teintures et d'infusions. Mes instruments chirurgicaux, mes aiguilles et mes sutures se trouvaient dans leur propre boîte, celle-ci rangée dans le sac à dos que je portais sur moi et qui contenait également des bandages supplémentaires.

Je laissai Clarence attaché et allai repérer où seraient dressées les tentes hospitalières. Le camp grouillait de non-combattants et de personnel de soutien. Je parvins à dénicher Denzell Hunter, qui m'expliqua que, selon le dernier rapport du général Greene, les médecins seraient basés dans le village de Freehold, où une grande église pouvait servir d'hôpital de campagne.

Tout en essuyant ses lunettes sur un pan de sa chemise, il poursuivit :

— Aux dernières nouvelles, Lee a pris le commandement de la force chargée d'encercler l'arrière-garde britannique.

— Lee ? Mais je croyais qu'il ne voulait pas de ce commandement, le jugeant trop petit pour lui.

Denzell rechaussa ses lunettes et haussa les épaules en enfonçant sa chemise dans sa culotte.

— Apparemment, Washington a jugé que mille hommes ne suffiraient pas et en a rajouté quatre milles de plus. Du coup, Lee a considéré que cela correspondait mieux à sa… stature ?

Il esquissa une petite moue ironique puis, en voyant mon expression, posa une main sur mon bras.

— Nous devons avoir foi en Dieu et espérer que le Seigneur n'abandonnera pas Lee. Viendras-tu avec moi et les filles, Claire ? Ta mule nous suivra volontiers.

Je n'hésitai qu'un instant. En montant Clarence, je ne pourrais emporter qu'une fraction de mon équipement. En outre, quand Jamie disait qu'il me voulait avec lui, je savais qu'il tenait surtout à savoir où j'étais et à s'assurer que je serais à portée de main s'il avait besoin de moi.

Denny sourit, ayant deviné mes pensées.

— Ton époux me fait suffisamment confiance pour veiller sur toi, déclara-t-il.

— *Tu quoque mi fili ?* rétorquai-je, agacée.

En le voyant cligner des yeux, surpris, j'ajoutai sur un ton plus doux :

— Est-ce que *tout le monde* sait toujours ce que je pense, tout le temps ?

— J'en doute. Autrement, beaucoup de gens marcheraient sur des œufs en s'adressant à toi.

Je grimpai donc dans la carriole de Denny avec Rachel et Dottie, Clarence nous suivant tranquillement, attaché au hayon. Dottie frémissait d'excitation ; elle n'avait encore jamais participé à une bataille. Rachel non plus, mais, ayant assisté son frère tout au long du rude hiver à Valley Forge, elle avait une petite idée de ce qui l'attendait.

— As-tu pensé à écrire à ta mère ? l'entendis-je demander à Dottie.

Les filles se trouvaient derrière moi et Denny, assises sur le plateau de la carriole et tenant le matériel chaque fois que nous étions cahotés par une ornière ou un bourbier.

— Non, pourquoi ? répondit Dottie, sur la défensive.

Je savais qu'elle avait écrit à sa mère pour lui annoncer son intention d'épouser Denzell Hunter, mais elle n'avait pas encore reçu de réponse. Compte tenu des difficultés du courrier entre les colonies et l'Angleterre, il n'était pas sûr que Minerva Grey ait jamais reçu sa lettre.

Il me vint soudain à l'esprit que je n'avais pas écrit à Brianna depuis plusieurs mois. Je m'étais sentie incapable de lui annoncer la mort de Jamie et, depuis le retour de ce dernier, je n'avais même pas eu le temps d'y penser.

— Nous sommes en guerre, Dottie, lui rappela Rachel. On ne sait jamais ce qui peut se passer. Tu ne voudrais pas que ta mère apprenne que... euh... tu es morte sans avoir reçu l'assurance que tu la portais dans ton cœur.

— Hmm ! fit Dottie, décontenancée.

Près de moi, Denzell se pencha en avant et resserra les rênes. Il me lança un regard de biais avec une mimique qui était autant une grimace qu'un sourire. Lui aussi, il avait écouté la conversation des filles.

— Elle s'inquiète pour moi, me glissa-t-il. Jamais pour elle-même. Elle est aussi courageuse que son père et ses frères.

— Vous voulez dire qu'elle est aussi têtue, répliquai-je à voix basse.

— Oui, dit-il en souriant malgré lui.

Il lança un regard par-dessus son épaule. Les filles s'étaient déplacées vers le hayon et discutaient avec Clarence tout en chassant les mouches autour de son visage avec une longue branche de pin.

— Crois-tu qu'il s'agisse d'un manque d'imagination héréditaire ? me demanda-t-il. Car, dans le cas des hommes de sa famille, ils ne peuvent ignorer les possibilités.

— Le fait est, convins-je avec un soupir. Jamie est pareil et on ne peut pas l'accuser de manquer d'imagination. Je crois qu'il s'agit plutôt de... d'une « acceptation ».

— L'acceptation de sa mortalité ? dit-il en remontant ses lunettes sur son nez. Nous en avons discuté avec Dorothea. Les Amis vivent avec la certitude que ce monde est temporaire et qu'il n'y a rien à craindre de la mort.

De fait, pratiquement tout le monde à cette époque abordait la mortalité d'une manière très terre à terre, tout en l'interprétant de multiples manières. La mort était partout, vous guettant à chaque tournant.

— Ce que font ces hommes est... différent, opinai-je. Il s'agit plus d'une acceptation de ce qu'ils considèrent que Dieu a fait d'eux.

— Vraiment ? Qu'entends-tu exactement par là ? Qu'ils croient que Dieu les a créés spécialement pour...

— ... Pour être responsables des autres, oui. Je ne saurais dire si c'est le concept de *noblesse oblige*... – Jamie était un laird, en Écosse, le saviez-vous ? – ou simplement qu'ils considèrent que c'est leur devoir d'homme.

Cela ne devait pas plaire à Denzell, qui avait une notion tout autre du « devoir » d'un homme. Quoique... Visiblement, la question le troublait.

C'était compréhensible, compte tenu de sa position. Je sentais que la perspective de la bataille l'excitait et ce fait devait le troubler bien davantage.

— Vous êtes un homme courageux, dis-je doucement. J'en ai été témoin quand vous avez joué le jeu du déserteur de Jamie, après Ticonderoga.

— Ce n'était pas du courage, je peux te l'assurer. Je ne cherchais pas à être brave, juste à prouver que je l'étais.

J'émis un son irrévérencieux (il n'était pas à la hauteur de ceux de Jamie ou de Ian, mais je commençais à apprendre) et il me lança un regard surpris.

— Je sais faire la différence, remarquai-je. Et j'ai connu beaucoup d'hommes courageux dans ma vie.

— Mais comment peux-tu savoir ce que...

— Tss, l'interrompis-je. La bravoure recoupe toutes sortes de comportements, depuis la folie totale et du mépris pour la vie des autres – c'est souvent le cas des généraux –, jusqu'à l'ivrognerie, l'imprudence et la stupidité. Mais c'est aussi un homme qui tremble, transpire et vomit, mais part quand même faire ce qu'il pense devoir faire. Voilà exactement le genre de courage que vous partagez avec Jamie.

— Ton époux ne tremble pas et ne transpire pas, répliqua-t-il sur un ton caustique. Je l'ai vu à l'œuvre. Ou plutôt, je l'ai vu ne pas trembler.

— Il tremble et transpire à l'intérieur, l'assurai-je. Il lui arrive aussi de vomir vraiment, avant ou pendant une bataille.

Denzell resta silencieux un moment, se concentrant, en apparence, sur le contournement d'une grande charrette de foin dont le bœuf s'était arrêté au milieu de la route, ayant décidé qu'il n'irait pas plus loin.

Puis il inspira profondément et expira d'une manière explosive.

— Je n'ai pas peur de mourir, affirma-t-il. Ce n'est pas là mon problème.

— Quel est-il, alors ? Vous avez peur d'être blessé et de rester infirme ? C'est mon cas.

— Non. Il s'agit de Dorothea et de Rachel. J'ai peur de ne pas avoir le courage de les voir mourir sans tenter de les sauver, même si je dois tuer pour cela.

Je ne trouvai rien à répondre et nous poursuivîmes notre route en bringuebalant en silence.

Les troupes de Lee quittèrent Englishtown vers six heures du matin, prenant la direction de l'est et de Monmouth Courthouse. Toutefois, en arrivant à Monmouth à neuf heures et demie, elles découvrirent que le gros des troupes britanniques était parti, suivant probablement la route vers Middletown.

Lee fut empêché de les suivre en raison de la présence d'une arrière-garde peu nombreuse mais particulièrement tenace commandée par le général Clinton en personne. Du moins, c'est ce qu'expliqua Ian à Jamie, car il s'était suffisamment approché pour distinguer les étendards régimentaires de Clinton. Jamie avait transmis cette information à Lee, sans pour autant que cela ne modifie la stratégie de ce dernier (en admettant qu'il en eût une). Cela ne l'incita pas non plus à envoyer d'autres éclaireurs en reconnaissance.

— Fais un détour et essaie de repérer où se trouve Cornwallis, demanda Jamie. Les grenadiers que tu as vus sont probablement des Hessiens. Ils doivent donc être proches de von Knyphausen.

Ian acquiesça et accepta la gourde pleine que Jamie lui tendait.

— Si j'apprends quelque chose, dois-je en informer aussi le général Lee ? Il n'avait pas l'air très intéressé par ce que j'avais à dire.

— Oui, si tu le vois avant de me trouver. Informe le marquis également si tu passes à proximité. Mais quoi qu'il advienne, viens me trouver, d'accord ?

Ian lui sourit et accrocha la gourde à son pommeau.

— Bonne chasse, *a Bhràthair-mathàr* !

Vers le milieu de la matinée, deux des compagnies de Jamie avaient participé à des échanges de tirs près de Monmouth Courthouse, mais aucun de ses hommes n'avait été tué et seuls trois d'entre eux avaient été blessés au point de devoir être renvoyés derrière la ligne de front. Le colonel Owen avait demandé des renforts pour couvrir son artillerie. Il n'avait que deux canons et toute aide était bienvenue. Jamie lui avait envoyé les Pennsylvaniens de Thomas Meleager.

Il avait dépêché les compagnies du capitaine Kirby en reconnaissance vers ce qu'il pensait être un ruisseau et avait gardé le reste de ses hommes en retrait, attendant des ordres de La Fayette ou de Lee. La Fayette était quelque part devant lui, Lee loin derrière vers l'est avec le gros des troupes.

Il était dix heures au soleil lorsqu'un messager apparut, couché sur l'encolure de sa monture d'une manière théâtrale comme s'il traversait une pluie de balles alors qu'il n'y avait pas une seule tunique rouge en vue. Il arrêta son cheval écumant devant Jamie et transmit son message en haletant :

— Y a des nuages de poussière à l'est, peut-être d'autres Britanniques qui arrivent ! Et le marquis dit qu'y a un canon anglais dans la pommeraie, m'sieur, et demande si vous pourriez y faire quelque chose.

En nage, il inspira une grande goulée d'air et s'apprêtait déjà à repartir au galop. Jamie attrapa ses rênes pour le retenir.

— Quelle pommeraie ? demanda-t-il.

Le messager avait environ seize ans et paraissait aussi hagard que sa monture exténuée.

— Chais pas, m'sieur.

Il lança des regards autour de lui comme s'il s'attendait à ce qu'un verger apparaisse subitement dans le pré où ils se tenaient. Une détonation au loin résonna dans les os de Jamie et son cheval dressa les oreilles.

— Peu importe, mon garçon, dit-il. Je les entends. Laisse respirer ta monture ou elle mourra sous toi avant midi.

Lâchant les rênes, il fit signe au capitaine Craddock et s'élança en direction des coups de canon.

L'armée américaine avait plusieurs heures d'avance sur lui, et les Britanniques beaucoup plus. Toutefois, un homme seul se déplaçait nettement plus vite qu'une compagnie de fantassins. En outre, il n'était pas encombré d'armes. Ni d'eau et de nourriture.

Tu sais pertinemment qu'il te ment.

— Oh, ferme-la, Hal, marmonna-t-il à l'ombre de son frère. Je connais Percy bien mieux que toi.

Justement, tu sais pertinemment…

— Et alors ? Qu'est-ce que je risque s'il ment… et s'il dit la vérité ?

Hal était autoritaire, mais logique. En outre, c'était un père. Il n'insista pas.

Si Percy avait menti, il risquait d'être abattu ou pendu si on le reconnaissait. Si les Américains le découvraient avant qu'il n'ait atteint les lignes britanniques, ils l'arrêteraient pour avoir brisé sa parole et l'exécuteraient sommairement en tant qu'espion. Si les Britanniques ne le reconnaissaient pas à temps, il risquait d'être pris pour un milicien rebelle et abattu sans sommation. Il glissa une main dans sa poche où il avait fourré le bonnet LA LIBERTÉ OU LA MORT et envisagea de le jeter. Il le garda néanmoins, au cas où.

Si Percy avait dit la vérité, c'était la vie de William qui était en jeu. Le choix n'était pas difficile à faire.

C'était le milieu de la matinée et l'air était comme de la mélasse, lourd, chargé d'odeurs de fleurs, de pin et totalement irrespirable. Le pollen commençait à provoquer des démangeaisons dans son bon œil et des mouches voletaient autour de son visage, attirées par le miel.

Au moins, son mal de crâne avait disparu, chassé par l'adrénaline et un bref élan lubrique, il devait bien se l'avouer, provoqué par la révélation de Percy. Il ne pouvait deviner ses motivations, mais…

— « Pour tes beaux yeux », tu parles ! bougonna-t-il.

Néanmoins, il ne pouvait s'empêcher de sourire devant une telle impudence. Un homme avisé n'aurait pas touché Percy avec des pincettes. Avec autre chose, peut-être…

— Oh arrête ça, veux-tu ? se sermonna-t-il.

Il descendit un talus en terre glaise en direction d'un petit ruisseau afin d'asperger d'eau froide son visage en feu.

Il devait être huit heures du matin lorsque nous arrivâmes à Freehold, où l'église Tennent devait être transformée en hôpital provisoire. C'était un grand bâtiment érigé au milieu d'un immense cimetière d'au moins un demi-hectare, parsemé de tombes aussi différentes les unes des autres que ceux qu'elles renfermaient l'avaient probablement été de leur vivant. On était loin des alignements de croix blanches identiques.

Je revis en pensée les cimetières de Normandie et me demandai si ces rangées après rangées de morts sans visage étaient censées imposer un ordre propret post-mortem au prix de la guerre ou si elles cherchaient simplement à les souligner, sorte de comptabilité solennelle prenant la forme d'un gigantesque jeu de morpion.

Je ne m'y attardai pas. La bataille avait commencé, quelque part, et des blessés arrivaient déjà. Un groupe d'hommes était assis sous un grand arbre près de l'église et d'autres approchaient par la route, certains chancelant et soutenus par des camarades, d'autres portés sur des civières ou dans les bras d'un ami. Mon cœur se serra en les voyant et je m'efforçai de ne pas chercher Jamie ou Ian parmi eux. S'ils étaient blessés, je le saurais bien assez vite.

Il y avait un remue-ménage devant l'église, dont les doubles portes étaient grand ouvertes pour faciliter le passage. Des ordonnances et des médecins entraient et sortaient d'un pas leste, mais sans pagaille, pour le moment.

— Allez donc voir ce qui se passe, proposai-je à Denzell. Les filles et moi nous occuperons de décharger la carriole.

Il détela ses deux mules, les entrava, puis s'éloigna vers l'église.

Je trouvai des seaux et envoyai Rachel et Dottie à la recherche d'un puits. Il faisait déjà très chaud et nous allions avoir besoin de beaucoup d'eau.

Clarence avait très envie de rejoindre les mules de Denny, qui broutaient l'herbe entre les tombes, et émettait toutes sortes de protestations sonores en tirant sur sa longe.

— Oui, oui, ça vient, on se calme! grommelai-je tout en me dépêchant de défaire les lanières qui retenaient sa charge. Tu peux patien... Oh, bigre!

Un homme venait vers moi en tanguant dangereusement et les genoux ployant à chaque pas. Tout un côté de son visage était noir et il y avait du sang sur le devant de son uniforme. Je laissai tomber ma toile de tente et mes piquets, et courus le retenir par le bras avant qu'il ne bute contre une tombe.

— Asseyez-vous, ordonnai-je.

Il était hébété et ne semblait pas m'entendre. Je tirai sur son bras et ses genoux cédèrent sous son poids. Il manqua de m'entraîner avec lui tandis qu'il se laissait tomber assis sur une grande dalle commémorant un certain Gilbert Tennent.

Il oscillait, semblant sur le point de basculer d'un côté puis de l'autre. Pourtant, je ne remarquai aucune blessure profonde. Le sang sur sa veste venait de son visage, dont la peau noircie avait cloqué et s'était craquelée. Le noir n'était pas de la suie de poudre, mais l'épiderme lui-même qui avait brûlé, cuisant le derme sous-jacent. Mon patient sentait le porc grillé. Je réprimai un haut-le-cœur et cessai de respirer par le nez.

Il ne répondait pas à mes questions et fixait mes lèvres. En dépit de ses balancements, il paraissait lucide. Je compris enfin.

— Ex-plo-sion? articulai-je lentement.

Il hocha vigoureusement la tête. Un artilleur, d'après son uniforme. Il s'était trouvé à proximité d'une puissante déflagration (un mortier? un canon?) qui, outre de lui avoir grièvement brûlé le visage, avait percé ses tympans et perturbé l'équilibre de son oreille interne. Je pris ses mains et les posai à plat sur la pierre tombale afin qu'il s'y appuie pendant que j'achevai rapidement de décharger Clarence, qui, dans sa frustration, faisait un raffut à réveiller les morts. J'aurais dû me douter plus tôt que l'artilleur était sourd, car il ne semblait pas avoir remarqué le vacarme. J'entravai la mule et la laissai rejoindre celles de Denny à l'ombre des arbres. Je sortis ce dont j'avais besoin de mes affaires et entrepris de faire le peu que je pouvais pour soulager le blessé ; à savoir tremper un linge dans la solution saline et l'appliquer sur son visage comme un baume afin d'enlever le plus de suie possible sans frotter.

Je remerciai le ciel d'avoir pensé à apporter de l'huile douce pour les brûlures, tout en me maudissant d'avoir oublié de prendre de l'aloès dans les jardins de Bertram.

Les filles n'étaient toujours pas revenues avec leurs seaux. J'espérais qu'il y avait un puits non loin. Avec une armée dans les parages, on ne pouvait utiliser l'eau des ruisseaux sans la faire bouillir. Je cherchai autour de moi un endroit où faire un feu et notai mentalement d'envoyer ensuite les filles chercher du bois.

Je fus interrompue dans ma liste mentale qui croissait rapidement en apercevant Denny ressortir de l'église. Il n'était pas seul. Il discutait âprement avec un officier continental. Avec une brève exclamation exaspérée, je fouillai dans ma poche, sortis mon étui en soie et chaussai mes lunettes. Le visage de l'interlocuteur de Denny devint net : c'était le fâcheux capitaine Leckie, diplômé de la faculté de médecine de Philadelphie.

Mon patient tira sur ma jupe et, avec un air navré, me fit signe qu'il avait soif. Je tendis un doigt, lui demandant d'attendre une minute, puis allai voir si Denny avait besoin de renfort.

Mon arrivée me valut une grimace austère du capitaine Leckie, qui me regarda comme s'il contemplait une tache douteuse sur le bout de son soulier.

— Madame Fraser, dit-il froidement. Je disais justement à votre ami quaker qu'il n'y a pas de place dans l'église pour une femme qui…

— Claire Fraser est la meilleure chirurgienne que j'ai jamais vu opérer ! protesta Denzell en frémissant de rage. Il serait très regrettable pour vos patients qu'elle ne puisse les…

— Et où avez-vous fait vos études, « docteur » Hunter, pour être aussi sûr de votre jugement ?

— À Édimbourg, monsieur, rétorqua Denzell. Où j'ai été formé par mon cousin, le professeur John Hunter.

En constatant que cela n'avait aucun effet sur Leckie, il ajouta :

— Et son frère, le professeur William Hunter, *accoucheur* de la reine.

Cela impressionna enfin Leckie, mais, malheureusement, l'agaça également. Il répartit équitablement son sourire méprisant entre Denzell et moi.

— Je vois, dit-il. Je vous félicite, monsieur, mais je doute que l'armée ait besoin d'une sage-femme, aussi feriez-vous mieux d'assister votre collègue (ce petit crétin eut l'audace de me regarder en dilatant ses narines), avec ses graines et ses potions…

— Nous n'avons pas de temps pour ce genre d'âneries, l'interrompis-je fermement. Le Dr Hunter est un médecin expérimenté et un chirurgien attitré de l'armée continentale. Vous ne pourrez pas l'empêcher de faire son travail. Et selon mon expérience des batailles, qui est, je crois pouvoir le dire sans me tromper, nettement plus grande que la vôtre, vous allez avoir besoin de toute l'aide que vous pourrez trouver.

Je me tournai vers Denzell :

— Votre devoir est auprès de ceux qui ont besoin de vous. Le mien aussi. Je vous ai déjà parlé du triage, n'est-ce pas ? J'ai une tente et mes propres instruments chirurgicaux. Je m'occuperai du triage ici, traiterai les cas mineurs et vous enverrai tous ceux qui ont besoin d'une opération importante.

Je lançai un bref regard derrière moi puis me tournai à nouveau vers les deux hommes, qui fulminaient.

— Vous feriez mieux de retourner dans l'église et vite. Ils commencent à s'entasser.

Ce n'était pas une métaphore. Il y avait une foule de blessés sous les arbres, dont plusieurs sur des brancards de fortune ou des draps… ainsi qu'un sinistre petit tas de corps, sans doute des hommes morts avant d'avoir pu accéder à des soins.

Heureusement, Rachel et Dottie réapparurent au même instant, chacune portant un seau lourd dans chaque main. Je tournai le dos aux hommes et allai à leur rencontre.

— Dottie, pouvez-vous monter la tente ? demandai-je en prenant ses seaux. Rachel, vous savez à quoi ressemble une hémorragie artérielle, n'est-ce pas ? Allez voir ces hommes et amenez-moi ceux qui saignent abondamment.

Je donnai de l'eau à mon artilleur et l'aidai à se relever. Lorsqu'il fut debout, j'aperçus entre ses jambes l'épitaphe gravée sur la stèle de Gilbert Tennent :

Ô LECTEUR, SI TU AVAIS ENTENDU SON DERNIER TÉMOIGNAGE, TU AURAIS ÉTÉ CONVAINCU DE LA FOLIE EXTRÊME DE REPORTER TA REPENTANCE À PLUS TARD.

— Je suppose que nous aurions pu choisir un endroit pire que celui-là, observai-je à l'intention de l'artilleur.

Ce dernier ne m'entendant pas, il me prit une main et la baisa avant de s'éloigner en se balançant et d'aller s'asseoir un peu plus loin dans l'herbe, pressant le linge mouillé contre son visage.

75

LA POMMERAIE

LE PREMIER TIR LES PRIT PAR SURPRISE : une détonation sourde provenant du verger suivie d'un plumeau de fumée blanche. Ils résistèrent à la tentation de courir, s'immobilisèrent et se tournèrent vers lui pour attendre ses ordres. Jamie déclara à ceux qui se trouvaient près de lui :

— C'est bien, mes gars.

Puis il lança d'une voix plus forte :

— Sur ma gauche ! Monsieur Craddock, révérend Woodsworth, contournez-les. Pénétrez dans le verger par-derrière. Les autres, déployez-vous sur la droite et tirez à vue…

La seconde détonation noya la fin de sa phrase. Craddock remua comme une marionnette dont on aurait coupé les ficelles et s'effondra, du sang jaillissant du trou noir dans sa poitrine. La monture de Jamie fit une brusque embardée, manquant de le désarçonner.

— Suivez le révérend ! cria-t-il aux hommes de Craddock.

Ces derniers restèrent un instant hébétés. Ils contemplaient le corps de leur capitaine.

— Maintenant ! hurla-t-il.

L'un d'eux se ressaisit, tira sur la manche d'un camarade et l'entraîna. Les autres suivirent dans un même mouvement. Woodsworth (le saint homme !) brandit son mousquet à bout de bras et rugit :

— Avec moi ! Suivez-moi !

Là-dessus, il s'éloigna sur ses longues jambes de héron, les hommes derrière lui.

Le hongre s'était calmé, mais restait nerveux. Il était habitué au son des canons, mais il n'aimait pas la forte odeur de sang frais. Jamie non plus.

— On ne devrait pas… l'enterrer ? suggéra une voix timide derrière lui.

— Il n'est pas *mort*, crétin, répondit une autre.

Jamie baissa les yeux. Effectivement, le capitaine respirait encore, mais plus pour longtemps.

— Que Dieu t'accompagne, murmura-t-il.

Le regard de Craddock était fixé sur le ciel bleu, les yeux pas encore voilés mais aveugles.

— Suivez vos camarades, ordonna-t-il aux deux retardataires.

Il constata soudain qu'il s'agissait des fils de Craddock. Ils avaient environ treize et quatorze ans. Ils étaient sonnés et livides.

— Faites-lui vos adieux, dit-il. Il peut encore vous entendre. Puis filez.

Il envisagea un instant de les envoyer à La Fayette, mais ils ne seraient pas plus en sécurité.

— Courez !

Ils coururent, ce qui était toujours moins dangereux que de rester sur place. Jamie fit un signe aux lieutenants Orden et Bixby, puis dirigea son cheval vers sa droite, suivant la compagnie de Guthrie. Les tirs de canon depuis la pommeraie se faisaient plus réguliers. Un boulet passa à trois mètres de lui et l'air se remplit de fumée. Il sentait encore le sang de Craddock.

Il trouva le capitaine Moxley et l'envoya avec toute une compagnie inspecter la ferme, de l'autre côté du verger.

— Restez à distance, précisa-t-il. Je veux savoir si les Britanniques sont à l'intérieur ou si c'est la famille qui y est toujours. Dans ce dernier cas, faites le tour du bâtiment. Entrez si on vous y invite, mais n'utilisez pas la force. S'il y a des soldats à l'intérieur et qu'ils sortent pour vous tirer dessus, engagez le combat et prenez la maison si vous pensez pouvoir le faire. S'ils ne sortent pas, ne les provoquez pas et envoyez quelqu'un me prévenir. Je serai à l'arrière du verger, du côté nord.

Guthrie l'attendait, ses hommes couchés dans les hautes herbes derrière la pommeraie. Il confia son cheval à ses deux lieutenants, qui l'attachèrent à une clôture hors de la portée du verger, puis il se dirigea vers la compagnie, avançant accroupi. Il se laissa tomber à plat ventre à côté de Bob Guthrie.

— J'ai besoin de savoir combien ils ont de canons et où ils sont placés exactement. Envoyez trois ou quatre hommes dans différentes directions, très discrètement, si vous voyez ce que je veux dire. Ils ne doivent pas intervenir, juste regarder et revenir, rapidement.

Guthrie haletait comme un chien, son visage mal rasé ruisselant de sueur. Il hocha la tête en souriant, puis partit en rampant.

Le pré était sec et bruni par la chaleur de l'été. Les queues-de-renard piquaient les mollets de Jamie à travers ses bas et l'odeur fétide du foin éclipsait celle de la poudre.

Il but une gorgée de sa gourde ; elle était presque vide. Il n'était pas encore midi et le soleil était écrasant. Il se tourna pour demander à l'un de ses lieutenants qui l'avait suivi de trouver le point d'eau le plus proche, mais rien ne bougeait dans les herbes derrière lui, hormis des centaines de sauterelles, crépitant telles des étincelles. Les genoux raides, il se redressa à quatre pattes et repartit vers son cheval.

Orden gisait à quelques mètres, une balle dans un œil. Jamie se figea un instant et quelque chose fila près de sa joue. Peut-être une sauterelle... ou pas. Il s'aplatit près du cadavre du lieutenant, le cœur battant dans ses oreilles.

Guthrie ! Il n'osait pas relever la tête pour l'appeler, mais il le fallait. Il rassembla ses pieds sous lui de son mieux, puis bondit et s'élança dans la direction vers laquelle il avait envoyé le capitaine, zigzagant comme un lièvre.

Il entendait les tirs à présent, des craquements secs de fusils : il y avait plusieurs tireurs dans la pommeraie, protégeant les canons. Des *jaegers* allemands ? Il se jeta à plat ventre et rampa à toute allure en appelant Guthrie.

— Ici, mon général !

L'homme surgit soudain à côté de lui telle une marmotte jaillissant de son terrier. Jamie le tira par la manche pour le faire se coucher.

— Rappelez... vos hommes, haleta-t-il. Des tirs... depuis le verger. De ce côté-ci. Ils seront pris pour cibles.

Guthrie le dévisagea la bouche ouverte.

— Rappelez-les !

Retrouvant ses esprits, Guthrie hocha la tête comme un pantin et commença à se lever. Jamie lui agrippa la cheville, le fit tomber puis le plaqua sur le sol d'une main sur le dos.

— Ne vous... relevez pas !

Sa respiration commençait à ralentir et il parvint à expliquer calmement :

— Nous sommes toujours à leur portée, ici. Allez chercher vos hommes et rabattez-vous derrière cette crête. Ensuite, trouvez le capitaine Moxley et dites-lui de faire le tour pour me rejoindre... (Il eut un trou de mémoire, incapable de penser à un lieu de rendez-vous sûr…) Au sud de la ferme, avec la compagnie de Woodbine.

Il ôta sa main.

— Oui, mon général !

Guthrie se redressa à quatre pattes et récupéra son chapeau qui était tombé. Il se retourna vers Jamie avec un regard inquiet.

— Vous êtes gravement touché, mon général ?

— Touché ?

— Vous avez beaucoup de sang sur la figure.

— Ce n'est rien. Allez-y !

Guthrie acquiesça, s'essuya le front sur sa manche, puis partit à quatre pattes aussi vite que possible. Jamie toucha son visage, soudain conscient d'un léger picotement sur sa pommette. Effectivement, ses doigts étaient pleins de sang. Cela n'avait donc pas été une sauterelle.

Il s'essuya sur le pan de sa veste et remarqua machinalement que la couture de son épaule s'était déchirée, laissant voir le blanc de sa chemise. Il se redressa légèrement et chercha Bixby autour de lui. Il n'était visible nulle part. Peut-être gisait-il lui aussi dans les hautes herbes ; peut-être pas. Avec un peu de chance, il avait compris ce qui se passait et avait couru prévenir les autres compagnies, qui arrivaient. Dieu merci, son cheval était toujours là où il l'avait laissé, attaché à la clôture à une cinquantaine de mètres.

Il hésita un instant, mais il ne pouvait prendre le temps de chercher Bixby. Woodsworth et ses compagnies arriveraient à portée des tirs allemands dans quelques minutes. Il bondit et courut.

Quelque chose tira sur sa veste, mais il ne s'arrêta pas. Il rejoignit son cheval, à bout de souffle.

— *Tiugainn !* s'écria-t-il en sautant en selle.

Il tourna le dos à la pommeraie et galopa à travers un champ de pommes de terre. Son cœur de fermier se serra en constatant les dégâts qu'avaient déjà causés les troupes en le piétinant.

J'ignore à partir de quand on l'a appelée « l'heure d'or », mais tous les médecins, depuis l'époque de l'*Iliade*, la connaissent. Lorsqu'un accident ou une blessure n'est pas immédiatement fatal, les chances de survie de la victime sont supérieures si elle est traitée dans l'heure qui suit. Ensuite, entre l'état de choc, la perte de sang et la débilité provoquée par la douleur, son pronostic dégringole rapidement.

En ajoutant à cela une chaleur accablante, le manque d'eau, le stress de courir à travers champs et forêts en portant des vêtements en laine et de lourdes armes, puis l'inhalation de fumée de poudre tout en essayant de tuer quelqu'un ou d'éviter d'être tué, j'aurais plutôt parlé d'un « quart d'heure d'or ».

Sans compter que les blessés devaient être portés ou parcourir à pied parfois deux kilomètres avant de trouver de l'aide. Tout compte fait, je trouvais que nous nous en sortions plutôt bien en en sauvant autant. *Pour le moment*, ajoutai-je mentalement en entendant les cris dans l'église.

— Comment vous appelez-vous, jeune homme ? demandai-je au soldat devant moi.

Il n'avait guère plus de dix-sept ans et s'était pratiquement vidé de son sang. Une balle avait traversé le haut de son bras, ce qui, d'ordinaire, n'aurait pas été une blessure grave. Malheureusement, elle avait sectionné l'artère brachiale, qui s'était épanchée lentement mais sûrement jusqu'à ce que j'agrippe son bras et le serre comme un étau.

— Adams, m'dame, répondit-il les lèvres tremblantes. Mais tout le monde m'appelle Billy.

— Enchantée, Billy. Et vous, monsieur ?

Il était arrivé en titubant, soutenu par un autre garçon de son âge qui était presque aussi livide que lui, bien qu'il ne paraisse pas blessé.

— Horatio Wilkinson, m'dame.

Il tenta une courbette maladroite tout en continuant de soutenir son ami.

— C'est bon, Horatio, je le tiens, à présent. Pourriez-vous lui verser un peu d'eau en y ajoutant une goutte d'eau-de-vie ?

Je lui indiquai la caisse qui me servait de table, sur laquelle se trouvait une de mes bouteilles de « poison », ainsi qu'une gourde d'eau et deux tasses en bois. J'aurais bien offert un petit remontant à Horatio également, mais la seconde tasse était la mienne. Je ne tenais pas à la partager avec des soldats qui ne se brossaient pas les dents. Je buvais régulièrement de l'eau. Mon corsage me collait à la peau comme la membrane à l'intérieur d'une coquille d'œuf et la transpiration coulait le long de mes jambes. Néanmoins, il me faudrait peut-être lui proposer de boire directement au goulot. Quelqu'un allait devoir serrer le bras de Billy Adams pendant que je ligaturais son artère et Horatio Wilkinson ne me paraissait pas à la hauteur de la situation.

— Vous voulez bien… ? commençai-je.

Quand il me vit avec mon scalpel et mon aiguille à suture dans une main, une ligature de catgut pendant dans mon autre main, les yeux de M. Wilkinson se révulsèrent et il s'effondra comme une masse dans le gravier.

— Blessé ? demanda une voix familière derrière moi.

En me retournant, je découvris Denzell Hunter observant le corps inerte de M. Wilkinson. Il était presque aussi pâle que lui, avec les cheveux en bataille et des mèches collées à ses joues, l'antithèse de son allure sereine habituelle.

— Non, juste évanoui, répondis-je. Pourriez-vous…

— Ce ne sont que des idiots ! éructa-t-il.

Il était blême de rage et pouvait à peine parler.

— Ils se prétendent médecins militaires alors qu'un quart d'entre eux n'ont jamais vu un homme blessé au combat. Les autres semblent n'être capables que d'amputer à tour de bras de la manière la plus rudimentaire. Une compagnie de barbiers ferait un meilleur travail !

— Peuvent-ils arrêter les hémorragies ? demandai-je.

Je lui pris une main et la refermai autour du bras du patient. Il pressa immédiatement le pouce sur l'artère brachiale près de l'aisselle et le saignement qui avait repris quand je l'avais lâchée cessa aussitôt.

— Merci, dis-je.

— Je vous en prie. Oui, la plupart d'entre eux le peuvent, admit-il en se calmant un peu. Mais ils sont tellement jaloux de leurs privilèges et conditionnés par leur régiment que certains laissent mourir des blessés parce qu'ils n'appartiennent pas au leur et que leur propre médecin est occupé.

— C'est scandaleux, murmurai-je. Mordez fort, Billy.

Je glissai une bande de cuir entre les dents du patient puis pratiquai rapidement une incision dans son bras afin d'agrandir la plaie et de trouver l'extrémité de l'artère sectionnée. Billy mordit et n'émit qu'un grognement sourd lorsque la lame transperça sa chair. Sans doute était-il suffisamment commotionné pour ne plus sentir grand-chose. Je l'espérais pour lui.

— Nous n'avons guère le choix, observai-je.

Je lançai un regard vers les grands arbres qui bordaient le cimetière. Dottie s'occupait des victimes de coups de chaleur, leur donnant à boire et les aspergeant quand le temps et le nombre de seaux le permettaient. Rachel était chargée des fractures du crâne avec enfoncement, des blessures abdominales et d'autres cas graves qui ne pouvaient se résoudre par une amputation, une éclisse ou une ligature. Le plus souvent, il s'agissait surtout de réconforter des agonisants. Heureusement, c'était une fille solide et courageuse qui avait déjà vu beaucoup d'hommes mourir durant l'hiver à Valley Forge. Elle ne se dérobait pas à sa tâche.

Tout en cousant l'artère de Billy Adams, j'indiquai l'église du menton.

— Nous devons les laisser faire ce qu'ils peuvent. De toute manière, on ne peut pas les en empêcher.

Denzell lâcha le bras en constatant que le vaisseau était ligaturé et s'essuya le front.

— Non, nous ne pouvons pas, convint-il. J'avais juste besoin d'exprimer ma colère sans frapper quelqu'un. Et de te demander si je pouvais prendre un peu de ton onguent à la gentiane. J'ai vu que tu en avais deux grands pots.

J'émis un petit rire.

— Servez-vous. Cet imbécile de Leckie a envoyé une ordonnance, tout à l'heure, pour tenter de subtiliser mon stock de bandages et de compresses. Au fait, il vous en faut ?

— Si tu en as de trop, dit-il avec un regard morne vers mes réserves qui diminuaient à vue d'œil. Le Dr McGillis a envoyé un homme fouiller les environs à la recherche de fourniture et un autre au camp pour rapporter ce qu'il pouvait.

— Prenez la moitié de ce qu'il me reste, offris-je.

J'achevais de bander le bras de mon patient en utilisant le moins de gaze possible. Horatio Wilkinson avait retrouvé ses esprits, bien qu'il fût encore un peu pâle, et s'était redressé en position assise. Denzell l'aida à se relever et l'envoya avec Billy s'asseoir un moment à l'ombre.

Je fouillais dans mes affaires à la recherche de l'onguent à la gentiane quand j'aperçus un groupe approchant et me redressai pour évaluer leur état. Aucun ne semblait blessé même s'ils titubaient tous. Ils ne portaient pas d'uniformes ni d'autres armes que des gourdins. Impossible de dire s'ils étaient des miliciens ou...

L'un d'eux m'attrapa un poignet d'une manière des plus cavalières.

— Il paraît que vous avez de la gnôle, ma p'tite dame ? Si vous partagiez avec nous, hein ?

— Laissez-la !

Le ton menaçant de Denzell surprit le malotru, qui me lâcha de surprise. Il cligna des yeux vers le quaker qu'il ne semblait pas avoir remarqué auparavant.

— D'où tu sors, toi ? demanda-t-il, plus déconcerté qu'agressif.

— Je suis un chirurgien de l'armée continentale, déclara fermement Denzell en glissant une épaule entre l'homme et moi.

Ils étaient tous très ivres. L'un d'eux se mit à ricaner en émettant un braiment haut perché. Son camarade pouffa de rire et lui donna un coup de coude dans les côtes en répétant :

— Un médecin de l'armée continentale, tu m'en diras tant !

— Messieurs, vous devez partir, déclara fermement Denzell en s'avançant d'un pas vers eux. Nous avons des blessés à soigner.

Il se tenait les poings légèrement fermés, comme un homme prêt à se battre, ce dont je doutais fortement. Au cas où l'intimidation ne suffirait pas, je lançai un regard vers ma bouteille. Elle était aux trois quarts vide. Peut-être valait-il mieux la leur donner en espérant qu'ils s'en iraient...

J'aperçus un petit groupe de soldats continentaux approchant, dont deux sur un brancard, d'autres chancelant, la chemise ensanglantée et traînant leur veste dans la poussière derrière eux. Je tendis une main vers la bouteille dans l'intention de la fourrer entre les mains des intrus puis perçus un mouvement dans l'angle de mon champ de vision. Je me tournai vers les arbres sous lesquels les filles soignaient des prisonniers. Rachel et Dottie s'étaient redressées et observaient la scène. Soudain, d'un air très déterminé, Dottie se dirigea vers nous.

Denzell la vit lui aussi. Je sentis son attitude changer, ainsi que son hésitation. Dorothea Grey avait beau avoir adopté la doctrine quaker, son sang Grey n'avait fait qu'un tour. À ma surprise, je devinais exactement ce que pensait Denzell. L'un des hommes avait remarqué la jeune femme et s'était tourné vers elle en oscillant. Si elle s'en prenait à eux et qu'ils l'agressaient...

— Messieurs ? dis-je en interrompant les murmures intéressés de nos visiteurs.

Trois paires d'yeux injectés de sang se tournèrent vers moi. Je sortis l'un des pistolets que Jamie m'avait donnés, le pointai vers le ciel et appuyai sur la détente.

Le coup partit en se répercutant dans tout mon bras et avec un vacarme qui m'assourdit momentanément. Le petit nuage de fumée âcre me fit tousser et j'essuyai mes yeux larmoyants juste à temps pour voir la bande de pochetrons déguerpir en me lançant des regards inquiets par-dessus leur épaule. Je sortis un mouchoir de mon corsage et nettoyai la suie sur mon visage. Plusieurs médecins et ordonnances étaient sortis de l'église et me regardaient avec de grands yeux ronds.

Me sentant comme Calamity Jane, je me retins de faire tournoyer ma pétoire autour de mon index (surtout de crainte de la laisser tomber car elle faisait une trentaine de centimètres de long) et la rengainai, légèrement étourdie.

Denzell m'observait d'un air préoccupé. Il déglutit et ouvrit la bouche pour parler.

— Pas maintenant, l'arrêtai-je avec un signe de tête vers les hommes qui approchaient. Nous avons trop à faire.

76

Les dangers de la reddition

Quatre heures! Quatre maudites heures à crapahuter dans une campagne onduleuse infestée de hordes de soldats continentaux, de groupes de miliciens et couverte de saletés de cailloux. Ne supportant plus ses ampoules et ses lambeaux de chair à vif, Grey avait ôté ses chaussures et ses bas, puis les avait fourrés dans les poches de sa veste miteuse, préférant clopiner pieds nus aussi longtemps que ce serait soutenable.

S'il croisait quelqu'un faisant approximativement la même pointure, il était prêt à ramasser un de ces maudits cailloux et à lui faire son affaire pour lui voler ses souliers.

Il approchait des lignes britanniques. Il le sentait aux vibrations dans l'air, aux mouvements de grandes troupes d'hommes, à leur excitation montante. Quelque part, pas très loin, cette excitation se transformait en action.

Les combats avaient commencé juste après l'aube. Il entendait parfois des cris et le son creux des mousquets. *Que ferais-je à la place de Clinton ?* se demanda-t-il.

Clinton ne pouvait espérer distancer les rebelles, mais il avait eu suffisamment de temps pour choisir un terrain favorable où les attendre et se préparer à les affronter.

Une partie de l'armée, peut-être la brigade de Cornwallis (Clinton ne laisserait pas les Hessiens de von Knyphausen faire front seuls) avait dû prendre une position défendable en espérant retenir les rebelles suffisamment longtemps pour que le convoi de bagages soit hors d'atteinte. Ensuite, le corps principal de l'armée effectuerait une conversion et prendrait position à son tour, peut-être en occupant un village. Grey en avait traversé deux ou trois, chacun muni d'une église. Les églises étaient un atout important. Lui-même, en son temps, avait souvent envoyé des guetteurs au sommet de clochers.

Où est William ? Non armé et interdit de se battre, il devait se trouver avec Clinton. Ou aurait dû. Sauf qu'il connaissait son fils.

— Hélas ! marmonna-t-il.

Il aurait sans sourciller jeté sa vie et son honneur aux orties pour William. Cela ne signifiait pas qu'il était ravi de le faire.

Certes, les circonstances actuelles n'étaient pas la faute de William. Il devait reconnaître, à contrecœur, qu'il en était en partie responsable. Il avait laissé son fils entreprendre une mission de renseignements pour Ezekiel Richardson. Il aurait dû enquêter plus soigneusement sur cet individu.

L'idée d'avoir été berné par Richardson était presque aussi dérangeante que les déclarations de Percy.

Il espérait tomber un jour sur lui dans des circonstances qui lui permettraient de le tuer discrètement. Néanmoins, il était prêt à le faire devant le général Clinton et tout son état-major s'il le fallait.

Tout en lui bouillait de rage. Il en était conscient et peu lui importait.

Des hommes approchaient derrière lui. Des Américains, en désordre, avec des carrioles ou des caissons. Il sortit de la route, se cacha à l'ombre d'un arbre et attendit qu'ils passent.

C'était un groupe de continentaux traînant des pièces d'artillerie. Il n'y en avait que dix et seulement avec des canons de deux kilos tirés par des hommes et non des mules. C'étaient les seuls qu'il avait vus de la matinée. Était-ce tout ce que possédait Washington ?

Ils ne le virent pas. Il attendit quelques minutes qu'ils aient disparu, puis les suivit.

Il entendit d'autres canons, quelque part sur sa gauche, et s'arrêta pour tendre l'oreille. Des Britanniques, enfin ! Au début de sa carrière, il avait passé un temps dans l'artillerie, et le rythme d'un peloton au travail était enchâssé dans ses os.

Écouvillon !

Chargez !

Refouloir !

Feu !

Une seule unité d'artillerie. Des pièces de quatre kilos, six. Ils visaient quelque chose, mais n'étaient pas attaqués. Ce n'était pas une canonnade mais des tirs sporadiques.

Dégoulinant de sueur, il fit une pause à l'ombre et ôta un moment sa veste noire pour respirer un peu. Oserait-il abandonner cette défroque infecte ?

Un peu plus tôt, il avait vu un groupe de miliciens en bras de chemise ; certains avec un mouchoir noué sur la tête. D'un autre côté, avec sa veste, il pouvait essayer de se faire passer pour un médecin de milice. Sa guenille empestait suffisamment pour être crédible.

Il remua sa langue dans sa bouche pour sécréter un peu de salive dans sa gorge sèche. Pourquoi n'avait-il pas pensé à emporter une gourde ? La soif le poussa à reprendre sa route.

Avec sa tenue, il risquait d'être abattu par un fantassin ou un dragon avant d'avoir prononcé un seul mot. En revanche, si les canons étaient très efficaces face à un ennemi groupé, ils ne servaient pas à grand-chose devant un homme isolé, le tir ne pouvant être ajusté à temps, à moins que l'homme en question ne commette la bêtise d'avancer en ligne droite. Grey n'était pas idiot à ce point.

Certes, l'officier chargé du groupe de servants serait armé d'une épée et d'un pistolet, mais un homme approchant seul à pied d'une unité d'artillerie ne représentait pas un vrai danger. L'effet de surprise lui permettrait sans doute d'avancer jusqu'à être à portée d'ouïe. En outre, les pistolets étaient tellement imprécis à plus d'une dizaine de mètres qu'il ne risquait pas grand-chose.

Il hâta le pas, aux aguets. Les troupes continentales autour de lui étaient de plus en plus nombreuses, marchant rapidement. Les soldats le prendraient pour un blessé, mais il n'osait se rendre aux Britanniques en plein milieu d'un engagement.

L'artillerie dans le verger était sa meilleure chance, même s'il était terrifiant de marcher droit sur des bouches à feu. Tout en jurant dans sa barbe, il remit ses souliers et commença à courir.

Il tomba nez à nez sur une compagnie de miliciens, mais ces derniers se rendaient quelque part au petit trot et lui accordèrent à peine un regard. Il bondit de côté dans une haie dans laquelle il se débattit un moment avant de ressortir de l'autre côté. Il se trouvait devant un champ étroit, très piétiné, au fond duquel se trouvait une pommeraie. On apercevait uniquement la cime des arbres au-dessus d'un épais nuage de fumée blanche.

Il perçut un mouvement au-delà du verger et s'avança prudemment de quelques pas pour regarder avant de se cacher à nouveau. Des miliciens américains, en chemise de chasse, certains torse nu et luisant de sueur. Ils se rassemblaient, projetant probablement de se précipiter dans le verger par-derrière afin de capturer les canons ou de les mettre hors de combat.

Ils faisaient beaucoup de bruit. De leur côté, les canons avaient cessé de tirer. Sans doute les artilleurs avaient-ils repéré les Américains et se préparaient-ils à résister. Ce n'était pas le moment idéal pour leur rendre visite…

Puis, il entendit les tambours. Ils étaient loin, à l'est du verger. Des fantassins britanniques. C'était une meilleure option que les artilleurs de la pommeraie. Quand ils se déplaçaient, les fantassins n'étaient pas préparés à tirer sur un homme seul et non armé, quelle que soit sa tenue. S'il s'approchait suffisamment pour attirer l'attention d'un officier… Malheureusement, pour cela il devait traverser un terrain découvert au sud du verger afin de rattraper les fantassins avant qu'ils ne soient trop loin.

Il rassembla son courage, s'extirpa de la haie et courut à travers les nuages de fumée. Un tir fendit l'air, beaucoup trop près. Il se jeta à plat ventre dans l'herbe par réflexe, puis se releva d'un bond et recommença à courir, hors d'haleine. Fichtre, il y avait des tireurs cachés dans la pommeraie, défendant les canons ! Des *jaegers*.

Toutefois, la plupart des tireurs devaient regarder de l'autre côté, prêts à affronter les miliciens, car il n'y eut plus de tirs de ce côté du verger. Il ralentit et pressa sa main sous ses côtes pour calmer un point de côté. Il avait dépassé la pommeraie. Il entendait toujours les tambours, mais ils s'éloignaient. *Continue, continue…*

— Hé ! Vous, là !

Il aurait dû continuer, mais, à bout de souffle, il s'arrêta un instant et se retourna à moitié. Uniquement à moitié car au même instant un corps solide le percuta de plein fouet et le plaqua à terre.

Il atterrit sur un coude et tenta de saisir la tête de son assaillant de sa main libre, ses doigts glissant sur des cheveux humides et gras. Il lui envoya un coup de coude dans le nez, se contorsionna comme une anguille pour se libérer de sous lui tout en projetant son genou dans son ventre. Il parvint presque à se relever.

— Ne bougez plus !

La voix se brisa d'une manière saugrenue, grimpant soudain en fausset, le surprenant tant qu'il se figea effectivement.

— Espèce de… pourriture… de… de…

L'homme, ou plutôt le gamin qui l'avait percuté se relevait. Il tenait une grande pierre dans la main. Son frère brandissait une massue (ce ne pouvait être que son frère ; ils se ressemblaient comme deux gouttes d'eau, aussi dégingandés et empotés l'un que l'autre).

En se levant, Grey avait porté la main à sa hanche, où se trouvait le poignard que Percy lui avait donné. Il avait déjà vu ces deux garçons quelque part… Les fils d'un commandant de l'une des milices du New Jersey ? De toute évidence, eux aussi le connaissaient.

— Traître ! cria l'un d'eux. Sale espion !

Ils se tenaient entre lui et la lointaine compagnie d'infanterie. La pommeraie se trouvait dans son dos et ils étaient tous les trois à portée de tir d'un fusilier hessien qui aurait eu la mauvaise idée de regarder dans leur direction.

— Écoutez… commença-t-il.

Il savait déjà qu'il perdait son temps. Ces deux garçons n'étaient pas dans leur état normal. Ils étaient comme fous… de terreur, de fureur, de chagrin ? Leurs traits étaient animés de tics et leurs membres tremblaient du besoin de faire quelque chose d'immédiat et de violent. Ce n'étaient que des adolescents, mais ils étaient tous deux plus grands que lui et parfaitement capables de provoquer les dommages qu'ils avaient en tête.

— Le général Fraser ! lança-t-il d'une voix forte en espérant les déstabiliser. Où est le général Fraser ?

77

LE PRIX DE LA TERRE DE SIENNE BRÛLÉE

— TOUTES LES COMPAGNIES sont rassemblées, mon général !

Robert MacCammon était hors d'haleine. Corpulent, il peinait à courir à travers les champs et les prés qui n'étaient pourtant que modérément ondulés. Les taches noires sous ses aisselles étaient grandes comme des assiettes.

— Bien, répondit Jamie.

Il regarda au-delà du major MacCammon et aperçut la compagnie du lieutenant Herbert émergeant d'un petit bois. Les hommes lançaient des regards prudents autour d'eux, l'arme à la main. Ils s'en sortaient bien pour des soldats non professionnels. Jamie était satisfait.

Seigneur, aidez-moi à les ramener en vie !

Cette prière à peine formée dans son esprit, il se tourna vers l'est et se figea. Sur le versant en contrebas, à une centaine de mètres environ, les deux fils Craddock, armés d'une pierre et d'un bâton, menaçaient un homme qui lui tournait le dos, mais la tête blonde aux cheveux ras était instantanément reconnaissable, même sans le bandage sale enroulé autour de son crâne.

Puis il vit Grey porter une main à sa taille et comprit aussitôt qu'il allait sortir un couteau.

— Craddock! hurla-t-il.

Les deux adolescents sursautèrent. L'un d'eux en lâcha sa pierre de surprise et se pencha pour la ramasser, exposant son cou maigrelet à la lame de Grey. Ce dernier regarda la peau nue devant lui, puis l'autre garçon, qui tenait son bâton comme une batte de cricket. Il se tourna vers Jamie et laissa retomber ses mains.

— *Ifrinn!* jura Jamie. (Il se tourna brièvement vers Bixby.) Que personne ne bouge d'ici!

Il dévala la pente en dérapant puis en se frayant un passage à travers un épais taillis d'aulnes qui lui laissèrent une sève poisseuse sur les mains.

Il rejoignit les Craddock et Grey hors d'haleine.

— Où est votre compagnie? aboya-t-il sans préambule.

— Ah... euh...

Le plus jeune lança un regard interrogateur à son frère.

— C'est qu'on les a pas trouvés, m'sieur, répondit l'aîné. On les cherchait, puis on est tombé sur un groupe de Britanniques et on a dû décamper dare-dare.

— C'est là que je l'ai vu, poursuivit le plus jeune en pointant le menton vers Grey. Dans le camp, tout le monde dit que c'est un espion. D'ailleurs, il courait vers les tuniques rouges en les appelant et en faisant de grands signes.

— On a donc pensé que c'était notre devoir de l'arrêter, dit l'autre qui ne voulait pas être éclipsé par son frère.

— Je vois.

Jamie frotta un point entre ses sourcils où un nœud semblait s'être formé. Il lança un regard derrière lui. Des hommes couraient encore en venant du sud, mais le groupe de Craddock était presque au complet, piétinant et regardant vers eux d'un air anxieux. Il entendait des tambours britanniques non loin. Ce devait être la compagnie sur laquelle les deux garçons étaient tombés, celle que Grey avait essayé de rejoindre.

— *Wenn ich etwas sagen dürfte*, dit Grey en allemand avec un regard vers les Craddock. « Puis-je dire quelque chose... »

— Non, vous ne pouvez pas, répliqua Jamie.

Ils n'en avaient pas le temps. Si ces deux nigauds survivaient assez longtemps pour rentrer au camp, ils répéteraient le moindre mot qu'il aurait échangé avec Grey à qui voudrait les entendre. Il n'avait pas besoin qu'on raconte qu'il s'était entretenu dans une langue étrangère avec un espion anglais.

— Je cherche mon fils! déclara Grey en anglais. J'ai de bonnes raisons de croire qu'il est en danger.

— Comme nous tous ici, répliqua Jamie.

Secrètement, son cœur avait fait un bond. Voilà donc la raison pour laquelle Grey avait brisé sa parole?

— Quel genre de danger ? demanda-t-il.

— Général ! Général !

La voix pressante de Bixby s'élevait derrière les aulnes.

— J'arrive, monsieur Bixby ! cria Jamie.

En se tournant à nouveau vers Grey, il lui demanda avec un signe de tête vers les Craddock :

— Pourquoi ne les avez-vous pas tués ? Vous y étiez presque.

— Vous m'auriez pardonné pour Claire, pas pour avoir tué… vos hommes.

Il lança un regard vers les deux adolescents aussi boutonneux que deux poudings aux raisins et, comme son expression le laissait entendre, guère plus intelligents.

L'espace d'une fraction de seconde, Jamie fut pris d'une violente envie de le frapper à nouveau, puis, dans la fraction de seconde suivante, il lut sur le visage de Grey qu'il en était conscient. Il ne sourcilla pas et son œil valide le fixa avec détermination. Cette fois, il se défendrait.

Jamie ferma les yeux et refoula sa colère.

— Partez avec cet homme, ordonna-t-il aux Craddock. Il est votre prisonnier.

Il sortit l'un de ses pistolets de sous sa ceinture et le tendit à l'aîné, qui le reçut en roulant de grands yeux émerveillés. Il se garda de lui dire qu'il n'était ni chargé ni amorcé.

— Quant à vous, dit-il à Grey, accompagnez-les derrière les lignes et guidez-les vers Englishtown si les rebelles tiennent toujours la ville.

Grey acquiesça sèchement et se tourna pour partir.

Jamie le retint d'une main sur l'épaule et déclara d'une voix assez forte pour que les Craddock l'entendent :

— Écoutez-moi bien, je révoque votre liberté conditionnelle. Vous m'avez bien compris ? Une fois à Englishtown, vous vous rendrez au capitaine MacCorkle.

Grey pinça légèrement les lèvres, mais ne fit aucun commentaire, se contentant d'un hochement de tête à peine perceptible avant de se mettre en route.

Jamie se mit à courir vers ses compagnies qui l'attendaient. Lorsqu'il risqua un bref regard derrière lui, il aperçut Grey poussant les Craddock devant lui, gauches et battant des ailes comme deux oies conduites au marché. Ils se dirigeaient vers le sud et les lignes américaines, si l'on pouvait parler de « lignes », dans cette maudite bataille.

Grey l'avait sûrement compris et, en dépit de l'urgence, Jamie se sentit le cœur plus léger. Sa liberté révoquée, John Grey n'était plus qu'un simple prisonnier de guerre, officiellement sous la garde de ses geôliers, mais sans être tenu par son propre engagement. Son premier devoir était donc celui de tout soldat entre les mains de l'ennemi : s'évader.

Bixby courut à sa rencontre, hors d'haleine.

— Mon général, il y a des Anglais qui…

— Je sais, l'interrompit Jamie. Je peux les entendre. Allons-y.

Sans le livre de coloriage, je ne l'aurais sans doute pas remarqué. À l'école primaire, Brianna avait eu un album à colorier présentant des scènes de la

Révolution américaine. Des images d'Épinal aseptisées et romantiques à souhait : Paul Revere fendant la nuit sur son cheval au galop ; Washington traversant le Delaware tout en faisant preuve (comme me l'avait souligné Frank) d'un lamentable sens de la navigation… ; et une double page représentant Molly Pitcher, cette brave femme qui avait porté de l'eau aux soldats accablés par la chaleur (page de gauche), avant de prendre la place de son mari blessé au service d'un canon (page de droite) lors de la bataille de Monmouth.

Ce qui devait probablement être la bataille que nous étions en train de vivre, bien que personne n'ait encore eu le temps de lui donner un nom. Monmouth Courthouse se trouvait à moins de cinq kilomètres de là où je me tenais.

Je m'essuyai à nouveau le visage (un geste qui n'arrêtait pas la transpiration, sans cesse renouvelée, mais à en juger par l'état de mes mouchoirs, noirs et trempés, enlevait au moins la crasse) et lançai un regard vers l'est, d'où me parvenaient régulièrement des détonations de canon. Était-elle là-bas ?

Je bus une nouvelle gorgée, puis me remis à frotter mes chiffons trempés de sang dans un bac d'eau salée.

— Après tout, si George Washington y est, pourquoi pas Molly Pitcher ? marmonnai-je.

L'image avait été compliquée à colorier. Bree venait d'entrer dans cette phase où elle tenait à ce que les couleurs soient « vraies », à savoir que le canon ne pouvait être rose ou orange. Frank avait dessiné plusieurs canons sur une feuille de papier afin d'essayer tous les tons, du gris (avec des nuances de noir, de bleu, de violet et même de bleu barbeau) au marron avec des reflets terre de Sienne brûlée et or. Ils avaient finalement opté pour du noir avec des ombres vert foncé (l'expertise de Frank sur l'authenticité historique avait fortement influencé ce choix).

N'ayant aucune référence particulière à faire valoir, j'avais été reléguée au coloriage de l'herbe, puis, une fois Brianna lassée, j'avais achevé les ombres sur les guenilles claquant au vent de Mme Pitcher. Je redressai la tête, sentant encore l'odeur des crayons gras, et vis un petit groupe s'approchant.

Deux soldats continentaux soutenaient un homme portant l'uniforme vert clair des Skinner's Greens, un régiment provincial loyaliste. Il boitait fortement. Le plus petit des continentaux semblait également être blessé et avait une écharpe ensanglantée drapée autour du bras. L'autre lançait des regards inquiets de droite à gauche, mais semblait indemne.

J'observai d'abord le provincial, qui devait être un prisonnier, puis je regardai plus attentivement le continental blessé qui le soutenait. Avec Molly Pitcher encore clairement en tête, je me rendis compte soudain qu'il s'agissait d'une femme. Sa veste cachait ses hanches, mais je le voyais à l'écart entre ses cuisses et à la manière dont elles se rejoignaient aux genoux. Les fémurs d'un homme sont verticaux, tandis que le bassin plus large des femmes leur donne une posture légèrement cagneuse.

Lorsqu'ils arrivèrent à ma hauteur, je constatai également que les deux blessés étaient apparentés : tous deux étaient minces et sveltes, avec un menton carré et des épaules tombantes. Le provincial était nettement masculin, avec un épais chaume sur les mâchoires tandis que… sa sœur ? (Ils semblaient n'avoir pas beaucoup de différence d'âge)… avait la peau lisse comme un œuf et aussi blanche.

Le provincial, lui, était rouge comme un haut fourneau et presque aussi brûlant. Ses yeux n'étaient plus que deux fentes et sa tête pendait mollement au bout d'un cou grêle.

— Où est-il blessé ? demandai-je en l'aidant à s'asseoir.

Dès que ses fesses touchèrent le tabouret, tous les muscles de son corps se relâchèrent et il serait tombé si je ne l'avais pas retenu. La fille poussa un petit cri d'effroi et voulut lui porter secours, mais elle chancela à son tour et l'autre homme la soutint sous les aisselles.

— Il a pris un coup sur la tête, expliqua-t-il d'un air embarrassé. Euh… C'est moi qui l'ai frappé avec la poignée de mon épée.

Je passai une main sur le crâne du provincial et sentis une vilaine contusion sous ses cheveux, mais pas de crépitation osseuse. Sans doute une commotion cérébrale, ce qui ne paraissait pas si grave. Toutefois, il fut secoué par un spasme sous mes doigts et le bout de sa langue pointa entre ses lèvres.

— Zut, marmonnai-je.

Je croyais avoir parlé à voix basse, mais pas assez car la fille laissa échapper un petit cri de désespoir.

— C'est un coup de chaleur, lui expliquai-je en espérant la rassurer.

En réalité, cela n'avait rien de rassurant. Généralement, lorsqu'ils commençaient à être pris de convulsions, ils n'y survivaient pas. Leur température corporelle avait grimpé bien au-delà de ce que leur organisme pouvait supporter et les convulsions indiquaient généralement que le cerveau était atteint. Néanmoins…

— Dottie ! criai-je.

Je lui fis de grands signes pour lui indiquer qu'il y avait une urgence, puis me tournai vers le continental indemne mais à l'air paniqué.

— Vous voyez cette jeune femme en gris sous l'arbre là-bas ? Conduisez-le à elle. Elle saura quoi faire.

C'était simple. Il fallait déverser de l'eau sur lui et, si possible, en lui. C'était à peu près tout ce qu'on pouvait faire. En attendant…

Je pris la jeune fille par son bras indemne et la fis s'asseoir sur mon tabouret. Je versai rapidement une bonne dose de ce qu'il restait dans ma bouteille d'eau-de-vie dans une tasse. Elle semblait avoir perdu beaucoup de sang.

Et pour cause… Lorsque je dénouai l'écharpe, je découvris que sa main avait été arrachée et son avant-bras, gravement mutilé. Elle ne s'était pas entièrement vidée de son sang parce que quelqu'un avait eu le réflexe de comprimer le haut de son bras avec une ceinture et de fabriquer un tourniquet en glissant un bâton dessous et en le tournant. Cela faisait bien longtemps qu'une vision d'horreur ne m'avait pas fait tourner de l'œil. Ce ne fut pas le cas, mais, l'espace d'un instant, je sentis le sol se dérober sous mes pieds.

— Comment est-ce arrivé, ma chérie ? demandai-je le plus doucement possible.

— Je… une grenade, répondit-elle d'une voix étranglée.

Elle détournait la tête pour ne pas voir son bras. Je guidai la tasse vers ses lèvres et la fis boire le mélange d'eau et d'alcool.

— Elle… elle l'a ramassée, dit l'autre continental, qui était revenu. La grenade a roulé sous mon pied et elle l'a ramassée.

En me tournant vers lui, je vis ses traits décomposés.

— C'est pour vous qu'elle est entrée dans l'armée, je suppose? demandai-je.

Le bras allait devoir être amputé. Il ne restait rien sous le coude qui puisse être sauvé. Ne rien faire reviendrait à la condamner à mort par infection ou gangrène.

— Non, c'est faux, protesta la jeune fille. Phil…

Elle s'interrompit pour chercher son souffle et lança un regard vers les arbres.

— … Il voulait que j'aille avec lui… avec les suiveurs du camp loyaliste… Je ne pouvais pas…

Avec le peu de sang qui lui restait, son organisme manquait d'oxygène. Je remplis la tasse à nouveau et la fis boire. Elle s'étrangla et cracha, mais parut plus alerte.

— Je suis une patriote! ajouta-t-elle.

— J'ai tout fait pour la renvoyer à la maison, m'dame, me dit le jeune homme. Mais en vérité, il ne reste plus personne pour veiller sur elle.

Sa main flottait à quelques centimètres de l'épaule de la jeune fille, prête à la rattraper si elle tombait.

Je fis un signe vers la station de Dottie sous les arbres. L'homme au coup de chaleur était couché à l'ombre.

— C'est votre frère? demandai-je.

N'ayant plus la force de répondre, elle me le confirma d'un battement de paupières.

Le jeune homme à ses côtés paraissait totalement abattu. Il n'avait pas plus de dix-sept ans et elle avait l'air d'en avoir quatorze, même si je supposais qu'elle en avait un peu plus.

— Son père est mort juste après Saratoga, m'expliqua-t-il. Philip était déjà parti. Il a rompu les liens avec sa famille quand il a rejoint les provinciaux. Je…

Sa voix se brisa. Il pinça les lèvres et posa une main sur les cheveux de la jeune fille.

— Comment vous appelez-vous, ma petite? demandai-je à cette dernière.

J'avais desserré le tourniquet pour vérifier si le sang affluait encore vers le coude. C'était le cas. On pourrait peut-être sauver l'articulation.

— Sally, murmura-t-elle. Sarah.

Ses lèvres étaient blêmes mais ses yeux grands ouverts. Tous mes instruments d'amputation se trouvaient avec Denzell dans l'église. Je ne pouvais l'envoyer dans cet enfer. La dernière fois que je m'en étais approchée, j'avais été prise à la gorge par les épaisses odeurs de sang et d'excréments, sans parler de l'atmosphère de douleur et de terreur ainsi que des bruits de boucherie.

D'autres blessés arrivaient sur la route. Quelqu'un devait s'occuper d'eux. Je n'hésitai qu'une minute.

Rachel et Dottie possédaient la détermination nécessaire pour affronter les problèmes et la présence physique pour apaiser des hommes affolés. Rachel le devait à ses mois d'expérience à Valley Forge ; Dottie à cette conviction auto-cratique que tout le monde ferait naturellement ce qu'elle attendait d'eux. Toutes deux inspiraient confiance et j'étais fière d'elles. À mes yeux, à elles deux, elles géraient la situation bien mieux que les médecins et leurs assistants dans l'église, même si je devais reconnaître que ces derniers effectuaient leur travail sanglant dans un temps record.

— Dottie ! appelai-je à nouveau.

Elle se leva et vint vers moi au pas de course en s'essuyant le visage sur son tablier. Elle lança un regard vers Sarah, puis aux corps étendus dans l'herbe. Ses traits exprimaient un mélange de curiosité, d'horreur et de profonde compas-sion. J'en déduisis que le frère était déjà mort ou sur le point de l'être.

Je me déplaçai légèrement afin de la laisser voir le bras mutilé. Elle pâlit.

— Dottie, allez chercher Denzell, lui demandai-je. Dites-lui d'apporter ma scie en arc et une petite érigne.

Sarah et le jeune homme écarquillèrent des yeux horrifiés en entendant le mot « scie ». Il lui prit l'épaule.

— Ne t'inquiète pas, Sally, lui dit-il avec véhémence. Je t'épouserai ! Cela ne fera aucune différence pour moi. Je veux dire… même manchote.

Il déglutit péniblement et je me rendis compte qu'il avait besoin d'eau lui aussi. Je lui tendis la gourde.

— Jamais ! rétorqua Sally. Je ne veux pas qu'on m'épouse par pitié ou par culpabilité. Va te faire voir. Je… je n'ai pas besoin de toi !

Le jeune homme en resta bouche bée de surprise… et sans doute d'indi-gnation, puis protesta :

— Et de quoi vivras-tu ? Tu ne possèdes rien à part l'uniforme que tu portes ! Tu… tu… tu ne pourras même pas faire la putain, avec un seul bras !

Elle le fusilla du regard, respirant lentement et profondément. Au bout d'un moment, une idée lui traversa l'esprit et elle se tourna vers moi.

— Vous pensez que l'armée… me… me versera une pension ?

J'aperçus Denzell hâtant le pas vers nous, couvert de sang mais les traits calmes. Il portait le coffre d'instruments chirurgicaux. J'aurais vendu mon âme pour un peu d'éther ou de laudanum, mais je n'avais ni l'un ni l'autre.

— Peut-être, répondis-je. Si elle en accorde une à Molly Pitcher, pourquoi pas à vous ?

78

AU MAUVAIS ENDROIT, AU MAUVAIS MOMENT

WILLIAM SE PALPE DÉLICATEMENT la mâchoire. Heureusement, Tarleton n'avait pu l'atteindre au visage qu'une seule fois et avait raté son nez. En revanche, il n'avait pas épargné ses côtes, ses bras et son ventre. Ses vêtements étaient crottés et sa chemise déchirée. Cela dit, le fait qu'il se soit bagarré ne sautait pas aux yeux. Avec un peu de chance, l'incident n'aurait aucune suite, à condition que le capitaine André ne parle pas de la dépêche destinée à la légion britannique. Après tout, si la moitié de ce qu'il avait entendu était vraie, sir Henry avait eu d'autres chats à fouetter durant la matinée.

Un capitaine d'infanterie blessé rentrant au camp lui avait raconté qu'il avait vu sir Henry aux commandes de l'arrière-garde. Il avait mené une charge contre les Américains et s'était tellement avancé devant les lignes qu'il avait failli être capturé avant que ses hommes ne le rattrapent. Le sang de William avait bouilli ; il aurait tant aimé être avec eux ! Au moins, il avait échappé à l'ennui d'une journée dans la tente des clercs…

Il retournait tranquillement vers la brigade de Cornwallis quand Visigoth perdit un fer. Il jura dans sa barbe, s'arrêta et sauta de selle. Il retrouva le fer, mais deux clous manquaient. Il eut beau chercher, pensant pouvoir les renfoncer en les martelant avec le talon de sa botte, il ne les trouva nulle part.

Il glissa le fer dans sa poche et regarda autour de lui. Il voyait des soldats courir dans toutes les directions. Il repéra une compagnie de grenadiers hessiens de l'autre côté d'un ravin. Ils se rassemblaient à la tête d'un pont. Il se dirigea vers eux en tirant précautionneusement Visigoth derrière lui.

— *Hallo !* cria-t-il à celui qui se trouvait le plus proche. *Wo ist der nächste Hufschmied ?*

L'homme lui adressa à peine un regard et haussa les épaules. Un autre plus jeune indiqua du doigt un point au-delà du pont et lança :

— *Zwei Kompanien hinter uns kommen Husaren !* (« Deux compagnies de hussards approchent derrière nous. »)

— *Danke !* répondit William.

Il entraîna Visigoth à l'ombre d'un boqueteau de jeunes pins. C'était une chance ; il n'aurait pas besoin de faire marcher le cheval sur une longue distance. Il suffisait d'attendre le passage du maréchal-ferrant et de sa carriole. Néanmoins, ce retard le contrariait.

Tous ses nerfs étaient tendus comme les cordes d'une harpe. Il ne cessait de tripoter sa ceinture, cherchant ses armes. Il entendait des tirs de mousquets au loin, mais ne voyait rien des combats. La campagne s'étendait tel un livre accordéon, les champs vallonnés plongeant soudain dans des ravins boisés avant de réapparaître plus loin pour plonger à nouveau.

Il sortit son mouchoir, si trempé à présent qu'il n'épongeait plus rien mais chassait néanmoins l'eau de son front. Il sentit un léger courant d'air s'élever du ruisseau, une douzaine de mètres en contrebas, et s'approcha du bord. Il but l'eau chaude de sa gourde tout en regrettant de ne pas pouvoir descendre jusqu'au cours d'eau. Le versant était trop escarpé. La remontée serait compliquée et il ne voulait pas risquer de rater le maréchal-ferrant.

— *Er spricht Deutsch. Er hat gehört !*

Entendu quoi ? Il n'avait pas prêté attention aux conversations des grenadiers, mais ces mots lui parvinrent clairement. Il se retourna pour voir de qui ils parlaient et se retrouva nez à nez avec deux Hessiens. L'un d'eux lui adressa un sourire crispé et il se tendit.

Soudain, deux autres apparurent entre lui et le pont.

— *Was ist hier los ?* demanda-t-il sèchement. *Was macht ihr da ?* « De quoi s'agit-il ? Que faites-vous ? »

Un grand gaillard baraqué prit une mine navrée.

— *Verzeihung. Sie sind hier falsch.*

Quoi, je ne devrais pas me trouver là ? Avant même que William ait compris, ils fondirent sur lui. Il se défendit à coups de coude, de poing, de genou, mais cela ne fut l'affaire que de quelques secondes. Des mains l'agrippèrent par-derrière et le grand gaillard répéta « *Verzeihung* » d'un air désolé avant de l'assommer avec une pierre.

Il ne perdit connaissance qu'en touchant le fond du ravin.

On se battait dans tous les coins, mais Ian n'en savait guère plus. Il y avait beaucoup de mouvements de troupes, surtout du côté américain, et de nombreuses escarmouches, souvent féroces. Toutefois, sur un terrain aussi irrégulier, les armées étaient souvent dispersées et les affrontements impliquaient rarement un grand nombre d'hommes.

Il avait contourné plusieurs compagnies d'infanterie britanniques se tenant plus ou moins à l'affût. De là où il se tenait, il apercevait plusieurs étendards régimentaires. Était-il utile de savoir qui commandait ces régiments ? Même s'il était assez proche pour voir le détail des drapeaux, il n'était pas certain de pouvoir les identifier.

Son bras droit lui faisait mal et il le frotta machinalement. La blessure faite par la hache avait guéri, mais la cicatrice était encore boursouflée et sensible. En outre, son bras n'avait pas encore retrouvé toute sa force, et le fait d'avoir bandé son arc un peu plus tôt pour décocher une flèche vers les Indiens l'avait laissé avec les muscles endoloris et une sensation de brûlure dans l'os.

— On essaiera de ne pas recommencer, murmura-t-il à Rollo avant de se souvenir qu'il n'était pas avec lui.

Il n'était pas seul pour autant ; un autre éclaireur indien l'accompagnait. À une vingtaine de mètres, un guerrier abénaquis était assis sur un poney efflanqué, l'observant d'un air songeur. Oui, c'était bien un Abénaquis. Son crâne était rasé en laissant une grande touffe de cheveux hérissée à l'arrière du crâne. Il portait une bande de peinture noire en travers des yeux et de longues perles d'oreilles en coquillage qui lui frôlaient les épaules, leur nacre scintillant au soleil.

Ian fit lentement tourner sa monture. Le gros de la troupe se trouvait dans un pré à deux cents mètres, mais il y avait des bosquets de châtaigniers et de peupliers non loin. À environ huit cents mètres dans la direction d'où il était venu, il y avait un grand ravin. Il valait mieux éviter de se laisser piéger au fond, mais en ayant un peu d'avance, c'était un bon moyen de disparaître. Il éperonna son cheval et s'élança, puis tourna brusquement sur sa gauche dans un épais taillis. Il avait été bien inspiré car, un instant plus tard, il entendit un objet siffler près de son oreille avant de s'écraser dans la végétation. Un bâton de jet ? Un tomahawk ?

Peu importait. L'essentiel était que celui à qui il avait appartenu ne l'avait plus. Il ne regarda pas en arrière et vit un second Abénaquis contourner le taillis de l'autre côté pour lui couper la route. Ce dernier cria quelque chose et l'autre répondit. Des cris de chasse. *La bête en vue.*

— *Cuidich me, a Dhia !* marmonna-t-il.

Il enfonça ses talons dans les flancs de sa monture. Sa nouvelle jument était rapide. Ils sortirent du taillis, traversèrent un terrain découvert, bondirent dans un second taillis, jaillirent de l'autre côté et se retrouvèrent face à une clôture. Ils étaient trop près pour s'arrêter. Le cheval ramassa l'arrière-train, prit son élan et s'envola. Ian se mordit la langue en entendant les sabots arrière toucher la barrière dans un *clank !* Ils atterrirent indemnes. Il se coucha sur l'encolure de sa monture et ils filèrent droit devant sur le terrain descendant. Peu avant d'arriver au bord du ravin, il tourna légèrement afin de ne pas l'aborder de face, au cas où la pente serait trop à pic. Il n'entendait rien derrière lui hormis les grondements d'une armée en marche. Pas de glapissements, pas de cris de chasse.

Lorsqu'il atteignit la végétation dense qui bordait le ravin, il ralentit enfin et lança un regard derrière lui. Rien. Les Abénaquis ne semblaient pas l'avoir suivi. Il soupira et laissa sa monture respirer un peu, avançant au pas le long du ravin en cherchant un bon endroit pour descendre. Le pont était visible un peu plus loin, à une cinquantaine de mètres. Il n'y avait personne dessus pour le moment.

Il entendait des hommes se battre en contrebas, à environ trois cents mètres, cachés par l'épais feuillage. À en juger au bruit, ce n'était qu'une échauffourée, comme il en avait entendu et vu des douzaines tout au long de la journée. Des combattants des deux camps, attirés au bord des ruisseaux par la soif, se rencontraient parfois et se lançaient dans un corps à corps sanglant dans l'eau peu profonde.

Cela lui rappela à quel point il avait soif. Sa monture également car elle étirait le cou, dilatant avidement ses naseaux en sentant la proximité de l'eau.

Il glissa de selle et guida la jument jusqu'au bord du ruisseau, veillant aux pierres instables et aux trous bourbeux. La berge était boueuse, bordée de tapis de lenticules et de massifs de roseaux. Il se figea en apercevant une tache rouge, puis se détendit en constatant que c'était un soldat britannique mort, gisant le visage dans la boue et les jambes oscillant dans le courant.

Il ôta ses mocassins et entra dans l'eau. À cet endroit, le ruisseau était large et profond d'une soixantaine de centimètres. Son lit était vaseux et il s'y enfonçait jusqu'aux chevilles. Il en ressortit et conduisit son cheval un peu plus loin à la recherche d'un lieu au sol plus dur. La jument piaffait d'impatience et ne cessait de tirer sur sa bride.

Les bruits de combat avaient cessé. Il entendait des hommes au-dessus de lui un peu plus loin, mais plus rien dans le ravin.

Là, cet endroit ferait l'affaire. Il lâcha les rênes et le cheval se précipita, ses pattes avant s'enfonçant dans la vase, mais l'arrière-train solidement planté sur le gravier, lapant goulûment. Ian se laissa tomber à genoux sans se soucier de ses vêtements mouillés et but dans ses mains en coupe, encore et encore jusqu'à s'étrangler.

Enfin, sa soif étanchée, il s'aspergea le visage et la poitrine. C'était rafraîchissant, même si l'eau perlait et glissait sur la graisse d'ours dans ses peintures.

— Viens, dit-il à la jument. Tu vas éclater si tu continues à boire autant, *amaidan*.

Non sans effort, il parvint à lui faire sortir le museau du ruisseau. Le cheval s'ébroua bruyamment en projetant des éclaboussures et des fragments d'algues. Alors que Ian tirait sur sa bride pour le ramener sur la berge, il aperçut un second soldat anglais.

Il gisait près du fond du ravin lui aussi, mais dans la boue, à plat ventre, le visage tourné sur le côté.

— Oh mon Dieu, non !

Ian lança rapidement les rênes autour d'un tronc d'arbre et se précipita. C'était bien lui. Il l'avait reconnu dès le premier instant à ses longues jambes et à la forme de son crâne. Toutefois, son visage, même maculé de sang, le lui confirma.

William était toujours vivant. Son visage était agité de tics sous les pattes d'une demi-douzaine de mouches se nourrissant de son sang séché. Ian plaça une main sous sa mâchoire comme il avait souvent vu faire tante Claire, mais, ne sachant pas où trouver le pouls ni comment l'interpréter, il la retira. Son cousin était étendu dans l'ombre d'un grand sycomore, mais sa peau était chaude. D'un autre côté, compte tenu de la température, elle l'aurait été même s'il avait été mort.

Ian se releva en réfléchissant rapidement. Il fallait percher ce grand échalas sur le cheval, mais ne valait-il pas mieux le déshabiller d'abord ? Lui ôter sa veste rouge, au moins ? Et s'il le ramenait vers les lignes britanniques et trouvait quelqu'un pour le conduire auprès d'un médecin ? Les Anglais étaient plus proches.

Il fallait quand même lui enlever sa veste avant qu'il ne meure de chaleur. Sa décision prise, il s'agenouilla à nouveau, ce qui lui sauva la vie. Le tomahawk passa juste au-dessus de sa tête et se planta dans le sycomore.

Une seconde plus tard, l'un des Abénaquis dévala la pente et se jeta sur lui avec un cri qui lui balaya le visage d'une haleine fétide. Cela lui avait néanmoins suffi pour ramasser ses pieds sous lui et se redresser d'un coup, projetant l'Indien sur le côté à quelques mètres.

Le second Abénaquis était déjà sur lui. Ian entendit ses pas sur les graviers et fit volte-face, parant un coup avec son avant-bras et arrêtant son couteau de son autre main.

Il l'avait saisi par la lame et sentit celle-ci s'enfoncer dans sa paume. Il donna un coup sec sur le poignet de l'Indien avec son bras à demi engourdi, lui faisant lâcher son arme. Ne parvenant pas à la retourner pour la prendre par le manche dans sa main glissante de sang, il la lança le plus loin possible dans le ruisseau.

Les deux Indiens tombèrent sur lui à coups de poings et de pieds. Il chancela en arrière, perdit l'équilibre et entraîna l'un de ses agresseurs dans le ruisseau avec lui. Puis tout devint confus. Il tenait la tête de l'un des Abénaquis sous l'eau, essayant de le noyer, pendant que l'autre était accroché à son dos, s'efforçant de glisser un bras autour de sa gorge pour l'étouffer. Il y eut un grand vacarme de l'autre côté du ravin et, l'espace d'un instant, ils se figèrent tous les trois. Un grand nombre d'hommes... se déplaçant en désordre... des tambours... des éclats de voix... un grondement sourd comme celui d'une mer au loin.

Ian reprit ses esprits le premier. Il se contorsionna, faisant tomber l'Indien de son dos, puis glissant et s'enfonçant dans la vase, parvint jusqu'à la berge et courut vers la première chose qu'il vit : un grand chêne blanc. Il commença à grimper, se hissant aux branches l'une après l'autre, oubliant sa main blessée et l'écorce qui s'enfonçait dans sa chair.

Les Indiens réagirent trop tard. L'un d'eux bondit et toucha son pied nu, mais sans parvenir à l'attraper. Ian coinça son genou sur une grosse branche et s'accrocha au tronc, à quatre mètres au-dessus du sol. Hors d'atteinte ? Il l'espérait et regarda en bas.

Tels deux loups, les Abénaquis tournaient en rond au pied de l'arbre, lançant des regards nerveux vers le haut du ravin, vers Ian, puis vers William, de l'autre côté du ruisseau. Ian sentit son sang se glacer. Que faire s'ils décidaient de lui trancher la gorge ? Il n'avait même pas un caillou à leur lancer.

Fort heureusement, ni l'un ni l'autre n'avaient un fusil ou un arc ; ils avaient dû les laisser sur leurs montures en haut du ravin. Ils ne pouvaient pas faire grand-chose, à part le bombarder de pierres.

D'autres éclats de voix retentissaient plus haut. Ils étaient nombreux. Que criaient-ils ? Soudain, les Abénaquis capitulèrent. Ils traversèrent le ruisseau, leurs pantalons trempés et couverts de boue collant à leurs jambes. Ils s'arrêtèrent brièvement pour fouiller les vêtements de William. Apparemment, celui-ci avait déjà été dépouillé car ils ne trouvèrent rien. Ils détachèrent la jument de Ian et, après avoir lancé un dernier cri railleur, « Iroquois ! », disparurent avec sa monture derrière un rideau de saules blancs.

Après s'être traîné en s'aidant d'une seule main en haut du versant, Ian rampa sur quelques mètres puis s'arrêta un moment sous un tronc couché à la lisière d'une clairière. Des points noirs dansaient devant ses yeux comme une nuée de moucherons. Il y avait beaucoup d'activité dans les parages, mais rien de suffisamment proche pour l'inquiéter pour le moment. Il ferma les paupières en espérant que les points noirs disparaîtraient. Au lieu de cela, ils se transformèrent en une horrible constellation de taches roses et jaunes qui tournoyaient en lui donnant envie de vomir.

Il rouvrit aussitôt les yeux, juste à temps pour voir plusieurs soldats continentaux, noirs de suie, en chemise ou torses nus, traînant un canon sur la route. Ils étaient suivis par d'autres hommes et un autre canon. Ils titubaient d'épuisement. Il reconnut le colonel Owen, marchant d'un air renfrogné entre ses hommes.

Un mouvement détourna son attention et il vit d'autres soldats arriver d'une autre direction. Ian nota leur grand nombre avec un vague intérêt. Il aperçut un étendard parmi eux, pendant mollement au bout de sa hampe telle une panse de mouton attendant d'être farcie.

Un déclic se fit et, effectivement, quelques minutes plus tard il vit apparaître le général Lee, le front plissé mais l'air enthousiaste, guidant ses troupes vers celles du colonel Owen.

Ian se trouvait trop loin et il y avait trop de bruit pour qu'il entende leur conversation, mais les gesticulations d'Owen lui firent comprendre quel était le problème. Un de ses canons s'était fendu, probablement sous l'effet de la chaleur du feu ; un autre avait brisé son caisson et devait être traîné avec des cordes, le métal crissant sur les cailloux.

Un sentiment d'urgence le reprit. William. Il devait prévenir quelqu'un. Visiblement, ce ne serait pas les Britanniques.

Lee haussa les sourcils et pinça les lèvres. Il était penché sur sa selle pour écouter Owen. Il hocha la tête, prononça quelques mots, puis se redressa. Owen s'essuya le front sur sa manche puis fit signe à ses hommes. Ils reprirent leurs cordes, l'air las et le dos voûté. Plusieurs d'entre eux étaient blessés, portant des linges noués autour de la tête ou des mains. L'un d'eux boitait fortement, la jambe ensanglantée, et s'appuyait sur le fût du canon.

Dans sa fuite, Ian n'avait pas regardé où il allait. Néanmoins, il déduisit que les canons d'Owen étaient acheminés vers le pont, invisible de là où il se tenait. Il sortit de sa cachette et se releva en se tenant au tronc d'arbre pendant que sa vision passait du noir au blanc, puis au noir à nouveau.

William. Il devait trouver de l'aide… mais tout d'abord, il devait boire. Toute l'eau qu'il avait absorbée dans le ruisseau s'était évaporée en sueur et il était à nouveau totalement déshydraté.

Au bout de plusieurs tentatives, il trouva enfin un fantassin portant deux gourdes autour de son cou.

— Que t'est-il arrivé, mon gars ? demanda ce dernier en l'observant d'un air intrigué.

— Je me suis battu avec un éclaireur britannique, répondit Ian en lui rendant sa gourde.

— J'espère que tu as gagné.

Sans attendre sa réponse, l'homme le salua de la main et rejoignit sa compagnie.

L'œil gauche de Ian lui piquait et sa vision était brouillée. Son arcade sourcilière était entaillée et saignait. Il fouilla dans la petite bourse accrochée à sa ceinture et en tira le mouchoir qui renfermait l'oreille fumée qu'il portait toujours sur lui. Bien que petit, il parvint à nouer le rectangle de tissu autour de son front.

Il frotta ses doigts contre ses lèvres, ayant déjà à nouveau soif. Que faire ? Il voyait l'étendard, à présent agité vigoureusement, appelant les troupes à le suivre. Lee et ses hommes se dirigeaient sûrement vers le pont eux aussi. Personne ne s'arrêterait pour descendre au fond d'un ravin et secourir un soldat britannique blessé.

Il secoua doucement la tête et, s'étant assuré que son cerveau était toujours bien attaché dans sa boîte crânienne, prit la direction sud-ouest. Avec un peu de chance, il croiserait La Fayette ou oncle Jamie et pourrait se procurer une autre monture. Avec un cheval, il parviendrait à sortir William du ravin seul. Et quoiqu'il advienne d'autre au cours de la journée, il réglerait leur compte aux deux Abénaquis.

79

L'HEURE DE VÉRITÉ

L'UN DES HOMMES DE LA FAYETTE arriva avec l'ordre de se replier et de rejoindre le corps principal des troupes du marquis près de l'une des fermes, entre Spotswood South Brook et Spotswood Middlebrook. Jamie fut soulagé. Il était absurde que des miliciens mal armés continuent d'assiéger l'unité d'artillerie lourde retranchée dans le verger et protégée par des fusiliers.

— Monsieur Guthrie, rassemblez vos compagnies et retrouvez-moi sur la route là-bas, ordonna-t-il en pointant un index. Monsieur Bixby, trouvez le capitaine Kirby et dites-lui la même chose. Je vais chercher les troupes de Craddock.

Les compagnies du capitaine Craddock avaient été démoralisées par sa mort. Jamie les avait prises sous son commandement direct afin d'éviter qu'elles ne se dispersent tel un essaim de bourdons.

Ils coupèrent à travers champs, récupérant au passage le caporal Kilmer et ses hommes à la ferme (elle avait été abandonnée, il ne servait donc à rien d'y laisser quelqu'un), puis s'avancèrent sur le pont qui enjambait le ravin. Il ralentit un moment, les sabots de son cheval résonnant sur les planches en bois, afin de profiter de l'air légèrement plus frais qui montait du ruisseau, dix mètres plus bas. Ils n'avaient pas fait une seule pause depuis le petit matin, et les gourdes devaient être vides. Toutefois, faire descendre tous les hommes jusqu'au ruisseau puis leur faire remonter le versant escarpé aurait pris trop de temps. Ils tiendraient jusqu'à ce qu'ils rejoignent la position de La Fayette. Il y avait des puits, là-bas.

Il regarda la route qui s'étirait devant eux, guettant des soldats embusqués. Il se demanda où était passé Ian. Il aurait bien aimé savoir où se cachaient ces foutus Britanniques.

Il le découvrit un instant plus tard. Un coup de feu retentit tout près. Son cheval fit une embardée et dérapa. Jamie eut juste le temps de retirer son pied de l'étrier et de rouler sur le côté avant que la bête ne tombe sur le pont en ébranlant toute la structure. Elle se débattit un instant avec un hennissement paniqué, puis glissa par-dessus bord et tomba dans le ravin.

Jamie se redressa aussitôt et agita les bras, montrant à ses hommes un taillis sur le bord de la route dans lequel ils pouvaient s'abriter.

— Courez ! hurla-t-il.

Il s'élança avec eux, la ruée le portant. Ils se réfugièrent entre les arbres, se bousculant, haletant et crachant leurs poumons. Kirby et Guthrie se mirent aussitôt à compter leurs hommes. Ceux de Craddock s'agglutinaient autour de Jamie et il fit signe à Bixby et au caporal Greenhow de faire le compte des hommes présents eux aussi.

Il entendait encore le bruit de son cheval s'écrasant sous le pont.

Il sentit la bile lui remonter dans la gorge. Il arrêta d'un geste le lieutenant Schnell qui voulait lui parler, alla derrière un grand pin et vida ses tripes. Il resta penché un moment, la bouche ouverte et le front appuyé contre l'écorce, laissant le flot de salive rincer le goût de vomi.

— *Cuidich mi, a Dhia...*

Il n'acheva pas sa prière, son esprit s'étant aussi vidé de mots. Il se redressa, s'essuya les lèvres sur sa manche et sortit de derrière l'arbre. Au même moment, il aperçut Ian avançant dans l'espace découvert au-delà du taillis. Il était à pied et se déplaçait lentement. Même de loin, Jamie pouvait distinguer ses ecchymoses.

L'un des miliciens le mit en joue et demanda :

— C'est l'un des nôtres ou l'un des leurs ?

— Il est à moi, rétorqua Jamie. Ne t'avise pas de lui tirer dessus. Ian ! IAN !

Il ne courut pas, son genou lui faisant trop mal, mais marcha vers son neveu aussi rapidement que possible. Il fut soulagé en voyant le regard vague de Ian s'éclaircir en le reconnaissant.

— Oncle Jamie ! Tu...

Il s'interrompit brusquement et secoua la tête comme pour s'éclaircir les idées.

— Tu es blessé, *a bhalaich* ?

Jamie l'examina de haut en bas, cherchant des traces de sang. Il y en avait un peu, mais rien d'affolant. Il ne se tenait pas le ventre comme s'il avait été blessé aux entrailles.

— Non, non, c'est...

Ian remuait ses lèvres, essayant de sécréter assez de salive pour articuler des mots. Jamie lui tendit sa gourde. Il n'y restait pas grand-chose, mais son neveu la vida d'un trait.

— William, dit-il enfin. Ton...

— Que lui est-il arrivé ? l'interrompit Jamie.

Des hommes approchaient sur la route, courant à moitié et lançant des regards derrière eux.

— *Quoi ?* répéta-t-il en saisissant le bras de Ian.

— Il est vivant, se hâta de préciser celui-ci. Il a reçu un coup sur la tête et gît au fond du ravin. À environ mille pieds en aval du pont. Il n'est pas mort, mais j'ignore si ses blessures sont graves.

Jamie acquiesça, faisant rapidement des calculs.

— Et toi, que t'est-il arrivé ? demanda-t-il.

Il espérait qu'il ne s'était pas battu avec William. D'un autre côté, si ce dernier était inconscient, il ne pouvait avoir volé le cheval de Ian.

— Deux éclaireurs abénaquis, expliqua Ian. Ces salauds me suivent depuis...

Jamie le tenait toujours par le bras et sentit l'impact de la flèche se répercuter dans le corps de son neveu. Ian lança un regard incrédule vers son épaule droite, d'où sortait l'empennage, puis ses genoux cédèrent et il entraîna son oncle dans sa chute.

Jamie se laissa tomber sur Ian et roula sur le côté, évitant de peu la seconde flèche qui siffla près de son oreille. Il entendit les coups de feu des miliciens juste au-dessus de sa tête, puis une confusion de cris. Plusieurs hommes jaillirent du taillis en hurlant et coururent dans la direction d'où étaient venues les flèches.

— Ian !

Il tourna son neveu sur le ventre. Il était conscient, mais le peu de son visage qui n'était pas couvert de peinture était livide. La flèche était logée dans ce que Claire appelait le deltoïde, la partie charnue du haut de l'épaule. Jamie saisit la tige et la remua doucement. Elle ne bougea pas.

— Je crois qu'elle s'est plantée dans l'os, observa-t-il. Ce n'est pas très grave, mais le fer est profondément enfoncé.

Ian tenta de se relever mais échoua.

— Casse-la, demanda-t-il. Je ne peux pas me promener avec une flèche pointant comme ça.

Jamie acquiesça, l'aida à s'asseoir, puis brisa la tige entre ses mains, laissant quelques centimètres sortir afin de pouvoir retirer la flèche plus tard. Claire se chargerait d'extraire la pointe.

Les cris et la confusion commençaient à se répandre. D'autres hommes arrivaient sur la route et il entendait un fifre appeler au loin, un son faible et désespéré.

— Tu sais ce qui se passe là-bas ? demanda-t-il en pointant le menton vers le raffut.

— J'ai vu le colonel Owen passer avec ses canons cassés. Il s'est arrêté pour échanger quelques mots avec Lee, puis a poursuivi sa route. Il ne semblait pas pressé.

Quelques hommes couraient d'un pas lourd, ne semblant pas pourchassés de près. Néanmoins, il perçut la nervosité qui se propageait parmi les miliciens rassemblés autour de lui et se tourna vers eux.

— Restez avec moi, dit-il calmement à Guthrie. Monsieur Bixby, dites au capitaine Kirby d'en faire autant. Restez tous avec moi. Que personne ne bouge sans mon ordre.

Les hommes de Craddock qui s'étaient lancés aux trousses des Abénaquis (ce devait être eux qui avaient lancé les flèches) avaient disparu dans la forêt. Après un instant d'hésitation, il ordonna à un petit groupe d'aller les chercher. Il n'avait jamais rencontré un Indien se battant depuis une position fixe et était raisonnablement sûr de ne pas les envoyer dans une embuscade. En revanche, ils tomberaient peut-être sur les Britanniques qui arrivaient, auquel cas, il avait besoin de le savoir. Il y en aurait bien un ou deux qui reviendraient pour l'en informer.

Ian tenta de se relever et il le soutint sous un bras. Ses jambes tremblaient dans son caleçon et son torse nu ruisselait de transpiration, mais il tenait debout.

— C'est toi qui m'as appelé par mon nom, oncle Jamie ? demanda-t-il.

— Oui, quand je t'ai vu sortir d'entre les arbres. Pourquoi ?

— Non, juste avant ça, dit Ian en touchant délicatement le morceau de flèche sortant de son épaule. Quelqu'un derrière moi m'a appelé. C'est ce qui m'a incité à repartir. Heureusement, car sinon j'aurais reçu la flèche en pleine poitrine.

Jamie fit non de la tête, légèrement perplexe comme chaque fois qu'il était effleuré par un fantôme, si c'était bien ce dont il s'agissait. Le plus étrange, c'était que cela ne paraissait jamais étrange.

Il n'eut pas le temps de s'appesantir sur le sujet. Des cris retentirent : « Retraite ! Retraite ! » Les hommes derrière lui s'agitèrent et ondoyèrent comme un champ de blé dans le vent.

— Restez avec moi ! répéta-t-il fermement.

Ceux qui étaient les plus proches de lui serrèrent leurs armes et plantèrent leurs talons dans le sol.

William… La flèche qui avait atteint Ian avait ravivé l'image de son fils, gisant étendu dans la boue, inconscient… Il ne pouvait envoyer ses miliciens le chercher, pas avec la moitié de l'armée refluant dans leur direction, les Britanniques sur leurs talons. Il entrevit un rayon d'espoir. Si les Britanniques venaient vers eux, ils traverseraient le ravin et verraient peut-être le garçon.

Il trépignait d'envie d'y aller lui-même. Si William agonisait… Hélas, il était hors de question d'abandonner ses troupes, surtout compte tenu de la situation.

Seigneur, si je ne lui parle jamais… si je ne lui dis pas…

Il apercevait à présent Lee et ses aides arriver sur la route. Ils avançaient d'un pas tranquille, droits sur leurs selles, déterminés mais sans hâte, lançant de temps à autre des regards derrière eux, presque furtivement.

— Retraite !

Le cri se propageait autour d'eux, toujours plus fort. De nouveaux hommes ne cessaient de surgir de la forêt.

— Retraite !

— Restez avec moi, répéta Jamie d'une voix plus basse.

Seuls Bixby et Guthrie l'entendirent, mais cela suffit. Ils se raidirent et se rapprochèrent de lui. Leur détermination aiderait à renforcer celle des autres. Si Lee venait vers lui et lui donnait un ordre, il serait obligé de le suivre. Mais pas avant.

— Merde ! lâcha quelqu'un derrière lui sur un ton de surprise.

Jamie se retourna et suivit le regard de celui qui avait parlé. Plusieurs miliciens de Craddock venaient de réapparaître, l'air content d'eux-mêmes. Ils tiraient la jument de Claire. Le corps inerte d'un Indien était couché en travers de la selle, sa longue touffe de cheveux graissée traînant presque sur le sol.

— On l'a eu, mon général ! lança l'un des hommes, un dénommé Mortlake.

Il fit un salut, souriant à pleines dents sous son chapeau qu'il avait oublié d'ôter.

Son visage luisait comme du cuir huilé. Il adressa un signe de tête amical à Ian et pointa le pouce vers la jument.

— Le cheval… à toi ?

— Oui, je vous remercie, monsieur. Mais il me semble que mon oncle en aura plus besoin que moi. N'est-ce pas ? dit-il en se tournant vers Jamie.

Mortlake sursauta en entendant son accent écossais. Jamie voulait refuser. Ian pouvait à peine marcher, mais il avait raison. Jamie devait conduire ses miliciens, en avant ou en arrière, et tous devaient pouvoir le voir. Il acquiesça. Le corps de l'Abénaquis fut tiré à terre puis balancé sans ménagement dans les buissons. Il surprit le regard de Ian, noir de dégoût et, songeant un instant à l'oreille qu'il portait dans sa bourse, espéra qu'il n'allait pas... Non, un Iroquois ne prendrait pas un trophée sur un homme tué par un autre.

— Ils étaient deux, n'est-ce pas, Ian ?

Ian s'arracha à la contemplation du cadavre et hocha la tête.

— On a aperçu l'autre, déclara Mortlake. Il a déguerpi quand on a abattu celui-ci.

Il toussota dans son poing et lança un regard vers le nombre toujours croissant d'hommes marchant sur la route.

— Dites, mon général, on ne devrait pas y aller, nous aussi ?

Les hommes piétinaient, étirant le cou pour voir ce qui se passait, puis ils murmurèrent en reconnaissant Lee, dont les aides se déployaient pour tenter vainement de ramener un peu d'ordre dans la débandade. Soudain, l'atmosphère changea. Jamie se retourna et la moitié des hommes en fit autant.

Washington approchait en sens inverse sur l'étalon que Jamie lui avait donné. L'expression sur son visage large et rugueux aurait pu faire fondre du plomb.

Le début de panique s'estompa aussitôt, les hommes se regroupèrent, curieux de voir ce qui se passait, certains s'arrêtant brusquement en apercevant Washington, les autres qui arrivaient derrière leur rentrant dedans. Washington s'avança au milieu de la mêlée, arrêta son cheval à la hauteur de Lee et se pencha vers lui, le teint écarlate.

— Qu'est-ce que cela signifie ?

Ces quelques paroles portées par un caprice de l'air lourd furent tout ce que Jamie parvint à entendre avant que le vacarme, la poussière et la chaleur étouffante ne retombent sur la scène avec une telle pesanteur qu'on ne percevait plus rien, hormis des volées de tirs de mousquets ou la détonation sourde d'une grenade au loin.

Il n'essaya même pas de hausser la voix pour se faire entendre ; c'était inutile. Ses hommes n'iraient nulle part. Ils étaient fascinés autant que lui par le spectacle devant eux.

Le long nez de Lee était pincé de fureur. Il rappela soudain à Jamie l'image d'une marionnette exaltée. Il sentit monter en lui une bulle de rire quand l'inévitable corollaire se présenta à lui : Washington dans le rôle de la marionnette mégère qui n'hésitait pas à rouer de coups de bâton son coquin de mari. L'espace d'un instant, il se demanda s'il n'avait pas succombé à la chaleur et perdu la raison.

Une fois dans son esprit, l'image ne voulut plus s'effacer. Il se revit dans Hyde Park, regardant la mégère poussant son mari dans une machine à saucisses.

Car c'était bien ce que faisait Washington. Cela ne dura que trois ou quatre minutes, puis Washington fit un geste écœuré et, faisant tourner son cheval, repartit au petit trot, sortant de la route pour contourner les troupes qui s'y étaient agglutinées pour ne rien perdre de la représentation.

Revenant à lui, Jamie glissa un pied dans l'étrier et monta en selle.

— Ian…, commença-t-il.

Son neveu acquiesça et posa une main sur son genou, autant pour se stabiliser que pour le rassurer.

— Donne-moi quelques hommes, oncle Jamie. J'irai chercher… sa seigneurie.

Jamie eut à peine le temps d'appeler le caporal Greenhow et de lui demander de choisir cinq hommes pour accompagner Ian, avant que Washington ne se rapproche suffisamment pour les apercevoir, lui et ses compagnies. Il tenait son chapeau à la main et ses traits paraissaient en feu. L'exaspération et la rage du désespoir se mêlant à l'excitation. Son corps tout entier irradiait une émotion que Jamie avait rarement vue, mais qu'il reconnut pour l'avoir lui-même ressentie un jour. C'était l'expression d'un homme prêt à jouer son va-tout car il n'avait plus d'autre choix.

La bouche large de Washington s'étira en un sourire carnassier.

— Général Fraser ! cria-t-il. Suivez-moi !

80

Pater Noster

WILLIAM REVINT LENTEMENT À LUI, échiné et rompu. Son crâne menaçait d'exploser et il avait envie de vomir. Il avait également terriblement soif, mais la seule idée d'avaler un liquide, quel qu'il soit, faisait remonter la bile dans sa gorge, lui donnant un haut-le-cœur. Il était étendu dans la poussière, des insectes rampant sur lui. Il vit une ligne de minuscules fourmis escaladant les poils sombres de son poignet et voulut secouer la main pour les faire tomber. Il découvrit qu'il était incapable de bouger et perdit à nouveau connaissance.

Elle lui revint soudain, douloureuse et cahotante. Le monde sautillait autour de lui et il ne parvenait pas à respirer. Des formes sombres entraient et sortaient de son champ de vision et il lui fallut un certain temps pour identifier les pattes d'un cheval. Il était couché en travers d'une selle, en train d'être emmené… Mais où ?

Des cris retentissaient autour de lui, lui transperçant le crâne.

— Halte ! lança une voix anglaise. Que faites-vous avec cet homme ? Levez-vous ! Levez-vous tout de suite ou je tire !

— Laissez-le ! répondit une voix écossaise vaguement familière. Poussez-le et courez !

Il y eut une cacophonie de sons au milieu de laquelle s'éleva à nouveau la voix écossaise :

— Dites à mon…

Il n'entendit pas la suite car il s'écrasa sur le sol avec une force qui lui coupa le souffle, puis il sombra à nouveau dans les ténèbres, la tête la première.

Finalement, ce fut un jeu d'enfant. John Grey avait trouvé une piste de bétail, avait suivi les empreintes de sabots vers ce qu'il devinait être un point d'eau et était tombé sur un groupe de soldats britanniques remplissant leurs gourdes au milieu d'un gué boueux. Étourdi par la fatigue et la chaleur, il ne s'était même pas donné la peine de se présenter et avait simplement levé les mains en l'air, se rendant avec un intense soulagement.

Une fois remis de leur surprise, les soldats lui avaient donné de l'eau puis l'avaient conduit, sous la garde d'un gamin nerveux armé d'un mousquet, dans la cour d'une ferme qui semblait abandonnée. Les propriétaires avaient sans doute fui en se rendant compte qu'ils se trouvaient au milieu d'environ vingt mille hommes armés décidés à s'entretuer.

Grey fut poussé vers une grande charrette à moitié remplie de foin, où on le fit asseoir avec plusieurs autres prisonniers – à l'ombre, Dieu soit loué! Ils étaient gardés par deux soldats d'âge mûr, armés de mousquets, et par un adolescent d'environ quatorze ans en uniforme de lieutenant qui sursautait chaque fois qu'un tir résonnait de l'autre côté des arbres.

Grey sentit que c'était sa chance. Il pouvait peut-être influencer ou intimider ce garçon et le convaincre de le conduire à Cornwallis ou à Clinton…

— Monsieur! aboya-t-il en direction du petit lieutenant.

Ce dernier cligna des yeux, surpris, tout comme les Américains capturés.

— Comment vous appelez-vous, monsieur? demanda-t-il sur un ton autoritaire.

Déconcerté, l'adolescent recula instinctivement de quelques pas avant de s'arrêter et de se ressaisir.

— Taisez-vous! ordonna-t-il, le teint rouge vif.

Il s'avança et voulut le gifler. Grey lui attrapa le poignet par réflexe, mais avant qu'il n'ait pu le lâcher, l'un des soldats bondit et asséna un coup de crosse sur son avant-bras gauche.

— Il vous a dit de vous taire, dit-il calmement. Je serais vous, j'obéirais.

Grey se tut, mais uniquement parce qu'il n'avait plus de voix. Son bras gauche avait déjà été brisé deux fois, la première fois par Jamie Fraser, la seconde par l'explosion d'un canon. La troisième fois n'était pas plus agréable. Sa vue se troubla un moment et tout en lui se contracta en une boule de plomb en fusion. Puis vint la douleur et il put enfin respirer à nouveau.

— Qu'est-ce que vous venez de dire? demanda l'homme assis à côté de lui. C'était pas de l'anglais, hein?

— Non, dit Grey en serrant son bras contre son ventre. Cela veut dire « Oh, merde », en allemand.

— Ah.

L'homme hocha la tête d'un air satisfait, puis, après un regard prudent vers les gardes, sortit une petite flasque de sous sa veste et la déboucha avant de la lui tendre.

— Tenez, buvez un petit coup, mon ami.

L'odeur de pommes blettes lui monta droit au cerveau et il fut à deux doigts de vomir. Il parvint néanmoins à avaler une gorgée et rendit la flasque avec un signe de tête. La sueur ruisselait sur son front, piquant son œil valide.

Plus personne ne parla. L'homme qui lui avait donné l'eau-de-vie de pommes était un soldat continental d'âge moyen, à moitié édenté, à la mine abattue. Il était assis le dos voûté, les coudes sur les genoux, regardant au loin dans la direction d'où résonnaient les coups de feu. Les autres en faisaient autant, tous tendant le cou vers les combats.

Il songea soudain au colonel Watson Smith, sans doute invoqué par les vapeurs d'eau-de-vie. Il lui apparut si subitement en tête qu'il sursauta légèrement, et l'un des gardes lui lança un regard d'avertissement. Grey tourna la tête et l'homme se détendit.

Abruti de douleur, de soif et de fatigue, il s'allongea au fond de la charrette, serrant son bras contre lui. Les bourdonnements d'insectes remplissaient ses oreilles, reléguant les volées de mousquet à un grondement lointain et insignifiant. Il se sentit bercé par une catatonie qui n'était pas désagréable. Il voyait Smith torse nu, allongé dans son lit étroit sous la lanterne, le serrant contre lui en lui caressant doucement le dos. À un moment, il sombra dans un sommeil agité ponctué de tirs et de cris.

Il se réveilla en sursaut, la bouche pâteuse, pour découvrir que plusieurs autres prisonniers avaient été amenés. Un Indien était assis près de lui. Avec ses paupières collantes et son œil voilé, il lui fallut un certain temps pour le reconnaître, sous les vestiges de ses peintures de guerre noires et vertes.

Ian Murray lui adressa un long regard froid qui signifiait clairement « Ne dites rien », puis il arqua un sourcil en direction de son bras. Grey haussa légèrement l'épaule droite puis tourna son attention vers la charrette d'eau qui venait de s'arrêter sur la route.

L'un des gardes se leva et pointa un doigt vers deux prisonniers.

— Toi et toi.

Il les escorta jusqu'à la charrette, d'où ils revinrent avec des seaux pleins.

L'eau était chaude et avait un goût de bois pourri, mais ils la burent avidement, en reversant sur leurs vêtements dans leur hâte. Grey s'essuya les lèvres sur sa manche, se sentant ragaillardi. Il tenta de fléchir le poignet ; peut-être n'était-ce qu'une contusion... Aïe ! Non, il était bel et bien cassé.

Il avait gémi malgré lui. Comme pour lui répondre, Murray ferma les yeux, joignit ses mains et commença à réciter le *Pater Noster*.

— Qu'est-ce que c'est que ce cirque ? bougonna le lieutenant. Vous parlez en indien, monsieur ?

Ian rouvrit les yeux et le regarda d'un air las.

— C'est du latin. Je fais mes prières. Cela vous dérange ?

— Si ça me dérange... ?

Le lieutenant s'interrompit, surpris autant par sa réponse que par son accent écossais. Il lança un regard aux deux autres gardes, qui détournèrent la tête, fixant le lointain.

— Non, marmonna-t-il.

Il lui tourna le dos, faisant mine d'être absorbé par la contemplation du nuage de fumée blanche qui flottait au-dessus des arbres.

Murray fit un bref signe de tête à Grey et reprit sa prière. Légèrement perplexe, Grey l'imita. Le lieutenant se raidit, mais ne se retourna pas.

À la fin de la prière, Ian demanda en latin sans changer d'intonation :

— Savent-ils qui vous êtes ?

— Je le leur ai dit ; ils ne m'ont pas cru. *Ave Maria.*

— *Gratia plena, Dominus tecum.* Voulez-vous que je le leur dise à nouveau ?

— Dans la mesure où j'ignore ce qu'ils me réservent, ça ne peut pas faire de mal, je suppose.

— *Benedicta tu in mulieribus, et benedictus fructus ventris tui, Jesu.*

Murray se leva soudain et les gardes se retournèrent aussitôt vers lui, braquant leurs mousquets. Il ne leur prêta pas attention et s'adressa au lieutenant :

— Cela ne me regarde probablement pas, monsieur, mais il me paraît dommage que vous gâchiez votre carrière à cause d'une petite erreur.

— Taisez... Quelle erreur ?

Ayant ôté sa perruque en raison de la chaleur, le lieutenant la remit sur son crâne, pensant sans doute qu'elle lui conférait un air plus digne. C'était une erreur, car elle était beaucoup trop grande pour lui et glissa immédiatement sur une oreille.

Murray fit un signe vers Grey, qui redressa le dos et fixa l'adolescent d'un œil impavide.

— Ce monsieur... J'ignore dans quelles circonstances il s'est retrouvé ici et pourquoi il est vêtu de la sorte, mais je le connais bien. C'est lord John Grey. Le frère du colonel Grey, le duc de Pardloe.

Le teint du jeune lieutenant changea à vue d'œil. Son regard alla rapidement de Murray à Grey, et il remit inconsciemment sa perruque d'aplomb. Grey se leva lentement, surveillant les gardes du coin de l'œil.

— C'est absurde, dit le lieutenant d'une voix faible. Que ferait lord John Grey ici, dans cet... cet accoutrement ?

— Les aléas de la guerre, lieutenant, répondit évasivement Grey. Je vois que vous appartenez au quarante-neuvième régiment. Sir Henry Calder est donc votre colonel. Nous nous connaissons personnellement. Si vous aviez l'amabilité de me prêter un papier et une plume, je lui écrirais un bref billet, lui demandant d'envoyer une escorte me chercher. Vous pourrez envoyer le message avec le porteur d'eau.

Il vit une lueur affolée dans les yeux de l'adolescent et espéra qu'il parviendrait à le calmer avant qu'il ne panique et ne décide que le meilleur moyen de se tirer de ce pétrin était encore de l'abattre.

L'un des gardes, celui qui lui avait cassé le bras, toussota délicatement.

— De toute façon, on a besoin de plus d'hommes, mon lieutenant. On n'est que trois pour douze prisonniers et il en arrivera sûrement d'autres.

Le lieutenant ne réagit pas et le garde fit une autre tentative :

— Je veux dire que... peut-être que vous pourriez en profiter pour demander des renforts, mon lieutenant ?

Il croisa le regard de Grey et prit un air navré.

— Je ne vous reproche rien, marmonna ce dernier sans le penser.

Les gardes se détendirent légèrement.

— Bon d'accord ! déclara le lieutenant.

Sa voix se brisa et il répéta d'une voix de baryton :

— D'accord !

Il lança un regard belliqueux à la ronde et tout le monde se retint de rire.

Sentant ses genoux mollir, Grey se rassit brusquement. L'expression de Murray, comme celle des autres prisonniers, restait prudemment neutre.

— *Tibi debeo*, lui glissa doucement Grey. « Je vous suis redevable. »

— *Deo gratias*, murmura Murray.

Ce ne fut qu'alors que Grey remarqua la traînée de sang, sur son bras et son flanc, qui descendait jusqu'à son pagne, ainsi que le fragment d'une flèche brisée pointant hors de son épaule droite.

William reprit à nouveau connaissance, cette fois sur une surface qui ne bougeait pas, Dieu merci ! Une gourde était pressée contre ses lèvres et il but goulûment, sa bouche en réclamant davantage alors que le goulot reculait.

— Pas si vite, tu vas te rendre malade, dit une voix familière. Respire, puis je t'en donnerai encore.

Il respira et ouvrit lentement les yeux sur une lumière aveuglante. Un visage connu flotta au-dessus de lui et il tendit vers lui une main tremblante.

— Papa…, murmura-t-il.

— Pas tout à fait, mais presque, répondit son oncle Hal.

Il saisit fermement sa main et s'assit près de lui.

— Comment va ta tête ?

William referma les yeux et s'efforça de se concentrer sur quelque chose qui n'était pas de la douleur.

— Ça ne fait pas… trop mal.

— Tu parles ! Laisse-moi voir.

Oncle Hal prit son visage entre ses mains et le fit tourner d'un côté et de l'autre.

— Donne-moi d'abord plus d'eau, grogna William.

Hal émit un petit rire et approcha à nouveau la gourde.

Lorsque William s'arrêta de boire pour reprendre son souffle, son oncle écarta la gourde et demanda le plus naturellement du monde :

— Es-tu capable de chanter ?

La vue de William lui jouait des tours. Tantôt il voyait deux oncles, tantôt un, puis à nouveau deux. Il ferma un œil.

— Tu veux que… que *je chante* ?

— Enfin, peut-être pas tout de suite, répondit le duc.

Il se redressa sur son tabouret et siffla un air, puis s'arrêta et demanda :

— Tu reconnais la mélodie ?

— *Lillibulero*, répondit William légèrement agacé. Qu'est-ce que c'est que cette histoire ?

— J'ai autrefois connu un type qui avait reçu un coup de hache sur la tête et avait perdu son sens musical. Il était incapable de distinguer une note d'une autre. (Il se pencha en avant en pointant l'index et le majeur en l'air.) Combien de doigts vois-tu ?

— Deux, et tu peux les mettre là où je pense, rétorqua William. Laisse-moi, je vais être malade.

— Je t'avais bien dit de ne pas boire aussi vite.

L'instant suivant, son oncle tenait une bassine sous son visage et lui soutenait la tête tandis qu'il vomissait et recrachait de l'eau tiède par le nez.

Une fois la crise passée, il se laissa retomber sur son oreiller (c'était un vrai oreiller ; il était étendu sur un lit de camp). Il se trouvait sous une tente militaire, celle de son oncle, à en juger par la vieille commode militaire et l'épée posée dessus. La lumière provenait du soleil bas de l'après-midi qui filtrait par l'entrée ouverte. Il s'essuya les lèvres sur le dos de sa main et demanda :

— Que s'est-il passé ?

— De quoi te souviens-tu ? contra son oncle.

— De...

Son esprit était rempli de bribes confuses. Son dernier vrai souvenir clair était celui de Jane et de sa sœur riant alors qu'il se tenait les fesses à l'air au milieu d'un ruisseau. Il but un peu d'eau et porta délicatement ses mains à son crâne enveloppé dans un bandage. Il était sensible au toucher.

— D'avoir fait descendre mon cheval au bord d'un ruisseau pour boire.

— On t'a retrouvé dans un fossé, expliqua Hal. Près d'un lieu nommé Spottiswood ou quelque chose comme ça. Les troupes de von Knyphausen tenaient un pont non loin.

William voulut secouer la tête et se ravisa rapidement.

— Je ne m'en souviens pas, dit-il en fermant les yeux.

— Cela te reviendra probablement.

Il marqua une pause, puis demanda :

— Tu ne te souviens pas non plus de la dernière fois où tu as vu ton père ?

William sentit un calme étrange l'envahir. Il avait dépassé le stade où il s'en souciait encore. De toute manière, le monde entier l'apprendrait d'une manière ou d'une autre.

— Lequel ? demanda-t-il.

Il rouvrit les yeux. Son oncle l'observait avec intérêt, mais ne paraissait pas surpris.

— Ah, fit-il. Tu as dû rencontrer le colonel Fraser.

— En effet. Et depuis combien de temps es-tu au courant ?

— Disons que j'en ai acquis la certitude il y a environ trois secondes.

Son oncle dénoua sa cravate en cuir et soupira de soulagement.

— Dieu qu'il fait chaud !

La cravate avait laissé une marque rouge autour de son cou. Il se massa doucement les paupières mi-closes.

— Pour ce qui est d'avoir constaté ton extraordinaire ressemblance avec le colonel Fraser... c'était récemment, lorsque je l'ai croisé à Philadelphie. Je ne l'avais pas vu depuis longtemps, depuis que tu étais tout petit, et je n'avais jamais fait le rapprochement.

— Ah.

Ils restèrent silencieux un moment, des moucherons et des mouches se heurtant au plafond en toile et retombant sur le lit comme des flocons de neige. Il entendait les bruits d'un vaste camp autour d'eux et comprit qu'ils se trouvaient sans doute avec le général Clinton.

— J'ignorais que tu étais avec sir Henry, observa-t-il.

Hal acquiesça, puis sortit sa flasque en argent cabossée de sa poche avant de se débarrasser de sa veste et de la lancer sur la commode.

— Je ne l'étais pas, j'étais avec Cornwallis. Nous, c'est-à-dire le régiment et moi, avons débarqué à New York il y a deux semaines. Je suis descendu à Philadelphie pour voir Henry et John, et me renseigner sur la meilleure manière d'aider Benjamin. J'étais à peine arrivé que j'ai dû quitter la ville avec l'armée.

— Ben ? Que lui arrive-t-il ?

— Cette andouille s'est mariée, a eu un fils et s'est laissé capturer par les rebelles. J'ai pensé qu'il aurait bien besoin d'un petit coup de main. Si je t'en donne un peu, tu crois que tu pourras boire sans vomir ?

William tendit la main vers la flasque sans répondre. Elle était remplie d'un bon brandy. Il huma précautionneusement le goulot et, son estomac ne se rebellant pas, osa une gorgée.

Oncle Hal l'observait en silence. Sa ressemblance considérable avec lord John procura une étrange impression à William, un mélange entre le réconfort et le ressentiment.

— Ton père…, demanda son oncle au bout d'un moment, ou mon frère, si tu préfères, quand l'as-tu vu la dernière fois ?

Le ressentiment se mua en colère.

— Le matin du 16. Chez lui. Avec mon « autre » père.

— Ah, c'est là que tu as découvert le pot aux roses ?

— En effet.

— C'est John qui te l'a dit ?

— Non ! Si je n'étais pas tombé nez à nez avec… l'autre, il ne me l'aurait sans doute jamais avoué !

Le sang qui lui montait à la tête l'étourdissait. Il tanguait et avança une main pour ne pas tomber. Hal le saisit par les épaules et l'aida à se rallonger. William resta immobile, serrant les dents, et attendit que la douleur passe. Son oncle lui reprit la flasque de la main et but une petite gorgée, l'air pensif.

— Tu aurais pu tomber sur pire, observa-t-il au bout d'un moment. En matière de père, je veux dire.

— Ah, vraiment ? dit froidement William.

— Certes, c'est un Écossais.

— Et un traître.

— Et un traître, convint Hal. Mais une sacrée fine lame. Et il s'y entend en chevaux.

— C'était un foutu palefrenier ! s'énerva William. Bien sûr qu'il s'y entend en chevaux !

Outré, il se redressa brusquement en dépit de la douleur vive dans ses tempes.

— Que vais-je faire ?

Son oncle poussa un profond soupir et reboucha sa flasque.

— Tu demandes des conseils ? Tu es trop vieux pour en recevoir et trop jeune pour les suivre.

Il lui lança un regard de biais avec une expression qui était celle de son père tout craché. Il était plus maigre, plus âgé, avec des sourcils bruns qui commençaient à broussailler, mais avec la même lueur rieuse au coin des yeux.

— As-tu songé à te faire sauter la cervelle ? demanda-t-il.

Interloqué, William battit des paupières.

— Non, pourquoi ?

— Alors tout va bien. À partir de là, cela ne peut aller que mieux.

Il se leva et s'étira en gémissant.

— Fichtre, je me fais vieux. Rallonge-toi et dors, William. Tu n'es pas en état de réfléchir.

Il ouvrit la lanterne et souffla la chandelle, plongeant la tente dans une pénombre dorée. Il se dirigea vers la sortie, sa silhouette élancée se détachant sur les derniers feux du soleil. Il s'arrêta avant d'abaisser le rabat derrière lui et se retourna.

— Tu es toujours mon neveu, tu sais, déclara-t-il comme si de rien n'était. Je ne sais pas si c'est un réconfort, mais rien n'y changera.

81

Entre les tombes

Le soleil bas brillait directement dans mes yeux, m'aveuglant, mais les victimes arrivaient à un tel rythme que je n'avais pas le temps de faire le tour avec mon matériel. Les hommes s'étaient battus toute la journée et continuaient. Je les entendais, non loin. En redressant la tête, la main en visière, je ne vis rien. Pourtant, les cris, les tirs de mousquets et ce que je pensais être des détonations de grenades (je n'avais jamais entendu une grenade exploser, mais quelque chose faisait des *pong !* creux très différents du *boum !* des canons ou de la lente percussion des mousquets) faisaient suffisamment de raffut pour étouffer les lamentations des blessés entassés sous les arbres et le bourdonnement des mouches.

Je chancelais de fatigue et ne pensais pas à la bataille. Du moins, jusqu'à ce qu'on m'amène un jeune milicien, le visage couvert de sang en raison d'une profonde entaille au front. Ce ne fut qu'après avoir contenu le saignement et l'avoir à moitié débarbouillé que je le reconnus.

— Caporal… Greenhow ? demandai-je.

Une pointe de peur pénétra le brouillard de fatigue. Joshua Greenhow était dans l'une des compagnies de Jamie. Je l'avais déjà rencontré.

— Oui, m'dame.

Il tenta de me saluer et je l'arrêtai, appuyant fermement sur la compresse que j'avais plaquée sur son front.

— Ne bougez pas. Et le général Fraser ? Avez-vous…

Ma bouche était poisseuse et je saisis machinalement ma tasse, la découvrant vide.

— Il va bien, m'dame, m'assura-t-il en tendant le bras vers la table sur laquelle se trouvait ma gourde. Du moins, il allait bien la dernière fois que je l'ai vu, cela fait dix minutes.

Il versa de l'eau dans ma tasse, la but d'un trait, soupira de soulagement, puis la remplit à nouveau et me la tendit.

— Merci.

L'eau était chaude mais elle humidifia au moins ma langue.

— Son neveu, Ian Murray ? demandai-je.

— Je ne l'ai pas vu depuis midi, mais il était encore bien vivant. Oh, pardon, m'dame, je voulais dire…

— Je sais ce que vous avez voulu dire. Mettez votre main là et appuyez fort.

Je posai sa main sur la compresse puis pêchai une nouvelle aiguille et un fil de soie dans le bocal d'alcool. Mes mains, qui avaient été fermes toute la journée, s'étaient mises à trembler légèrement et je m'arrêtai pour souffler un instant. Tout près. Jamie était tout près. Quelque part au milieu des combats que j'entendais.

Le caporal Greenhow était en train de me parler de la bataille, mais j'avais du mal à me concentrer. Il me racontait que le général Lee avait été relevé de son commandement et que…

— Relevé de son commandement ? m'exclamai-je. Mais qu'a-t-il bien pu faire ?

Surpris par ma véhémence, le jeune homme me répondit calmement :

— Ma foi, je n'en sais trop rien, m'dame. Ça un rapport avec une retraite qu'il n'aurait pas dû sonner. Puis le général Washington est arrivé sur son grand cheval, jurant comme un charretier… Je l'ai vu de mes propres yeux, m'dame ! Le général Washington ! Oh, si vous aviez vu ça, m'dame ! C'était si…

Il ne trouva pas les mots et je lui tendis la gourde de ma main libre.

— Putain de bordel de merde ! murmurai-je.

Les Américains étaient-ils en train de gagner ? Avaient-ils damé le pion aux Anglais ? Le général Lee avait-il tout fait capoter… ou pas ?

Heureusement, le caporal n'avait pas entendu mon propre langage de charretier. Il revenait à la vie comme une fleur sous la pluie, emporté par son récit.

— … Et on s'est précipités derrière lui. Il galopait sur la route et sur la crête, criant et agitant son chapeau. Toutes les troupes qui fuyaient se sont arrêtées pour le regarder, les yeux leur sortant de la tête. Puis ils ont fait demi-tour et se sont joints à nous… Toute l'armée, comme un seul homme. On a fondu sur ces saletés de tuniques rouges. Oh, m'dame, c'était… c'était magnifique !

— Magnifique, répétai-je docilement.

J'arrêtai une petite rigole de sang qui menaçait de lui couler dans l'œil. L'ombre des tombes s'étirait dans le cimetière, longue et violette. Le bourdonnement des mouches résonnait dans mes oreilles, plus fort que les coups de feu qui retentissaient toujours, se rapprochant de la fragile barrière des morts, Jamie avec eux.

Seigneur, protégez-le ! priai-je dans le silence de mon cœur.

— Vous avez dit quelque chose, m'dame ?

Jamie s'essuya le front sur sa manche couverte de sang, la laine râpant sa peau, la sueur lui piquant les yeux. Les Britanniques s'étaient retranchés dans une église, ou plutôt un cimetière. Les hommes s'abritaient derrière des stèles ou sautaient par-dessus des tombes dans leur fuite.

Puis un officier parvint à les reprendre en main et à les rassembler en une ligne défensive. La manœuvre reprit, un genou à terre, les mousquets calés de biais contre le sol, les baguettes prêtes…

— Feu! cria Jamie avec le peu de voix qui lui restait. Tirez! Maintenant!

Seuls quelques-uns de ses hommes avaient leur arme chargée, mais il suffisait parfois d'un seul bon tir. Un coup partit derrière lui. L'officier britannique cessa d'aboyer un ordre et chancela. Il se recroquevilla et tomba à genoux. Une seconde balle l'atteignit et il tressaillit avant de tomber sur le côté.

Un rugissement s'éleva de la ligne des tuniques rouges qui se dissout aussitôt. Certains hommes prirent le temps de fixer leurs baïonnettes, d'autres brandirent leurs fusils telles des massues. Les Américains fondirent sur eux en hurlant comme des fous furieux, les frappant avec leurs armes et leurs poings. Un milicien rejoignit l'officier tombé, le saisit par les jambes et le traîna vers l'église, peut-être dans l'intention de le faire prisonnier, peut-être dans celle de le conduire à un médecin…

Un soldat britannique se jeta sur lui, le faisant tomber et lâcher l'officier. Jamie courait, criait, essayait de rassembler ses hommes, mais c'était peine perdue. Ils étaient emportés par l'ivresse du combat et, quelle qu'ait été leur intention première en voulant s'emparer de l'officier, ils l'avaient déjà oubliée.

Privés de chef, les Britanniques étaient comme fous eux aussi. Certains étaient à présent engagés dans un bras de fer grotesque avec les Américains, chacun tirant de son côté un membre du cadavre, car s'il n'avait pas été tué sur le coup, le malheureux était sûrement mort, à présent.

Atterré, Jamie tentait de les rappeler à la raison, mais sa voix était brisée par la fatigue et l'essoufflement. Il n'émettait plus qu'un faible croassement. Il atteignit la rixe, tira un homme par l'épaule pour l'arrêter. Ce dernier pivota et lui envoya son poing dans la figure.

Il le reçut sur l'angle de la mâchoire, mais cela lui fit lâcher prise, puis, bousculé par quelqu'un qui essayait d'attraper une autre partie du corps de l'officier, il tomba à la renverse.

Un tambour. Quelqu'un au loin battait un rythme urgent. Une sommation.

— Retraite! cria une voix rauque. Retraite!

Il y eut une pause, très brève, puis tout changea. Les Américains se mirent à courir autour de lui, mais ils n'étaient plus frénétiques. Plusieurs d'entre eux portaient le corps de l'officier. Oui, il était bien mort. Sa tête pendait mollement comme celle d'une poupée de chiffon.

Dieu merci, ils ne le traînent pas dans la poussière, fut la seule pensée qui lui traversa l'esprit. Le lieutenant Bixby apparut à ses côtés, un lambeau de cuir chevelu arraché et du sang ruisselant sur son visage.

— Vous voilà, mon général! s'écria-t-il, soulagé. On croyait qu'ils vous avaient capturé.

Il lui prit respectueusement le bras et le tira.

— Venez, mon général. Ces fils de chiens pourraient revenir.

Jamie lança un regard dans la direction qu'il indiquait. Effectivement, les Britanniques se retiraient sous le commandement de plusieurs officiers qui avaient accouru depuis une masse de tuniques rouges se formant au loin. Ils ne semblaient pas enclins à vouloir repartir à l'attaque, mais Bixby avait raison : des tirs partaient encore ici et là dans les deux camps. Il hocha la tête et sortit un mouchoir de sa poche pour le donner à son lieutenant afin qu'il éponge sa plaie.

La blessure lui fit penser à Claire et il se souvint soudain des paroles de Denzell Hunter : « L'église Tennent, c'est là que sera l'hôpital. » Cette église était-elle celle qu'ils appelaient Tennent ?

Tout en suivant Bixby vers la route, il lança un regard derrière lui. Oui, les hommes qui s'étaient emparés de l'officier britannique l'emportaient vers l'église. Il y avait des blessés assis près de la porte, et un autre groupe d'entre eux près d'une petite tente blanche… Seigneur, la tente de Claire ! Était-elle… ?

Elle lui apparut aussitôt, comme invoquée par ses pensées. Elle était debout, fixant quelque chose la bouche entrouverte. Un soldat continental était assis sur un tabouret près d'elle, tenant un linge contre son front. La bassine à ses pieds était pleine d'autres chiffons ensanglantés. Que faisait-elle dehors, ainsi exposée ? Elle…

Elle tressaillit soudain, porta une main à son flanc et s'effondra.

Un marteau de forgeron me percuta de côté, me bousculant, et je lâchai mon aiguille. Je ne me sentis pas tomber mais je me retrouvai soudain par terre, des points noirs et blancs clignotant autour de moi, une sensation d'engourdissement envahissant mon côté droit. Une odeur de terre humide, d'herbe et de sycomore se répandit dans mes narines, âcre et réconfortante.

Commotion, pensai-je vaguement. J'ouvris la bouche mais ne parvins qu'à émettre un petit bruit sec du fond de la gorge. L'hébétude provoquée par le choc commença à s'estomper et je me rendis compte que j'étais recroquevillée en chien de fusil, mon avant-bras pressé contre mon bas-ventre. Je sentis une odeur de brûlé et de sang frais. Très frais. *J'ai été touchée par une balle…*

— *Sassenach !*

Le cri de Jamie retentit par-dessus le rugissement dans mes oreilles. Il semblait loin, mais je perçus clairement la panique dans sa voix. Je n'en fus pas troublée. Je me sentais très calme.

— *Sassenach !*

Les points noirs et blancs se rejoignirent. Devant moi s'étirait un étroit tunnel de lumière et d'ombres tourbillonnantes au bout duquel je vis le visage ahuri du caporal Greenhow. Une aiguille pendait au bout d'un fil passé dans les lèvres de son entaille au front à moitié recousue.

Restez à l'affût…
La suite en 2016.

Suivez l'auteure :
www.dianagabaldon.com
www.facebook.com/AuthorDianaGabaldon
www.twitter.com/Writer_DG

Suivez les Éditions Libre Expression sur le Web :
www.edlibreexpression.com

Cet ouvrage a été composé en Fournier MT Std 11,4/12,5
et achevé d'imprimer en septembre 2015 sur les presses
de Marquis Imprimeur, Québec, Canada.